셈을 할 줄 아는
까막눈이 여자

셈을 할 줄 아는 까막눈이 여자

JONAS JONASSON

요나스 요나손 장편소설 임호경 옮김

이 책은 실로 꿰매어 제본하는 정통적인 사철 방식으로 만들어졌습니다.
사철 방식으로 제본된 책은 오랫동안 보관해도 손상되지 않습니다.

차례

통계학적으로 말하자면,
1960년대 소웨토에서 태어난 까막눈이 여자가 자라나서,
어느 날 감자 트럭에서 스웨덴 국왕과 수상을 만나게 될 확률은
45,766,212,810분의 1이다.
이는 위에서 말한 까막눈이 여자의 계산에 의한 것이다.

제1부

멍청함과 천재성의 차이는
천재성에는 한계가 있다는 점이다.

– 익명인

1

오두막에 사는 소녀와
죽어서 소녀를 오두막에서 해방시켜 준 남자

어찌 말하자면, 남아프리카공화국 최대 게토의 공동변소 분뇨 수거인들은 운이 좋은 편이었다. 어쨌든 그들에겐 일자리가 있고, 또 비를 피할 지붕이라도 있었으니까.

하지만 통계적으로 보자면, 그들에겐 아무런 미래가 없었다. 그들 대부분은 젊은 나이에 결핵으로, 폐렴으로, 설사로, 마약으로, 알코올로, 혹은 이 모든 것들이 합해져 죽었다. 매우 드물긴 하지만, 바로 소웨토[1]의 공동변소 관리소장의 경우인데, 꾸역꾸역 쉰 살까지 살아남는 사람들도 있었다. 비록 과로와 질병으로 몹시 쇠약해진 상태였지만 말이다. 이 관리소장은 너무 많은 진통제를, 너무 많은 맥주와 함께, 너무 이른 아침부터 복용하곤 했다. 그 결과, 어느 날 그는 요하네스버그시(市) 위생국이 파견한 직원에게 약간 격렬한 언사를 사용했다. 일개 검둥이가 언성을 높인 것이다. 이 사건은 위생국장의 귀에까지 들어갔고, 다음 날 아침 부하 직원들과 가진 간식 모

1 요하네스버그에서 남서쪽으로 16킬로미터가량 떨어진 도시로, 아파르트헤이트 시대에 정부가 인종 분리를 위해 흑인 거주지로 지정했다.

임에서 국장은 B 섹터의 〈까막눈이〉를 교체할 때가 되었다고 선언했다.

이 간식 모임은 특별히도 화기애애한 시간이었는데, 한 신입 직원을 환영하는 의미에서 다 함께 케이크를 맛본 까닭이었다. 스물세 살의 피트 뒤토잇이 첫 직장으로 위생국에 채용되었던 것이다.

이 신참에게 소웨토의 문제를 해결하라는 임무가 떨어졌다. 왜냐하면 항상 이런 식으로 해왔기 때문이다. 신참들을 거칠게 단련시키는 의미에서 그들에게 까막눈이들을 맡기는 게 이 위생국의 관례였다.

소웨토 공동변소의 모든 분뇨 수거인들이 실제로 까막눈인지는 아무도 몰랐지만, 어쨌든 그들은 〈까막눈이〉라고 불렸다. 모두가 양철로 지은 찌그러진 오막살이에 살고 있는 이들은 학교 근처에도 가본 적이 없고, 뭐라고 말을 해도 제대로 알아듣지 못하는 자들이 아니던가?

피트 뒤토잇은 몹시도 불안했다. 그로서는 야만인들의 동네에 처음 가보는 거였다. 미술품상인 그의 부친은 경호원까지 한 명 붙여 주었다.

스물세 살이지만 아직 어린아이나 다름없는 청년은 공동변소 관리 사무실에 들어가서는, 그곳에서 풍기는 구린내에 대해 한마디 내뱉지 않을 수 없었다. 거기에는 곧 보따리를 싸야 할 신세인 공동변소 관리소장이 앉아 있었다. 그리고 그 옆에는 땅콩만 한 여자아이가 하나 서 있었는데, 그녀는 입을 열더니 〈아닌 게 아니라 똥에는 구린내를 풍기는 유감스러운 속성이 있지요〉라고 대답하여 피트를 경악하게 만들었다.

순간, 위생국 직원의 머릿속에는 이 꼬마가 날 놀리는 건가, 하는 의심이 떠올랐지만, 그건 있을 수 없는 얘기였다. 그는 무시해 버리고 곧장 본론으로 들어갔다. 그는 관리소장에게 설명했다. 당신은 더 이상 이 자리에 앉아 있을 수 없다, 상부에서 그렇게 결정이 내려졌다, 하지만 석 달 치 봉급을 받을 수는 있겠는데, 그 조건으로 다음 주 안에 공석이 된 자리를 메울 수 있는 후보자 세 명을 내게 소개해 주어야 한다…….

「그럼 내가 다시 분뇨 수거인이 될 수는 없을까요? 푼돈이라도 쬐금 벌게끔…….」 방금 전에 해고된 관리소장이 물었다.

「아니!」 피트 뒤토잇이 대답했다. 「당신은 그렇게 될 수 없어!」

일주일 후, 위생국 직원 뒤토잇과 그의 경호원이 돌아왔다. 해고된 관리소장은, 분명 이번이 마지막이겠지만, 그의 책상에 앉아 있었다. 저번의 그 여자아이도 옆에 서 있었다.

「자, 당신의 세 후보자는 어디 있소?」 뒤토잇이 물었다.

해고된 관리소장은 후보자들 중 두 명이 오지 못한 점에 대해 양해를 구했다. 하나는 전날 난투극 중에 목이 칼에 잘려 숨졌고, 다른 하나는 어디로 가버렸는지 아무도 모른다는 거였다. 어쩌면 또다시 구렁텅이에 떨어져 버렸을지도…….

피트 뒤토잇은 두 번째 후보자가 어떤 종류의 〈구렁텅이〉로 떨어졌는지 알고 싶지 않았다. 반면, 그는 최대한 빨리 이곳을 뜨고 싶었다.

「그럼 세 번째 후보자는 누구요?」 그가 화를 내며 물었다.

「에, 그러니까, 내 옆에 있는 이 애예요. 얘가 날 돕고 있는 게 벌써 3년째예요. 솔직히 일을 솔찬히 잘해요.」

「이런 제기랄! 아무리 그래도 열두 살 먹은 계집애를 공동변소 관리소장으로 임명할 수는 없는 일 아뇨?」 피트 뒤토잇이 버럭 소리쳤다.

「열네 살이에요.」 여자아이가 끼어들었다. 「그리고 경력이 9년이나 된다고요.」

관리 사무실에는 구린내가 솔솔 스며들고 있었고, 피트 뒤토잇은 그 구린내가 자기 양복에 밸까 걱정하지 않을 수 없었다.

「너, 마약을 시작했니?」

「아뇨.」

「임신했니?」

「아뇨.」

위생국 직원은 몇 초 동안 입을 다물었다. 꼭 필요한 일이 있지 않는 한 다시는 이곳에 발을 들여놓지 않으리라 굳게 다짐하면서.

「이름은 뭐지?」

「놈베코요.」

「놈베코, 하고 그다음은?」

「아마 마예키일 거예요.」

아이고 맙소사! 이자들은 자기 성(姓)도 모른단 말이야?

「좋아, 그렇다면 이 자리는 네 거다! 네가 마약이나 술을 입에 대지 않을 수 있다면.」

「그럴 수 있을 거예요.」

「좋아.」

그런 다음 위생국 직원은 경질된 관리소장에게로 몸을 돌리고 말했다.

「후보자 세 명을 데려오는 대가로 석 달 치 봉급을 얘기했는데, 한 사람만 데려왔으니 한 달 치만 주겠소. 또 데려왔다는게 고작 열두 살 먹은 꼬마이니 그 한 달 치도 빼겠소.」

「열네 살이에요.」 당사자가 정정했다.

피트 뒤토잇은 그들에게 인사도 하지 않은 채 경호원을 이끌고 사무실을 나갔다.

방금 전에 자기 상관의 상관이 된 여자아이는 그의 도움에 대해 감사를 표하고, 즉석에서 그를 자신의 오른팔로 채용했다.

「그럼 피트 뒤토잇은 어떡하지?」 그녀의 전(前) 상관이 걱정스레 물었다.

「아저씨 이름만 바꾸면 돼요. 분명히 그 사람은 앞에다 흑인두 명을 데려다 놓으면 누가 누군지 구별 못 할 거예요.」 열두살짜리로 보이는 열네 살짜리 소녀가 대답했다.

소웨토 B 섹터의 공동변소 신임 관리소장은 한 번도 학교에 가본 적이 없었다. 이는 그녀의 어머니에게 보다 시급한 다른 문제들이 있었기 때문이기도 했지만, 무엇보다도 놈베코가 불운하게도 남아프리카공화국에서 태어난 이유가 컸다. 그것도 1960년대, 그러니까 정치 지도자들이 놈베코 같은 아이들을 길바닥에 굴러다니는 돌멩이 정도로 여기던 시대에 태어났으니 설상가상이었다. 당시의 수상은 다음과 같은 질문을 던진 걸로 유명하다. 〈왜 까만 사람들이 학교에 다녀야 합니까? 기껏해야 땔감이나 물을 나르는 사람들 아닌가요?〉

이 경우에 있어서는 그의 말이 틀렸다. 왜냐하면 놈베코가 나른 것은 땔감도 물도 아니요, 똥이었기 때문이다. 아무리 그렇다고는 해도, 이 말라깽이 소녀가 나중에 커서 왕들과 대통령들과 사귀고, 열국(列國)을 벌벌 떨게 하고, 또 세계의 발전에 지대한 영향을 미치게 되리라고 상상할 이유는 전혀 없었다.

맞는 말이다.

만일 그녀가 그녀가 아니었더라면.

하지만 그녀는 그녀였다.

무엇보다도 그녀는 부지런한 아이였다. 다섯 살부터 그녀는 자기 몸뚱이만 한 분뇨통을 메고 다녔다. 그녀가 공동변소 분뇨 수거 일로 번 몇 푼을 들고 가면, 어머니는 자신에게 매일 필요한 시너 한 병을 사 오게 했다. 놈베코가 심부름을 다녀오면 어머니는 〈우리 착한 딸, 고마워〉라고 칭찬 한마디를 해준 다음, 병뚜껑을 따고, 도무지 빛이라곤 보이지 않는 캄캄한 미래가 주는 무한한 고통을 마취시켜 보려 애썼다. 놈베코와 그녀의 아버지가 마지막으로 접촉한 것은 그녀가 잉태된 지 약 20분 후로 거슬러 올라간다.

놈베코는 자라남에 따라 점점 큰 분뇨통을 날랐고, 그녀의 봉급은 시너 이외의 다른 필요까지 충족하기 시작했다. 그러자 그녀의 어머니는 자신의 의약품 목록에 다른 환각제와 알코올을 추가했다. 놈베코는 이런 식으로 계속 살 수는 없는 노릇이란 걸 깨닫고는, 어머니에게 이 모든 것을 끊든지 아니면 죽음을 택하든지 둘 중의 하나라고 설명했다.

어머니는 고개를 끄덕였다. 딸의 말을 이해한 것이다.

그녀의 장례식에는 많은 사람이 몰려들었다. 이 무렵, 많은 소웨토 주민들이 하는 일은 크게 두 가지였다. 첫 번째는 조금씩 목숨을 끊어 가는 거였고, 두 번째는 마침내 이 일에 성공한 사람들에게 마지막 경의를 표하는 일이었다. 어머니가 사망했을 때, 놈베코는 열 살이었고, 앞서 말했다시피 곁에 아버지가 없었다. 소녀는 어머니의 바통을 이어받아, 무서운 현실에 대한 화학적 방패를 만드는 방안을 심각하게 고려해 보았다. 하지만 장례식 후에 봉급을 받게 되었을 때, 그녀는 일단 먹을 것을 샀다. 배고픔이 가라앉자 그녀는 주위를 둘러보며 자문했다. 내가 지금 여기서 뭘 하고 있는 거지?

동시에 그녀는 지금 당장으로서는 다른 선택이 없다는 걸 깨달았다. 남아프리카공화국의 인력시장에서는 열 살 먹은 까막눈이에 대한 수요가 그리 많지 않았다. 아니, 전혀 없었다. 그리고 소웨토의 이 구역에는 인력시장이란 것 자체가 존재하지 않았다.

하지만 창자를 비우는 것은 누구에게나 필요한 일이며, 지구 상에서 가장 비참한 사람들도 예외는 아니다. 따라서 놈베코에게는 몇 푼이라도 벌 수 있는 구멍이 있는 셈이었다. 게다가 어머니가 죽어서 땅에 묻힌 지금에는 번 돈을 간수할 수도 있게 되었다.

이미 다섯 살 때부터, 놈베코는 분뇨통을 나르는 중에 무료함을 달래기 위해 통들을 세기 시작했다.

「하나, 둘, 셋, 넷, 다섯…….」

자라나면서 그녀는 좀 더 재미를 느끼기 위해 복잡한 계산으로 넘어갔다.

「열다섯 통씩 세 번 나르고, 그게 일곱 번이면…… 거기다 너무 무거워서 못 나른 한 통을 빼면…… 314통!」

놈베코의 어머니는 시너 병 외에는 아무것에도 신경 쓰지 않았지만, 그래도 자기 딸의 곱셈과 뺄셈 능력에는 주목하게 되었다. 그리하여 살아 있던 마지막 해, 그녀는 동네에 들어온 다양한 색깔과 효능의 약품들을 주위의 오두막 주민들과 나눌 일이 있을 때마다 딸을 부르곤 했다. 시너 한 병은 그냥 시너 한 병일 뿐이다. 하지만 그것을 각자의 필요와 재정 형편에 따라 50, 100, 250, 혹은 500밀리그램을 덜어 줘야 할 때에는, 수학 원리에 따라 정확한 나눗셈을 할 줄 알아야 한다. 그런데 열 살 먹은 꼬마가 그걸 할 수 있었다. 그것도 아주 잘했다.

예를 들어 이런 일이 있었다. 어느 날, 그녀의 직속상관은 그달에 실어 나른 분뇨통 개수와 처리된 전체 무게를 계산하느라 땀을 뻘뻘 흘리고 있었다.

「95 곱하기 92는…….」 그는 혼자서 웅얼거렸다. 「가만있자, 계산기가 어디 있더라?」

「8,740.」 놈베코가 옆에서 알려 주었다.

「꼬마야, 그냥 계산기나 찾아다 줘!」

「8,740이에요!」 놈베코가 되풀이했다.

「지금 뭔 말을 하는 거냐?」

「95 곱하기 92는 874 —」

「네가 그걸 어떻게 아냐?」

「에, 그러니까, 95는 100 빼기 5이고, 92는 100 빼기 8이에요. 100에서 5와 8을 빼면 87이에요. 그리고 5 곱하기 8은 40이고요. 따라서 87에다가 40을 붙이면 8,740이 나와요.」

「그 희한한 계산법은 대체 어디서 나온 거냐?」 상관이 입을 딱 벌리고 물었다.

「몰라요. 자, 그럼 작업을 다시 시작해 볼까요?」

이날, 그녀는 상관의 조수로 승진했다.

그런데 이 셈 잘하는 까막눈이 소녀는 상관의 책상에 수북이 쌓이는 공문들에서 요하네스버그의 높으신 양반들이 대체 무슨 말을 하고 있는지 알 수 없어 답답하기 그지없었고, 이 답답함은 갈수록 커져만 갔다. 문자에 약하기로는 상관도 크게 다를 바가 없었다. 아프리칸스어[2]에 능숙지 못한 그는 이 뜻 모를 글을 최소한 이해 가능한 언어로 바꾸기라도 해보려고 아프리칸스-영어 사전을 옆에 놓고 한 문장 한 문장 진땀을 쏟으며 읽었다.

「이번에는 또 무슨 말을 하고 있대요?」 이따금 놈베코가 물었다.

「자루들을 제대로 채우라는군. ……내 생각으론 그래. 아니면 위생 사업소 중에서 하나를 폐쇄할 것을 고려하고 있다는 얘기인지도……. 아, 잘 모르겠어!」

상관은 한숨을 푹 내쉬었다. 이런 그에게 조수는 아무런 도움을 줄 수 없었고, 그저 함께 한숨만 푹푹 내쉴 뿐이었다.

그런데 우연히도 당시 열세 살이었던 놈베코는 공동변소 분뇨 수거인용 샤워실에서 한 늙은 호색한으로부터 성추행을 당

2 남아프리카공화국의 공용어. 이 나라 백인들 조상의 언어인 네덜란드어가 변형된 것이다. 남아프리카공화국에서는 아프리칸스어 외에도 영어와 9개의 원주민어 등, 총 11개의 언어가 사용된다.

하게 되었다. 하지만 그가 목적을 이루기도 전에, 소녀는 그의 허벅지에 가위를 박아 정신이 번쩍 들게 해주었다.

다음 날, 그녀는 B 섹터 공동변소 맞은편에 있는 그의 집을 찾아갔다. 그는 초록색 칠을 한 자신의 오막살이 앞에, 허벅지에 붕대를 칭칭 감은 꼴을 하고서 캠핑 의자에 앉아 있었다. 그의 무릎에 놓인 것은……. 세상에나! 몇 권의 책이었다.

「왜 왔냐?」 그가 퉁명스레 물었다.

「내 가위 찾으러요. 어제 아저씨 허벅지에 박아 놓고 깜빡했어요.」

「버렸다.」

「그렇다면 내게 가위 하나 물어 주셔야 해요. 그런데 어떻게 아저씨가 글을 읽을 줄 알죠?」

호색한의 이름은 타보였고, 이빨은 반이나 빠져 있었다. 아직도 허벅지가 장난이 아니게 아픈 그는 이 성깔 사나운 계집애와 대화를 나누고 싶은 마음이 조금도 없었다. 하지만 그가 소웨토에 온 이후로 누군가가 그의 책에 관심을 보인 것은 이번이 처음이었다. 사실 그의 오두막은 책들로 꽉 차 있었고, 이 때문에 그는 〈미친놈 타보〉라는 별명까지 얻은 터였다. 게다가 지금 앞에 서 있는 계집아이의 얼굴에 나타난 것은 경멸보다는 부러움의 표정이었다. 어쩌면 이걸 이용해 볼 수 있을지도……?

「애야, 만일 네가 그렇게 사납게 굴지 않고 좀 더 협조적인 모습을 보여 준다면, 이 타보 아저씨가 내 인생 스토리를 들려줄 수도 있어. 또 어쩌면 글자들과 낱말들을 해독하는 법을 가르쳐 줄지도 모르지. 네가 좀 더 협조적인 모습을 보인다면 말이다…….」

놈베코는 어제 샤워장에서보다 더 협조적인 모습을 보여 주는 방안은 단 일 초도 고려해 보지 않았다. 하여 그녀는 대답했다. 내겐 가위가 한 개 더 있는데, 나로선 그걸 타보 아저씨의 다른 쪽 허벅지에 박기보다는 그냥 간직하고 싶어요. 반면, 만일 아저씨가 얌전히 있어 주신다면 ─ 또 내게 읽는 법을 가르쳐 주신다면 ─ 아저씨의 두 번째 다리는 성한 상태로 남아 있을 거예요.

타보의 머릿속에 한 가닥 의혹이 스쳤다. 지금 이 꼬마가 날 위협한 건가?

타보는 보기와는 달리 알부자였다.

그는 남아프리카공화국 이스턴케이프 주(州) 포트엘리자베스 시 부두의 한 너덜너덜한 천막집에서 태어났다. 그가 여섯 살이 되었을 때 어머니는 들이닥친 경찰들에게 끌려가 다시는 돌아오지 못했다. 그의 아버지는 아이가 혼자서도 세상을 잘 헤쳐 나갈 수 있는 나이가 되었다고 판단했다. 물론 아이로서는 그러기가 상당히 힘들었지만.

〈얘야, 몸조심하거라!〉 이게 아버지가 코흘리개 아들에게 해준 삶에 대한 충고의 전부였다. 그런 다음, 아들의 어깨를 툭툭 쳐주고는 더반으로 떠났고, 거기서 제대로 준비되지 않은 은행털이를 시도하다 현장에서 사살되었다.

여섯 살배기 꼬마는 항구에서 뭐든 닥치는 대로 훔치며 목숨을 이어 갔다. 이제 그에 대해 예상할 수 있는 최상의 시나리오는 그럭저럭 자라나서 그의 부모처럼 체포되어 감옥에 갇히거나, 아니면 총에 맞아 죽는 거였다.

이 도시의 게토에는 몇 해 전부터 한 에스파냐 선원이 살고 있었다. 주방장이요, 시인이기도 했던 그는 어느 날 〈우리에게 필요한 것은 음식이지 소네트가 아니야!〉라고 고함치는 열두 명의 굶주린 선원들에 의해 뱃전 밖으로 던져졌다. 에스파냐 선원은 죽어라 뭍까지 헤엄쳐서 목숨을 건질 수 있었다. 그는 거기서 오두막 하나를 얻게 되었고, 그 후로 시를 호흡하며 근근이 살아갔다. 늙어 시력이 감퇴하기 시작하자 서둘러 어린 타보를 붙잡아 와서는, 빵 한 조각씩 주어 가며 강제로 읽는 법을 가르쳤다. 그러고 나서 아이는 소리 내어 책을 읽어 주는 대가로 추가 배급을 받을 수 있게 되었다. 시력을 잃고 나서 반 치매 상태가 된 노인은 아침, 점심, 저녁 때 듣는 파블로 네루다 외에는 아무것도 먹지 않았다.

선원들이 옳았다. 사람이 시로만 살 수는 없는 법이다. 결국 노인은 굶주려 죽었고, 타보는 자기가 그의 책들을 모두 물려받기로 결정했다. 어차피 책 따위에 신경 쓰는 사람은 그 말고는 아무도 없었다.

읽기 능력 덕분에 소년은 항구에서 잡다한 일감을 얻을 수 있었다. 저녁이면 그는 시와 다른 문학작품, 특히 여행기를 탐독했다. 열여섯 살이 되어서는 이성을 발견하게 되었는데, 이성들은 그를 2년 후에야 발견했다. 타보는 열여덟 살이 되어서야 비로소 효과적인 이성 공략법을 찾아낼 수 있었던 것이다. 이 공략법의 구성 요소를 볼 것 같으면, 3분의 1은 큼지막한 미소요, 3분의 1은 그가 아프리카 대륙 곳곳을 여행하면서 (아

직은 상상 속의 여행에 불과했지만) 겪은 일들에 대한 이야기
요, 나머지 3분의 1은 자신의 사랑은 영원하다는 새빨간 거짓
말이었다.

　하지만 그가 진정으로 성공을 거둘 수 있었던 것은 이 세 가
지의 기본 재료에다 문학이라는 양념을 추가하면서부터였다.
그는 물려받은 재산 중에, 파블로 네루다의 『스무 편의 사랑의
시와 한 편의 절망적인 노래』를 에스파냐 선원이 직접 번역해
놓은 노트가 있는 것을 발견했다. 과연 〈노래〉는 타보를 절망
시켰지만, 스무 편의 〈시〉는 그로 하여금 항구에서 스무 명의
여인을 유혹하고, 열아홉 번의 일시적인 사랑을 맛볼 수 있게
해주었다. 스무 번째 여자도 분명 허물어졌을 것이다. 만일 이
천치 같은 네루다가 시의 끝 부분에다 〈그렇다오! 난 그대를
더 이상 사랑하지 않는다오!〉라는 구절만 집어넣지 않았다면
말이다. 타보는 이 구절을 너무 늦게서야 발견했다.

　몇 년 후, 동네 주민 대부분이 타보의 수법을 알게 되었고,
짜릿한 문학적 체험들을 계속할 수 있는 가능성은 갈수록 희
박해졌다. 이에 그는 레오폴드 2세[3]가 콩고 자유국의 원주민
들은 잘 대우받고 있다고 주장하면서 실제로는 무상 노동 제
공을 거부하는 이들의 손과 발을 잘라 내던 시대에 자신이 겪
은 일들을, 다시 말해서 말도 안 되는 거짓말들을 늘어놓기 시
작했지만, 이 또한 큰 도움이 되지 못했다.

3　Leopold II(1835~1909). 벨기에의 국왕. 1885년에 그의 개인적 속국인
〈콩고 자유국〉을 세워, 콩고에 대한 수탈과 탄압을 자행한다. 결국 국제적인 비
난과 압력에 굴복, 1909년에 콩고 자유국의 통치를 멈추고, 콩고는 벨기에령 콩
고로 벨기에의 식민지가 된다.

한마디로 이제 벌을 받아야 될 때가 온 것이지만(또 다른 거
짓말쟁이 벨기에 국왕처럼. 그는 먼저 식민지를 빼앗겼고, 그
다음에는 한 프랑스-루마니아계 매춘부에게 홀딱 빠져 재산
을 탕진한 뒤 죽었다), 그는 일단 포트엘리자베스를 빠져나와
북쪽으로 튀었다. 그리하여 닿은 곳이 세상에서 가장 탱글탱
글한 몸매의 여자들이 산다는 바수톨란드였다.

거기서 그는 이런저런 이유로 여러 해를 보내게 되었다. 상
황이 요구하면 사는 마을을 옮겨야 했지만, 어딜 가든 읽기와
쓰기 능력 덕분에 일거리 찾는 데는 별문제가 없었다. 그러면
서 점차로, 아직 계몽되지 못한 원주민들과 접촉하고 싶어 하
는 서양 선교사들이 주로 찾는 협상가로까지 발돋움했다.

바소토족의 우두머리인 세이소 추장은 백성들이 세례를 받
아서 좋을 이유는 전혀 없었지만, 어쨌든 주변의 보어인들로
부터 자신을 보호해야 할 필요성은 느끼고 있었다. 하여 선교
사들이 성경을 배포하는 대가로 무기를 주겠다고 타보를 통해
제안해 오자, 두말없이 받아들였다.

이리하여 신부들과 전도사들이 바소토족을 악으로부터 구
원하겠다고 벌 떼처럼 몰려들었다. 그들이 가져온 것은 성서
와 자동화기였고, 대인지뢰 몇 개도 잊지 않았다.

이 무기들은 적들을 제대로 물리쳐 주었지만, 신성한 책들
은 추운 산지에 사는 주민들의 불쏘시개감이 되고 말았다. 어
차피 그들은 글을 읽지 못하는 사람들이었다. 이 사실을 알게
된 선교사들은 전략을 바꿨다. 그들은 기록적인 시간에 무수
한 기독교 사원들을 세웠다.

타보는 다양한 성직자들 밑에서 조수로 일했다. 그러면서

매우 개인적인 형태의 안수(按手) 방법을 개발하여, 이를 선택적으로, 그리고 매우 은밀하게 시행했다.

사랑의 영역에 있어서는 유감스러운 사건이 딱 한 번 발생했다. 그것은 한 산지 마을의 주민들이, 성가대의 유일한 남성 대원이 아홉 명의 여성 대원 중에서 적어도 다섯 명에게 영원한 사랑을 약속했다는 사실을 발견했을 때였다. 현지의 영국인 목사는 처음부터 타보의 저의를 의심하고 있었다. 왜냐하면 그의 노랫소리는 금 간 꽹과리 두드리는 소리와 비슷했기 때문이다.

목사는 다섯 희생자의 아버지들과 접촉했고, 그들은 전통적인 방식의 심문을 행하기로 결정했다. 다음 보름밤에 타보가 엉덩이를 까고 개미집 위에 앉아 있으면 다섯 방향에서 화살이 날아들 것이었다.

일단은 달이 꽉 차오를 때까지 타보를 한 오두막 안에 가뒀다. 목사가 그를 감시하기로 했는데, 일사병으로 정신이 약간 혼미해진 성직자는 하마의 영혼을 구원하기 위해 강으로 내려가기로 결심했다. 그는 짐승의 콧구멍에 살며시 손바닥을 얹은 다음 선포하기를, 예수께서 그대를……

목사가 더 말을 잇기도 전에 하마는 아가리를 쩍 벌려 그를 두 동강 내었다.

이렇게 목사 간수에게서 해방된 타보는 이번에는 파블로 네루다의 도움을 받아 자신을 지키는 여자 간수의 마음을 움직이는 데 성공했다.

「우린 어떻게 되는 거야?」 사바나 쪽으로 걸음아 나 살려라 내달리는 그의 등에 대고 여자가 소리쳤다.

「그렇다오! 난 그대를 더 이상 사랑하지 않는다오!」 타보가 뒤도 돌아보지 않고 대답했다.

이 청년이 주님의 가호 아래 있었다는 엉뚱한 상상을 해볼 수도 있는 것이, 야밤에 수도 마세루까지 20킬로미터를 달리는 동안 사자와도, 치타와도, 코뿔소와도, 아니 개미 새끼 한 마리와도 마주치지 않았기 때문이다. 거기서 그는 세이소 추장을 찾아가 자문관을 해보겠노라 지원했고, 그를 기억하고 있던 추장은 쌍수를 들어 환영했다. 당시 추장은 독립을 얻어내기 위해 거만한 영국인들과 협상 중이었다. 하지만 협상이 지지부진을 면치 못하던 중, 신임 자문관 타보가 등장하여 그 거만한 양반들에게 선언했다. 만일 당신들이 계속 그렇게 뻗댄다면, 우리 바수톨란드는 킨샤샤 콩고의 조제프 모부투에게 도움을 요청할 거요!

영국인들은 자신도 모르게 끽 하고 딸꾹질을 했다. 뭐, 조제프 모부투? 최근 개명을 심각하게 고려하고 있다고 세계만방에 선언한 그자? 〈무한한 인내심과 굳건한 의지로써 승리에 승리를 거듭하며 가시는 걸음마다 찬란한 불길을 남기시는 전능하신 전사〉라는 이름으로?

「맞아요.」 타보가 대답했다. 「사실 그는 내 가장 친한 친구 중 하나예요. 난 시간을 절약하기 위해, 그를 그냥 〈조〉라고 부르죠.」

영국 대표단은 특별 회의를 열어, 이 지역에 필요한 것은 평화와 안정이지, 자기 망상에 따라 칭호를 정하는 전능하신 전사가 아니라는 점에 합의를 보았다. 그런 다음, 협상 테이블로 돌아와 선언했다.

「그렇다면 이 나라는 당신들 거요!」

바수톨란드는 레소토가 되었고, 세이소 추장은 모셰셰 2세라는 칭호로 즉위했다. 타보는 새 국왕의 절대적 신임을 받는 총신이 되었다. 그는 왕실의 일원으로 대우받았으며, 이 나라 최대의 광산에서 나온 다이아몬드 원석이 빵빵하게 든 주머니도 하나 하사받았다.

하지만 그는 어느 날 예고 없이 종적을 감췄다. 그러고 나서 스물네 시간 후에 국왕 폐하는 이 세상 그 무엇보다도 아끼는 자신의 누이동생, 혹 불면 날아갈 듯이 가녀린 세이소 공주가 임신 중이라는 사실을 발견했다.

새카만 데다가, 더러운 데다가, 나이도 먹을 만큼 먹어서 이빨이 반이나 빠진 사내가 1960년대 남아프리카공화국의 백인 사회에 숨어들 수 있는 가능성은 그가 아무리 부자라 해도 전무하다고 할 수 있었다. 전에 바수톨란드였던 나라에서의 이 불행한 사건이 있은 후, 타보는 그가 지닌 다이아몬드 중 극히 일부분을 가장 가까운 곳에 있는 보석상에 팔아 치운 뒤, 서둘러 소웨토로 향했다.

그는 그곳의 B 섹터에서 비어 있는 오두막 하나를 찾아냈다. 거기에 입주한 그는 자기 신발을 지폐로 채우고, 다이아몬드의 반을 흙바닥에 파묻었다. 그리고 나머지 반은 자기 입안의 뽕뽕 뚫린 치아 구멍들에 하나하나 박아 넣었다.

최대한 많은 여인들에게 과도한 약속을 뿌려 대기 전에, 그는 우선 오두막을 예쁜 초록색으로 다시 칠했으니, 이런 작은 디테일 하나에 숙녀들의 마음이 흔들리기 때문이었다. 또 리놀륨 장판으로 바닥도 꾸며 놓았다.

타보는 카사노바로서의 그의 재능을 소웨토의 모든 섹터에서 발휘했지만, 얼마 후에는 자신이 사는 섹터만은 제외하기로 했는데, 이는 여인들을 정복하는 사이사이에 자신의 오두막 앞에 앉아 방해받지 않고 독서를 즐기기 위함이었다.

독서와 연애 사업에 몰두하지 않을 때는 여행으로 시간을 보냈다. 그는 일 년에 두 번씩 아프리카 전역을 — 레소토는 세심하게 피해 가면서 — 누비고 다녔다. 이를 통해 그는 많은 경험과 새로운 책들을 얻을 수 있었다.

경제적 제약이 전혀 없었지만, 타보는 언제나 자신의 허름한 오두막으로 돌아왔다. 그가 집으로 돌아오는 가장 중요한 이유는 재산의 반이 여전히 리놀륨 장판 30센티미터 아래에 묻혀 있기 때문이었다. 타보의 치아는 보유한 다이아몬드 전체를 박아 넣기에는 아직은 상태가 너무 양호했던 것이다. 이렇게 여러 해가 지나고 나서야 소웨토 오두막 주민들은 수군대기 시작했다. 책을 잔뜩 가진 저 미친놈은 대체 돈이 어디서 나기에 저렇게 호화판으로 노는 거지?

타보는 쑥덕공론이 너무 부풀어 오르기 전에 직장을 하나 갖기로 결정했다. 그것도 가장 쉬운 직장으로. 일주일에 몇 시간만 일하면 되는 공동변소 분뇨 수거 일이 딱이었다.

그의 동료 대부분은 알코올에 중독된, 미래가 없는 청년들이었다. 또 아이들도 있었는데, 그중에는 샤워칸 문 하나를 잘못 열었다는 이유만으로 자신의 허벅지를 가위로 찌른 열세 살짜리 계집애도 포함되어 있었다. 아니, 어쩌면 제대로 연 것인지도 모르겠다. 여하튼 안에 있는 계집애를 본 순간, 자기가 잘못 열었다는 걸 깨달았다. 너무 어린 데다가, 몸은 막대기처럼 밋밋하여 그의 욕구를 만족시킬 요소라곤 전혀 없었기 때문이었다.

가위에 찔린 허벅지가 아직도 욱신거리는데, 계집아이는 오두막 앞에 떡 버티고 서서는 자기에게 읽는 법을 가르쳐 달란다.

「그래, 가르쳐 주고는 싶다만, 난 내일 여행을 떠난다.」타보는 이렇게 대답하면서, 방금 자신이 한 말대로 하는 게 가장 안전한 길이겠다고 속으로 중얼거렸다.

「여행을 떠난다고요?」 13년이라는 기나긴 삶 동안 한 번도 소웨토 밖으로 나가 본 적이 없는 놈베코가 놀라서 물었다. 「어디로요?」

「일단 북쪽으로 갈 거다. 목적지는 그다음에 생각해 보고.」

타보가 없는 동안, 한 살을 더 먹은 놈베코는 승진을 했고, 관리소장으로서의 역할에 금방 적응했다. 그녀는 B 섹터를 여러 구역으로 분할하는 데 있어서 그 기준을 면적이나 명성이 아닌 인구수에 두었고, 이에 따라 건식 좌변기들은 한결 합리적으로 배치되었다.

「30퍼센트나 향상되었어!」 그녀의 전임자가 축하해 주었다.

「30.2퍼센트예요.」 놈베코가 정정했다.

공급은 수요를 만족시켰고, 그 역(逆)도 마찬가지였다. 결과적으로 그들은 예산의 일부를 절약할 수 있었고, 이 남은 액수는 위생 변기를 네 개 더 설치하는 데 사용되었다.

열네 살짜리 소녀의 언어 능력은 그녀의 주변에서 사용되는 언어가 얼마나 빈곤했는지를 생각해 본다면 참으로 놀라운 수준이었다(소웨토의 공동변소 분뇨 수거인 중 하나와 대화를 나눠 본 사람이라면 알 것이다. 그들의 어휘 중 절반은 활자화되기 민망한 것이며, 나머지 절반은 빨리 잊어버리는 편이 낫다는 사실을). 그녀의 문장 감각은 타고난 것이기도 했지만, 사무실 한구석에 놓여 있어 놈베코가 틈이 날 때마다 틀어 놓는 라디오 덕도 컸다. 그녀는 주파수를 토론 전문 방송에 맞춰 놓았고, 거기서 오가는 내용뿐만 아니라, 토론자들이 자신의 생각을 표현하는 방식에도 주의를 기울였다.

〈아프리카 산책〉이라는 제목의 주간 프로그램 덕분에, 놈베코는 소웨토 바깥에 또 다른 세상이 존재한다는 사실을 처음으로 알게 되었다. 그것이 반드시 더 아름답다거나 나은 세상이라는 법은 없었지만, 어쨌든 바깥에 존재한다는 사실이 중요했다.

예를 들어, 그녀는 앙골라가 포르투갈로부터 독립을 쟁취했다는 사실을 알게 되었다. 앙골라의 PLUA자유당은 PCA자유당과 합병하여 MPLA자유당을 결성했고, 이 MPLA자유당은 FNLA자유당, UNIYTA자유당과 함께 포르투갈 정부로 하여금 아프리카 대륙의 이 부분을 발견했다는 사실 자체를 후회하게 만들었다. 그건 그렇고, 이 정부는 이 나라를 통치해 온 4백 년의 유구한 세월 동안 단 하나의 대학교도 세우지 못했다고 한다…….

까막눈이 놈베코는 이 아리송한 이름의 단체들이 대체 어떻게 되었다는 건지 잘 이해할 수 없었지만, 어쨌든 그 결과가 〈변화〉인 것은 확실해 보였다. 〈변화〉, 그것은 〈음식〉과 함께 그녀가 알게 된 가장 멋진 단어였다.

어느 날 그녀는 동료들 앞에서 이 〈변화〉는 그들 모두의 삶에도 어떤 의미를 가질 수 있을지 모른다고 말했다. 하지만 그들은 소장이 정치 얘기를 한다고 투덜거렸다. 온종일 똥을 나르는 것도 지겨워 죽겠는데, 이제는 똥 같은 소리를 듣고 있어야 한단 말이야?

놈베코는 공동변소 관리소장으로서 이 개탄스러운 동료들도 관리해야 했지만, 또 위생국 직원 피트 뒤토잇도 다뤄야 했다. 놈베코가 소장으로 임명되고 나서 처음으로 방문했을 때, 그는 예산상의 문제로 새 위생 변기 네 개를 설치하지 못하고 단 한 개만 설치하기로 했다고 알렸다. 이에 대해 놈베코는 나름의 방식으로 복수했다.

「이건 아무 관계도 없는 얘긴데…… 담당관님께서는 탄자니아의 현 상황에 대해서 어떻게 생각하세요? 줄리우스 니에레레의 사회주의적 실험은 실패하지 않을까요?」

「탄자니아?」

「네. 현재 곡물 손실이 거의 백만 톤에 이르고 있어요. 문제는 만일 국제통화기금이 없다면 니에레레가 과연 무얼 할 수 있는가예요. 아니면 담당관님께선 이 IMF란 것 자체가 문제라고 생각하시나요?」

학교 문턱에도 가본 적이 없고, 소웨토 밖으로 한 걸음도 내디뎌 본 적이 없는 여자아이가 물었다. 이 질문을 받은 담당관은 지배 엘리트의 대표자요, 대학까지 나왔지만 탄자니아의 정치적 상황에 대해서는 아무것도 몰랐다.

날 때부터 허여멀겋던 위생국 직원의 얼굴은 소녀의 조리 있는 말 앞에서 백지장이 되었다. 열네 살 먹은 까막눈이 계집애에게 모욕당하는 기분이었다. 게다가 이 건방진 계집애는 자기가 위생 시설에 책정한 예산에 대해서도 이의를 제기하는 것이었다.

「여기서 뒤토잇 담당관님은 어떻게 생각하신 건가요?」 숫자를 해독하는 법을 혼자서 터득한 놈베코가 물었다. 「왜 차액들을 서로 곱하셨어요?」

셈을 할 줄 아는 까막눈이 계집애.

그는 그녀가 끔찍이 싫었다.

까막눈이들 모두가 끔찍이 싫었다.

몇 달 후, 타보가 여행에서 돌아왔다. 돌아온 그는 두 가지 사실을 발견했다. 첫째, 가위를 휘두르는 계집애가 자기 상관이 되어 있었다. 둘째, 그녀는 전보다 애티가 많이 가서 있었다. 다시 말해서 몸 여기저기가 봉긋봉긋해지고 있었다.

이빨이 반쯤 빠진 사내의 내부에서 격렬한 갈등이 일어났다. 그는 이런 때면 보통 자신의 이빨 빠진 미소와 현란한 이야기 테크닉, 그리고 파블로 네루다에 의지했다. 하지만 이제는 위계상의 문제가 조금 있었고…… 무엇보다도 가위의 추억이 어른거렸다.

타보는 조금만 더 참기로 마음먹었다. 하지만 포석(布石)은 깔아 두어야 했다.

「자, 이젠 네게 읽는 법을 가르쳐 줄 때가 된 것 같구나.」

「아, 좋아요!」 놈베코가 환호했다. 「오늘 일과가 끝난 후 곧바로 시작해요. 우리가 아저씨 오두막으로 찾아갈게요. 나와

내 가위가 말이에요.」

타보는 훌륭한 교사였고, 놈베코는 재능 있는 제자였다. 3일째 되는 날부터 그녀는 타보의 오두막 앞에서 막대기로 진흙 땅에 알파벳을 쓸 수 있게 되었다. 5일째 되는 날부터는 한 음절 한 음절 읽어 가며 단어와 문장들을 해독하기 시작했다. 처음에는 성공할 때보다 실패할 때가 많았지만, 두 달이 지난 후에는 틀리는 때보다 제대로 읽어 내는 때가 더 많았다.

잠시 쉬는 시간이면 타보는 자기가 세상을 돌아다니며 겪은 일들을 들려주었다. 얼마 지나지 않아 놈베코는 그가 2대 1의 비율로 허구와 현실을 뒤섞는다는 사실을 눈치챘지만, 그게 그렇게 나쁘게 느껴지진 않았다. 어차피 주위의 현실은 똥통이나 다름없었다. 그 똥통 이야기만 자꾸 들어서 좋을 게 뭐가 있겠는가?

최근에 타보는 에티오피아에 가서 〈유다의 사자(獅子)〉, 〈신이 선택한 자〉, 〈왕 중 왕〉 등으로 불리는 황제를 직접 실각시키고 왔는데…….

「하일레 셀라시에 말이군요?」 놈베코가 끼어들었다.

타보는 대꾸하지 않았다. 그는 듣기보다는 말하는 걸 좋아했다.

일개 추장에 불과했다가 황제가 되고, 카리브 지역에서는 거의 신으로까지 추앙받는 존재가 된 이 인물의 이야기는 너무도 재미난 것이어서, 타보는 결정적인 순간에 써먹으려고 아껴 두었던 것이다.

어쨌든 그 신성한 존재는 이제 왕좌에서 끌려 내려왔고, 전세계에 산재한 그의 제자들은 아연실색하여 대마초를 뻑뻑 피우면서 자문하고 있단다. 어떻게 이 〈약속의 메시아〉요, 〈신의 현신(現身)〉이신 분이 이렇게 느닷없이 폐위될 수 있단 말인가? 신을 폐위하다니, 그게 가당키나 한 말인가?

놈베코는 이 충격적인 사건의 정치적 맥락에 대해 질문을 던지는 것은 삼갔다. 사실 그녀는 타보가 이에 대해서는 아무것도 모를 거라고 거의 확신하고 있었다. 또한 너무 많은 질문은 이야기의 재미를 반감시키는 법이다. 그녀는 오히려 계속 격려해 주는 편을 택했다.

「다른 이야기도 해주세요!」

타보는 일이 잘 진행되고 있다고 생각했다(인간은 착각의 동물이다). 그는 조금 더 가까이 다가앉아서는, 다시 이야기를 시작했다. 돌아오는 길에 자신은 콩고의 킨샤샤에 들러 그 유명한 〈럼블 인 더 정글〉, 다시 말해서 무패의 사나이 조지 포먼과 무함마드 알리가 맞붙은 세기의 헤비급 대결에서 후자를 약간 도와주고 왔는데…….

「세상에! 정말 기가 막히네요!」 놈베코가 탄성을 올렸다. 아닌 게 아니라 타보의 이야기는 창의성 측면에서 정말로 기가 막혔다.

타보는 큼지막한 미소로 화답했는데, 그게 얼마나 큼지막했는지 놈베코는 남아 있는 썩은 이빨들 사이에서 반짝반짝 빛나는 것들을 발견하게 되었다.

「맞아! 사실은 내게 도움을 요청한 사람은 무패의 사나이였어. 허나 난 심정적으로…….」 타보는 이야기를 계속하여, 헌신적인 친구 타보의 더없이 귀중한 지원을 받은 무함마드 알리가 조지 포먼을 무참히 케이오시키는 장면까지 논스톱으로 내

달렸다.

여담이지만, 알리의 아내도 자기를 아주 살갑게 대해 주었다고…….

「알리의 아내라고요? 설마, 아저씨가 그 여자도……?」

타보가 턱뼈를 흔들어 대며 얼마나 통쾌하게 웃어 젖혔던지, 입속에서 땡그랑땡그랑 하는 소리가 들렸다. 그는 이내 진지한 표정을 되찾고는 조금 더 가까이 다가앉았다.

「놈베코, 넌 아주 예뻐. 알리의 아내보다 훨씬 더 예뻐. 어때, 우리 한번 사귀어 볼까? 우리, 함께 어딘가로 떠날까?」 그는 그녀의 어깨에 팔을 두르면서 은근히 말했다.

놈베코는 〈어딘가로 떠난다〉는 말이 달콤하게 느껴졌다. 그곳이 어디든 상관없을 것 같았다. 하지만 이 음탕한 사내와는 절대로 아니었다. 이날의 수업은 이미 끝난 뒤였다. 놈베코는 타보의 왼쪽 허벅지에 가위를 박아 주고 그곳을 나왔다.

다음 날, 그녀는 타보의 오두막에 와서 왜 사전 통보도 없이 결근했느냐고 호통을 쳤다.

타보는 설명했다. 자기는 지금 양쪽 허벅지가 몹시 불편하고 특히나 왼쪽 허벅지가 아픈데, 놈베코 양께선 이게 무엇 때문인지 잘 아시지 않느냐…….

놈베코는 대답했다. 맞다, 잘 알고 있고, 더 아플 수도 있다. 왜냐하면 다음번에는 가위를 허벅지가 아니라 두 허벅지 사이의 어딘가에 박아 줄 생각이기 때문이다. 만일 앞으로 아저씨가 얌전히 있는 법을 배우지 못한다면…….

「또 어제 난 아저씨의 지저분한 입속에 들어 있는 것을 보았을 뿐만 아니라, 그게 우수수 떨어져 내리며 내는 소리도 들었어요. 이제부터는 아저씨가 행동을 조심하지 않으면, 내가 본 사실을 가급적 많은 사람들에게 알려 주겠어요.」

타보의 얼굴이 창백해졌다. 만일 자기에게 다이아몬드가 있다는 게 알려지면 목숨을 몇 분도 부지하기 힘들다는 걸 잘 알기 때문이었다.

「애야, 네가 원하는 게 뭐니?」 그는 우는소리를 냈다.

「앞으로는 여기에 책을 읽는 법을 배우러 올 때마다 새 가위를 가져올 필요가 없었으면 해요. 입속에 가진 게 이빨밖에 없는 우리 같은 사람들은 비싼 가위 사기가 힘들걸랑요.」

「그냥 날 잊어 주면 안 되겠니?」 타보가 거의 애걸하듯 물었다. 「날 조용히 살게 내버려 두면 다이아몬드 한 개를 줄 수 있어.」

그는 뇌물을 먹여 곤경에서 벗어난 적이 있었지만, 이번에는 안 통했다. 놈베코는 자신은 다이아몬드에 관심이 없다고 대답했다. 왜 남의 물건에 탐을 내겠는가? 자기 것이 아닌 것은 자기 것이 아닌 것이다.

먼 훗날, 지구의 저쪽에서 그녀는 삶은 이보다 훨씬 복잡하다는 사실을 깨닫게 될 것이다.

타보의 삶에 마침표를 찍은 것은 매우 아이러니하게도 두 명의 여자였다. 그들은 포르투갈이 지배하는 동부 아프리카에서 자라났고, 백인 농부들을 살해하여 그들이 지닌 것을 털어 내 먹고 살았다. 그들의 사업은 내전이 계속되는 동안에는 번창했다. 독립이 선포되고 나라 이름이 모잠비크로 바뀌고 난 후, 아직 남아 있던 백인 농부들은 보따리를 싸라는 명령을 받았다. 두 여자는 표적을 부유한 흑인들로 옮기는 것 외에는 다른 방도가 없었다. 이것은 훨씬 나쁜 생각이라는 게 곧 밝혀졌으니, 뭔가 훔칠 만한 것을 소유한 흑인들의 대부분은 권력을 잡은 마르크스·레닌주의당의 당원들이었기 때문이다. 얼마 되지 않아 두 여자 도둑은 지명수배되어 무시무시한 경찰들에게 쫓기는 신세가 되었다.

이런 이유로 이들은 남쪽으로 내달려, 요하네스버그 옆에 붙어 있는 이상적 은신처인 소웨토에 이르렀다.

이 남아프리카공화국 최대 게토가 제공하는 장점 중의 하나는 군중 가운데 숨어들 수 있다는 점이었다(당사자가 흑인이기만 하다면). 하지만 불편한 점도 없지 않았다. 소웨토의 80만 주민(타보는 제외하고)의 재산을 다 합친다 해도, 동부 아프리카 백인 농부 한 명의 그것에도 미치지 못했다. 어쨌거나 두 여자는 알록달록한 색깔의 알약을 몇 개씩 삼킨 뒤 다시 먹잇감을 찾아 길을 나섰다. 그들은 B 섹터에 이르렀고, 죽 늘어선 공동변소들 뒤쪽에서, 초록색 페인트칠을 한 오두막 하나가 시뻘건 녹으로 덮인 다른 양철 오두막들 틈에 서 있는 것을 발견했다. 〈누군가가 오두막에 초록색 페인트를 칠했다는 것은 분명히 생활비만으로 쓰기에는 너무 많은 돈을 가지고 있다는 뜻이야…….〉 이렇게 쑥덕댄 두 여자는 한밤중에 타보의 집에 침입하여 그의 가슴에 비수를 꽂아 지금까지 수많은 심장들에게 상처를 주었던 사내의 심장을 죽사발로 만들어 버렸다.

그가 숨을 거두자 여자들은 사방에 흩어진 빌어먹을 책들 사이에서 돈을 찾기 시작했다. 도대체 우리가 이번에는 어떤 미친놈을 죽인 거지?

마침내 그들은 그의 양쪽 신발에서 지폐 묶음을 발견했다. 그들은 더 이상 생각해 볼 것도 없이 노획물을 나누려 오두막 앞에 털썩 퍼질러 앉았다. 럼주 반 잔을 곁들여 삼킨 알약들은 시간과 공간의 감각을 흐려 놓았다. 하여 경찰이 이번에는 웬일로 총알같이 달려왔을 때, 그들은 의기양양한 미소를 머금고 아직도 거기에 앉아 있었다.

여자들은 즉시 체포되어 30년간의 무료 숙박을 위해 남아프리카공화국의 한 교도소에 보내졌다. 그들이 세어 보려 했던 지폐들은 경찰 수사 과정에서 눈 깜짝할 사이에 증발해 버렸다. 타보의 시신은 다음 날까지 현장에 방치되어 있었다. 흑인 사망자 시신들을 다음번 순찰대에 떠넘기는 놀이는 이곳 경찰들이 즐기는 스포츠 중의 하나였다.

공동변소 건너편에서 들리는 소란스러운 소리에 놈베코는 잠에서 깨어났다. 옷을 걸치고 현장으로 달려간 그녀는 무슨 일이 일어났는지 대충 이해했다. 경찰이 살인범들과 타보의 현금과 함께 떠나가자, 놈베코는 오두막 안으로 들어갔다.

「아저씨는 못된 사람이었지만, 아저씨가 들려준 거짓말들은 정말 재미있었어요. 아저씨가 그리울 거예요. 적어도 아저씨의 책들은.」

이렇게 말한 그녀는 타보의 입을 열어, 거기서 아직 절삭되지 않은 다이아몬드들을 빼냈다. 모두 열네 개, 정확히 그가 잃은 치아의 숫자였다.

「구멍이 모두 열네 개니까, 다이아몬드도 열네 개……」 놈베코가 중얼거렸다. 「너무 딱 들어맞잖아? 정말 이게 다일까?」

타보는 대답이 없었다. 놈베코는 리놀륨 장판을 들어 올린 다음, 땅바닥을 파기 시작했다.

「내가 이럴 줄 알았다니까!」 그녀는 찾던 것을 찾아내고는 소리쳤다.

그런 다음, 물과 천을 가져와 타보의 몸을 닦아 주었다. 이어 시신을 오두막 밖으로 끌어냈고, 한 장밖에 없는 자신의 흰 침대 시트를 희생시켜 수의를 지어 주었다. 타보 같은 사람도 약간의 존엄은 지켜 줘야 하지 않겠는가? 많이는 아니고, 아주 조금만.

그런 뒤에 놈베코는 지체 없이 다이아몬드들을 자신의 유일한 재킷의 안감 속에 바느질해 넣은 다음, 집에 들어가 잠자리에 들었다.

다음 날 아침, 공동변소 관리소장은 늦잠을 잤다. 간밤에 처리해야 할 일이 너무 많았던 탓이다. 그녀가 늦은 시간에 사무실에 들어서 보니, 분뇨 수거인들이 모두 모여 있었다. 소장이 없는 사이에 맥주가 벌써 세 잔째 돌고 있었고, 두 번째 잔 때부터는 지금 중요한 것은 일이 아니라, 인도 민족의 열등성에 대해 의견 일치를 보는 거라는 분위기가 고조되고 있었다. 그 중에서도 가장 잘난 체하기 좋아하는 사내가 오두막 천장에 빗물이 새는 구멍을 골판지로 막으려 했다는 한 인도인의 이야기를 신나게 떠들어 대는 중이었다.

놈베코는 동료의 이야기를 끊은 뒤, 아직 술이 철렁대는 맥주 캔들을 압수하면서 소리쳤다. 혹시 당신들 머릿속에는, 당신들이 비우기로 되어 있는 분뇨통 안의 내용물만 잔뜩 들어 있는 게 아닌가요? 그래, 당신들은 멍청함이 인종의 문제가 아니라는 사실을 이해하지 못할 만큼 멍청한 사람들인가요?

그중에서 가장 간덩이가 부어오른 자가 맞받았다. 아침부터 똥통을 벌써 일흔다섯 통이나 나른 후에는, 인간은 모두 근본적으로 똑같다는 엿 같은 헛소리를 들을 필요 없이, 조용히 맥주 한잔 마시고 싶은 마음이 들 수도 있다는 사실을 우리 고매하신 소장님께서는 잘 이해하지 못하시는 모양이야?

놈베코는 그의 면상에 두루마리 휴지 한 통을 집어 던지는 방안을 고려해 봤지만, 그러기엔 두루마리 휴지가 너무 가엾게 느껴졌다. 그녀는 그냥 모두에게 다시 일을 시작하라고 지시했다. 그런 뒤에 자기 오두막으로 돌아와 다시 한 번 자문했다.

「내가 지금 여기서 뭐하고 있는 거지?」

내일이면 그녀는 열다섯 살이었다.

놈베코는 그녀의 생일에 뒤토잇과 예산 관련 미팅을 갖기로 오래전부터 예정되어 있었다. 위생국 직원은 이번에는 철저히 준비해 왔다. 자기가 계산한 내용을 꼼꼼히 확인해 온 것이다. 이 시건방진 열두 살짜리 꼬마를 꼼짝 못 하게 해주리라!

「B 섹터는 예산을 11퍼센트나 초과했어!」 피트 뒤토잇은 돋보기안경 너머로 놈베코를 쳐다보면서 소리쳤다. 이 안경은 실제로는 필요치 않았지만, 좀 더 나이가 들어 보이기 위해 가져온 거였다.

「그런 일 없어요.」 놈베코가 대꾸했다.

「내가 11퍼센트 초과했다고 하면, 그런 거야! 어디서 토를 달아?」

「내가 담당관님께서 자기 생각대로 계산하는 경향이 있다고 말하는 것은, 사실이 그렇기 때문이에요. 잠깐만 기다리세요.」

놈베코는 뒤토잇의 손에서 서류를 낚아챘다. 그리고 숫자들을 재빨리 훑어본 뒤, 스무 번째 줄을 가리켰다.

「이 부분에서 우리는 원래보다 물량을 더 받는 방식으로 가격 할인을 받기로 했어요. 내가 협상을 통해 얻어 낸 결과죠. 만일 담당관님께서 이 목록에 적어 놓으신 상상적인 가격 대신 실제로 지불된 가격으로 계산하신다면, 그 이해할 수 없는 11퍼센트는 존재하지 않을 거예요. 게다가 담당관님께선 플러스와 마이너스를 혼동하셨네요. 만일 담당관님의 계산대로라면 예산의 11퍼센트가 절약되었다는 결과가 나오겠죠. 그것도 오답인 건 마찬가지지만요.」

피트 뒤토잇은 얼굴이 화끈 달아올랐다. 이 검둥이 꼬마는 자기 위치가 뭔지 모른단 말인가? 이렇게 개나 소나 나서서 정답, 오답 운운하면 세상이 어떻게 되겠는가? 그는 그 어느 때보다도 그녀가 미웠지만, 딱히 반박할 말을 찾을 수가 없었다. 하여 이렇게 내뱉었다.

「우리 국에서는 너에 대해 말이 많아.」

「아, 그런가요?」

「우리는 네가 팀 정신이 부족하다는 느낌을 받고 있어.」

놈베코는 지금 자신이 전임자와 똑같이 해임되기 직전이라는 걸 눈치챘다.

「아, 그런가요?」

「너를 분뇨 수거팀에 다시 복귀시켜야 할지도 모르겠어.」

그래도 그녀의 전임자보다는 대우가 나은 셈이었다. 놈베코는 이 담당관이 오늘 어떤 기분 좋은 일이 있는 모양이라고 속으로 중얼거렸다.

「아, 그런가요?」

「〈아, 그런가요?〉, 그것 말고는 할 말이 없나?」 피트 뒤토잇이 벌컥 성을 내었다.

「그러니까 말이에요, 물론 나는 뒤토잇 씨에게 자신이 얼마나 천치인지 알게 해줄 수도 있지만, 당신 자신으로 하여금 스스로가 천치임을 깨닫게 만드는 일은 거의 절망적인 작업이 되겠죠. 공동변소 분뇨 수거인들과 함께 보낸 세월을 통해, 난 그 사실을 깨닫게 됐어요. 이건 뒤토잇 씨도 알아 두셔야 할 사실인데요, 여기에도 구제불능의 천치들이 존재한답니다. 뒤토잇 씨의 괴로운 모습을 견디고 있느니, 빨리 이곳을 떠나 버리는 편이 낫겠다는 거죠.」 놈베코는 재빨리 결론을 말했다.

그리고 그 결론대로 했다.

피트 뒤토잇이 어떻게 해보기도 전에 소녀는 이미 사라지고 없었다. 이 많은 오두막들에서 그녀를 찾아낸다는 것은 상상할 수 없는 일이었다. 하지만 숨는다고 하여 별수 있겠는가? 이 게토에서는 결핵, 마약, 혹은 다른 까막눈이들 중 하나에 의해 목숨을 잃는 것은 시간문제 아닌가?

「쳇!」 피트 뒤토잇은 벌게진 얼굴로 자기 아버지가 봉급을 주는 경호원에게 고갯짓을 했다.

이제 문명 세계로 돌아갈 시간이었다.

담당관과의 대화 중에 날아가 버린 것은 단순히 관리소장이라는 직위만이 아니라, 그녀의 일자리 전체였다. 더불어 그녀의 마지막 봉급도 증발해 버렸다.

보잘것없는 소지품 몇 개를 챙긴 가방이 준비되었다. 그 속에는 갈아입을 옷 한 벌, 타보의 책 세 권 그리고 남은 돈을 탈탈 털어서 산 영양(羚羊) 육포 스무 조각이 들어 있었다.

이미 다 읽어 내용을 알고 있었지만, 그저 옆에 있는 것만으로도 기분 좋게 느껴지는 책들이었다. 옆에 있는 것만으로도 끔찍하게 느껴지는 공동변소 동료들과는 정반대였다.

저녁때였고, 날씨는 서늘했다. 놈베코는 하나뿐인 재킷을 걸치고 하나뿐인 매트리스에 몸을 눕힌 다음, 하나뿐인 담요를 턱 밑까지 끌어올렸다(하나뿐인 시트는 어제 시체를 싸는 데 사용되었다). 다음 날에는 떠날 것이었다.

하지만 어디로? 문득 해답이 떠올랐다. 전날 신문에서 읽은 한 기사가 생각난 것이다. 그녀의 목적지는 프리토리아 시[4]의 안드리에스 가(街) 75번지였다.

국립 도서관이었다.

그녀가 아는 한에 있어서, 그곳은 흑인들에게 금지된 구역이 아니었다. 운이 좋으면 도서관에 들어갈 수도 있으리라. 그 안에 쌓여 있을 장서 수십만 권의 냄새를 맡고, 그 광경을 만끽하는 일 외에 과연 무얼 할 수 있을지 알 수 없었지만, 어쨌든 좋은 출발이 될 것으로 느껴졌다. 그다음에 갈 길은 문학이 인도해 주리라.

이러한 확신을 품은 그녀는 5년 전에 어머니에게서 물려받은 오두막에서 마지막으로 잠이 들었다. 입가에 미소까지 머금고서.

그녀에겐 처음 있는 일이었다.

---

4 남아프리카공화국의 행정 수도.

아침이 되자 그녀는 길을 떠났다. 간단한 산책은 아니었다. 소웨토 밖으로 처음 나가 보는 그녀에게는 무려 90킬로미터의 도보 여행이 기다리고 있었다.

약 여섯 시간 동안, 다시 말해서 90킬로미터 중 26킬로미터를 걸은 후, 놈베코는 요하네스버그 시 중심가에 도착했다. 완전히 다른 세계였다! 거리를 걷는 사람들 대부분은 백인이었고, 피트 뒤토잇과 놀랍도록 흡사했다. 놈베코는 반짝거리는 눈으로 주위를 둘러보았다. 현란한 네온 간판, 여기저기에 매달린 신호등, 시끄러운 소음 그리고 그녀로서는 한 번도 본 적이 없는 모델의 번쩍거리는 차들……. 또 다른 신기한 것들을 찾아보려고 몸을 돌리던 그녀는 자동차 한 대가 자기 쪽으로 맹렬히 돌진하는 것을 보았다.

놈베코에게 〈정말 멋진 차네!〉라고 중얼거릴 시간은 있었다.

하지만 그 차를 피할 시간은 없었다.

엔지니어인 엥엘브레흐트 판 데르 베스타위전은 쿼르츠 가 힐튼호텔의 바에서 이날 오후를 보냈다. 그리고 지금은 뽑은 지 얼마 안 된 새 차인 오펠 아드미랄을 몰고 북쪽으로 달리는 중이었다.

혈관 속에 브랜디가 1리터나 출렁거리는 상태에서 운전을 하기란 쉽지 않은 일이다. 엔지니어가 핸들을 잡고 나서 첫 번째 사거리도 채 지나지 못했을 때, 그의 오펠은 보도로 부르릉 기어 올라갔고……. 빌어먹을! 내가 지금 어떤 깜둥이 계집애 하나를 친 건가?

엔지니어의 자동차 아래에 쓰러져 있는 사람은 얼마 전까지 공동변소 분뇨 수거인이었던 놈베코라는 이름의 소녀였다. 15년하고도 하루 전, 그녀는 남아프리카공화국 최대 게토의 한복판에 위치한 어느 쓰러져 가는 양철집에서 태어났다. 알코올과 시너와 각종 마약들에 둘러싸인 그녀는 얼마간 더 살다가 소웨토의 B 섹터 공동변소라는 비참한 진흙탕에서 죽어버릴 운명이었다.

바로 이 소녀가 탈출을 감행했다. 처음이자 마지막으로 자신의 오두막을 떠난 것이다.

그렇게 출발하여 요하네스버그 중심가도 채 지나지 못했는데, 이렇게 오펠 아드미랄 밑에 형편없는 상태로 쓰러져 있는 것이다.

이렇게 모든 게 끝나는 건가? 그녀는 이렇게 생각하고는 혼수상태에 빠져들었다.

하지만 그렇지 않았다.

2

지구 반대편에서 일어난 인생 반전

열다섯 번째 생일 다음 날에 차에 치인 놈베코는 죽지 않았다. 이제 그녀의 상황은 더 좋아지든지 더 나빠지든지 둘 중하나였다. 어쨌든 변화가 기다리고 있었다.

놈베코가 있는 곳으로부터 9천5백 킬로미터나 떨어진 나라 스웨덴의 쇠데르텔리에 시에 사는 잉마르 크비스트는 놈베코에게 어떤 해를 끼칠 수 있는 사람은 아니었지만, 어쨌든 그의 운명은 그녀의 운명과 정면으로 충돌하게 될 거였다.

잉마르가 실성한 시기를 정확히 짚어 내는 것은 쉽지 않은 일이니, 이는 점진적인 과정이었기 때문이다. 어쨌거나 그의 광기는 이미 1947년 가을부터 나타나기 시작했으며, 그도 그의 아내도 상황을 직시하려 하지 않았다는 사실만큼은 분명하다.

잉마르와 헨리에타는 세계의 거의 절반이 아직 전화(戰火)에 휩싸여 있을 때 결혼했고, 스톡홀름에서 남쪽으로 30여 킬로미터 떨어진 쇠데르텔리에 근교의 숲 속에 있는 조그만 가옥한 채를 구입했다.

그는 말단 공무원이었고, 그녀는 집에서 일하는 부지런한 재봉사였다.

두 사람이 처음 마주친 것은 헨리에타의 아버지와 잉마르 간의 어떤 분쟁에 대한 판결이 내려질 쇠데르텔리에 법원 제2법정 앞에서였다. 잉마르는 어느 날 밤 스웨덴 공산당 사무실의 전면에다 〈국왕 폐하 만세!〉라는 문구를 글자 높이가 1미터나 되는 크기로 써놓았던 것이다. 어느 나라에서고 공산주의와 왕실은 사이가 그다지 좋은 편이 못 된다. 따라서 이튿날 새벽에 쇠데르텔리에 공산당의 파워맨, 다시 말해서 헨리에타의 아버지가 이 야비한 짓거리를 발견했을 때, 큰 소동이 벌어진 것은 너무도 당연한 일이었다.

잉마르는 금방 체포되었다. 그가 범행을 저지른 뒤 경찰서에서 그리 멀지 않은 한 공원 벤치에서 페인트 통과 붓을 옆구리에 끼고 잠들어 있었기 때문에 체포는 더욱 빨리 이루어졌다.

법정에서 피고인 잉마르와 방청석에 앉은 헨리에타 사이에 한 가닥 전류가 찌르르 흘렀다. 이것은 부분적으로는 그녀가 금단의 과일에 이끌린 이유도 있지만, 무엇보다도 그녀가 느끼기에 잉마르는 너무나도…… 생명력이 넘치는 사람이었기 때문이다. 자신과 공산주의자들이 최소한 이 쇠데르텔리에에서만이라도 득세할 수 있기 위해 모든 것이 개판으로 돌아가기만을 눈이 퀭해지도록 기다리고 있는 아버지와는 대조적으로 말이다. 그녀의 아버지는 언제나 혁명주의자였지만, 특별히도 성마르고 음침한 성격으로 변한 것은 1937년 4월 7일, 그가 이 나라의 999,999번째로 라디오 청취 면허증을 받았다는 사실이 밝혀진 뒤부터였다. 다음 날 쇠데르텔리에로부터 330킬로미터 떨어진 후딕스발의 한 양복쟁이가 백만 번째 라디오 청취 면허증 소지자의 명예를 안았다. 이 덕분에 그는 전국적인 유명 인사가 되었을 뿐만 아니라(라디오에도 나왔다!), 시가 6백 크로나짜리 기념 은배(銀杯)까지 받았던 것이다. 헨리에타의 아버지가 얻은 것이라곤 줄줄 눈물을 흘릴 눈알 두 쪽뿐인데 말이다.

그는 이 충격으로부터 다시는 회복되지 못했고, 사물의 익살스러운 측면을 보는 능력(그전에도 약했지만)을 상실해 버렸다. 이를테면 구스타브 5세의 영광을 기린 낙서 같은 것도 분노보다는 실소가 더 어울리는 일 아니었던가? 어쨌든 그는 법정에서 공산당을 대표하여 잉마르 크비스트에 대해 직접 징역 18년을 구형했고, 결국 피고인은 15크로나 벌금형을 선고받았다.

헨리에타의 아버지에게 몰려드는 불운에는 도무지 끝이 없었다. 우선 앞에서 말한 라디오 청취 면허증 일화가 있었고, 쇠데르텔리에 법정에서는 상당한 모욕을 당했고, 그다음에는 딸년이 국왕 숭배자 놈의 품에 뛰어들었으며, 또 그 저주받을 자본주의는 자신의 삶을 계속 엉망으로 만들고 있었다.

헨리에타가 한술 더 떠서 교회에서 잉마르와 결혼식을 올리기로 결정했을 때, 쇠데르텔리에 공산당 리더는 자신의 딸과 영원히 의절했다. 이에 헨리에타 어머니는 남편과 갈라서서 얼마 후에는 쇠데르텔리에 역에서 한 독일인 군무원을 만나 종전 직전에 함께 베를린으로 떠나 버렸고, 그 후로 다시는 그녀 소식을 들을 수 없었다.

헨리에타는 아이를, 가급적이면 많은 아이를 갖고 싶었다.

잉마르도 원칙적으로는 아내의 생각을 좋게 생각했는데, 무엇보다도 그 제조 과정이 무척 마음에 들었기 때문이다. 재판이 끝나고 이틀 후, 헨리에타 아버지의 차에서 그들이 맛봤던 그 첫 번째 순간을 떠올리면…… 아, 참으로 굉장한 순간이었다! 비록 이로 인해 잉마르는 미래의 장인어른께서 그의 목을 비틀어 버리려고 쇠데르텔리에를 샅샅이 뒤지고 있는 동안 숙모님의 지하실에 꼼짝 않고 숨어 있어야 했지만 말이다. 잉마르는 사용한 콘돔을 차 안에 두고 나오는 실수를 범하지 말았어야 했다.

뭐, 지난 일은 지난 일이고, 그 후에 발견하게 된 미군용 콘돔 상자는 실로 축복이라 할 수 있었으니, 왜냐하면 만사는 올바른 순서에 따라 이루어져야 탈이 없기 때문이다. 이것은 잉마르가 가족을 안락하게 부양하기 위해서 먼저 성공을 할 뜻을 품었다는 얘기는 결코 아니다. 쇠데르텔리에 우체국, 혹은 그의 표현을 빌리자면 〈왕립 우체국〉에서 근무하는 그는 쥐꼬리만 한 봉급을 받고 있었고, 앞으로도 계속 그 꼴로 남아 있을 가능성이 매우 농후했다.

헨리에타는 남편의 거의 두 배를 벌었는데, 그녀는 바늘과 실만 들면 무서운 효율성을 발휘했기 때문이다. 그녀에게는 한결같이 찾아오는 고객들이 많았다. 하지만 헨리에타가 애써 모아 놓는 돈을 잉마르가 탕진해 버리는 경향은 갈수록 커져 갔는데, 이런 일만 없었어도 가족은 큰 어려움 없이 살 수 있었을 것이다.

아이들? 그도 백 퍼센트 찬성이란다. 하지만 잉마르에게는 먼저 완수해야 할 중대한 사명이, 전심전력의 자세를 요구하는 평생의 사명이 있단다. 이 사명이 완수되기 전에 다른 부수적인 계획에 정신이 팔린다는 것은 있을 수 없는 일이란다.

헨리에타는 남편의 어휘에 대해 이의를 제기했다. 아이들은 우리의 삶이요, 미래 그 자체지, 부수적인 계획은 아니잖아?

「만일 그렇다면, 앞으로 당신은 부엌 소파에서 미군용 콘돔 상자나 끌어안고 자!」

잉마르는 당황하며 설명했다. 아이들이 하찮다고 말하려는 뜻은 결코 없었다. 단지…… 사실 이건 헨리에타도 알고 있는 사실인데, 국왕 폐하와 관련된 어떤 일 때문에 이럴 뿐이다. 그 문제를 먼저 해결할 필요가 있을 뿐이다. 그리고 이게 그렇게 오랜 세월이 필요하란 법은 없다…….

「헨리에타, 사랑하는 자기야, 우리 오늘 밤에도 같이 자면 안 될까? 미래를 위해 조금 연습하는 의미에서 말이야.」

물론 헨리에타의 가슴은 스르르 녹아내렸다. 전에도 수없이 그랬고, 앞으로도 수없이 그럴 것이듯.

그 〈평생의 사명〉이란 것은 다름이 아니라 스웨덴 왕과 악수를 하는 일이었다. 처음에는 단순한 바람에 불과했던 것이 하나의 목적으로 발전한 것이다. 이것이 정확히 어느 시점에 강박적인 집착이 되었는지는 분명치 않다. 이 이야기가 언제, 그리고 어디서 시작되었는지 설명하는 것이 좀 더 쉬울 것이다.

1928년 6월 16일은 구스타브 5세[5] 폐하의 일흔 번째 생신이었다. 당시 열네 살이었던 잉마르 크비스트는 부모와 함께 스

5 Gustav V(1858~1950). 재위 기간은 1907~1950년.

톡홀름에 올라왔는데, 먼저 왕궁 앞에 가서 스웨덴 국기를 좀 흔든 다음, 곰 한 마리와 늑대 한 마리가 있다는 스칸센 동물원에 가기 위해서였다.

그런데 그들의 계획은 조금 변경되었다. 왕궁 부근에 군중이 빽빽이 모여 있었고, 이를 본 잉마르의 가족은 왕실 행렬이 통과할 코스의 백여 미터 아래로 가서 자리를 잡았다. 국왕과 빅토리아 왕비가 무개 마차에서 내릴 예정이라는 소문도 떠돌았다.

소문은 사실이었다. 그리고 잉마르의 부모가 꿈도 꿀 수 없었던 일이 벌어졌다. 크비스트 가족 바로 앞에는 룬드스베리 기숙학교 학생 이십여 명이 왕실의 후원에 대해 감사하는 뜻에서 국왕 폐하께 꽃다발을 드리려고 기다리고 있었다. 마차가 잠시 정거하면, 왕이 내려서 꽃다발을 받은 뒤 아이들과 인사를 나누기로 되어 있었다.

모든 것이 의전 순서에 따라 진행되었다. 꽃을 받은 국왕은 막 마차로 다시 오르려던 순간에 잉마르를 발견했다. 그는 동작을 멈췄다.

「오, 참으로 잘생긴 소년이로군!」 이렇게 말한 그는 두 걸음을 나아가서는 소년의 머리칼을 가볍게 헝클어 주었다. 「잠깐, 자, 이거…….」 그는 자신의 고희(古稀)를 기념하여 막 발행된 우표 세트 한 벌을 재킷 안주머니에서 꺼내 주었다.

그는 어린 잉마르에게 우표를 내밀면서, 미소와 함께 이렇게 덧붙였다.

「네게 줄 테니, 받거라! 버터가 조금 묻어 있어 미안하다만.」

그러고는 다시 한 번 소년의 머리칼을 헝클어 준 다음, 짜증

난 눈으로 자신을 째려보고 있는 여왕에게로 돌아갔다.

「잉마르, 폐하께 제대로 감사를 드렸니?」국왕 폐하께서 자기 아들의 머리를 쓰다듬고 선물을 주는 광경에 기절초풍했다가, 겨우 정신을 차린 어머니가 물었다.

「어…… 아니.」잉마르가 우표 세트를 손에 든 채로 더듬거렸다. 「아니, 아무 말도 할 수 없었어. 폐하께선, 그러니까…… 내가 무슨 말을 드리기엔 너무나도 위엄 있는 분이셨어…….」

당연한 얘기지만 우표 세트는 소년의 가장 소중한 재산이 되었고, 2년 후에는 쇠데르텔리에 우체국 회계과에 최말단 직원으로 들어갔다. 그리고 16년 후에도 거기에서 단 한 계단도 진급하지 못했다.

잉마르는 키 크고 위엄 있는 풍채의 군주가 믿을 수 없을 만큼 자랑스러웠다. 그는 매일매일 그의 손을 거쳐 가는 우표들 안에서 위엄 있는 시선으로 그의 어깨 너머 어딘가를 바라보고 계신 국왕 폐하의 얼굴을 들여다보았다. 잉마르도 그에게 공손하고도 애정이 담뿍 담긴 눈길을 보냈다. 왕립 우체국 사무실 안에서, 회계과 업무에 꼭 필요하지는 않은 왕립 우체부 제복을 단정히 착용하고서 말이다.

그런데 한 가지 문제는 폐하께서 잉마르 너머의 어딘가를 바라보고 계신다는 점이었다. 마치 자신의 백성을 보고 있지 않는 듯한, 따라서 백성이 사랑을 표해도 그걸 받을 수 없는 듯한 모습이었다. 잉마르는 폐하와 눈이 딱 마주치고, 그리하여 자기가 열네 살밖에 안 되었을 때 제대로 감사를 드리지 못한 것에 대해 정중히 사과드리고, 자신의 영원한 충성을 맹세하고 싶어 미칠 지경이었다.

〈영원한 사랑〉이란 말은 잉마르가 느끼는 이 감정을 묘사하는 데 있어 결코 과장된 표현이 아니었다. 군주의 눈을 똑바로 쳐다보고, 그에게 말하고, 그와 악수를 나누는 일은 아주 중요해졌다.

점점 더 중요해졌다.

엄청나게 중요해졌다.

그런데 폐하께서는 젊어지지 않으셨다. 조금 있으면 너무 늦어 버릴 것이었다. 잉마르 크비스트로서는 폐하께서 어느 날 쇠데르텔리에 우체국 사무실을 불쑥 방문하시기만을 마냥 기다릴 수 없게 되었다. 이런 상황을 여러 해 전부터 꿈꿔 오긴 했지만, 이젠 그도 미망에서 깨어나고 있었다. 폐하께서는 잉마르를 찾아오시지 않으리라.

그렇다면 이 잉마르가 폐하께로 가리라.

그런 다음에 헨리에타와 아이들을 낳으리라! 약속할게!

그러잖아도 형편없었던 크비스트 가족의 형편은 날이 갈수록 악화되었다. 있는 돈은 잉마르의 왕을 만나려는 시도들에 쏟아부어졌다. 그는 남녀 간의 연애편지를 방불케 하는 사랑의 편지들을 (우표를 필요 이상으로 많이 붙여서는) 써 보냈고, 시도 때도 없이 전화를 (물론 왕궁의 그 불쌍한 비서관의 장벽을 넘지는 못하고) 걸어 댔으며, 왕이 무엇보다도 좋아하신다는 스웨덴 전통 은세공품들을 선물로 (국왕에게 보내어진 선물을 정리하는 업무를 맡은, 그다지 정직하지는 못한 다섯 자녀의 아버지를 부양하는 결과만 되었지만) 보냈다. 또 그는 테니스 대회들을, 간단히 말해서 국왕께서 왕림하실 가능성이 있는 모든 행사들을 찾아다녔다. 이 사실이 함의하는 바는 무수한 여행과 값비싼 입장권들이었지만, 잉마르는 한 번도 군주에게 접근할 수 없었다.

속이 바짝바짝 타들어 가는 헨리에타는 그 시대의 거의 모든 사람들처럼 하기 시작했다. 다시 말해서 하루에 존 실버를 몇 갑씩 피워 대기 시작했지만, 그렇다고 하여 집안의 재정 형편이 나아지는 것은 아니었다.

잉마르의 상관인 회계과장은 자기 부하 직원이 저 빌어먹을 군주와 그의 전임자들에 대해 보이는 집착 증세에 너무도 신물이 난 나머지, 최말단 직원 크비스트가 휴가를 신청하면 그가 사유를 끝까지 말하기도 전에 허가를 내주었다.

「에…… 과장님, 그러니까 제게 이번에 2주일 휴가가 당장에 필요하게 됐는데요……. 혹시 허가해 주실 생각이 있으신가 하고요……. 왜냐하면 이번에 제가…….」

「오케이.」

언젠가부터 잉마르는 그의 이름보다는 이니셜인 IQ[6]로 불리고 있었다. 동료들과 상관들에게 그는 간단히 IQ가 된 것이다.

「IQ 씨에게 행운을 빕니다. 이번에는 또 그 무슨 멍청한 짓을 생각하고 있는지 모르겠지만.」 과장이 덧붙였다.

잉마르는 이런 조롱들에 개의치 않았다. 쇠데르텔리에 중앙 우체국의 동료들과는 달리, 자기에겐 어떤 삶의 목적이 있지 않은가?

이러한 상황이 완전히 뒤바뀌기 전에, 잉마르 크비스트는

6 잉마르 크비스트의 원어 표기는 Ingmar Qvist이다.

세 차례 더 진지한 시도를 해보게 된다.

그 첫 번째 시도로, 그는 우체부 제복 차림으로 드로트닝홀름 궁[7]에 가서 벨을 눌렀다. 그리고 문에 나타난 경비원에게 말했다.

「안녕하십니까? 제 이름은 잉마르 크비스트입니다. 저는 왕립 우체국에서 파견되어 왔는데요, 폐하께 직접 전해 드릴 메시지가 하나 있습니다. 수고스럽겠지만 폐하께 가서 말씀드려 주시겠습니까? 전 여기서 기다리겠습니다.」

「당신 혹시 뭘 잘못 먹었어?」 경비원이 쌀쌀맞게 대꾸했다.

이어 귀머거리들 간의 대화가 시작되었고, 결국 잉마르는 경비원으로부터 당장에 이곳을 떠날 것이며, 그러지 않을 경우 그를 결박하고 포장하여 그가 왔다는 우체국으로 반송해 버리겠다는 경고를 듣게 되었다. 기분이 언짢아진 잉마르는 경비원의 성기 크기를 비웃는 실수를 범하게 되었고, 그 덕분에 당사자가 쫓아오는 가운데 맹렬히 내달려야 했다. 잉마르는 간신히 도망치는 데 성공했는데, 그가 추격자보다 더 날쌔다는 이유도 있었지만, 무엇보다도 근무지를 절대로 이탈하면 안 된다는 지시를 받은 경비원이 도중에 돌아선 덕분이었다.

잉마르는 그 뒤 이틀 동안 3미터 높이의 왕궁 철책 부근에서 어정거렸다. 국왕 폐하께 무엇이 이로운 일인지를 전혀 이해하려 들지 않으면서 정문에 버티고 서 있는 그 무식한 상놈의 눈에 띄지 않으려 노력하면서 꼬박 이틀을 서성이다가 결국은 포기하고 베이스캠프로 돌아왔다.

---

7 스톡홀름에 있는 스웨덴의 왕궁.

「계산서를 준비해 드릴까요?」 처음부터 잉마르에게서 숙박비를 지불하지 않고 슬그머니 내빼려는 의도를 의심했던 호텔 주인이 물었다.

「네, 그러세요.」 이렇게 대답한 잉마르는 자기 방에 들어가 짐을 꾸린 다음 창문으로 빠져나왔다.

상황이 완전히 뒤바뀌기 전에 행해진 두 번째 시도는 잉마르가 근무 시간에 우체국 화장실에 숨어서 읽은 「다겐스 니히테르」지의 한 짧은 기사가 출발점이 되었다. 기사는 국왕께서 말코손바닥사슴을 사냥하며 약간의 휴식을 취하기 위해 툴가른에 며칠간 체류 중이라고 설명했다. 잉마르는 단순한 문학적 반사 작용에 의해, 별생각 없이 중얼거려 보았다. 〈말코손바닥사슴들이 있는 곳이 하느님께서 지으신 자유로운 대자연이 아니라면 과연 어디겠는가? 또한 하느님께서 지으신 자유로운 대자연에 자유로이 들어갈 수 있는 자는……〉 그렇다, 만인(萬人)이었다! 왕이든, 왕립 우체국의 말단 직원이든, 누구나 다 들어갈 수 있었다!

잉마르는 화장실 체류의 진정성을 증명하려 물까지 내린 다음, 또다시 휴가를 신청하기 위해 부리나케 뛰어나갔다. 그의 상관은 즉석에서 허락하면서, 크비스트 씨가 전번 휴가에서 벌써 돌아와 있었는지 몰랐다고 별 악의 없이 덧붙였다.

잉마르에게 차를 빌려 줄 만큼 그를 신뢰하는 사람은 쇠데르텔리에에서 이미 씨가 마른 지 오래였다. 하는 수 없이 잉마르는 뉘셰핑까지 버스를 타고 갔고, 거기서 선량해 보이는 용모 덕에 아직은 굴러가는 피아트518 중고차 한 대를 빌릴 수 있었다. 그는 45마력 모터가 허용하는 최대한의 속도로 튈가른을 향해 달렸다. 도정의 반 정도를 주파했을 때, 그의 차는 1939년 모델인 검정색 캐딜락 V8과 마주쳤다. 두말하면 잔소리, 바로 국왕이었다. 이제 사냥을 마치고서 또다시 잉마르의 손가락 사이로 빠져나가려 하는 무정하신 국왕 폐하셨다.

잉마르는 굉음을 내며 유턴을 했다. 계속 나타나는 내리막길들은 백 마력이나 더 갖춘 왕실 승용차를 따라잡는 데 도움을 주었다. 그다음 단계는 캐딜락을 추월하거나, 아니면 추월한 다음에 고장 난 척하면서 아예 길을 막고 서버리는 거였다. 하지만 신경이 예민해진 캐딜락 운전사는 피아트 따위에 자기차가 추월당하는 걸 보고 고용주께서 노여워하시면 곤란하므로 오히려 액셀을 밟았다. 오호, 통재라! 사내는 앞쪽보다는 백미러를 더 자주 들여다보았고, 결국 한 커브 길에서 캐딜락과 국왕과 그의 수행원들은 물이 흥건한 구덩이에 다 함께 처박히는 신세가 되고 말았다!

구스타브 5세와 그의 일행은 모두 무사했으나, 잉마르는 그 사실을 알 길이 없었다. 그가 처음 한 생각은 차 밖으로 뛰어나가 저들을 구조하고, 그 김에 국왕과 악수까지 한다는 거였다. 하지만 만일 내가 저 노인네를 죽인 거라면······? 이것이 그의 두 번째 생각이었다. 그리고 세 번째 생각은 〈30년 형!〉이었고, 악수 한 번의 대가로는 너무 비싸게 느껴졌다. 특히나 이 문제의 악수가 시체의 손을 잡는 악수라면······. 또 이 악수가 그를 이 나라에서 인기 있는 인물로 만들어 주는 일은 없을 터였다. 국왕 시해자가 인기 있는 경우는 드물지 않은가.

하여 그는 유턴을 했다.

그는 모든 잘못이 자기 장인의 어깨 위에 떨어지기를 기대하며 렌트한 차를 쇠데르텔리에 공산당 사무실 앞에다 세워 놓았다. 그런 다음 터벅터벅 걸어서 헨리에타에게로 돌아와서는, 자기가 너무나도 사랑하는 그 왕을 죽인 것 같다고 고백했다. 헨리에타는 국왕께서는 분명 아무 탈이 없으셨을 거라고 장담하며 그를 위로했다. 만일 그 반대의 경우라면 그들의 살림은 한결 나아질 거고…….

다음 날, 미디어는 구스타브 5세께서 차를 타고 약간 과도한 속도로 달리다가 어느 구덩이에 빠졌지만 무사하시다고 보도했다. 헨리에타는 이 소식을 약간 착잡한 심정으로 받아들이면서, 어쩌면 이게 자기 남편에게 교훈이 될지도 모른다고 생각했다. 희망에 부푼 그녀는 그의 사명은 이제 끝난 거냐고 물었다.

그렇지 않단다.

상황이 완전히 뒤바뀌기 전의 세 번째 시도로, 잉마르는 프랑스 코트다쥐르 지방의 니스에 갔다. 당시 88세였던 구스타브 5세가 그의 만성 기관지염을 치료하러 매년 가을 찾는 곳이었다. 국왕은 한 인터뷰에서 자신은 프로므나드 데 장글레 로를 산책하지 않을 때는 당글테르호텔의 스위트룸 테라스에서 시간을 보낸다고 밝힌 바 있었다.

따라서 잉마르도 그곳에 가서, 국왕이 산책을 나올 때 다가가 자신을 소개할 생각이었다.

그다음에 어떤 일이 일어날지는 아무도 모를 일이었다. 두 사람은 어쩌면 잠시 대화를 나눌 수도 있을 거고, 그러다 분위기가 무르익으면 잉마르가 국왕께 호텔에 가서 한잔하자고 초대할 수도 있을 터였다. 혹시 아는가? 다음 날 두 사람이 같이 테니스도 치게 될지?

「이번에는 일이 잘못될 리가 없어.」 잉마르가 장담했다.

「당신이 그렇게 생각한다면야, 뭐.」 그의 아내가 한숨을 내쉬며 말했다. 「혹시 내 담뱃갑 봤어?」

잉마르는 히치하이크로 유럽을 횡단했다. 모두 일주일이 걸렸는데, 니스에 도착하기가 무섭게 그는 프로므나드 데 장글레 로의 한 벤치 위에서 두 시간쯤 기다렸고, 마침내 저쪽에서 은제 지팡이와 외알 안경으로 우아하게 꾸민, 후리후리한 노신사가 걸어오는 것을 발견했다. 세상에, 저렇게 멋있을 수가! 군주는 느릿느릿한 걸음으로 다가왔다. 그는 혼자였다.

여러 해가 흐른 후에도 헨리에타는 그다음에 일어난 일들을 상세히 얘기할 수 있었으니, 잉마르가 죽는 날까지 이 이야기를 끝없이 되풀이했기 때문이다.

잉마르는 벌떡 일어나 폐하께 다가가서는 자신은 왕립 우체국에 고용된 폐하의 충직한 신복(臣僕)이라고 소개했다. 그런 다음, 우린 같이 한잔하고 또 어쩌면 테니스도 한 게임 칠 수 있을 거라고 넌지시 암시한 다음, 남자들끼리의 악수를 제의하며 긴 독백을 끝맺었다.

국왕이 보인 반응은 잉마르가 기대했던 것과는 전혀 달랐다. 첫째, 그는 잉마르와의 악수를 거부했다. 둘째, 그는 잉마르에게 눈길조차 주지 않았다. 대신에 그는 잉마르의 어깨 너머 먼 곳을 응시했다. 공무원 크비스트가 그의 직장 사무실에서 만지작거리던 우표들에서 벌써 수천 번이나 해왔던 것처럼 말이다. 그런 다음, 그는 선언했다. 자신은 일개 우체국 말단 직원과 어울릴 생각이 전혀 없노라고.

국왕은 너무도 위엄 있는 존재라서 평상시 같으면 백성들에 대한 자신의 생각을 직설적으로 털어놓지 않는다. 어렸을 때부터 그는 백성들에게 ─ 대개는 가당치 않은 ─ 경의를 표하는 법을 훈련받아 왔던 것이다. 하지만 이날 그는 몸 여기저기가 몹시 쑤시는 데다가, 평생 혓바닥을 간수하며 조심조심 살아오느라 이제는 왕위고 체통이고 간에 신물이 올라오고 있었다.

「지금 폐하께서는 제 말뜻을 잘 이해하지 못하신 것 같은데요……」 잉마르가 호소했다.

「만일 지금 내가 혼자가 아니라면, 경호원으로 하여금 내 앞에 서 있는 이 성가신 자에게 내가 아주 잘 이해했다는 걸 설명해 주게 할 텐데 말이야!」 국왕은 삼인칭을 사용함으로써 성가신 신복에게 직접 얘기하는 걸 피하며 대답했다.

「하지만……」 잉마르가 계속 달라붙으려 하고 있을 때, 국왕은 은으로 된 지팡이 손잡이로 그의 이마를 쾅 쳤다.

「됐어!」 존엄하신 산책자께서 버럭 소리쳤다.

잉마르는 엉덩방아를 찧으며 주저앉았고, 그 틈에 폐하는 지나갈 수 있었다. 신복이 땅바닥에 널브러져 있는 동안, 국왕은 천천히 멀어져 갔다.

잉마르는 완전히 넋이 나가 있었다.

25초 동안.

이윽고 그는 천천히 일어나서는 오래도록 국왕의 뒷모습을 눈으로 좇았다. 좇고 또 좇았다.

「말단 직원? 성가신 자? 어디 두고 보자……」

두둥! 두두둥!

상황이 완전히 바뀌는 순간이었다.

3
가혹한 판결과
이해받지 못한 나라와
천방지축의 세 중국 아가씨

　엥엘브레흐트 판 데르 베스타위전의 변호사는 다음과 같이 주장했다. 흑인 소녀가 갑자기 차도에 뛰어들었고, 자기 고객은 무슨 수를 써서라도 그녀를 피하려고 발버둥을 쳤다. 결과적으로 이 사건의 책임은 자기 고객이 아니라 소녀가 져야 한다. 판 데르 베스타위전 씨는 이 사건의 피해자이다. 게다가 이 흑인 소녀는 백인 전용 보도 위를 걷고 있기도 했다……

　놈베코의 국선 변호사는 변론하지 않았는데, 이 재판에 참석하는 걸 깜빡했기 때문이다. 당사자인 소녀는 침묵을 지키는 편을 택했다. 무엇보다도 턱에 골절상을 입어, 말하고 싶은 마음이 전혀 없었던 까닭이다.

　그래서 판사가 대신 변호해 줬다. 그는 먼저 판 데르 베스타위전에게, 당신의 혈중 알코올 농도는 용인되는 수준의 최소한 다섯 배에 달했으며, 흑인들이 문제의 보도 위를 통행하는 것이 몰상식한 행위로 느껴지는 것은 사실이지만 법으로 금지된 것은 아니라고 퉁명스럽게 지적했다. 하지만 만일 소녀가 차도에 뛰어들었다면 — 이는 판 데르 베스타위전 씨가 그렇

다고 단언했기 때문에 이의의 여지가 없는 사실인데 ― 책임
의 대부분은 놈베코에게 있다는 거였다.

결국 그녀에게는 판 데르 베스타위전 씨에게 정신적 피해를
끼친 데에 대한 벌금으로 5천 랜드를, 훼손된 차체에 대한 수
리비로 2천 랜드를 지불하라는 판결이 떨어졌다.

놈베코에겐 벌금을 낼 능력도, 또 차체의 일부가 됐든 전부
가 됐든 간에 수리비를 지불할 능력도 있었다. 아니, 아예 새
차를 한 대 사줄 수도 있었다. 심지어는 열 대라도 사줄 수 있
었다. 사실 그녀의 돈주머니는 매우 빵빵했는데, 이 재판정의
그 누구도, 아니 이 세상의 그 누구도 그 사실을 알 턱이 없었
다. 그녀가 병원에서 성한 한쪽 손으로 확인해 본 바에 의하
면, 다이아몬드들은 재킷 안감 속에 모두가 무사히 잘 있었다.

하지만 그녀가 입을 다물고 있는 것은 단지 골절된 턱뼈 때
문만은 아니었다. 다이아몬드는 훔친 물건이었다. 어떤 죽은
사내에게서 얻은 것이긴 하지만, 훔친 것은 훔친 것이었다. 이
것들은 현금이 아니라 다이아몬드였다. 하나를 꺼내면 다른
것들까지 빼앗길 거였다. 그리고 최상의 경우에는 절도 혐의
로, 최악의 경우에는 절도 및 살인 공모 혐의로 투옥될 거였다.
다시 말해서, 지금 그녀는 매우 미묘한 상황에 처해 있었다.

판사는 놈베코의 얼굴을 살펴봤지만, 근심 어린 표정 외에
는 아무것도 읽어 낼 수 없었다. 그는 이 소녀에게는 수입이라
고 할 만한 것이 없는 것 같으며, 따라서 만일 판 데르 베스타
위전 씨가 동의한다면 그를 위해 일함으로써 빚을 갚게 할 수
있다고 선언했다. 게다가 판사와 엔지니어는 과거에도 이 같
은 조처를 한 번 시험해 본 적이 있는바, 그 결과가 사뭇 만족

스럽지 않았던가?

엥엘브레흐트 판 데르 베스타위전은 황인종 하녀를 세 명씩이나 떠안게 되었던 일을 생각하니 자신도 모르게 몸이 부르르 떨렸지만, 어쨌든 지금은 그들을 꽤 유용하게 써먹고 있었다. 깜둥이 하녀 하나쯤 더 데리고 있다 해서 크게 문제 될 건 없으리라. 비록 한쪽 팔과 다리가 부러지고, 턱은 산산조각이 난 이 한심한 물건을 들여놓으면 꽤나 거치적거리긴 하겠지만.

「그렇다면 급료를 좀 깎아야죠.」 그가 대답했다. 「지금 애 꼴이 어떤지 판사님도 잘 보이시지 않습니까?」

엥엘브레흐트 판 데르 베스타위전은 급료를 월 5백 랜드로 못 박았고, 또 거기서 숙박비 및 각종 비용을 420랜드씩 제해 달라고 요구했다. 판사는 동의의 표시로 고개를 끄덕였다.

놈베코는 폭소를 터뜨릴 뻔했으나, 온몸이 아픈 탓에 그저 실소만 머금었다. 지금 저 비곗덩어리 판사와 거짓말쟁이 엔지니어가 나눈 말은 자신이 무급으로 7년 이상을 일해야 한다는 얘기인 것이다! 그것도 자신이 지닌 재산에 비하면 파리똥만큼도 안 되는 액수의 벌금을 대신하자고 말이다! 또 벌금을 물어야 하는 이유 자체와 뒤집어씌운 벌금의 액수 자체는 얼마나 어처구니없는 것인지!

어쨌든 이런 식의 합의는 그녀의 현재의 딜레마에 대한 해결책이 될 수도 있었다. 엔지니어의 집에 들어가 조용히 상처가 아물기를 기다렸다가, 프리토리아의 국립 도서관이 견딜 수 없을 만큼 그리워지면 그때 가서 도망쳐 나올 수도 있지 않겠는가? 결국 지금 그녀에게 떨어진 선고는 징역형이 아니라, 그저 하녀가 되라는 얘기 아닌가?

그녀는 판사의 제안을 막 받아들이려고 하다가, 몇 가지를 보충적으로 생각해 볼 시간을 벌기 위해, 턱뼈의 통증에도 불구하고 약간의 이의를 제기했다.

「그렇다면 실수령액은 월 80랜드라는 얘기네요. 내 벌금을 다 지불하기 위해서는 엔지니어님의 집에서 총 7년 3개월 20일을 일해야겠군요. 판사님께서는 이 처벌이 다소 가혹하다고 생각하지 않으시나요? 특히나 드러난 혈중 알코올 농도로 비추어 볼 때 결코 운전대를 잡아서는 안 될 사람에 의해 보도에서 차에 치인 불행한 사람에게는 말이에요.」

판사는 입을 떡 벌렸다. 왜냐하면 이 소녀가 매우 세련된 단어들을 사용하면서, 엔지니어가 선서까지 하고서 증언한 내용에 대해 이의를 제기했을 뿐만 아니라, 이 방 안의 모든 이가 아직 대략적인 감도 잡지 못한 그녀의 형기를 정확히 계산해 냈기 때문이다. 그는 헛소리하지 말라고 호통을 쳐야 옳았지만, 그보다는 그녀의 계산이 정확한지 알아보고 싶은 호기심이 더 강했다. 하여 그는 재판정 서기에게 고개를 돌렸고, 서기는 몇 분 후에 확인해 주었다.

「에…… 맞아요! 그러니까…… 아닌 게 아니라…… 아까 말한 대로…… 그게 정말로 7년하고도, 3개월하고도…… 네, 맞아요…… 20일……. 뭐, 대충 그렇게 되겠네요.」

엥엘브레호트 판 데르 베스타위전은 조그만 갈색 병을 꺼내어 한 모금을 꿀깍 삼켰다. 그는 이 기침 물약병을 항시 몸에 지니고 다녔는데, 아무 데서나 브랜디를 마실 수는 없는 노릇이었기 때문이다. 그는 이 끔찍한 사건으로 인한 충격 때문에 자신의 천식이 도졌다는 설명으로 이 한 모금을 정당화했다. 물약은 정말로 효과가 있었다.

「좋습니다! 우수리는 없애 버립시다!」 그가 말했다. 「딱 7년으로 해도 난 괜찮아요. 차 찌그러진 것은 고칠 방법이 있겠지, 뭐.」

마침내 놈베코는 이 판 데르 베스타위전의 집에서 몇 주일 지내는 것이 징역살이 30년보다는 낫겠다는 결론을 내렸다. 물론 프리토리아의 국립 도서관에 당장 못 가는 것이 아쉽기는 하지만, 거기까지는 아직 길이 멀고, 특히나 부러진 다리로는 그렇게 행복한 여행이 되지 못하리라. 또 다른 문제들도 많았다. 첫 26킬로미터 중에 나타나기 시작한 발바닥의 물집을 포함해서.

잠시 쉬어 간다고 해서 큰일이 나는 것은 아니리라. 물론 저 엔지니어에게 또다시 뭉개지는 일은 없어야 하겠지만.

「관대한 처분에 감사드려요, 판 데르 베스타위전 엔지니어님.」 놈베코는 이렇게 대답함으로써 판사의 제안을 받아들였다.

앞으로 이 인간은 〈판 데르 베스타위전 엔지니어님〉이라는 호칭에 만족해야 하리라. 왜냐하면 그녀에겐 그를 〈주인님〉이라고 부를 뜻이 전혀 없으므로.

판결이 있은 후, 놈베코는 곧바로 판 데르 베스타위전의 자동차 뒷좌석에 올라탔고, 엔지니어는 한 손으로 운전대를 잡고 북쪽으로 향했다. 다른 손이 움켜쥔 것은 클리프드리프트 브랜디 병이었다. 이 음료는 아까 놈베코가 재판 중에 그가 계속 젖병처럼 빨고 있는 것을 보았던 기침 물약과 색깔에 있어서나 냄새에 있어서 완전히 동일했다.

이 모든 일들이 일어난 때는 1976년 6월 16일이었다.

같은 날, 소웨토의 수많은 학생들이 정부의 최근 시책을 더 이상 견딜 수 없게 되었다. 그러잖아도 형편없는 수준의 교육을 이제는 아프리칸스어로 행한다는 것이었다. 학생들은 거리로 쏟아져 나와 불만을 토로했다. 그들 생각으로는, 교사가 말하는 것을 알아들을 수 있으면 더 쉽게 배울 수 있었다. 또 교과서를 자신이 아는 언어로 읽을 수 있으면 더 쉽게 이해할 수 있었다. 따라서 교육은 영어로 행해져야 한다고 학생들은 주장했다.

출동한 경찰은 시위자들의 논리를 흥미 있게 들었고, 그러고 나서는 정부의 관점을 남아프리카공화국의 매우 특수한 방식으로 표명했다.

다시 말해서 시위대에 발포했다.

스물세 명의 시위자가 그 자리에서 사망했다. 다음 날, 경찰은 그들의 논리를 헬리콥터와 장갑차로 보완했다. 포연이 채 걷히기도 전에, 백여 명의 목숨이 추가적으로 사라졌다. 이로써 요하네스버그 시청은 소웨토의 교육비 예산을 학생 수 감소의 이유로 축소할 수 있게 되었다.

놈베코는 이 모든 것에서 벗어나 있었다. 조금 전에 국가는 그녀를 노예로 만들었고, 그녀는 새 주인의 집으로 향하고 있었던 것이다.

「아직 멀었어요, 엔지니어님?」 어색한 침묵을 깨볼 양으로 놈베코가 물었다.

「아니, 그렇게 오래 걸리진 않아. 하지만 꼭 필요한 일이 아니면 말하지 마! 내가 말을 걸 때만 대답하라고!」

이 판 데르 베스타위전 엔지니어는 알고 보면 대단한 인물이었다. 그가 거짓말쟁이라는 것은 이미 놈베코가 법정에서부터 알아본 바였다. 또 같이 차를 타고 가면서 보니 심각한 알코올 중독자였다. 거기다가 직업적인 면에 있어서는 사기꾼이기도 했다. 그는 자신의 업무를 감당할 능력은 전혀 없지만, 유능한 사람들을 착취함으로써 꼭대기에 붙어 있는 인간이었다.

사실 페리선 속의 쥐새끼 한 마리처럼 묻혀 갈 수도 있는 일이었지만, 문제는 이 엔지니어가 세계에서 가장 은밀하고도 어마어마한 임무 중 하나를 맡고 있는 사람이라는 점이었다. 남아프리카공화국을 핵강대국으로 만들어 놓아야 할 사람이 바로 그였다. 이 모든 일들이 이루어지고 있는 곳은 요하네스버그에서 북쪽으로 약 한 시간 거리에 위치한 펠린다바 연구소였다.

물론 놈베코는 이러한 사실을 전혀 몰랐지만, 어쨌든 차가 목적지에 가까워짐에 따라 일이 생각했던 것만큼 간단하지는 않을 거라는 걸 깨달았다.

브랜디 병의 내용물이 눈에 띄게 줄어들었을 때, 엔지니어와 놈베코는 경비 초소에 도착했다. 신분 확인을 거친 뒤 그들은 1만 2천 볼트의 전류가 흐르는 3미터 높이의 철책으로 에워싸인 곳의 정문을 통과할 수 있었다. 그다음에는 경비견을 대동한 두 경비병이 지키는 15미터 폭의 공터가 이어진 뒤, 앞의 철책만큼이나 높다랗고 강력한 전류가 흐르는 또 다른 철책이 나타났다. 그리고 이 울타리를 쭉 따라서는 누군가가 지뢰들을 정성껏 심어 놓았다.

「자, 여기가 앞으로 네가 지은 죄를 씻을 곳이다!」 엔지니어가 설명했다.

고압 전류가 흐르는 철책, 경비견 그리고 지뢰밭은 몇 시간 전 판결이 내려질 당시 놈베코가 고려했던 요소들은 아니었다.

「집이 아주 아늑해 보이네요.」

「쓸데없는 소리 하지 말랬지?」

남아프리카공화국의 핵무장 프로그램은 1975년, 그러니까 만취한 판 데르 베스타위전이 한 흑인 소녀를 차로 치는 사고가 있기 일 년 전에 시작되었다. 그가 이날 힐튼호텔에서 정중하게 쫓겨나게 될 때까지 브랜디를 퍼마신 이유로는 두 가지가 있었다. 첫 번째 이유는 그의 알코올 중독증이었다. 엔지니어는 몸이 제대로 기능하기 위해서 하루에 적어도 클리프드리프트 한 병을 마셔 주지 않으면 안 되는 사람이었다. 두 번째 이유는 그의 기분이 심히 언짢았기 때문이다. 또 좌절감에 빠져 있기도 했다. 방금 전에 만나고 온 포르스터르 수상이 일 년이 지났는데도 프로젝트에 전혀 진척이 없다고 그를 쪼아 댔던 것이다.

엔지니어는 반론을 펼쳐 보았다. 지금 이스라엘과의 협력 시스템이 아주 잘 돌아가고 있습니다. 물론 이것이 수상님 자신의 현명하신 발의로 이뤄진 것이긴 하지만, 어쨌든 이제 우리 우라늄은 예루살렘으로 보내지고 있고, 그쪽의 트리튬은 여기로 들어오고 있습니다. 이 프로젝트의 일환으로, 이스라엘 쪽 요원 두 명이 우리 펠린다바에 상주하고 있기도 하고요……

아니, 수상은 이스라엘과 타이완 그리고 기타 등등과 협력하는 것에 대해서는 전혀 불평할 게 없단다. 문제가 되는 것은 프로젝트의 실현 그 자체란다. 수상 자신의 표현을 빌자면 이랬다.

「판 데르 베스타위전 씨, 나한테 이러쿵저러쿵 설명만 늘어놓지 마시오! 그리고 이 나라 저 나라와 협력 관계만 맺고 있는 것도 이젠 지겹소! 당장에 원자탄 하나를 만들어서 내 앞에 갖다 놓으란 말이오, 빌어먹을! 그러고 나서 다섯 개를 더 만들어 놓으라고!」

놈베코가 펠린다바의 이중 철책 뒤에서 자리를 잡아 가고 있을 때, 발타자르 요하네스 포르스터르 수상은 수상 관저에서 한숨으로 세월을 보내고 있었다. 아침부터 밤까지 처리해야 할 골치 아픈 일들이 태산이었다. 그중에서도 가장 그의 속을 태우는 사안은 여섯 개의 원자폭탄에 대한 것이었다. 그런데 만일 저 아첨쟁이 판 데르 베스타위전이 사실은 이 일에 적합한 인물이 아니라면? 엔지니어는 쉴 새 없이 떠들어 대기는 하지만, 아무런 결과도 내지 못하고 있었다.

포르스터르는 나지막한 목소리로 뭔가 점잖지 못한 표현들을 웅얼거렸다. 저 빌어먹을 유엔에 대해, 앙골라의 공산주의자들에 대해, 아프리카 남부 지역에 혁명주의자 떼거리를 보내고 있는 소련과 쿠바에 대해, 모잠비크에서 권력을 잡은 마르크스주의자들에 대해. 또 항상 남의 은밀한 프로젝트들에 대해 알아내고, 또한 칠칠치 못하게 그것을 사방에다 흘리고 다니는 저 저주받을 CIA에 대해.

〈에이, 시발.〉이것이 세계 일반에 대한 B. J. 포르스터르의 생각을 요약한 표현이었다.

이 나라가 위기에 처해 있는 것은 바로 지금이지, 저 게을러 터진 엔지니어가 똥구멍에서 손가락을 빼는 그때는 아니지 않은가!

수상은 하루아침에 권좌에 오른 사람은 아니었다. 1930년대 말엽, 청년 포르스터르는 나치즘에 매혹되었다. 그는 독일의 나치가 민족과 민족을 분리시키는 데 있어서 매우 흥미로운 방법들을 사용한다고 생각했다. 그는 듣고 싶어 하는 모든 이들에게 이를 설명해 주었다.

그러고 나서 세계 대전이 발발했다. 포르스터르로서는 애석하게도 남아프리카공화국은 연합국 진영에 섰고(이 나라는 대영제국의 일부였다는 점을 지적해야겠다), 그와 같은 남아프리카의 나치들은 승리의 날을 기다리며 몇 해 동안 감옥에 갇혀 있어야 했다. 석방된 그는 보다 신중한 모습을 보였다. 어느 시대에서든, 나치 사상은 자신의 이름을 밝히지 않을 때 더 강력해지는 법이니까.

1950년대, 포르스터르는 이미지를 바꾸었다. 1961년 봄, 그러니까 놈베코가 소웨토의 한 오두막에서 태어난 해에 그는 법무부 장관에 임명되었다. 그다음 해에 그와 그가 거느린 경찰관들은 거물 중의 거물, 다시 말해서 남아프리카의 저항 단체, ANC[8]의 테러리스트인 넬슨 롤리랄라 만델라를 포획하는

8 아프리카 민족 회의African National Congress의 약자.

데 성공했다.

종신형을 선고받은 만델라는 케이프 주 앞바다의 한 감옥 섬으로 보내졌다. 그는 거기서 몸에 곰팡이가 슬 때까지 갇혀 있을 예정이었고, 포르스터르 생각에 곰팡이는 금방 슬 거였다.

만델라가 푹푹 썩어 간다고 여겨지고 있을 때, 포르스터르는 열심히 권력의 계단을 기어올랐다. 마지막이자 결정적인 단계를 넘을 때에는 한 아프리카인의 도움을 받았다. 아파르트헤이트의 관료 체제는 이 사내를 백인으로 분류했으나, 이것은 그가 외관상 유색인처럼 보인다는 점에서 실수를 범한 셈이었고, 결국 사내는 어디에서도 자기 자리를 찾을 수 없게 되었다. 이 정신적 고뇌를 달래기 위해 그가 찾아낸 유일한 치료책은 B. J. 포르스터르의 전임자의 배를 칼로 열다섯 차례 쑤시는 거였다.[9]

백인인 동시에 흑인이었던 사내는 한 정신병원에 입원 조치되어 자신이 어떤 인종에 속하는지 영영 깨닫지 못한 채로 33년을 더 살았다. 자신이 백인임을 확신했던 수상은 열다섯 방의 칼침을 맞고 그 자리에서 숨졌다.

따라서 국가는 새 수상이 필요하게 되었다. 가급적이면 아주 독한 사람이 필요했다. 그리하여 왕년에 나치였던 포르스터르는 일사천리의 수순으로 수상 자리를 물려받게 되었다.

그는 자신과 국가가 국내 정치의 영역에서 이뤄 낸 것에 대

---

9 1966년 남아프리카공화국의 수상 헨리크 페르부르트는 국회의 송달리였던 드미트리오스 차펜타스에게 국회의사당에서 암살된다. 그리스 이민자 출신의 아버지와 모잠비크 출신의 어머니를 둔 차펜타스의 암살 동기는 영영 알려지지 않았으며, 그는 정신병원에서 생을 마감하게 된다.

해 사뭇 만족하고 있었다. 새로운 입법 덕분에 정부는 아무나 테러리스트로 규정하고, 그를 원하는 기간만큼, 아무 죄목이나 붙여, 혹은 아무 죄목도 없이, 감옥에 가둬 놓을 수 있게 된 것이다.

또 다른 성공적인 사업은 종족에 따른 집단 거주 구역을 종족별로 하나씩 (코사족은 수가 많은 관계로 둘을) 창설한 일이었다. 별로 어렵지 않은 일이었다. 검둥이들을 종류별로 모아서, 그들을 저마다의 구역에다 처넣은 다음, 그들에게서 남아프리카공화국 시민권을 빼앗고, 대신 그들의 새로운 영토의 시민권을 부여하기만 하면 되는 일이었다. 더 이상 남아프리카공화국 시민이 아닌 사람은 남아프리카공화국 시민으로서의 제반 권리를 주장할 수 없었다. 아주 논리적이지 않은가?

반면 외교 분야는 녹록지 않았다. 외부 세계는 이 나라의 야심에 대해 끊임없이 오해를 품었다. 예를 들어 남아프리카공화국이 선포한 〈처음에 백인이 아닌 자는 영원히 백인이 될 수 없다〉라는 너무나도 간단한 진실에 대해 항의를 하면서 호들갑을 떨어 댔다. 포르스터르는 한때 나치였음에도 불구하고, 이스라엘과 협력하는 데서 모종의 만족감을 느꼈다. 물론 그들은 유대 종족이긴 하지만, 세상의 몰이해로 고통받은 적이 그만큼이나 많았던 사람들 아니던가.

「에이, 시발.」 포르스터르는 두 번째로 웅얼거렸다.

판 데르 베스타위전, 저 무능한 작자는 대체 무얼 하고 있단 말인가?

엥엘브레흐트 판 데르 베스타위전은 신의 섭리가 선물해 주신 새 하녀에게 만족하고 있었다. 비록 그녀는 석고 깁스한 다리를 질질 끌고 다니고 왼팔은 아직도 붕대를 어깨에다 걸어 고정한 상태였지만, 일을 맡기면 썩 잘해 냈다. 이름이 뭔지는 잘 모르겠지만 말이다.

처음에 엔지니어는 그녀를 〈깜둥이 2〉로 불렀다. 경비병들 뒤치다꺼리를 하는 또 다른 흑인 여자와 구별하기 위해서였다. 하지만 이 별명이 그 지역 개혁교회 주교의 귀에 들어갔을 때, 엔지니어는 한바탕 설교를 들어야 했다. 흑인들은 더 존중받을 권리가 있다는 거였다.

백여 년 전, 개혁교회는 흑인들이 백인들과 함께 영성체를 받을 수 있게 해주었다(비록 백인들이 영성체 테이블 앞을 다 지날 때까지 기다려야 했지만). 그러다 그들의 수가 너무 많아지고 대기열이 너무 길어지자, 교회는 그들의 전용 예배당을 만들기로 결정했다. 주교의 설명에 따르면, 토끼처럼 번식해 대는 흑인들로 교회를 꽉 채울 수는 없는 노릇이란다.

「존중!」 성직자가 되풀이했다. 「유념하시오, 엔지니어 선생!」

엥엘브레흐트 판 데르 베스타위전은 주교의 말을 경청했으나, 놈베코의 이름은 여전히 기억하기 힘들었다. 그래서 그는 그녀를 부를 일이 있을 때면 〈네이름이뭐더라〉라는 호칭을 사용했다. 또 그녀에 대해 말할 일이 있을 때는…… 음, 그러니까, 그럴 일은 전혀 없었으니, 왜냐하면 누군가와의 대화 중에 그녀를 언급할 이유가 전혀 없었기 때문이다.

포르스터르 수상은 엔지니어를 벌써 두 차례나 방문했다. 그는 시종 상냥한 미소를 띠고 있었는데, 그 밑에 깔린 메시지는 명확했다. 만일 원자폭탄 여섯 개가 이른 시일 내에 자기 앞에 놓이지 않으면, 판 데르 베스타위전 씨 당신도 더 이상 그 회전의자 위에 놓여 있지 못할 거라는 뜻이었다.

수상과의 첫 만남이 있기 전, 엔지니어는 〈네이름이뭐더라〉를 빗자루 넣어 두는 벽장에 가둬 놓을까 하는 생각을 해봤다. 물론 흑인이나 다른 유색인 하녀를 고용하는 것은, 그녀가 절대로 외출하지 못한다는 조건하에 이 연구소 내에서 허용된 일이었지만, 엔지니어는 그녀가 더럽게 보일지도 모른다고 생각했던 것이다.

하녀를 빗자루 벽장에 가둬 두는 것의 불편한 점은 필요할 때 가까이에 없다는 점이었는데, 엔지니어는 그녀가 가까이에 있으면 아주 유용하다는 걸 일찌감치 깨달은 터였다. 이유는 정확히 알 수 없지만, 이 소녀의 두뇌는 맹렬한 속도로 돌아가고 있었다.

그동안 이 〈네이름이뭐더라〉는 버르장머리 없게도 규칙들을 하나하나 위반해 왔다. 그녀가 저지른 가장 건방진 짓 중의 하나는 허가 없이 연구소 도서관에 들어갈 뿐 아니라, 심지어 책까지 빼온다는 것이었다. 판 데르 베스타위전이 처음 한 생각은 그녀의 이 해괴한 버릇에 종지부를 찍고, 보안팀을 시켜 조사를 해본다는 거였다. 소웨토 출신의 까막눈이가 책을 가지고 대체 뭘 하겠어? 보나마나⋯⋯.

그러다가 엔지니어는 그녀가 대출해 온 책들을 정말로 읽는다는 사실을 발견했다. 정말로 신기한 일이었다. 독서는 이 나라의 까막눈이들의 가장 뚜렷한 특징이라고는 할 수 없는 것이다. 그러고 나서 엔지니어는 대체 그녀가 무얼 읽는지 알아

보았다. 안 읽는 게 없었다. 수학, 화학, 전자 공학, 금속학(그가 좀 더 공부해야 할 필요가 있는 분야들이었다) 등과 관련된 극히 전문적인 서적들까지 포함되어 있었다. 어느 날 그는 그녀가 걸레질은 하지 않고 독서 삼매경에 빠져 있는 걸 현장에서 적발했는데, 소녀가 새카맣게 적힌 수학 공식들 앞에서 빙그레 미소를 짓는 모습을 보고는 아연실색했다.

그녀는 수학 공식을 보면서 고개를 끄덕거리며 미소 짓고 있었다.

엔지니어는 이게 하나의 순전한 도발처럼 느껴졌다. 그는 지금까지 수학을 공부하면서 아무런 즐거움도 느낄 수 없었다. 사실은 그 어떤 과목에서도 느낄 수 없었다. 하지만 그는 대학에서 최고 학점을 획득했다. 그의 부친이 대학의 최대 기부자였던 덕분이다.

엔지니어는 모든 것을 다 알아야 할 필요는 없다는 걸 알고 있었다. 좋은 학점과 좋은 아버지, 그리고 타인들의 능력을 낯두껍게 이용할 줄 아는 능력만 있으면 꼭대기에 올라서는 것은 땅 짚고 헤엄치기였다. 이 연구소장 자리에 계속 붙어 있기 위해서는 제품을 만들어 인도해 주기만 하면 됐다. 뭐, 그가 직접 해야 할 필요는 없고, 그가 채용해 지금도 그를 위해 밤낮으로 비지땀을 흘리고 있는 연구원들과 기술자들이 하면 됐다.

연구팀의 작업은 진척되고 있었으며, 엔지니어는 머잖은 장래에 폭탄 실험에 걸림돌이 되는 몇 가지 기술적 난제들이 해결될 수 있으리라 확신하고 있었다. 연구팀장은 그렇게 얼간이는 아니었다. 하지만 너무도 괴로운 자였으니, 조금이라도 진척이 있으면 고집스럽게 보고서를 제출하면서 그의 반응을 기다리는 거였다.

바로 이 시점에서 〈네이름이뭐더라〉가 등장한 것이다. 엔지니어는 그녀가 도서관의 책들을 마음껏 뒤적이게 놔둠으로써 수학 나라의 대문을 활짝 열어 주었고, 덕분에 그녀는 대수, 초월수, 상상수, 복합수, 오일러의 상수, 미적분 방정식, 디오판투스 방정식, 무한수(∞) 그리고 엔지니어에게는 다소 난해하게 느껴지는 기타 복잡한 것들을 쏙쏙 흡수할 수 있게 되었다.

놈베코가 여자만 아니었다면, 특히 그 잘못된 피부색만 아니었다면 결국 엔지니어의 오른팔이 되었으리라. 지금의 상황에서는 〈하녀〉라는 직함을 유지할 수밖에 없었지만, 연구팀장이 제출하는 문제점들, 테스트 결과들, 분석 내용들이 적힌 두툼한 보고서들을 (물론 뼈 빠지게 걸레질도 해가면서) 읽는 사람은 바로 그녀였다. 엔지니어로서는 할 수 없는 일이었다.

「이 쓰레기 같은 게 대체 뭘 말하는 거야?」 어느 날, 엔지니어가 새로 들어온 두툼한 자료 뭉치 하나를 그녀의 손 위에 탁 올려놓으며 물었다.

놈베코가 한번 훑어보더니 대답했다.

「폭탄 하나의 킬로톤 수에 따른 정적 및 동적 부하의 결과들을 분석한 거네요.」

「좀 알아들을 수 있게끔 설명해 봐.」

「폭탄이 더 강력할수록, 콩가루가 되는 건물의 수가 더 많아진다는 얘기죠.」

「그건 바보도 다 아는 사실 아니야? 제기랄, 내 주위에는 천치들밖에 없는 거야?」 엔지니어는 이렇게 내뱉고는 술잔에 브랜디를 따르며 하녀에게는 눈앞에서 꺼져 달라고 부탁했다.

놈베코가 느끼기에 펠린다바는 감옥치고는 거의 궁전이나 다름없었다. 깨끗한 침대, 하루에 4천 개의 변소간을 치울 필요 없이 드나들 수 있는 수세식 화장실, 하루 두 끼의 식사, 그리고 점심때마다 나오는 각종 과일, 여기에다가 그녀 것은 아니지만 그녀 전용이나 다름없는 도서관……. 놈베코로서는 더이상 바랄 게 없었다. 물론 장서들이 커버하는 영역은 그녀가 국립 도서관에 대해 상상했던 것만큼 광범위하지는 않았다. 그리고 어떤 책들은 옛날 책이거나 유효성을 상실한 것이었다. 하지만 이만 해도 어디인가?

하여 그녀는 1976년의 어느 겨울날 요하네스버그에서 술에 떡이 된 한 사내의 차에 치인 죄를 씻기 위한 도형수 생활을 비교적 담담한 마음으로 계속해 나갔다. 어쨌든 현재의 삶은 세계 최대 인간 배설물 양을 자랑하는 공동변소를 치우는 일보다는 훨씬 유쾌했으니까.

이렇게 꽤 많은 달들이 지났을 때, 그녀는 남은 해들을 헤아려 보기 시작했다. 그리고 이따금, 자주는 아니고 이따금, 이 펠린다바를 빠져나갈 수 있는 방법을 생각해 봤지만, 철책과 지뢰밭과 경비견과 경보장치를 통과하는 것은 결코 만만한 일이 아니었다.

터널을 판다?

아니, 이 생각은 너무 멍청한 것이라서 곧바로 지워 버렸다.

트럭 밑으로 슬그머니 기어 들어간다?

아니, 그녀는 독일 셰퍼드들에게 발견될 거고, 이 경우 너무

고통스러운 최후만은 면할 수 있도록 녀석들이 경동맥부터 잽싸게 물어 주기만을 빌어야 하리라.

누군가를 매수한다?

글쎄, 어쩌면……? 하지만 첫 번째 시도 때부터 거장의 솜씨를 발휘해야 하리라. 왜냐하면 그녀가 매수하려는 자는 매우 남아프리카공화국적인 방식으로 반응할 것이기 때문에. 다시 말해 그는 다이아몬드를 챙긴 뒤에 그녀를 고발해 버리기 십상일 것이었다.

다른 사람의 신원을 훔친다?

흠, 한 번쯤 생각해 볼 만한 방안이리라. 다른 피부색을 훔치는 것보다야 훨씬 간단한 일일 테니까…….

놈베코는 더 이상 부질없는 생각은 하지 않기로 마음먹었다. 그녀의 유일한 기회는 날개 두 짝을 구하는 것일지도 몰랐다. 아니, 그것도 아니었다. 왜냐하면 그 경우 네 개의 감시탑에 배치된 여덟 명의 경비병들에게 사살될 것이기 때문이었다.

그녀는 열다섯 살이 조금 넘은 나이였을 때 이 이중 철책과 지뢰밭 뒤에 갇히게 되었다. 그리고 열일곱 살 생일이 얼마 남지 않았을 때, 엔지니어는 자기가 그녀의 피부색에도 불구하고 그녀 앞으로 남아프리카공화국 여권이 나오게 해주었다고 한껏 무게를 잡으며 알려 주었다. 사실 이러한 배려는 그녀를 위한 게 아니었다. 이 서류들이 있어야 그녀가 연구소 안을 자유로이 돌아다닐 수 있었고, 그래야 자기가 편했기 때문이었다.

엔지니어는 놈베코의 여권을 자기 책상 서랍 속에 보관했다. 그리고 언제나 사람들에게 굴욕감을 주어야 속이 시원한 그는 그 서랍을 열쇠로 잠가 놓을 수밖에 없노라고 틈만 나면 설명했다.

「이렇게 해놓아야, 〈네이름이뭐더라〉, 네가 도망칠 생각을 못 할 거 아니겠어? 여권이 없으면 이 나라를 떠날 수 없고, 그럼 우린 금세 널 다시 찾아낼 수 있단 말이지…….」 엔지니어는 이렇게 말하고는 아주 고약한 미소를 지어 보였다.

놈베코는, 〈네이름이뭐더라〉는 원한다면 얼마든지 여권을 손에 넣을 수 있다고 대꾸했다. 자신은 오래전부터 엔지니어의 열쇠 꾸러미를 맡아서 관리하고 있고, 거기에는 그의 책상 열쇠도 포함되어 있다고 말이다.

「하지만 난 도망치지 않았어요.」 이렇게 결론지은 놈베코는, 사실 자신이 도망칠 수 없었던 것은 경비병들과 개들과 경보 장치와 지뢰밭과 1만 2천 볼트가 흐르는 철책 때문이었다는 점은 밝히지 않았다.

엔지니어는 하녀의 얼굴을 뚫어지게 쳐다보았다. 이것이 또 건방지게 굴고 있었다! 정말이지, 사람 화나게 하는 데 소질이 있는 검둥이였다. 더욱 고약한 것은, 이 검둥이는 항상 맞는 말만 한다는 점이었다.

빌어먹을 잡것 같으니라고!

250여 명의 사람들이 세계에서 가장 은밀한 프로젝트를 위해 다양한 수준에서 작업하고 있었다. 놈베코는 이들의 최고 우두머리가 술 마시는 것 외에는 다른 소질이 없는 사람이라는 걸 일찌감치 파악했다. 또 그는 억세게 운이 좋은 사람이기도 했다(적어도 그 운이 다하게 된 날까지는).

실험 기간 내내 문제가 된 것은 우라늄 헥사플로라이드 시험 시에 끊임없이 발생하는 누출 현상이었다. 판 데르 베스타위전은 자기가 이 문제에 대해 골똘히 생각하고 있다는 인상을 주기 위해, 사무실 벽에 커다란 칠판을 걸어 두고는 거기에 선이며 화살표며 각종 공식이며, 기타 지저분한 낙서 같은 것들을 잔뜩 그려 놓았다. 엔지니어는 회전의자에 앉아 〈운반 기체용 수소〉, 〈육불화 우라늄〉, 〈누출〉 같은 말들을 웅얼거리다가 간간이 영어와 아프리칸스어로 욕설을 한 사발씩 쏟아 내곤 했다. 놈베코는 그 방에 단지 걸레질을 하러 들어왔기 때문에 그가 마음껏 욕을 하도록 내버려 둘 수도 있었지만, 그래도 결국에는 끼어들어 한마디 던지지 않을 수 없었다.

「음, 그러니까 저는 운반 기체에 대해서 별로 아는 게 없고, 육불화 우라늄에 대해서도 거의 들어 본 적이 없지만, 어쨌든 지금 엔지니어님께서는 자체 촉매 작용과 관련된 어떤 문제점에 봉착하신 것 같네요.」

엔지니어는 아무 대꾸도 하지 않았지만, 〈네이름이뭐더라〉의 어깨 너머, 복도로 통하는 문 쪽으로 힐끗 시선을 던졌다. 이 기묘한 생물이 자기보다 더 똑똑한 모습을 보이려 하고 있는 이때, 누군가가 그들의 대화를 듣게 되면 곤란하므로.

「엔지니어님께서 아무 말씀 없으신 것을 계속 얘기해도 좋다는 뜻으로 해석해도 될까요? 평소 저는 엔지니어님께서 먼저 말을 걸어 주셔야만 말을 할 수 있어서요.」

「그래, 계속해 봐, 젠장!」

놈베코는 그에게 상냥한 미소를 지어 보인 다음, 이 문제를 구성하는 요소들에 붙여진 명칭들은 그다지 중요하지 않다, 왜냐하면 여기에다 수학 원리들을 적용하기만 하면 되기 때문이다, 라고 말했다.

「자, 이제부터 운반 기체를 A라고 하고, 육불화 우라늄을 B라고 불러 보자고요.」

그녀는 칠판 앞으로 걸어가 엔지니어가 그려 놓은 한심한 것들을 모조리 지워 버린 다음, 자체 촉매 반응의 속도값을 내는 방정식을 썼다. 엔지니어가 계속 멍청한 눈으로 쳐다보고만 있었으므로, 그녀는 S자 곡선을 그려 가며 설명을 보충했다. 하지만 설명이 다 끝난 후에도 판 데르 베스타위전 엔지니어는 그녀가 쓴 것을 전혀 이해하지 못한 기색이었다. 그 어떤 공동변소 분뇨 수거인, 혹은 그 어떤 요하네스버그 위생국 직원보다 낫다고 할 수 없는 모습이었다.

「엔지니어님, 제발 이해하려고 노력 좀 해보세요. 전 걸레질 해야 할 데가 너무 많다고요. 지금 운반 기체와 불소는 사이가 좋지 않고, 그것들의 불화(不和)는 기하급수적으로 증가하고 있어요.」

「그럼 해결책이 뭐지?」

「저도 몰라요. 생각해 볼 시간이 없었어요. 아까도 말씀드렸다시피 전 하녀일 뿐이잖아요.」

바로 이때, 판 데르 베스타위전의 동료 중 하나가 사무실 안으로 들어왔다. 방금 연구팀이 알아낸 바에 의하면, 문제는 자체 촉매 작용과 관련되어 있고, 이 때문에 우라늄 농축기 격막이 오염되고 있었지만, 곧 해결책을 찾아낼 수 있을 거라는 사실을 알리기 위해서였다.

동료는 메신저 역할을 할 필요가 없어졌으니, 마대 걸레를 든 검둥이 소녀의 바로 뒤 칠판에 누군가가 써놓은 것을 읽게 되었기 때문이다.

「흠, 소장님께서는 벌써 제가 말씀드리려는 내용을 알아내신 것 같네요. 그렇다면 더 이상 소장님을 방해할 필요가 없겠습니다.」 그는 이렇게 말하고 몸을 돌려 나가 버렸다.

판 데르 베스타위전은 책상 뒤에서 침묵을 지켰고, 클리프드리프트를 한 잔 더 따라 마셨다.

놈베코는 운 좋은 우연의 일치였다고 논평했다. 그리고 덧붙이기를, 자신은 이제 그를 더 이상 방해하지 않고 나가 보겠지만, 두 가지 질문이 있다고 했다. 첫째는 그의 팀이 농축 우라늄 분리량을 연간 12000SWU에서 24000SWU로 높일 수 있는 방법을 수학적으로 설명해 드릴 수도 있는데, 엔지니어님께서는 그래도 괜찮으시겠냐는 거였다.

엔지니어는 괜찮다고 대답했다.

두 번째로 놈베코는 엔지니어의 애완견이 바닥 닦는 마대 걸레를 물어뜯어 망가뜨렸는데, 혹시 새 걸레를 하나 주문해 주실 수 없느냐고 물었다.

거기에 대해선 아무것도 약속해 줄 수 없다는 게 엔지니어의 대답이었다.

비록 꼼짝 못 하고 갇혀 있는 신세이기는 하지만, 그래도 얼마든지 삶에서 밝은 부분들을 찾아볼 수 있다는 게 놈베코의 생각이었다. 예를 들어 저 사기꾼 판 데르 베스타위전이 얼마나 더 사람들을 속일 수 있는지를 지켜보는 것도 꽤나 재미난 일이 아니겠는가?

따지고 보면 그녀의 현재 삶은 괜찮은 편이라고 할 수 있었다. 아무도 보는 사람이 없을 때는 책을 읽고, 복도를 몇 군데 청소하고, 재떨이를 몇 개 비우고, 연구팀의 분석 자료를 읽고, 또 엔지니어가 이해할 수 있게끔 쉬운 내용으로 보고서를 작성하는 게 그녀의 일과였다.

남는 시간은, 아파르트헤이트 시스템이 분류하는 데 좀 더 어려움을 느꼈던 소수 집단에 속한 다른 하녀들과 함께 보냈다. 그들에게는 〈모든 종류의 아시아인〉이라는 딱지가 붙어 있었다. 정확히 말해서 그들은 중국인이었다.

중국인들이 남아프리카에 들어온 것은 거의 1세기 전, 그러니까 이 나라가 요하네스버그 부근의 금광들을 개발하기 위해 값싼 — 그리고 별로 불평하는 일이 없는 — 노동력이 필요했던 시대였다. 이런 시대는 이미 지나갔지만, 중국인 집단은 이 나라에 남았다.

세 중국인 자매(막내, 둘째, 맏이)는 저녁때면 놈베코와 같은 곳에 갇혔다. 처음에 중국 자매들은 놈베코에 대해 조금 거리를 두었지만, 마작은 셋보다는 넷이 할 때 훨씬 재미있었고, 특히나 이 소웨토 출신 소녀는 얼굴이 노랗지 않은 애치고는 그렇게 멍청하지 않았다.

놈베코는 제 발로 놀이에 뛰어들어서는 펑, 캉, 치의 비밀이며 게임의 기타 미묘한 부분들을 금방 통달해 버렸다. 또 140여 개에 달하는 패들을 죄다 외워 버린 그녀는 네 판 중 세 판을 이겼고, 한 판은 세 자매가 이길 수 있게끔 배려해 주었다.

매주 한 번씩, 그녀는 연구소 복도와 문 앞에서 주워들은 세상 돌아가는 이야기들을 벗들에게 전해 주었다. 다소 엉성하고도 부족한 소식통이라 할 수 있었으나, 그녀의 청중은 그렇게 까다롭지 않았다. 예를 들어 놈베코가 중국 당국이 아리스토텔레스와 셰익스피어가 다시 중국에 들어올 수 있게 해주었다고 설명하자, 자매들은 그 두 신사분께서 기쁘셨을 것이라고 논평했다.

이런 시사 뉴스 시간들과 게임들 덕분에, 같은 불행의 배를 탄 네 사람은 친구가 되었다. 중국 소녀들은 마작 패들에 새겨진 기호들이며 상징들에 영감을 받아 놈베코에게 자기들 언어를 가르쳐 주었고, 놈베코도 자기 어머니의 언어인 이시코사어를 가르쳐 주려 시도해 봤지만, 큰 성과는 없었다.

중국 소녀들이 엔지니어의 소유물이 된 과정은 그들의 형기가 7년이 아닌 15년이라는 점만 빼면 놈베코의 그것과 거의 흡사했다. 그들은 요하네스버그의 한 술집에서 엔지니어를 만났다. 그가 세 자매 모두를 유혹하려 하자 소녀들이 대답하기를, 자신들은 병든 부모를 위해 돈이 필요한데, 팔고 싶은 것은 몸이 아니라 엄청난 가치가 있는 가보(家寶)라는 거였다.

이 엔지니어는 여색깨나 밝히는 사람이긴 했지만, 그 대신 오늘 저녁에 뜻밖의 횡재를 할지도 모르겠다고 생각했다. 하여 그는 자매들의 집에까지 따라갔고, 거기서 소녀들은 예수 그리스도께서 오시기 2백 년 전의 중국 한(漢)나라 시대에 만들어진 거위 형상의 토우(土偶) 하나를 보여 주었다. 처녀들은 토우의 값으로 2만 랜드를 원했다. 엔지니어는 이 물건의 실제 가치가 이 액수의 열 배, 혹은 백 배는 된다는 것을 알고 있었다. 하지만 소녀들은 아직 철없는 아이들, 그것도 멍청한 중국 아이들일 뿐이었다. 그는 당장 다음 날 아침에 은행으로 달려가 현금 1만 5천 랜드를 찾아와서는 그들에게 내밀었다(〈일인 당 5천씩이야! 받든지 말든지 맘대로 해!〉). 그 바보들은 받아 들였다.

이렇게 얻은 세상에 둘도 없는 거위는 그의 사무실에 마련된 좌대 위에 떡하니 놓이게 되었는데, 일 년 후, 그러니까 그와 마찬가지로 원자폭탄 프로젝트에 참여하고 있는 한 모사드[10] 요원이 그 물건을 흥미 있게 살펴보았다. 그리고 그의 입에서 판결이 나오기까지는 채 10초도 걸리지 않았다. 그것은 싸구려 위조품이란다. 엔지니어가 살벌한 눈을 하고서 벌인 조사 결과, 거위를 만든 사람은 예수그리스도께서 오시기 약 2백 년 전 중국 한대(漢代)에 저지앙(浙江) 지방에서 살았던 어느 도공이 아니요, 아마도 예수그리스도께서 오시고 나서 대략 1975년이 지난 요즈음, 요하네스버그 근교에 살고 있는 세 중국 자매일 거라는 사실이 밝혀졌다.

자매들은 신중치 못하게도 그들의 집에서 엔지니어를 속였고, 덕분에 엔지니어와 당국은 아무 어려움 없이 그들을 붙잡을 수 있었다. 1만 5천 랜드 중에서 남아 있는 돈은 2천 랜드에 불과했고, 이 때문에 세 소녀는 아직 10년을 더 이 펠린다바에 갇혀 있어야 한다는 거였다.

「우리끼리는 엔지니어를 〈어(鵝)〉라고 불러.」 자매 중의 하나가 말했다.

「거위란 말이지?」 놈베코가 바로 번역해 냈다.

---

10 이스라엘의 비밀정보기관.

중국 자매들의 소망은 요하네스버그의 차이나타운으로 돌아가, 이번에는 일들을 좀 더 우아하게 처리해 가며 기원전의 거위들을 계속 만들어 내는 것이었다.

펠린다바에서 세 자매의 삶은 놈베코의 삶과 마찬가지로 그렇게 비참하지는 않았다. 그들이 맡은 일에는 여러 가지가 있었지만, 가장 중요한 것은 엔지니어와 경비병들에게 식사를 차려 주는 일과 연구소에 들어오고 나가는 우편물을 관리하는 일이었다. 특히 나가는 우편물이 중요했다. 왜냐하면 중간에 도난당한다 해도 당사자가 크게 개의치 않을 크고 작은 물건들에 자매들 어머니의 주소가 적혀져 발송 바구니에 넣어지기 때문이었다. 어머니는 감사하는 마음으로 소포들을 받아 그 안의 물건들을 되팔면서, 아이들의 교육에 투자하여 그들에게 영어 읽기와 쓰기를 가르친 것은 참 잘한 일이라고 흐뭇해했다.

이 일을 함에 있어서 자매들은 크게 조심하지 않았고, 위태로운 짓도 많이 했기 때문에 이따금 골치 아픈 일들이 발생하곤 했다. 예를 들어 그들은 종종 주소를 착각했다. 어느 날 외무부 장관이 직접 판 데르 베스타위전 엔지니어에게 전화를 걸어와, 왜 자신이 양초 여덟 자루와 천공기 두 개와 빈 폴더 네 개가 든 소포를 받게 되었느냐고 물었다. 같은 시각에 자매들의 어머니는 넵튜니움을 핵연료로 사용하는 것의 단점들에 대한 4백여 페이지의 기술적 보고서를 받고는 서둘러 불태워 버렸다.

놈베코는 결국 사태의 심각성을 깨달았다. 이렇게 늦게 알아차린 것이 화가 났다. 따지고 보니 그녀는 7년 형이 아니라 종신형을 받은 셈이었다. 세 중국 자매들과 달리 놈베코는 지구 상에서 가장 은밀한 이 프로젝트의 본질을 꿰뚫고 있었다. 그녀와 외부 세계 사이에 1만 2천 볼트가 흐르는 철책이 있는 한 아무런 문제가 없었다. 하지만 여기서 풀려나는 순간, 그녀는 버려지만큼의 가치도 없는 흑인 여자인 동시에 이 나라의 안전을 위협하는 시한폭탄인, 미묘한 존재가 된다. 이 경우 그녀는 얼마나 더 살 수 있을까? 10초, 운이 좋으면 20초일 것이다.

그녀의 상황은 해결할 수 없는 어떤 수학 문제와도 비슷했다. 만일 그녀가 엔지니어를 도와 그의 임무를 완수하게 해준다면, 그는 명예를 얻고 은퇴하여 엄청난 국가연금을 누리게 되겠지만, 알아서는 안 되는 것을 알게 된 그녀는 뒤통수에 총알 한 발을 받게 되리라.

간단히 말해서 그녀가 풀어야 하는 것은 극히 난해한 방정식이었다. 지금 이 상황에서 그녀가 할 수 있는 일은 오직 하나, 외줄타기 게임이었다. 다시 말해서, 한편으로는 엔지니어가 사기꾼이라는 사실이 들통 나지 않게끔 최선을 다하되, 다른 한편으로는 이 프로젝트가 최대한 오랫동안 질질 끌리도록 노력하는 것이었다. 이것이 뒤통수를 총알로부터 완전히 보호해 줄 수는 없겠지만, 프로젝트의 종료가 늦춰질수록, 그녀의 목숨을 구해 줄 어떤 일이 일어날 가능성이 그만큼 커지지 않겠는가? 혁명이나 연구소 내부의 반란, 혹은 이것들만큼이나 말도 안 되는 무언가가 말이다…….

다른 해결책은 없을까?

뾰족한 생각이 나지 않았기 때문에, 그녀는 시간이 날 때마다 도서관 창가에 앉아서 연구소 정문 쪽의 동향을 관찰했다.

그녀는 정문을 통해 들어오고 나가는 차량은 엔지니어의 차만 빼고 모두가 경비병과 경비견에 의해 수색된다는 사실을 알게 되었다. 또 연구팀장의 차도 예외였다. 두 모사드 요원의 차도 마찬가지였고. 이 네 사람은 의심받을 일이 없는 모양이었다. 만일 놈베코가 대형 주차장으로 가서 어느 차의 트렁크에 몸을 숨긴다면, 경비병이나 경비견에게 발각될 게 뻔했다. 이 경비견은 일단 사람을 물고 나서 그다음에 주인님의 의견을 구하라는 지시를 받은 녀석이었다. 최고 윗대가리들이 이용하는 소형 주차장에 있는 차들의 트렁크에 몸을 숨긴다면 살아남을 수 있겠지만, 문제는 이 주차장에 들어갈 수 없다는 점이었다. 이곳의 열쇠는 엔지니어가 항상 몸에 지니고 다니는 몇 안 되는 열쇠 중의 하나였다.

놈베코가 관찰을 통해 알아낸 사실은 이것만이 아니었다. 흑인 청소부는 녹색 쓰레기통을 1만 2천 볼트 철책의 바로 바깥으로 가져갈 때마다 펠린다바의 경계선을 벗어나고 있었다. 이틀에 한 번씩 일어나는 이 일에 놈베코는 큰 흥미를 느꼈다. 왜냐하면 분명히 흑인 청소부는 거기까지 나갈 권한이 없을 터인데, 경비병들은 오물통을 직접 비우고 싶지 않아서 그녀를 내보내고 있는 거였기 때문이다.

이 사실은 놈베코로 하여금 한 가지 대담한 생각을 품게 했다. 그것은 대형 주차장을 통해 쓰레기통까지 접근하여 그 속에 들어간 다음, 흑인 청소부와 함께 철책 건너편으로 가 자유의 쓰레기차에까지 이른다는 시나리오였다. 흑인 청소부는 정확히 시간을 맞춰 쓰레기통을 비웠고(이틀에 한 번, 오후 4시 5분), 그러면서도 살아남을 수 있었던 것은 아마도 경비견들이 그녀만큼은 먼저 허가를 구하기 전에는 찢어발기지 말라는 엄명을 받았기 때문인 듯했다. 그렇긴 해도 녀석들은 매번 의심쩍은 표정을 하고서 쓰레기통에 코를 대고 킁킁거렸다.

따라서 어느 날 오후에 녀석들을 제대로 근무할 수 없는 상태로 만들어 놓아야 했다. 그래야만 이 탈출 작전에서 살아남을 수 있는 희망이 조금이나마 생길 터였다.

녀석들의 먹이에다 독을 눈곱만큼만 섞어 놓으면 뭔가가 되지 않을까?

놈베코는 세 중국 자매를 그녀의 계획에 끌어들였으니, 인간과 짐승을 막론한 모든 경비병의 식사를 책임진 게 바로 그들이었기 때문이다.

「당근이지!」 놈베코가 참여 의향을 묻자 맏이가 소리쳤다. 「우리가 바로 개 중독 분야의 전문가들이거든! 정확히 말하자면 우리 중 두 사람이.」

놈베코는 세 자매가 무슨 짓을 해도 더 이상 놀라지 않게 되었지만, 아무리 그래도 이 발언은 상궤를 좀 벗어나는 것이라 좀 더 자세한 설명을 부탁했다.

대략 다음과 같은 얘기였다. 세 자매가 수입이 짭짤한 짝퉁 제조 사업에 뛰어들기 전에, 그들의 어머니는 요하네스버그 근교, 파크타운웨스트 바로 옆에 위치한 한 견공 전용 공동묘지를 경영했다. 사업은 그다지 번창하지 못했으니, 이 동네 개들은 그들의 주인만큼이나 혈색이 좋고 정정하여 기대 수명이 상당히 높았기 때문이다. 하여 세 자매의 어머니는 생각했다. 만일 흰둥이들의 푸들이며 페키니즈들이 자유로이 뛰놀고 있는 저 공원에다 우리 맏이와 둘째가 독을 섞은 먹이를 갖다 놓으면 상황이 좀 나아지지 않을까? 이 당시에 막내는 나이가 너무 어려 문제의 음식물을 맛볼 위험이 있었기 때문에 작전에서 제외되었다.

그 후로 얼마 되지 않아, 견공 전용 공동묘지 사업은 폭발적인 신장세를 보였고, 가족은 매우 안락하게 살아갈 수 있었을 것이었으나…… 솔직히 그들은 너무 욕심을 부렸다. 공원에 살아 있는 개들보다는 죽어 가는 개들이 많아지자, 인종주의자 백인들의 시선은 당연히 이 동네의 유일한 황인종 여자와 그녀의 딸내미들에게로 꽂혔다.

「이것만 봐도 그들이 얼마나 편견에 찬 사람들인지 알 수 있어.」놈베코가 논평했다.

그들의 어머니는 서둘러 짐을 꾸렸고, 딸들과 함께 요하네스버그 중심가에 몸을 숨긴 다음, 활동 분야를 바꿨다. 이것은 벌써 여러 해 전으로 거슬러 올라가는 이야기였으나, 자매들은 다양한 독 배합 방법들을 잘 기억하고 있었다.

「자, 이 경우에는 개가 여덟 마리이고, 독은 약간만 섞으면 돼.」놈베코가 설명했다. 「녀석들이 하루나 이틀 정도 빌빌거릴 정도. 딱 그 정도만.」

「그렇다면 에틸렌글리콜이 좋겠군.」둘째가 말했다.

「나도 그 생각이었어.」맏이도 고개를 주억거렸다.

두 자매는 적합한 용량에 대해 토론했다. 둘째는 3데시리터면 충분하다는 의견이었지만, 맏이는 지금 문제가 되는 것은 치와와가 아니라 독일 셰퍼드들이라는 점을 상기시켰다.

결국 자매는 5데시리터로 합의를 보았다. 그들이 문제를 해결하는 방식은 마치 자신의 일이 아닌 듯 너무도 덤덤했고, 놈베코는 벌써 자신의 요청을 후회하기 시작했다. 아니, 이 언니들은 모른단 말이야? 독 섞은 먹이의 근원이 밝혀지면, 자기들에게 어떤 문제가 생길지?

「음……」 놈베코가 묻자 막내가 대답했다. 「뭐, 어떻게든 잘되겠지! 자, 첫 번째 단계로 에틸렌글리콜 한 통을 주문해야 해. 그게 있어야 일을 시작할 수 있으니까.」

놈베코는 불안감이 배가되었다. 아니, 이 언니들은 정말로 이해하지 못한단 말이야? 물품 주문 리스트에 새로운 항목이 추가된 게 발견되면, 당장에 보안팀이 자기들을 찾아오리라는 걸?

「잠깐만, 잠깐만, 여러분! 내가 돌아올 때까지 아무것도 하지 마! 아무것도! 알았지?」

중국 자매들은 놈베코를 놀란 눈으로 쳐다봤다. 대체 얘는 왜 이러는 걸까?

놈베코는 연구팀장이 엔지니어에게 올린 수많은 보고서 중 하나에서 읽은 어떤 정보가 생각났던 것이다. 그것은 에틸렌글리콜이 아니라 〈에탄-1,2-디올〉이란 것에 대해 말하고 있었다. 보고서의 설명에 따르면, 지금 연구팀은 임계질량 온도의 증가 속도를 십 분의 몇 초 동안 늦추기 위해 섭씨 100도 이상에 비등점이 있는 액체들을 실험해 보고 있었다. 그중 하나가 이 에탄-1,2-디올이었다. 그런데 이 물질과 에틸렌글리콜은 서로 비슷한 점들이 많은 것 같던데……?

도서관에 잠시 들른 놈베코는 에탄-1,2-디올과 에틸렌글리콜이 결국 똑같은 물질이라는 사실을 확인할 수 있었다.

놈베코는 엔지니어의 열쇠 꾸러미에서 열쇠 두 개를 빌려 가지고는, 발전소 옆에 붙은 화학약품 보관창고 안으로 숨어 들어갔다. 거기서 25리터들이 에탄-1,2-디올 통을 찾아낸 그녀는 가지고 간 양동이에 5리터 이상을 부어 가지고 자매들에게로 돌아왔다.

「자, 이 정도면 떡을 칠 거야.」

놈베코와 세 자매는 먼저 개들의 먹이에 아주 적은 양부터 넣어 녀석들의 반응을 살피기로 결정했다. 그들이 점차로 양을 늘려 결국 여덟 마리의 짐승이 병가를 내야 할 지경이 됐지만, 경비원들은 이게 어떤 테러리스트의 소행일지도 모른다는 생각은 꿈에도 하지 못했다.

자매들은 놈베코의 지시대로 용량을 5데시리터에서 4데시리터로 줄였지만, 약 배합을 막내에게 맡기는 실수를 범하고 말았다. 막내는 정확히 4데시리터씩을 각 견공의 밥그릇에 집어넣었다. 그로부터 열두 시간 후, 여덟 마리의 독일 셰퍼드는 몇 년 전 파크타운웨스트의 동족들만큼이나 뻣뻣하게 굳어 있었다. 녀석들의 먹이를 날치기해 간 경비대장의 수고양이는 혼수상태에 빠졌고.

에틸렌글리콜은 소장을 통해 신속히 혈관에 침투하는 속성을 지녔다. 그다음에는 간에서 글리콜알데하이드, 글리코산, 옥살산염 등으로 바뀐다. 충분한 양일 경우, 이 물질들은 신장으로 퍼진 다음, 폐와 심장에 타격을 주게 된다. 그 결과는 멍멍이들의 심장마비이다.

중국 아가씨의 계산 착오가 초래한 즉각적인 결과로, 경비병들은 비상경계 태세에 돌입했다. 결국 놈베코가 쓰레기통에 숨어 밖으로 빠져나가는 일은 불가능하게 되었다.

바로 그 이튿날부터 자매들은 심문에 소환되었으나, 그녀들이 완강히 부인하는 가운데, 보안팀이 한 직원의 자동차 트렁크 속에서 거의 비어 있는 에틸렌글리콜 양동이를 발견했다. 놈베코는 엔지니어의 열쇠 꾸러미 덕분에 대형 주차장에 들어갈 수 있었고, 문제의 양동이를 어딘가에 처리해야 하는 상황이었다. 불행히도 차 트렁크를 잠가 두지 않은 연구원은 그다지 깨끗한 친구는 아니었다. 물론 조국을 배반할 생각은 절대로 못 했겠지만, 어쨌든 이날 그는 연구소장의 돈지갑을 슬쩍했던 것이다. 양동이 옆에는 돈과 수표책이 떨어져 있었다. 직원은 체포되고, 신문받고, 송치되어, 절도죄로 징역 6개월, 테러죄로 징역 32년을 선고받았다.

「아휴, 하마터면 큰일 날 뻔했네!」 막내가 가슴을 쓸어내렸다.

「한 번 더 시도해 볼까?」 둘째가 제안했다.

「바보들아, 그러려면 먼저 개들이 새로 들어와야지!」 맏이가 한심한 듯 혀를 찼다. 「개들이 다 없어졌는데 시도는 무슨 시도야?」

놈베코는 아무 말도 하지 않았다. 하지만 이제 자신의 미래는 지금 경련이 시작되고 있는 저 경비대장 고양이의 그것보다 나을 게 없다고 생각하고 있었다.

4

착한 사마리아인과
자전거 도둑과
갈수록 담배에 빠져들어 간 아내

이미 헨리에타의 돈을 몽땅 써버린 터라, 잉마르는 니스에서 쇠데르텔리에까지 히치하이크로 돌아오는 동안 거의 아무것도 먹지 못했다. 이렇게 더럽고 굶주린 거지꼴이 된 우체국 말단 직원은 말뫼에 이르러, 하느님을 섬기는 긴 하루를 보낸 뒤 귀가 중인 한 구세군 병사와 마주쳤다. 잉마르는 병사에게 물었다. 혹시 자기와 나눌 빵 한 조각 없느냐고.

구세군 병사는 곧바로 박애와 연민의 정신에 사로잡혔고, 결국 잉마르를 자신의 거처로 초대하기에 이르렀다. 그는 잉마르에게 퓌레와 돼지고기 그리고 자신의 침대까지 제공하면서, 자신은 난로 앞 바닥에서 자겠노라고 선언했다. 놀라 입을 딱 벌린 잉마르는 자신은 정말로 주인장의 친절함에 큰 감명을 받았다고 고백했다. 이에 당사자는 대답하기를, 자신의 행동에 대한 설명은 성경, 특히 착한 사마리아인의 우화가 들어 있는 루가의 복음서에서 찾아볼 수 있다는 거였다. 그리고 자기가 성경의 몇 구절을 읽어 주고 싶은데 괜찮겠느냐고 물었다.

「네, 물론이죠!」 잉마르가 대답했다. 「하지만 난 자고 싶으니까, 소리 나지 않게 읽어 주세요.」

다음 날 아침, 그는 신선한 빵 냄새에 잠에서 깨어났다. 아침 식사를 마친 그는 고결한 가슴을 지닌 구세군 병사에게 감사를 표하고 작별 인사를 한 뒤, 그의 자전거를 훔쳤다. 병사의 집에서 멀어지면서 〈목구멍이 포도청이니라〉라는 말씀을 성경에서도 본 것 같은 생각이 들었지만, 확실치는 않았다. 어쨌든 그는 훔친 자전거를 룬드에서 팔아 치우고, 그 돈으로 아내에게 돌아갈 수 있는 기차표를 샀다.

집 안에 들어서니 헨리에타가 그를 맞았다. 그는 아내에게 인사를 할 시간도 주지 않고 대뜸 선언했다. 자, 이제 아이를 만들어야 해! 헨리에타는 그에게 묻고 싶은 게 수도 없었다. 무엇보다도, 왜 느닷없이 그 염병할 미군용 콘돔 상자를 옆구리에 끼지 않고 이불 속으로 기어 들어올 생각을 하게 되었느냐고 묻고 싶었다. 하지만 그녀는 쓸데없이 제의를 사양할 만큼 어리석은 여자는 아니었다. 단지 그녀는 남편에게 먼저 샤워나 좀 해달라고 부탁했다. 그의 몸에서 풍기는 악취는 그 끔찍한 몰골만큼이나 견디기 힘들었기 때문이다.

부부가 콘돔 없이 행한 최초의 모험이 지속된 시간은 불과 4분 남짓이었다. 그래도 헨리에타는 만족했다. 천방지축의 낭군은 이제 집으로 돌아왔고, 부부가 침대에 오르기 전에는 콘돔 상자를 휴지통에 던져 버렸다. 만일 이게 그 모든 한심한 짓거리들의 종말을 의미한다면? 또 그들이 방금 하느님의 은혜로 아기를 하나 잉태했다면?

열다섯 시간이 지난 뒤, 잉마르는 잠에서 깨어났다. 그는 먼저 자기가 마침내 니스에서 국왕과 접촉하는 데 성공했다는 얘기부터 시작했다. 아니, 차라리 그 반대라고 해야 옳았다. 접촉해 온 쪽은 오히려 국왕이었으니까. 지팡이로 잉마르의 이마를 꽝 때리면서 말이다.

「세상에나!」 헨리에타가 외쳤다.

그래, 정말로 〈세상에나!〉였단다……. 하지만 잉마르는 오히려 그에게 감사한단다. 왜냐하면 국왕이 그의 눈을 번쩍 열어 주었기 때문이란다. 왕정은 근절되어야 할 사악한 발명품임을 분명히 깨닫게 해주었단다.

「사악한 발명품?」 아내는 멍해진 얼굴로 되물었다.

「그래, 근절되어야 할!」

그리고 이 새로운 사명은 인내와 꾀바름을 요구한단다. 또이 계획에는 잉마르와 헨리에타가 홀예르라고 이름 붙여질 아이를 갖는 것도 포함된단다.

「누구를 갖는다고?」 헨리에타가 놀라며 물었다.

「물론 우리 아들이지.」

고백한 적은 없지만, 성인이 된 이후로 〈엘사〉라는 이름의 딸을 꿈꿔 왔던 헨리에타는 자신은 딸을 갖는다 해도 아무 문제가 없다고 대답했다. 이에 잉마르는 당신은 그렇게 부정적인 태도를 버려야 한다고 꾸짖었다. 그리고 뭔가 먹을 걸 차려 준다면, 앞으로 일이 어떻게 진행될 것인지를 설명해 주겠다고 약속했다.

헨리에타는 분부대로 거행했다. 그녀는 피티파나[11]를 만들어 붉은 무와 달걀을 곁들여 가져왔다. 잉마르는 음식을 퍼먹

---

11 스웨덴의 가정 요리로 고기, 양파, 감자, 햄 등을 잘게 썰어 볶아 낸 음식.

는 사이사이에 구스타브 5세와 만났던 일을 좀 더 상세히 들려주었다. 그는 〈말단 직원〉과 〈성가신 자〉라는 표현을 처음으로 (하지만 이번이 결코 마지막은 아닐 거였다) 언급했고, 은제 지팡이 이야기를 두 번째로 (하지만 이번이 결코 마지막은 아닐 거였다) 되풀이했다.

「그래서 이제 군주제를 뿌리 뽑아야 한다고?」 헨리에타가 물었다. 「인내와 꾀바름으로써? 그렇다면 그 인내와 꾀바름이란 게 구체적으로 뭔데?」

지금까지의 경험상, 〈인내〉와 〈꾀바름〉은 남편의 현저한 특징이라고는 할 수 없었다. 하지만 헨리에타는 굳이 이 점을 지적하지는 않았다.

인내에 대해 말할 것 같으면, 잉마르는 전날 잉태된 아기가 세상에 나오기 위해서는 여러 달이 필요하고, 또 이 홀예르가 충분히 성장하여 아비의 바통을 이어받을 수 있기 위해서는 여러 해가 필요하다는 사실을 충분히 인식하고 있단다.

「누구의 바통을 이어받는다고?」

「투쟁을 위해서야! 헨리에타, 투쟁을 위해서라고!」

잉마르는 유럽을 히치하이크로 가로질러 오면서 충분히 숙고해 볼 시간이 있었다. 군주제의 근절은 결코 쉬운 일이 아니리라. 그것은 평생에 걸친 프로젝트가 될 수도 있었다. 아니, 어쩌면 그보다 더 긴 과업이 될 수도 있었다. 바로 여기서 홀예르가 등장할 필요가 생긴다. 만일 투쟁이 승리를 거두기 전에 잉마르가 세상을 떠난다면, 아들이 횃불을 이어받아야 하니까.

「근데 왜 이름이 홀예르야?」 헨리에타는 머릿속을 어지럽히는 무수한 질문 중 하나를 제기했다.

에, 그러니까, 녀석에겐 무슨 이름을 붙여도 상관없단다. 중요한 건 이름이 아니라 투쟁이니까. 사실은 아무런 이름을 붙이지 않아도 상관없단다. 하지만 그리하면 일이 불편해질 터였다. 잉마르는 먼저 유명한 작가이자 공화주의자인 빌헬름 모베리를 기리는 의미에서 빌헬름이라는 이름을 생각해 봤지만, 다음 순간 왕의 아들 중 하나인 쇠데르만란드 공(公)도 같은 이름이라는 사실을 기억해 냈다.

하여 그는 말뫼에서 룬드까지의 그 먼 길을 자전거로 달리는 동안, 자기가 아는 이름들을 모두 떠올려 봤다. A 항목에서부터 시작하여 H 항목에 이르렀을 때, 전날 알게 된 구세군 병사가 생각났다. 그의 이름은 홀예르였고, 비록 자전거 바퀴에 바람을 채워 놓지 않은 점이 다소 아쉽기는 했지만, 마음만큼은 진정 비단결 같은 사람이었다. 또 금상첨화 격으로, 잉마르는 이 이름을 가진 귀족이 한 명도 생각나지 않았다.

이제 헨리에타는 자신을 기다리고 있는 운명을 대략 파악할 수 있었다. 스웨덴의 가장 열렬한 군주제 지지자였던 사람이 이제 왕가를 없애는 데 평생을 바치려 하고 있었다. 그는 이 소명을 죽는 날까지 추구하고, 또 자손들까지 자신의 바통을 이어받을 수 있도록 하기 위해 최선을 다할 것이었다. 이 계획은 전체적으로 볼 때 그가 과연 매우 인내심 깊고도 꾀바른 사람임을 증명하고 있었다.

「자손들이 아니라 자손이야.」 잉마르가 정정했다. 「이름은 홀예르.」

하지만 문제의 자손은 그의 아버지만큼 열성을 보이지 않았다. 뒤이은 14년 동안, 잉마르는 주로 두 가지 일에 전념했다.

1) 불임에 대해 그가 찾아낼 수 있는 모든 것을 읽기.

2) 제도로써의 국왕과 개인으로서의 국왕을 철저하고도 참신한 방식으로 비방하기.

다른 한편으로 그는 쇠데르텔리에 우체국 최말단 공무원으로서 상관이 폭발하지 않을 정도로만 업무에 임함으로써, 해고당하는 일을 피할 수 있었다.

쇠데르텔리에에 있는 국립 도서관의 관련 서적을 모조리 섭렵하고 난 잉마르는 이제 스톡홀름의 〈왕립 도서관〉을 규칙적으로 방문하기 시작했다. 이 도서관의 이름은 끔찍하기 이를 데 없었지만, 장서만큼은 국립 도서관보다 훨씬 더 많았다.

잉마르는 배란 문제, 염색체 이상, 정자 형성 장애 등에 관련하여 알아 둘 만한 가치가 있는 모든 것을 알게 되었다. 그리고 문헌을 더 뒤진 끝에, 보다 의심쩍은 과학적 가치를 지닌 정보들도 발견하게 되었다. 예를 들어, 어떤 특정한 날들에, 그는 퇴근하여 (대개 정해진 퇴근 시간보다는 15분 일찍) 집에 들어왔을 때부터 잠자리에 들 때까지 머리에서 발끝까지 실오라기 하나 걸치지 않은 알몸으로 집 안을 돌아다녔다. 그가 읽은 책들에 따르면 이러한 방법은 그의 씨주머니 두 쪽을 서늘하게 유지시켜, 정자의 활동력을 증진시키는 데 매우 좋다는 거였다.

「잉마르, 내가 물을 붓고 있는 동안 수프 좀 저어 줄래?」 헨리에타는 가끔 이렇게 부탁했다.

「안 돼. 그럼 내 씨주머니들이 가스레인지에 너무 가까이 있게 되거든.」

헨리에타는 이처럼 생명력이 넘쳐흐르는 남편을 여전히 사랑하고는 있었지만, 가끔씩은 그녀의 삶에 균형을 잡아 주기 위해 존 실버를 한 개비 더 꺼내어 뻑뻑 빨아 댈 필요가 있었다. 그리고 또 한 개비 더……. 예를 들어 잉마르가 송구스럽게도 식료품점에 크림을 사러 가주었던 날에는 예정에 없던 한 개비를 더 피우게 되었다. 그는 머리에서 발끝까지 시뻘건 알몸이었던 것이다. 순전히 정신이 산만하여 일어난 멍청한 실수였다.

보통 그는 산만증보다는 광증이 더 심했다. 그는 헨리에타의 생리 기간을 모두 외워 놓았다. 이런 방식으로 비생산적인 날들을 국가원수의 삶을 망쳐 놓는 활동에 사용할 수 있기 때문이었다. 또 그는 실제로 그렇게 했다. 모든 방법을 동원해서.

예를 들어, 그는 1948년 6월 16일 스톡홀름 쿵스가탄 거리에 왕실 행렬이 지나가고 있을 때 13미터 폭의 대형 현수막을 활짝 펼침으로써 이날 제90회 생신을 맞은 국왕 폐하께 나름의 경의를 표했다. 현수막의 문구는 이랬다. 〈뒈져라! 늙은 염소야, 뒈져 버려!〉 고령에 접어든 구스타브 5세의 시력은 그다지 좋지 않았지만, 글자가 워낙 커서 장님의 눈에도 보일 정도였다. 이튿날 나온 「다겐스 뉘헤테르」지에 따르면, 국왕은 〈당장에 범인을 체포하여 내 앞에 끌고 오시오!〉라고 일갈했다고 한다.

앞으로는 나날이 이런 식으로 흘러갈 거였다.

이 쿵스가탄 가에서의 성공이 있은 후, 잉마르는 비교적 조용히 지냈다. 적어도 1950년 10월, 그러니까 스톡홀름 오페라단의 한 젊은 테너를 고용하여 임종을 앞둔 구스타브 5세가 누워 있는 드로트닝홀름 성의 창문 아래에서 〈바이 바이 베이비*Bye Bye Baby*〉를 부르게 한 그날까지는. 상황을 전혀 모르고 열창하던 테너는 국왕과 함께 밤을 지새우던 군중에게 늘씬하게 얻어맞았고, 다른 기회에 이 구역의 덤불숲의 위치를 알아 둔 바 있는 잉마르는 그들의 손길을 피할 수 있었다. 폭행을 당한 테너는 분노에 찬 편지를 보냈고, 이를 통해 이미 약속한 2백 크로나뿐만 아니라 자신이 당한 폭행에 대한 보상금으로 5백 크로나를 더 요구했다. 하지만 잉마르가 그의 서비스를 요청할 때 사용한 것은 가짜 이름과 가짜 주소였고, 이런 연유로 대신 편지를 받게 된 뢰브스타 폐기물 처리소장은 그걸 구겨서는 제2 소각기 안에 던져 넣었다.

1955년, 잉마르는 새 국왕이 일명 〈에릭스가타〉라고도 하는 즉위 기념 순회 여행을 할 때 지방 벽촌까지 쫓아다녔지만, 아무런 성과도 거두지 못했다. 그는 회의가 들기 시작했다. 여론을 바꾸기 위해 노력하는 것만으로 과연 충분할까? 좀 더 과격한 조처들이 필요하지 않을까? 국왕의 저 묵직한 궁둥이는 어느 때보다 더 탄탄하게 왕좌에 붙어 있지 않은가?

「이제 이 모든 걸 그만둘 때도 되지 않았어?」 헨리에타가 물었다.

「또, 또, 그 부정적인 생각을 하고 있다! 임신하려면 긍정적인 생각을 해야 한다잖아. 내가 어디서 읽었는데, 당신은 수은을 마시면 안 돼. 임신하는 데 아주 해롭대.」

「수은? 내가 수은을 왜 마시는데?」

「내 말이 바로 그 말이야! 또 당신은 율무도 먹으면 안 돼.」

「율무? 그건 또 뭔데?」

「나도 몰라. 하여튼 절대로 먹지 마.」

1960년 8월, 잉마르는 임신 방법에 대한 새로운 아이디어를 얻게 되었다. 어딘가에서 읽은 비법이었는데…… 아주 혁명적인, 하지만 헨리에타에게 소개하기에는 다소 거북한 방법이었다.

「자기야…… 그러니까 우리가 그 일을…… 하고 있을 때, 자기가 물구나무서기를 하고 있으면…… 정자를 내려보내기가 한결…….」

「뭐야? 물구나무서기?」

당신 혹시 넘어지면서 머리를 어디다 부딪친 게 아니냐는 물음이 헨리에타의 목구멍까지 올라왔지만, 이 질문은 이미 수도 없이 자신의 머릿속을 스쳤었다는 사실을 깨달은 그녀는 이내 체념하고 말았다. 그래, 변화를 기대한다는 건 어리석은 일이지…….

그런데 희한하게도 이 혁신적인 자세는 모든 것을 훨씬 더 유쾌하게 만들어 주었다. 새로운 경험은 두 파트너의 입에서 쉴 새 없이 즐거운 탄성이 솟아나게 했다. 심지어 헨리에타는 잉마르가 곧바로 곯아떨어지지 않는 것을 보고는 이렇게 제안하기까지 했다.

「자기야, 이거 그렇게 나쁘지 않은데? 한 번 더 해볼까?」

자신이 아직 깨어 있는 것에 깜짝 놀란 잉마르는 헨리에타의 제안을 잠시 생각해 보고는 대답했다.

「에이, 그래! 빌어먹을!」

이날의 결정타가 첫 번째였는지 아니면 두 번째였는지는 확실하지 않지만, 어쨌든 결실이 없었던 14년을 보낸 끝에 헨리에타는 드디어 임신하게 되었다.

「홀예르야! 나의 홀예르야! 이제 넌 출발선을 끊은 거야!」 헨리에타가 임신 소식을 알리자, 잉마르는 아내의 배에 대고 소리쳤다.

〈엘사〉의 가능성을 배제하기에는 인생에 대해 충분히 알고 있는 헨리에타는 담배 한 대를 피우러 부엌으로 들어갔다.

뒤이은 몇 달 동안, 잉마르는 작업에 박차를 가했다. 저녁마다 그는 헨리에타의 부풀어 오르는 배 앞에서 빌헬름 모베리의 『왜 나는 공화주의자가 되었는가?』의 구절들을 큰 소리로 낭독했다. 아침 식사 중에는 그때그때 머리에 떠오르는 공화주의적 생각들을 중심으로 아내의 배꼽을 통해 홀예르와 열띤 토론을 벌였다. 〈우리는 우리의 부모들과 군주들을 멸시하거나 거스르지 않기 위해 신을 두려워하고 사랑해야 한다〉라고 말한 마르틴 루터는 그의 빈번한 공격 표적이 되었다.

잉마르에 따르면, 루터의 논리 가운데는 적어도 두 개의 결함이 있단다. 첫째, 신은 백성에 의해 선출되지도 않았고, 또 폐위될 수도 없는 존재란다. 아, 물론 원한다면 개종하여 신을 바꿀 수는 있겠지만, 결국 그놈이 그놈이란다…… 둘째로 〈우리의 군주들을 거스르지 말라〉라는 말도 엿 같은 소리란다. 이 군주들은 도대체 누구이며, 왜 그들을 거스르면 안 된단 말인가?

헨리에타는 자기 배 앞에서 이어지는 독백에 끼어드는 일이 거의 없었지만, 때로는 불에 올려놓은 음식을 태우지 않기 위해 부득이 그의 작업을 중단시키지 않을 수 없었다.

예정보다 딱 한 달 일찍 진통이 시작되었다. 헨리에타의 양수가 터진 것은, 다행히도 잉마르가 왕립 우체국에서의 그 빌어먹을 일과를 마치고 (이날 그는 손에 들어오는 우표마다 구스타브 6세의 이마에 뿔을 그려 놓는 짓을 당장 중단하겠다고 약속하지 않으면 응분의 제재를 받게 될 거라는 위협을 받았다) 집에 막 들어왔을 때였다. 헨리에타가 침대까지 기어가고 있는 동안, 잉마르는 산파를 부르러 복도로 달려 나가다가 전화 줄에 발이 걸렸는데, 그 기세가 얼마나 세찼던지 전화 콘센트 전체가 벽에서 뽑혀 나오고 말았다. 그가 욕설을 늘어놓는 사이, 헨리에타는 옆방에서 그들의 아이를 세상에 내놓았다.

「자기야…… 그 불경스러운 말들이 다 끝났으면…… 이젠 들어와도 될 것 같아.」 그녀가 헐떡이며 말했다. 「그리고 가위도 좀 가져와. 탯줄을 잘라야 하니까.」

잉마르는 가위를 찾아내지 못하고(그는 부엌 물건들을 찾아내는 일에는 별로 재능이 없었다), 대신 자신의 공구통에서 니퍼를 꺼내 왔다.

「아들이야, 딸이야?」 산모가 물었다.

잉마르는 대답이 위치한 부위에 힐끗 눈길을 던진 다음 대답했다.

「어쨌든 간에 〈홀예르〉가 나왔어.」

그가 아내의 입에 키스를 하려 몸을 굽히고 있는데, 그녀가 외쳤다.

「오! 또 하나가 나오고 있는 것 같아!」

방금 아빠가 된 사내는 완전히 얼이 빠졌다. 처음에 그는 아들이 태어나는 장면을 목격할 뻔했다가…… 그만 발이 전화 줄에 걸려 버렸다. 그리고 나서 몇 분 후, 아까 놓쳤던 경험이 청천벽력처럼 떨어져 내렸다……. 아들 하나가 더 나온 것이다!

잉마르는 이 데이터를 미처 소화할 겨를이 없었다. 왜냐하면 헨리에타가 미약하지만 단호한 목소리로 아기들과 산모의 생명을 위험에 빠뜨리지 않기 위해 필요한 일련의 조처들을 지시했기 때문이다.

마침내 위험이 물러가고 평화가 찾아왔을 때, 잉마르는 그가 원래 원했던 단 한 명의 아들 대신에 두 명의 아들을 품에 안고 있는 자신을 발견했다. 하지만 그는 뜻을 분명히 표현하지 않았던가? 우린 그 일을 같은 날 두 번 치르지 말았어야 해! 그 결과로 어떤 곤란한 상황에 처하게 됐는지 한번 보란 말이야!

헨리에타는 남편에게 잠시 입을 다물어 달라고 부탁하고는 두 아이를 번갈아 살펴보더니 이렇게 말했다.

「홀예르는 왼쪽에 있는 애인 것 같아.」

「그래…….」 잉마르가 웅얼거렸다. 「아니면 오른쪽 애일 수도 있어…….」

태반이며 기타 등등이 쏟아져 나와 정신이 하나도 없는 가운데, 잉마르는 넘버 1과 넘버 2를 혼동했고, 이제 누가 먼저 나온 놈인지 도무지 분간할 수가 없었다.

「이런 염병할!」 그는 자신도 모르게 내뱉었고, 곧바로 아내의 질책이 뒤따랐다.

아이들이 세상에서 처음 듣는 소리가 꼭 그런 험한 말이 되어야겠어? 단지 예상보다 많이 나왔다는 이유 때문에?

이에 잉마르는 입을 다물었고, 아까의 상황을 다시 한 번 생각해 봤다. 그리고 결정을 내렸다.

「얘가 홀예르야.」 그는 오른쪽 아이를 가리키며 선언했다.

「오케이. 그래, 좋아. 그럼 이 애는?」

「얘도 홀예르고.」

「홀예르와 홀예르?」 깜짝 놀라 반문한 헨리에타는 갑자기 담배를 피우고 싶은 끔찍한 욕구에 사로잡혔다. 「잉마르, 당신 지금 진심으로 하는 소리야?」

그는 분명히 그렇다고 대답했다.

제2부

인간을 알면 알수록,
난 더욱 개들을 사랑하게 된다.

- 마담 드 스타엘

5

익명의 편지와
지구의 평화와
굶주린 전갈

판 데르 베스타위전의 검둥이 하녀는 외부 세계의 어떤 사회적 변화가 자신을 구해 줄지도 모른다는 실낱같은 희망을 다시 품게 되었다. 하지만 자신에게 어떤 미래를 ― 그것이 어떤 종류의 미래가 됐든 ― 가져다줄 수 있는 사건들을 예측해 보는 것은 쉬운 일이 아니었다.

물론 도서관의 책들을 통해 세상 돌아가는 사정을 조금 이해할 수 있었지만, 도서관 장서의 대부분은 10년 전, 혹은 그이상으로 거슬러 올라가는 것들이었다. 놈베코가 뒤적거린 자료들 중에는 1924년에 나온 발행물이 하나 있었는데, 거기서 런던의 한 교수는 국제연맹과 갈수록 대중적 인기가 높아지는 재즈 덕분에 앞으로는 절대로 전쟁이 일어나지 않을 거라고 2백여 페이지에 걸쳐 주장하고 있었다.

따라서 연구소 울타리 안에서 일어나는 일들을 지켜보는 편이 훨씬 쉬웠다. 그런데 최근의 보고서들은 엔지니어의 유능한 동료들이 마침내 자체 촉매 작용과 관련된 문제점을 해결하여 이제 원폭 실험을 할 채비를 하고 있다는, 그다지 반갑지 않은 사실을 알려 주었다. 이 실험의 성공은 프로젝트의 완료를 의미했고, 프로젝트의 완료는 좀 더 살고 싶은 놈베코의 입장에서는 너무 빠른 감이 없지 않았다.

거기서 놈베코가 할 수 있는 일이라곤 프로젝트의 진행을 조금이나마 늦춰 보려고 노력하는 것뿐이었다. 동시에 프리토리아 시 당국이 엔지니어가 쓸모없는 인간이라는 의심을 품는 일이 없게끔 해야 했다. 이를 위해서는 당장 앞으로 다가온 칼라하리 사막에서의 굴착 작업을 지연시키는 게 적절한 해결책일 수 있었다.

에틸렌글리콜 사건 때의 참담한 실패에도 불구하고, 놈베코는 다시 한 번 중국 자매들에게 도움을 구하기로 마음먹었다. 그녀는 자매들에게 그들의 중개를 통해 편지 한 장을 보내는 게 가능하느냐고 물었다. 이 연구소에서 외부로 나가는 우편물들은 모두 통제되고 있는지?

그렇단다. 보안팀의 한 신참에게 맡겨진 유일한 임무는 보안팀이 인가한 수신인들 외의 다른 수신인들에게 보내지는 우편물들을 샅샅이 검사하는 일이란다. 그러다가 조금이라도 미심쩍으면 봉투를 열어 보고, 발송인으로 하여금 심문을 받게 한단다.

몇 해 전, 보안팀장은 우편물 발송 책임자들을 소집하여 브리핑을 했다. 그는 중국 자매들에게 보안 규칙들을 상세히 설명하면서, 인간은 누가 됐든 신뢰한다는 게 불가능하기 때문에 이 모든 조치들이 필요하다고 강조한 뒤, 미안하지만 잠깐 화장실에 다녀오겠다며 방을 나갔다. 그러자 자매들은 보안팀장이 사람들을 불신하는 게 전적으로 옳았음을 서둘러 증명했다. 그가 사라지자마자, 중국 자매들은 까치발로 데스크를 빙 돌아가서는 타자기에 정식 용지를 끼워 넣고, 기존의 인가 수신인 명단 114명에다 또 한 명을 추가했다.

「너희들 엄마?」 놈베코가 물었다.

자매들은 미소를 지으며 고개를 끄덕였다. 그들은 안전을 기하기 위해 어머니의 이름 뒤에 멋진 칭호를 하나 붙였단다. 〈쳉리안〉이 뭔가 수상쩍게 보인다면, 〈쳉리안 교수〉는 보다 믿을 만하게 느껴지지 않겠는가? 인종주의적 논리는 그렇게 복잡하지 않은 것이다.

놈베코 생각으로는, 중국 이름은 그게 교수든 뭐든 간에 누군가의 고개를 갸우뚱하게 할 것 같았지만, 일단 저지르고 나서 일이 터지면 수습해 나가는 것이 이 세 자매의 기질인 듯했다. 지금 놈베코와 함께 이곳에 갇혀 있는 것도 그 덕분이었지만 말이다. 어쨌든 이 트릭은 지난 몇 해 동안 잘 통해 왔단다. 그렇다면 놈베코는 쳉리안 교수에게 편지 한 통을 보내고, 쳉 교수는 이 편지를 진짜 수신인에게 전해 주는 게 가능한지?

「당근이지!」 세 자매는 놈베코가 접촉하고 싶어 하는 인물에 대해서는 일말의 호기심도 보이지 않으며 대답했다.

수신 :
워싱턴 백악관
제임스 얼 카터 Jr. 대통령

대통령님, 안녕하십니까? 혹시 관심이 있으실까 하여 알려 드립니다. 현재 남아프리카공화국은 늘 만취 상태에 있는 한 얼간이의 지휘하에 3개월 후, 약 3메가톤급의 원자폭탄 1기를 터뜨릴 의도를 가지고 있습니다. 이 실험은 1978년 초에 칼라하리 사막, 더 정확히 말하자면 남위 26도 44분 26초, 동경 22도 11분 32초 지점에서 시행될 예정입니다. 남아프리카공화국은 필요 시에 사용하기 위하여 같은 유형의 폭탄을 6기 더 갖출 생각을 하고 있습니다.

그럼 안녕히.
한 친구가

놈베코는 고무장갑을 낀 손으로 봉투를 봉인하고 수신인 성명과 주소를 쓴 다음, 한쪽 귀퉁이에 〈미국에 죽음을!〉이라는 문구를 추가했다. 그러고 나서 봉투를 또 다른 봉투 속에 넣었고, 그 봉투는 바로 다음 날, 요하네스버그에 거주하며 보안팀이 인가한 어느 수신인에게로 날아갔다.

워싱턴의 백악관은 놈베코의 아프리카에서 수입된 흑인 노예들에 의해 지어졌다. 처음 지어졌을 때부터 웅장한 건물이었지만, 177년이 지나고 나서는 더욱 웅장해 보였다. 이 건물 안에는 132개의 방, 35개의 욕실, 6개의 층, 볼링장 하나, 영화 감상실 하나가 있었고, 또 매달 3만 3천 건에 달하는 우편물을 취급하는 직원들도 상당수 있었다. 우편물들은 각각의 수신인들에게 전달되기 전에 예외 없이 엑스선 투시대를 거치고, 탐지견들의 민감한 후각 아래에 놓이고, 세밀하게 검사되어야 했다.

놈베코의 편지는 엑스선 투시대와 탐지견 단계는 통과했다. 하지만 꾸벅꾸벅 졸고 있으면서도 볼 것은 다 보는 한 검사관은 대통령 앞으로 온 한 우편물에서 〈미국에 죽음을!〉이라는 문구를 발견했고, 그 즉시 경보를 발령했다. 열두 시간 후, 문제의 편지는 버지니아 주 랭글리 마을로 전달되었고, 거기서 CIA국장 스탠스필드 M. 터너에게 보여졌다. 보고를 맡은 요원은 먼저 편지의 외관에 대해 묘사한 뒤, 설명을 시작했다. 첫째, 발견된 지문은 그 수가 많지 않다는 점과 묻어 있는 위치로 보아 아마도 우체국의 다양한 직원들이 남긴 것으로 보인다. 둘째, 편지에서 방사능은 검출되지 않았다. 셋째, 우체국 소인은 진짜로 보인다. 넷째, 따라서 편지는 8일 전 남아프리카공화국 요하네스버그의 제9 우체국에서 발송되었다. 한편, 컴퓨터 분석에 따르면, 텍스트는 『지구의 평화』라는 책에서 오려낸 단어들을 짜깁기하여 작성된 것인데, 이 책의 저자는 국제 연맹과 재즈가 세계에 행복을 가져다줄 것이라고 주장했지만, 결국 1939년에 자살한 영국인 교수라고 한다.

「재즈가 지구에 평화를 가져다준다고?」 이것이 CIA국장의 첫 번째 질문이었다.

「말씀드렸다시피, 그는 자살했습니다.」 요원이 대답했다.

CIA국장은 요원에게 감사를 표한 뒤, 편지를 가지고 혼자 남았다. 국장은 세 사람과 더 대화를 나눴고, 그렇게 20분이 흐른 뒤에는 이 편지의 내용이 그가 21일 전에 소련인들에게서 얻었으며 그 자신은 믿지 않았던 정보와 정확히 일치한다는 게 명백해졌다. 이 익명의 편지가 제공한 추가적인 정보는 단 하나로, 핵 실험 장소의 정확한 좌표였다. CIA국장의 머릿속에 두 가지 생각이 교차했다.

1) 이 편지의 발신인이 대체 누구야?

2) 이제 대통령을 만나 봐야겠어. 어차피 그 사람 앞으로 온 편지잖아?

스탠스필드 M. 터너는 CIA 내에서 그다지 인기 있는 인물이 못 되었는데, 가급적 많은 수의 동료들을 컴퓨터로 대체하려 했기 때문이다. 사실 그의 생각에도 일리가 있었다. 이 경우만 보더라도, 오려 붙인 글자들의 근원을 찾아낸 것은 사람이 아니라 컴퓨터였으니까.

「재즈가 지구에 평화를 가져다준다고요?」 다음 날, 백악관 대통령 집무실에서 자신의 학교 동창이기도 한 터너 국장과 독대한 카터 대통령이 물었다.

「그렇게 말한 본인은 몇 해 뒤 자살했답니다, 대통령 각하.」 CIA국장이 대답했다.

재즈 애호가인 카터 대통령은 혼잣말하듯 중얼거렸다. 가만, 그 불쌍한 교수의 생각이 사실은 맞는 거라면? 저 빌어먹을 비틀스와 롤링스톤스가 갑자기 튀어나와서는 모든 걸 망쳐 버린 거라면?

CIA국장이 대답하기를, 우리가 비틀스에게 여러 가지를 비난할 수는 있겠지만, 솔직히 그들이 베트남전쟁을 일으켰다고 말할 수는 없을 것 같단다. 그리고 덧붙이기를, 어쨌든 비틀스와 롤링스톤스가 세계 평화를 파괴하는 일에 직접 뛰어들지 않았다면, 요즘은 섹스피스톨스가 그 일을 충분히 할 만한 녀석들처럼 보인단다.

「섹스피스톨스?」대통령이 놀라며 반문했다.

「〈신은 여왕을 수호하신다, 그녀는 인간이 아니니까 *God save the Queen, she ain't no human being*〉.」CIA국장이 그들 노래의 한 구절을 인용했다.

「아하.」대통령이 고개를 끄덕였다.

자, 이제 현안으로 돌아와 보자면…… 그 남아프리카공화국의 천치 같은 작자들이 원자탄을 터뜨리려 하고 있다고? 그리고 이 프로젝트는 어떤 얼간이의 지휘하에 있다고?

「이 얼간이 얘기는, 저도 무슨 얘긴지 잘 모르겠습니다, 각하. 지금 그 연구소를 지휘하는 것은 판 데르 베스타위전이라는 인물인데, 이 사람은 남아프리카공화국 최고 명문 대학을 최고 학점으로 졸업한 수재거든요. 그래서 그 자리에 채용된 거지요.」

얼간이 얘기는 그렇다손 치더라도, 편지에 담긴 우려스러운 정보들 대부분이 정확한 내용임을 증명하는 사실들이 한두 가지가 아니란다. KGB는 지금 남아공에서 꾸며지고 있는 일들에 대해 이미 친절하게도 귀띔해 줬단다. 그리고 이제 이 편지가 날아온 건데, 작성된 방식이 하도 특이해서 CIA국장은 이게 KGB 것이 아니라고 장담할 수 있단다. 게다가 CIA의 위성 사진 분석 결과, 칼라하리 사막의 익명의 발신인이 지목한 그 정확한 지점에서 모종의 활동 징후가 포착되었단다.

「하지만 겉봉에 〈미국에게 죽음을!〉은 왜 썼을까요?」카터가 물었다.

「그 때문에 이 편지가 곧바로 내 책상 위로 올라오게 되었고, 바로 이걸 노린 거죠. 이렇게 한 장본인은 대통령 주변의 보안 조처들에 대해 정확히 알고 있는 것 같아요. 이러니 우리 로선 그의 정체가 더욱 궁금해지는 거지요. 아무튼 나이스 플레이였습니다!」

대통령은 찌푸린 얼굴로 동의의 말을 웅얼거렸다. 그로서는 〈미국에게 죽음을!〉이라는 명령문이 〈나이스 플레이!〉로 규정되는 것을 선뜻 받아들이기 힘들었던 것이다. 영국 여왕 엘리자베스 2세가 인간 아닌 다른 종에 속한다는 주장처럼 말이다.

어쨌든 그는 옛 친구에게 감사를 표한 뒤, 자기 비서관에게 프리토리아의 포르스터르 수상에게 전화를 걸라고 지시했다. 카터 대통령은 세계 각지를 향해 배치되어 있는 총 3만 2천 기의 핵탄두를 직접적으로 책임지고 있었다. 모스크바의 브레즈네프는 거의 같은 수의 핵탄두를 보유하고 있었고. 이러한 상황에서, 동일한 등급의 폭탄 여섯 개를 추가하는 것이 과연 이 세계에 꼭 필요한 일이라고 할 수 있는가? 이제 이 점을 확실히 해두어야 할 필요가 있었다!

포르스터르는 씩씩거리고 있었다. 미국 대통령, 그 시골뜨기 침례교도가 어디라고 감히 전화를 걸어 가지고는 칼라하리 사막에서 원폭 실험이 준비 중이라고 우겨 댄 것이다. 그자는 심지어 실험 장소의 좌표를 정확히 불러 주기까지 했다. 이러한 책망은 전혀 근거 없는 것이며, 지극히 모욕적인 것이었다! 분노에 휩싸인 포르스터르는 지미 카터가 미처 끊기도 전에 수화기를 부숴 버릴 듯이 내려놓았지만…… 이 적대적인 행위를 더 이상 발전시켜서는 안 된다는 점만큼은 의식하고 있었다. 그는 당장에 펠린다바로 전화를 걸어, 판 데르 베스타위전에게 실험을 다른 곳에서 행하라고 지시했다.

「하지만 어디서요?」 판 데르 베스타위전은 하녀가 그의 발주위를 마대 걸레로 훔치고 있는 가운데 이렇게 물었다.

「칼라하리만 빼놓고 아무 데서나!」 수상이 소리쳤다.

「그럼 프로젝트가 몇 달 지연될 텐데요? 어쩌면 일 년, 혹은 그 이상이 될지도 몰라요.」

「이런 우라질, 시키는 대로 하라고!」

칼라하리 사막이 옵션에서 제외되고 난 뒤, 하녀는 그녀의 간수로 하여금 꼬박 이틀을 혼자 생각하게 놔두었다. 판 데르 베스타위전이 고심 끝에 찾아낸 해결책 중 가장 나은 것은 타운십[12] 중 하나를 싹 밀어 버린다는 것이었는데, 심지어는 그 자신조차 이게 좋은 생각이 아니라는 걸 깨달은 모양이었다.

놈베코는 엔지니어의 인기도가 위험한 수위로까지 떨어지고 있으며, 이 떨어진 인기도를 약간 올려 주어야 할 때가 곧 오리라는 것을 느꼈다. 그런데 기적이 일어났다. 아주 우연히 찾아온 행운이었다. 어떤 외부적 상황 하나가 엔지니어에게, 나아가서는 그의 하녀에게 여섯 달 동안 숨 돌릴 틈을 준 것이다.

B. J. 포르스터르 수상은 자신의 나라 안에서 자기에게 쏟아지는 끊임없는 비난과 배은망덕함에 조금은 지쳤던 모양이다. 하여 그는 약간의 도움을 받아 국고에서 6천5백만 랜드를 빼돌렸고, 그 돈으로 「시민」이라는 일간지를 창간했다. 이 「시

---

12 남아프리카공화국의 흑인 집단 거주지. 소웨토도 이에 해당한다.

민」은 평범한 시민들과는 달리 남아프리카공화국 정부에 대해, 그리고 원주민들과 전 세계를 꼼짝 못 하게 만들어 놓는 정부의 능력에 대해 무한히 호의적인 시민이었다.

불행히도 아주 배은망덕한 또 다른 시민이 이 사실을 세상에 알렸다. 설상가상으로 저 빌어먹을 국제사회는 민간인 6백여 명을 학살했다는 이유로 앙골라에 군사 개입을 결정했고, 결국 포르스터르는 사임하는 수밖에 없었다.

〈에이…… 시발.〉 그는 1979년, 정계에서 은퇴하기 전에 마지막으로 웅얼거렸다.

이제 그에게 남은 일은 케이프타운에 있는 그의 집 테라스에 술잔을 들고 앉아서는, 테러리스트 만델라가 갇혀 있는 로벤 섬을 하염없이 바라보는 것뿐이었다.

「앉아서 썩어 갈 사람은 만델라지, 내가 아니었다고…….」 포르스터르가 썩어 가며 중얼거렸다.

그 뒤를 이어 수상 자리에 오른 P. W. 보타는 〈커다란 악어〉라는 별명을 가진 사내였는데, 이 커다란 악어는 첫 번째 대화 때부터 판 데르 베스타위전을 공포에 떨게 했다. 놈베코는 더이상 핵 실험을 미룰 수 없다는 걸 깨달았다. 그녀는 엔지니어의 정신이 아직은 맑은 상태로 깨어 있는 어느 늦은 오전에 드디어 입을 열었다.

「저…… 엔지니어님.」 그녀는 책상 위의 재떨이에 손을 뻗으면서 슬그머니 그를 불렀다.

「또 뭐야?」

「음, 이건 그냥 어쩌다 떠오른 생각인데요……. 남아프리카에서 핵 실험을 할 수 있는 유일한 지상 지역인 칼라하리 사막이 제외됐다면, 왜 바다 한가운데서 폭탄을 터뜨리면 안 되는 걸까, 하는 생각이 어쩌다 머리에 떠올랐어요.」

남아프리카공화국은 동쪽, 서쪽, 남쪽으로 거의 무한한 양의 물로 둘러싸여 있었다. 그렇다면 사막 쪽의 옵션이 배제된 지금, 당연히 이 바다 쪽을 선택해야 한다는 것은 삼척동자라도 이해할 수 있는 일이라고 놈베코는 이미 오래전부터 생각하고 있었다. 아닌 게 아니라 삼척동자 판 데르 베스타위전의 얼굴이 환해졌다. 전깃불이 딱 켜지듯, 순식간에 환해졌다. 다음 순간 그는 해군과의 협력은 절대로 삼가는 게 좋다는 보안 경찰의 경고를 떠올렸다. 그 사정은 이러했다. 칼라하리 사막에서의 핵 실험 사실을 미국 대통령에게 알려 준 장본인을 밝혀내기 위한 치밀한 수사 결과, 요한 하를 발터스 부제독이 주요 용의자로 지목되었다. 그럴 만도 했던 것이, 이 부제독은 카터에게서 전화가 걸려 오기 불과 3주일 전에 펠린다바를 방문하여 프로젝트의 대략적인 내용을 알게 되었던 것이다. 뿐만 아니라 교통체증 탓에 엔지니어의 도착이 늦어지고 있던 (이건 엔지니어의 주장이고, 사실 그가 아침에 해장술을 한잔 들곤 하는 바에서 너무 꾸물댄 탓이었다) 7분 동안 그는 연구소장 사무실에 혼자 있었다. 그러다가 자신의 잠수함들에는 핵탄두가 장착되지 않을 거라는 사실을 알게 된 발터스는 격한 노여움에 사로잡혔고, 그 분한 감정을 미국 쪽에다 쏟아 내었다……. 이것이 기밀 유출을 설명하는 가장 유력한 이론이었다.

「나는 해군을 신뢰하지 않아.」 엔지니어가 웅얼거렸다.

「그럼 이스라엘에 도움을 요청하면 어떨까요?」 놈베코가 제안했다.

바로 그 순간, 전화벨이 울렸다.

「네, 수상님…… 물론 저는 이 사안의 중요성을 충분히…….
.네, 수상님……. 아닙니다, 수상님……. 죄송합니다만, 그 말씀
에 대해선 동의할 수 없습니다. 지금 제 책상 위엔 이스라엘과
의 협력하에 인도양에서 핵 실험을 시행하기 위한 상세한 계획
안이 놓여 있단 말입니다……. 네, 3개월 후입니다, 수상님…….
감사합니다, 수상님. 허허, 별말씀을요, 감사합니다……. 네, 안
녕히 계십시오…….」

판 데르 베스타위전은 수화기를 내려놓았고, 방금 전에 따
라 놓은 브랜디 잔을 포함하여 모든 것을 손등으로 싹 쓸어 버
린 다음, 놈베코에게 소리쳤다.

「뭘 그렇게 멍청히 서 있어! 가서 두 이스라엘 놈을 찾아오
란 말이야!」

핵 실험은 정말로 이스라엘과의 협력하에 시행되었다. 판
데르 베스타위전은 텔아비브와 외교 관계를 수립한다는 천재
적인 한 수를 보여 준 전 수상이자 나치인 포르스터르가 그저
고마울 뿐이었다. 하기야 전쟁과 사랑과 정치의 영역에서는
그 어떤 수라도 허용되는 법이니까. 이곳에서의 이스라엘 대표
는 두 거만한 모사드 요원이었다. 불행히도 엔지니어는 그들
과 필요 이상으로 마주치는 일이 많아졌고, 그들의 오만하기
짝이 없는 미소를 견뎌 내지 않으면 안 되었다. 사실 그 미소의
의미는 〈여보쇼, 아직 물기도 채 마르지 않은 거위 토우를 사
서, 그게 2천 년 묵은 골동품이라고 믿었다니, 사람이 어떻게

그렇게 멍청할 수가 있소?〉로, 엔지니어가 오해한 거였지만 말이다.

배신자로 추정되는 발터스 부제독은 이 실험으로부터 멀찌감치 떼어 놓았으므로, 미국은 제때에 정보를 얻을 수 없었다. 그리하여…… 쿠구궁! 물론 폭발은 미국 위성 벨라호에 의해 탐지되었지만, 때는 이미 늦었다.

새 수상 P. W. 보타는 실험 결과에 너무도 만족한 나머지 콘스탄티아 발포성 와인 세 병을 들고서 연구소까지 찾아왔다. 그리고 엔지니어, 두 모사드 요원 그리고 서빙을 담당한 현지의 한 〈깜둥이〉와 함께 엔지니어의 사무실에서 축하 파티를 벌였다. 보타 수상은 결코 깜둥이를 깜둥이라고 부르지 않을 것이었다. 지위가 지위니만큼 품격 있는 언행이 필요했다. 하지만 생각하는 것까지 금지된 건 아니지 않은가.

문제의 깜둥이는 그녀가 날라야 할 것들을 날랐고, 나머지 시간에는 하얀 벽지 가운데 최대한 녹아들어 있으려고 노력했다.

「우리 엔지니어를 위하여 건배!」 수상이 잔을 들어 올리면서 외쳤다. 「건배!」

판 데르 베스타위전은 오늘의 주인공 역할에 어울리는 약간 쑥스러운 표정을 하고는, 수상이 두 모사드 요원과 유쾌한 대화를 나누고 있는 가운데, 〈네이름이뭐더라〉에게 한 잔 더 부어 달라고 작은 소리로 부탁했다.

이처럼 화기애애하던 분위기는 수상이 판 데르 베스타위전에게 고개를 돌려 다음과 같이 묻는 순간 차갑게 얼어붙었다.

「그런데 우리 엔지니어께선 트리튬 문제에 대해 어떻게 생각하시오?」

P. W. 보타 수상은 그의 전임자와 정치적 배경이 크게 다르지 않았다. 하지만 이 나라의 새 지도자는 좀 더 똘똘했던 것 같으니, 유럽에서 나치즘이 망해 가는 것을 보고는 주저 없이 내던지고, 자신의 신념을 〈기독교 국가주의〉라고 부르기 시작했기 때문이다. 덕분에 그는 연합군이 제2차 세계 대전에서 승리했을 때 투옥되는 걸 면하고, 공백 기간 없이 정치 활동을 계속할 수 있었다.

보타와 그가 속한 개혁교회는 알고 있었다. 진실은 성경 안에 들어 있으며, 조금만 주의 깊게 읽어 보면 그 진실을 발견할 수 있다는 사실을. 모세오경의 첫 번째 책부터가 인간들이 하늘에까지 닿으려고 쌓아 올린 바벨탑을 언급하고 있지 않은가? 이 무엄한 짓 앞에서 하느님께서는 크게 분노하시어 인간들을 땅 표면에 이리저리 흩어 놓으셨고, 그들을 벌하시려 여러 언어를 만드셨다고 하지 않았던가?

그리하여 다양한 민족과 다양한 언어가 생겨났다. 하느님의 뜻은 민족들을 서로 나눠 놓는 데에 있었다. 사람들을 피부색별로 구별해도 좋다고 이 세상 가장 높은 곳에서 허가가 떨어진 것이다.

또 〈커다란 악어〉는 자신이 승승장구하는 것은 하느님 덕분이라고 믿었다. 얼마 안 가 그는 포르스터르 정부의 국방부 장관이 되었다. 이 자리에 있으면서 그는 앙골라에 숨은 테러리스트들에 대한 공습을 지시했는데, 멍청한 국제사회는 이 공습을 〈양민 학살〉로 규정했다. 그들은 아우성쳤다. 〈우리에겐 눈에 보이는 사진 증거가 있어!〉 커다란 악어는 맞받았다. 〈중요한 것은 눈에 보이지 않는 거야!〉 이 주장에 고개를 끄덕인 사람은 그의 어머니뿐이었다.

P. W. 보타의 아버지는 보어 전쟁 때 지휘관이었고, 보타 자신도 군사 전략을 비롯하여 군사 관련 문제에 관심이 많았다. 그래서 그는 판 데르 베스타위전이 최고 대표자로 있는 남아프리카공화국 핵무기 개발 프로그램에 대해서도 약간의 지식이 있었다. 하지만 보타에게는 엔지니어가 사기꾼이라고 의심할 이유는 전혀 없었다. 그가 이 질문을 던진 것은 단순한 호기심에서였다.

10초 전부터 판 데르 베스타위전은 꿀 먹은 벙어리가 되어 있었다. 이대로 계속 가면 상황이 그로서는 매우 난처해지고, 놈베코로서는 치명적인 방향으로 흐를 위험이 있었다. 만일 이 천치가 세상에서 가장 간단한 이 질문에 후딱 대답하지 못한다면, 그가 잘리는 건 시간문제이고, 자신의 신변도 위태로워지리라는 생각이 뇌리를 스쳤다. 또다시 그를 구해 줘야 한다는 게 지겹기 짝이 없었지만, 어쨌든 그녀는 클리프드리프트가 든 물약 병을 호주머니에서 꺼내어 판 데르 베스타위전에게 다가갔다. 그리고 지금 엔지니어님께서 천식 때문에 몹시 고통스러워하신다고 모두에게 설명했다.

「자, 한 모금 쭉 들이키세요. 그럼 곧 괜찮아지셔서, 트리튬은 폭탄의 폭발력과는 무관하기 때문에 그것의 반감기는 문제가 되지 않는다고 수상님께 설명드릴 수 있을 거예요.」

엔지니어는 만병통치약을 전량 들이켰고, 그 즉시 상태가 한결 나아지는 걸 느꼈다. 그러는 동안 보타 수상은 뚱그레진 눈으로 하녀를 쳐다보았다.

「아가씨께서 트리튬 문제에 대해 알고 계시오?」 그가 물었다.

「아이고, 세상에나, 그럴 리가 있나요?」 놈베코는 웃으며 대답했다. 「전 매일같이 이 방에 들어와 청소를 하는데요, 엔지니어님께서 하시는 일이라곤 알 수 없는 공식들이며 용어들을 중얼중얼하는 것뿐이라서, 제 나쁜 머리로도 몇 가지를 기억하게 된 것뿐이에요. 와인을 더 따라 드릴까요, 수상님?」

보타 수상은 제의를 받아들이고는, 자기 자리로 돌아가는 놈베코를 오랫동안 쳐다보았다. 이 틈을 타서 엔지니어는 크흠 하고 목을 고른 다음, 자신의 천식 발작과 하녀의 주제넘음에 대해 용서를 구했다.

「에, 그러니까…… 트리튬의 방사능 반감기는 원자폭탄의 폭발력과는 전혀 관련성이 없습니다.」 그가 설명했다.

「그건 당신 웨이트리스가 방금 전에 한 얘기요!」 수상이 쌀쌀맞게 대꾸했다.

하지만 보타는 더 이상 위험한 질문을 하지 않았고, 놈베코가 철철 부어 준 발포성 와인 덕분에 이내 유쾌한 기분을 되찾았다. 다시 말해서 판 데르 베스타위전은 이번 위기도 무사히 넘긴 것이고, 그의 하녀도 마찬가지였다.

첫 번째 폭탄이 완성되자, 그다음의 제조 작업은 두 팀이 나눠서 진행하기로 했다. 다시 말해서, 고도의 기술력을 가진 두 개의 팀이 첫 번째 폭탄을 모델로 하여 제각기 폭탄을 하나씩 제조한다는 계획이었다. 각 팀에게는 제조 공정을 세밀히 기록하라는 지시가 내려졌는데, 먼저 이 두 폭탄을 서로 비교해 본 다음에, 다시 첫 번째 폭탄과 비교해 보기 위해서였다. 그리고 이 비교 작업은 엔지니어 혼자서 (계산에 넣지 않은 여자 하나와 함께) 행할 것이었다.

만일 폭탄들이 동일한 것으로 판명되면, 이는 그것들이 제대로 만들어졌음을 의미할 터였다. 독립된 두 개의 작업팀이 이같이 높은 수준에서 똑같은 실수를 범하기란 쉽지 않기 때문이다. 〈네이름이뭐더라〉에 따르면, 이런 일이 발생할 가능성은 0.0054퍼센트에 불과하단다.

놈베코는 희망을 가질 수 있는 무언가를 계속해서 찾고 있었다. 중국 자매들이 아는 것은 별 게 없었다. 이집트 피라미드는 이집트에 있다는 사실, 개를 독살하는 방법, 재킷에서 지갑을 슬쩍할 때 주의해야 할 점…… 대충 이런 것들이었다.

엔지니어는 종종 남아프리카공화국과 세계가 어떻게 돌아가는지 구시렁구시렁 지껄이곤 했지만, 그에게서 나온 정보들은 걸러지고 해석될 필요가 있었다. 그가 하는 말을 대충 정리해 보자면, 지구 상의 모든 정치가들은 천치 아니면 빨갱이인데다, 그들이 내리는 결정들은 천치 같은 결정 아니면 빨갱이 같은 결정이라는 거였다. 또 빨갱이 같은 결정은 무조건 천치 같은 결정이란다.

미국 국민이 전에 할리우드 배우였던 사람을 미합중국 대통령으로 선출했을 때, 엔지니어는 신임 대통령뿐 아니라 미국 국민 전체를 욕했다. 그래도 로널드 레이건은 〈빨갱이〉 딱지는 면했다. 엔지니어는 그의 비판을 주로 레이건의 성적인 취향에 집중시켰는데, 이는 어느 영역에서건 자기와 다른 의견을 가진 사람은 모두가 호모라는 그 자신의 이론에 따른 거였다.

물론 중국 자매들과 엔지니어에게 훌륭한 점들이 없진 않았지만, 뉴스 소스로서는 엔지니어의 사무실 앞 대기실에 놓여 있는 텔레비전에 비할 바가 못 되었다. 놈베코는 종종 바닥을 닦는 척하면서 슬그머니 텔레비전을 틀어 뉴스나 토론 프로그램을 시청하곤 했다. 덕분에 이 복도는 연구소 전체에서 가장 깨끗한 장소가 되었다.

「뭐야, 또 여기를 닦고 있어?」 어느 날, 놈베코의 예상보다 적어도 15분 이른 시각인 11시경에 비틀거리며 출근한 엔지니어가 짜증을 내며 소리쳤다. 「그리고 이 텔레비전은 누가 틀어 놓은 거야?」

정보 수집 작업이 허무하게 끝날 수도 있는 상황이었으나, 놈베코는 엔지니어를 잘 알고 있었다. 그녀는 상전의 질문에 대답하는 대신 얼른 화제를 돌렸다.

「그게 말이에요, 아까 청소를 하다 보니까 말이에요, 엔지니어님 책상 위에 술이 반쯤 남은 클리프드리프트 병 하나가 있더라고요. 술이 너무 오래된 것 같아 싹 비워 버려야겠다, 라는 생각이 들었어요. 하지만 확실치 않아서 우선 엔지니어님께 물어봐야겠다, 라고 생각했죠.」

「뭐야? 그걸 비워? 너 돌았냐?」 엔지니어는 이렇게 소리치고는, 자신의 생명수가 여전히 거기 있는지 확인하려고 허겁지겁 사무실 안으로 뛰어 들어갔다.

〈네이름이뭐더라〉가 끔찍한 죄악을 저지르기 전에 그는 서둘러 병의 내용물을 자신의 혈관계에다 옮겨 놓았다. 그러고는 곧바로 텔레비전과 복도 바닥과 하녀를 잊어버렸다.

어느 날, 마침내 그게 나타났다.

기회 말이다.

만일 놈베코가 주어진 패들을 제대로만 사용하고, 또 엔지니어의 넘쳐 나는 행운을 조금만 빌릴 수 있다면, 그녀는 얼마 후에 자유인이 될 터였다. 자유인인 동시에 지명수배자가 되겠지만, 그것만 해도 벌써 어디인가? 이 기회가 생겨난 곳은 지구의 반대편이었다.

중국의 실질적인 지도자 덩샤오핑(鄧小平)은 치매 환자 마오쩌둥(毛澤東)이 사망하기 전부터 경쟁자들을 제거하는 일에 탁월한 재능을 보여 주었다. 가장 무시무시한 소문에 의하면, 그는 마오의 오른팔인 저우언라이가 암에 걸리자 의학적 치료를 받을 수 없게끔 조치했다고 한다. 암으로 신음하는 가운데 적절한 치료를 받지 못하고 좋은 결과에 이르는 경우는 매우 드물다. 물론 모든 것은 보는 관점에 달린 것이긴 하지만 말이다. 어쨌든 저우언라이(周恩來)는 CIA가 그를 암살하려 했다가 실패하고 나서 20년 후에 죽었다.

저우가 사망한 후, 마오의 마지막 처(妻)를 위시한 이른바 〈4인방〉이 잠시 설쳤지만, 마오가 숨을 거두자마자 덩은 그들 모두를 잡아 가둔 뒤, 열쇠 둔 곳을 일부러 잊어버렸다.

외교 정책 분야로 말할 것 같으면, 그는 모스크바의 그 천치 같은 브레즈네프 때문에 여간 짜증 나는 게 아니었다. 또 그의 천치 같은 후계자 안드로포프와, 안드로포프의 후계자이며 천치들 중에서도 최악의 천치인 체르넨코도 그를 계속 짜증 나게 했다. 하지만 다행히도 이 체르넨코는 무대에 제대로 등장하기도 전에 영원히 퇴장해 버렸다. 일설에 의하면 그는 로널드 레이건의 이른바 〈스타워즈 플랜〉이 너무나 무서워 제풀에 죽어 버렸다고 한다. 어쨌든 이제 바통을 이어받은 것은 고르바초프란 자로……. 음, 그러니까 이번에는 천치에서 코홀리개로 넘어왔다고 말할 수 있겠다. 아직은 보여 줘야 할 게 너무 많은 친구였다.

끊임없이 그의 속을 썩이는 고민 중 하나는 아프리카에서의 중국의 입장에 대한 거였다. 수십 년 전부터 소련은 아프리카 대륙 이곳저곳의 독립 투쟁들에 개입해 왔다. 예를 들어 최근에는 앙골라 내전에 끼어들고 있었다. MPLA는 〈올바른 이념 노선〉을 따르는 대가로 소련으로부터 무기를 제공받고 있었다. 물론 소련의 이념 노선 말이다. 빌어먹을!

소련은 미국과 남아프리카공화국이 원하는 방향과 반대되는 방향으로 앙골라와 다른 아프리카 국가들에 영향력을 행사하고 있었다. 그렇다면 이 완전한 혼돈 속에서 중국은 어떤 입장을 취해야 한단 말인가? 크렘린의 그 공산주의자 천치들 쪽으로 붙어? 아니면 미국 제국주의자 놈들과 프리토리아의 아파르트헤이트 체제와 손에 손잡고 공동 보조를 취해?

〈아, 빌어먹을!〉이 다시 한 번 튀어나왔다.

그냥 아무 입장도 취하지 않고, 저 악마 같은 미국 놈들이 좋아하는 표현대로 〈그냥 냅둬〉로 나갈 수도 있었다. 남아프리카공화국과 타이완이 서로 접촉한다는 소문만 없었어도 말이다.

미국이 칼라하리 사막에서의 핵 실험을 막았다는 것은 공공연한 비밀이었다. 지금 남아프리카공화국이 무슨 일을 꾸미고 있는지는 모두가 짐작하는 바였다. 여기서 모두란 〈정보부〉라고 부를 수 있을 만한 세계의 모든 정보부들을 의미했다.

칼라하리 사막에 관련된 정보 외에도, 지금 덩의 책상 위에는 남아프리카공화국이 핵무기와 관련하여 타이베이와 접촉 중이라는 내용의 정보국 보고서가 놓여 있었다. 타이완 놈들이 중국 본토를 겨냥할 수 있는 핵미사일을 갖춘다는 것은 용납할 수 없는 일이었다. 만일 이런 일이 일어난다면, 남중국해(南中國海)에서는 긴장이 고조될 거고, 그 결과는 예측하기 힘들었다. 특히나 인근 해역에 미국 함대가 어슬렁대고 있는 이 상황에서는.

따라서 덩은 저 끔찍한 아파르트헤이트 체제를 어떤 방식으로든 다뤄 줄 필요가 있었다. 그런데 정보부장이 건의하기를, 그냥 아무것도 하지 말고 앉아서 남아프리카공화국의 체제가 무너져 버릴 때까지 기다리잔다. 그래, 이자는 타이완이 핵무기를 들고서 막 나가고 있는 국가와 거래하고 있는데 중국이 안전할 거라고 믿는단 말인가? 그렇다면 정보부장은 이제 베이징의 한 지하철역 보조 경비원 일을 하면서 이 문제를 차분히 생각해 봐야 하리라…….

그렇다, 다뤄 주는 게 필요했다. 그게 어떤 방식이 됐든.

자신이 직접 현지로 가서, 왕년에 나치였던 보타와 나란히 서서 사진 촬영을 한다……? 덩으로서는 말도 안 되는 얘기였다(그러고 싶은 마음이 전혀 없는 건 아니지만. 타락한 서구에도 매력이 아예 없진 않으니까. 아주 조금이긴 하지만). 자신의 측근 중 하나를 보낼 수도 없었다. 베이징과 프리토리아가 사이좋다는 인상을 주는 일은 무슨 일이 있어도 피해야 하니까.

그렇다면 예리한 관찰 능력도, 후각도 없는 이급 관리를 파견한다? 그것은 쓸데없는 짓이었다. 더욱이 보타를 직접 만나 볼 수 있으려면 그래도 어느 정도의 무게가 있는 인물이어야 했다.

요컨대, 어떤 성과를 얻어 낼 능력을 갖췄으면서도, 중앙 정치국 상임위원들의 측근이 아닌 인물, 다시 말해서 사람들의 눈에 베이징 공식 대변인으로 비치지 않을 인물이 필요했다. 덩은 구이저우(貴州) 성의 젊은 당서기장에게서 그 해결책을 찾아냈다. 구이저우는 인구수만큼이나 민족 수가 많은 지방인데, 이 꼬마는 야오, 먀오, 캉, 뚱, 뿌이, 빠이, 이, 쑤이, 뚜쟈, 거라오 같은 성깔깨나 있는 소수 민족들이 함께 잘 살아갈 수 있다는 사실을 증명해 보인 바 있었다. 열한 개의 공을 가지고 저글링을 할 줄 아는 녀석이라면 왕년의 나치, 보타도 충분히 요리할 수 있지 않겠는가? 이렇게 결론을 내린 덩은 젊은이를 프리토리아로 날아가게 했다.

그에게 준 사명은 이랬다. 타이완과의 핵 협력은 결코 용납할 수 없다는 것을 남아프리카공화국 당국자들에게 넌지시 알릴 것이며, 만일 그들이 누군가에게 엉기기로 마음먹었다면, 지금 그들이 누구에게 엉기고 있는지 똑똑히 알게 해줄 것!

P. W. 보타는 일개 지방 수령을 영접해야 한다는 게 영 마뜩잖았다. 그의 지위에 어울리지 않는 일이었다. 특히나 그의 위엄이 한 단계 더 높아진 이 마당에 말이다. 이제 그의 칭호는 수상이 아니라 대통령이었다. 만일 대통령인 그가 저런 식으로 기어들어 온 하찮은 짱깨를 만나 준다면, 국민들이 자기를

어떻게 생각하겠는가? 또 이런 식으로 아무 짱깨나 다 만나 줘야 한다면, 일인당 몇 초씩만 할애한다 하더라도 도합 1만 3천 년이 걸리지 않겠는가? 보타는 자기가 그렇게 오래 살 수 있다고 생각하지 않았다. 사실 대통령이 되긴 했지만, 요즘은 몸이 예전 같지가 않았다.

하지만 그는 중국이 자신에게 일개 사환 같은 녀석을 보낸 이유를 잘 알고 있었다. 베이징은 프리토리아의 체제와 어떤 음모를 꾸민다는 비난을 받고 싶지 않은 것이다. 뭐, 그런 심정이야 피차일반이었지만.

남은 문제는 저 중국인들이 원하는 게 무엇인지를 아는 거였다. 타이완과 관련된 사안인가? 그렇다면 웃기는 일이 아닐 수 없는 것이, 타이완인들과의 협력은 이미 끝난 지 오래였기 때문이다.

좋아, 어쨌든 그 사환 녀석을 한번 만나 보는 것도 과히 나쁘진 않겠어……

〈나도 참, 애들처럼 호기심이 많단 말이야!〉라고 중얼거리며 그는 미소를 지었다. 사실 미소 지을 이유는 별로 없었지만.

일국의 대통령이 외교 의례를 크게 위반하지 않고 일개 사환을 영접하기 위하여, 보타는 중국인과 등급이 비슷한 국가 대표자로 하여금 그를 만나고 또 식사를 같이하게 하기로 결정했다. 자신은 우연히 거기에 들른 척하리라. 〈어, 여기 계셨소? 내가 자리를 같이해도 실례가 되지 않겠소?〉 대충 이런 식으로 나가면 되리라.

하여 보타는 극비리에 진행 중인 핵 개발 프로그램의 책임자에게 전화를 걸어, 대통령과의 만남을 요청한 중국 손님을 영접할 것을 지시했다.

「당신은 손님과 함께 사파리를 즐길 것이며, 저녁에는 훌륭한 만찬을 나누시오. 만찬을 나누면서, 프로젝트의 진척 상황에 대해선 밝히지 말고 남아프리카공화국의 군사공학 기술이 얼마나 높은 수준인지를 깨닫게 해주시오. 다시 말해서, 아무 말도 하지 않고 우리의 힘을 보여 주어야 하오. 또한 어쩌면 내가 근처에 가게 될 수도 있는데, 누구든 밥은 먹어야 하는 법이므로 당신과 중국 손님의 식탁에 기꺼이 합석할 수도 있소. 물론 당신에게 이의가 없다면 말이오.」

엔지니어는 머리가 빙빙 도는 느낌이었다. 그렇다면 자신은 대통령이 보고 싶어 하지 않는 손님을 맞아야 한다는 얘긴가? 또 이 손님에게 상황에 대해선 아무 말도 하지 않고 상황을 설명해야 하며, 또 그러고 있는 가운데 손님을 만나고 싶어 하지 않는 대통령은 손님을 만나러 중간에 들이닥친다는 얘긴가……?

어쨌든 그는 지금 자신의 무능함이 들통 날 수도 있는 사안에 연루되었음을 깨달았다. 또한 대통령 자신이 열기로 결정한 만찬에 대통령을 초대해야 한다는 것도 깨달았다.

「물론 각하께서 제 만찬에 오시는 것을 환영합니다!」 그가 대답했다.

마치 안 그럴 수도 있다는 것처럼.

「그런데…… 만찬은 언제 열리나요? 그리고 어디서요?」

베이징의 덩샤오핑에게는 하나의 단순한 골칫거리에 불과했던 것이 펠린다바의 판 데르 베스타위전 엔지니어에게는 어마어마하게 심각한 문제로 변했다. 사실 그는 자신이 지휘하는 프로젝트에 대해 아는 게 전혀 없었다. 아는 것도 없으면서 뭔가를 아는 척하며 떠들어 대는 것은 결코 쉬운 일이 아니다. 해결책은 〈네이름이뭐더라〉를 데려가, 자기 서류가방을 들게 하고 또 만찬 때 서빙을 하게 하는 거였다. 이런 식으로 그녀는 프로젝트에 관련된 적절한 정보들을 슬그머니 알려 줄 수 있으리라.

〈네이름이뭐더라〉는 이 일을 제대로 해낼 수 있을 터였다. 이 빌어먹을 생명체는 무슨 일을 해도 마찬가지이지만.

사파리와 만찬이 있기 전, 엔지니어의 하녀는 매우 상세한 지침을 받았다. 놈베코 또한 보다 안전을 기하기 위해 엔지니어에게 자신의 지침을 주었다.

그녀는 엔지니어 옆에 바짝 붙어 다니면서, 기회가 생길 때마다 적절한 정보를 슬그머니 알려 주어 대화가 원만히 흘러갈 수 있게끔 할 것이었다. 나머지 시간에는 입을 꾹 다물고, 본분에 따라 마치 존재하지 않는 듯이 행동할 것이었다.

9년 전, 놈베코는 7년 동안 엔지니어에게 봉사할 것을 선고받았다. 형기가 끝났을 때, 그녀는 죽어서 자유로워지느니 차라리 갇혀 있더라도 살아 있는 게 낫겠다 생각하고는 형기가 끝났다는 사실을 알리지 않았다.

하지만 이제 그녀는 철책과 지뢰밭의 바깥쪽, 경비병들과 새로 들여온 독일 셰퍼드들에게서 수십 킬로미터 떨어진 곳으로 가게 될 거였다. 만일 그녀가 엔지니어의 손아귀에서 벗어나는

데 성공한다면, 그녀는 남아프리카공화국에서 가장 쫓기는 인물 중의 하나가 될 거였다. 경찰과 비밀기관과 군대가 그녀를 잡으려고 온 나라를 뒤질 거였다. 그녀는 세상에서 가장 가고 싶은 곳인 프리토리아의 국립 도서관에도 갈 수 없을 거였다.

만일에 그녀가 탈출하는 데 성공한다면 말이다.

엔지니어는 친절하게도 귀띔해 주었다. 운전수와 가이드는 무장을 할 것이며, 혹시 맞닥뜨릴 수도 있는 사자뿐 아니라, 만에 하나 도주를 시도하는 하녀가 있으면 사살하라는 지시를 받았다고. 엔지니어는 보다 확실히 하기 위해 자신도 허리에 권총을 차고 있기로 결정했단다. 탄창에 열일곱 발이 장전된, 구경 919의 글로크17이란다. 코끼리나 코뿔소를 쓰러뜨릴 수는 없겠지만, 체중 55킬로그램의 하녀 하나쯤은 너끈히 처리할 수 있단다.

「죄송하지만 전 53킬로그램이거든요.」 놈베코가 대꾸했다.

그녀는 엔지니어가 무기를 보관하는 장을 열고, 적당한 때에 열일곱 발의 총알을 빼어 버리는 방안을 고려해 보았지만, 결국 삼가기로 했다. 만일 예상과는 달리 알코올 중독자가 이 사실을 발견한다면 곧바로 그녀를 의심할 거고, 그녀의 탈출은 시작도 하기 전에 끝날 것이기 때문이었다.

대신 그녀는 적당한 기회를 노리다가 덤불숲을 향해 전속력으로 내달리기로 했다. 운전수나 가이드가 쏜 총알이 등짝에 박히지 않기만을 바랄 뿐이었다. 무엇보다도 사파리의 존재 이유인 야생동물들과 마주치는 일은 피하고 싶었다.

그렇다면 가장 좋은 때는? 오전은 아니었다. 운전수는 아직

쌩쌩할 테고, 가이드도 자기 발에다 총을 쏠 정도로 취해 있지 않을 테니까. 사파리가 끝나고 나서, 식사하기 전이 어떨까? 엔지니어는 곧 대통령을 만난다는 불안감에 제정신이 아닐 테고, 운전수와 가이드도 기나긴 하루 일과에 녹초가 되어 있을 테니까.

그래, 그때가 좋으리라. 절호의 순간을 포착하여 눈 딱 감고 뛰기만 하면 되리라.

이제 사파리가 시작되려 하고 있었다. 중국인은 자기네 나라에서 통역을 데려왔다. 그런데 시작이 최악이었다. 통역이 소변을 보러 아무 생각 없이 무성한 풀밭으로 들어간 것이다. 설상가상으로 샌들 차림으로 그 짓을 했다.

「사람 살려! 나 죽어!」 그는 숨넘어갈 듯이 비명을 질렀다. 왼쪽 엄지발가락에 따끔한 느낌이 들어 내려다보니, 전갈 한 마리가 부리나케 수풀 속으로 달아나고 있었던 것이다.

「당신은 신발다운 신발을 신지 않은 상태에서는 손가락 세 개 높이 이상의 수풀엔 들어가지 말았어야 해요. 특히나 오늘처럼 바람이 불 때는.」 놈베코가 한마디 했다.

「사람 살려! 나 죽어!」 통역이 다시 비명을 질렀다.

「왜 바람이 불 때는 안 되지?」 통역의 몸 상태에 대해선 전혀 관심이 없었지만, 호기심에 통역의 엄지발가락만큼이나 강렬한 자극을 받은 엔지니어가 물었다.

놈베코는 바람이 불면 곤충들이 수풀 속으로 피신하는데, 이들을 잡으러 전갈이 구멍에서 기어 나온다고 설명했다. 그런데 이날, 녀석이 다니는 길목에 통통한 엄지발가락 하나가 놓여 있었던 거라고.

「사람 살려! 나 죽어!」 통역이 세 번째로 소리 질렀다.

놈베코는 이 엄살 심한 통역이 자기가 곧 죽는다고 믿고 있단 걸 눈치챘다.

「아니요. 내가 거의 확신하는 바로는, 당신은 죽지 않아요. 전갈은 콩알만 하고 당신은 덩치가 코끼리만 하잖아요. 하지만 그래도 상처를 제대로 소독해야 할 필요는 있으니 병원에 가는 게 좋겠군요. 당신의 엄지발가락은 곧 세 배 크기로 부어오르고 시퍼레질 거예요. 그럼, 이런 표현을 써서 미안하지만, 눈깔이 튀어나오게 아프겠죠. 즉, 아무것도 통역할 수 없는 상태가 되는 거죠.」

「사람 살려! 나 죽어!」 통역은 네 번째로 비명을 질렀다.

「조금만 더 있으면 당신 말이 옳기를 바라게 되겠어요!」 놈베코가 쏘아붙였다. 「죽지도 않는데 그렇게 죽는다고 계속 징징대는 대신에, 이게 코브라가 아니고 전갈이어서 다행이라고 좀 긍정적으로 생각할 순 없는 건가요? 그리고 당신은 아프리카에서는 아무 데서나 오줌을 누면 큰 코 다친다는 사실을 배우게 됐잖아요. 요즘은 어딜 가나 화장실이 있다고요. 내가 있던 곳에는 아예 줄줄이 있었고요.」

통역은 자신을 죽이게 될 전갈이 자신을 확실하게 죽여 버렸을 코브라일 수도 있었다는 생각에 충격을 받아 잠시 입을 다물었다. 그러고 있는 사이에 가이드가 랜드로버 한 대를 오게 하여, 운전수에게 통역을 병원으로 데려가라고 지시했다.

전갈의 희생자는 뒷좌석에 눕혀졌고, 다시 자가 진단을 반복하기 시작했다. 운전수는 하늘을 올려다보며 후우 한숨을 내쉰 다음 길을 떠났다.

엔지니어와 중국인은 서로의 얼굴을 마주보았다.

「아, 이제 어떻게 되는 거지?」엔지니어가 아프리칸스어로 중얼거렸다.

「아, 이제 어떻게 되는 거지?」중국인도 우어로 중얼거렸다.

「저, 혹시 중국 선생님께서는 장쑤(江蘇) 성 출신이신가요?」 놈베코가 같은 방언으로 물었다. 「어쩌면 그중에서도 장옌(江堰) 분이실지도?」

장쑤 성의 장옌 시에서 태어나고 자란 중국인은 자기 귀를 의심했다.

도대체 이건 또 뭔가? 항상 엔지니어를 극도로 짜증 나게 만드는 저 빌어먹을 〈네이름이뭐더라〉가 전혀 알아들을 수 없는 어떤 언어로 중국 손님과 대화를 나누는 게 아닌가? 자신은 전혀 통제할 수 없는 저들만의 대화를 말이다.

「잠깐, 지금 이게 무슨 일이지?」그가 끼어들며 물었다.

놈베코는 설명했다. 자신과 손님은 우연히도 같은 언어를 할 줄 알고, 따라서 지금 통역이 자기 일을 하는 대신에 병원에 누워서 시퍼레진 엄지발가락을 붙잡고 훌쩍거리고 있어도 크게 문제가 되지 않는다. 물론 엔지니어님께서 허락해 주셔야 하겠지만. 혹시 엔지니어님께선 우리 모두가 하루 종일, 그리고 저녁 내내 아무 말 없이 지내길 원하시는지?

아니, 엔지니어는 그걸 원하진 않는단다. 하지만 〈네이름이 뭐더라〉가 그냥 통역만 하길 바란단다. 중국분과 수다를 떠는 것은 주제넘은 짓이니까.

놈베코는 가급적 말을 아끼겠다고 약속했다. 단지 중국 손님이 자기에게 말을 걸 때 대답하는 것은 엔지니어님께서 이해해 주시면 고맙겠단다. 엔지니어님도 늘 그렇게 하라시지 않았는지? 게다가 지금은 상황이 아주 다행스럽게 변했고.

「이제 엔지니어님께서는 핵무기 첨단 기술에 대해서와, 당신께서 아직 확실하게 파악하지 못하신 다른 주제들에 대해 마음 내키는 대로 말씀하셔도 돼요. 혹시 말씀 중에 착각하신다 해도 (꼭 그러지 말란 법도 없으니까요) 제가 통역하면서 바로잡으면 되니까요.」

사실 〈네이름이뭐더라〉의 말에는 틀린 게 하나도 없었다. 또 그녀는 저 발밑의 벌레 같은 존재이므로, 이런 말에 불쾌감을 느껴야 할 필요는 전혀 없었다. 〈그래, 살아남으려면 무슨 짓이라도 해야지!〉 엔지니어는 이 다행스런 사건 덕분에 자신이 오늘 저녁의 위기에서 살아남을 가능성이 한층 커졌다고 느꼈다.

「좋아! 만일 네가 이 상황을 잘 처리한다면, 어쨌든 간에 바닥 닦는 걸레를 새로 주문할 수 있도록 해보지.」

사파리는 성공리에 끝났다. 그들은 아프리카에서 가장 큰 동물 중 다섯 마리를 가까이서 구경할 수 있었다. 잠시 쉬는 틈을 타서 놈베코는 보타 대통령이 우연히도 이 부근을 들르게 될 거라고 중국인에게 귀띔해 주었다. 중국인은 이 정보에 대해 감사를 표하면서, 자신은 최대한 놀란 척하겠노라고 약속했다. 사실 사파리공원 관광 오두막에서의 저녁 식사 중에 임시 통역이 도망갔다는 사실을 알게 되면 굳이 놀란 척하려고 노력할 필요도 없겠지만, 놈베코는 그 얘기는 하지 않았다. 두 남자는 서로를 째려보는 것 외에는 다른 할 일이 없으리라.

놈베코는 랜드로버에서 내려 엔지니어와 함께 레스토랑에 들어갔다. 그녀는 임박한 탈출에 온 정신을 집중하고 있었다. 주방을 통해 빠져나갈 수 있을까? 식사가 끝나 갈 무렵에?

그녀의 상념은 엔지니어가 걸음을 딱 멈추는 바람에 중단되었다.

「이게 뭐야?」 그는 그녀 쪽으로 검지를 뻗으며 물었다.

「이거요?」 놈베코는 화들짝 놀랐다. 「이건 저잖아요. 〈네이름이뭐더라〉요.」

「아니, 이 천치야! 지금 네가 입고 있는 것 말이야.」

「재킷이죠.」

「그걸 왜 입고 있지?」

「왜냐하면 제 거니까요. 죄송한 말씀이지만, 혹시 엔지니어님께서 오늘 브랜디를 너무 많이 드신 거 아니에요?」

엔지니어에겐 더 이상 소리 지를 힘도 없었다.

「내 말은 네 재킷이 끔찍하단 얘기야.」

「제가 가진 재킷은 이것밖에 없거든요?」

「상관없어. 지금 이 나라의 대통령 각하를 만나려 하고 있는데 넌 판자촌에서 금방 튀어나온 꼴을 하고 있잖아!」

「그게 사실인데요.」

「당장에 그 재킷을 벗어서 차 안에다 넣어 둬! 각하께서 기다리고 계시니 꾸물대지 말라고!」

놈베코는 이로써 자신의 탈출 계획이 취소되었음을 깨달았다. 그녀의 유일한 재킷의 안감 속에는 다이아몬드가 가득하

고, 이것은 죽는 날까지 그녀의 삶을 보장해 줄 터였다. 남아
프리카공화국의 불의를 피하겠다고 그것 없이 도망간다……?
차라리 그냥 남아 있는 편이 나았다. 이 대통령들과 중국인들
과 폭탄들과 엔지니어들 옆에 남아서, 자신의 운명이 어떻게
흘러가는지 지켜보는 편이 나으리라.

식사가 시작되자 판 데르 베스타위전은 대통령에게 전갈 사
건을 설명한 뒤, 하지만 이 때문에 문제 될 것은 전혀 없다고
설명했다. 왜냐하면 자기가 만일의 경우에 대비하여 중국어를
할 줄 아는 하녀를 한 명 데려왔기 때문이란다.

남아프리카공화국의 흑인 여자가 중국어를 한다고? 혹시
전번에 내가 펠린다바에 방문했을 때 트리튬 문제 얘기에 끼
어들었던 그 하녀……? P. W. 보타는 이 문제에 대해선 더 이
상 깊이 생각하지 않기로 했다. 요즘 이것 말고도 골치 아픈 일
들이 많으니까. 엔지니어는 이 임시 통역은 절대로 연구소를
나가지 못하기 때문에 국가 안보에 위험 요소가 될 수 없다고
장담했다. 뭐, 그렇겠지……. P. W. 보타는 엔지니어의 주장을
그냥 받아들이기로 했다.

P. W. 보타는 대통령답게 대화를 이끌어 갔다. 그는 먼저 남
아프리카공화국의 자랑스러운 역사에 대해 이야기했다. 놈베
코는 9년 동안의 감옥 생활이 연장됐다는 사실을 이미 받아들
이고 난 터였다. 당장으로선 어떤 새로운 계획이 없었기 때문
에, 그저 대통령이 말하는 대로 옮겨 주기만 했다.

대통령은 계속해서 남아프리카공화국의 자랑스러운 역사

에 대해 이야기했다. 놈베코는 그대로 통역해 주었다.

대통령은 계속해서 남아프리카공화국의 자랑스러운 역사에 대해 좀 더 이야기했다. 마침내 놈베코는 지쳐 버렸다. 왜이 중국 사람에게 그가 몰라도 상관없는 것들을 계속 들려주어야 한단 말인가?

「만일 중국 선생님께서 원하신다면,」 그녀가 중국인에게 말했다. 「전 대통령님께서 늘어놓으시는 말도 안 되는 자기 자랑을 계속 퍼드릴 수 있어요. 만일 그렇지 않으시다면, 지금 대통령님께서는 이 나라 국민은 아주 똑똑해서 고성능 무기들을 만들 줄 알며, 따라서 당신네 중국 사람들은 이 나라를 우습게 보면 안 된다는 말을 하고 싶어 하신다고 말씀드릴 수 있겠네요.」

「아가씨의 솔직함에 감사드립니다.」 중국인이 대답했다. 「당신 말이 전적으로 옳아요. 난 당신네 나라의 탁월함에 대해서는 더 이상 들을 필요가 없습니다. 하지만 오늘의 이 생생한 역사 수업에 대해 무척 감사드린다고 각하께 전해 주세요.」

만찬은 계속되었다. 메인 요리가 나왔고, 이제 판 데르 베스타위전 엔지니어가 자신의 총명함을 보여 주어야 할 시간이었다. 그가 쏟아 낸 말은 밑도 끝도 없는 기술적 거짓말들의 뒤범벅이었다. 그가 얼마나 어지럽게 떠들어 댔는지 심지어는 수상마저도 중간에 멍해지고 말았다(엔지니어의 행운은 적어도 그것이 다할 때까지는, 정말이지 장난이 아니었다). 이 엔지니어의 횡설수설은 설사 시도해 볼 마음이 있다 해도 통역이 거의 불가능해 보였다. 하여 놈베코는 그냥 이렇게 말했다.

「지금 엔지니어님이 지껄이신 말도 안 되는 소리들을 중국선생님께 굳이 옮겨 드리진 않겠어요. 다만 이 일의 핵심은 이래요. 그들은 이제 핵폭탄을 제조할 수 있게 되었고, 비록 이 엔지니어님이 이렇긴 하셔도, 벌써 몇 기가 완성되었죠. 하지만 전 연구소 안에서 타이완 사람들이 돌아다니는 걸 보지 못했고, 폭탄 중의 하나가 수출된다는 얘기도 듣지 못했어요……. 그런데 제가 중국 선생님께 부탁 하나 드려도 될까요? 이제 이분들께 정중히 답변하신 후에, 여기 있는 통역에게도 뭔가 먹을 것을 좀 주라고 말씀해 주세요. 왜냐하면 난 지금 배가 고파 죽을 지경이거든요.」

중국 특사는 놈베코가 아주 매력적이라고 생각했다. 그는 그녀에게 친근한 미소를 지어 보인 후, 다음의 말들을 통역해 달라고 부탁했다. 지금 자신은 판 데르 베스타위전 씨의 능력에 깊은 감명을 받았으며, 이 나라에 대해 존경심을 품지 않을 수 없다. 그런데 자신은 남아프리카공화국 고유의 전통을 무시하고 싶은 마음은 추호도 없지만, 중국의 관습에 따르자면 식탁에 앉은 누군가가 다른 사람들과 마찬가지로 음식을 제공받지 못한다는 것은 상상할 수도 없는 일이다. 이 뛰어난 통역 양의 금식에 자신의 마음이 몹시 불편하기 때문에, 자신의 접시에 담긴 음식물의 일부를 그녀에게 덜어 주는 것을 각하께선 부디 허락해 주시라…….

보타 대통령은 손가락을 딱 퉁겨서 원주민을 위해 일인분을 추가로 주문했다. 뭐, 이렇게 해서 손님이 만족한다면야……. 게다가 대화는 한결 원만하게 흘러가는 것 같았고, 중국 녀석도 처음보다는 훨씬 나긋나긋해진 듯했다.

식사가 끝났을 때,

1) 중국은 남아프리카공화국이 핵무기를 보유했다는 사실

을 알게 되었다.

2) 중국 구이저우 성의 총서기는 놈베코의 변함없는 친구가 되었다.

3) 판 데르 베스타위전 엔지니어는 또 한 번의 위기에서 살아남을 수 있었던 바, 그 까닭은…… 글쎄, 왜 그랬지?

4) P. W. 보타는 오늘의 일들에 대해 대단히 만족했다. 실제로 무슨 일이 일어났는지에 대해선 엔지니어만큼이나 무지했지만.

마지막으로, 이건 결코 사소한 점이 아닌데,

5) 25세의 놈베코 마예키는 여전히 갇힌 신세였지만, 태어나서 처음으로 식사다운 식사를 할 수 있었다.

6

홀예르&홀예르와
무너져 내린 가슴

잉마르의 계획에 따르면 홀예르는 태어나자마자 공화주의
적 정신으로 양육되어야 했다. 이에 따라 그는 아이의 방 벽에
샤를 드골과 프랭클린 D. 루스벨트의 인물 사진을, 이 두 인물
이 서로를 끔찍이 싫어했었다는 사실은 생각하지 않고서, 나
란히 붙여 놓았다. 그 맞은편 벽에는 핀란드 정치가 우르호 케
코넨의 사진을 붙였다. 이 세 대통령이 이런 영예를 안게 된 것
은 모두 국민이 선출한 지도자였기 때문이다.

잉마르는 한 사람이 태어나자마자 한 나라 전체의 공식 지
도자가 되도록 운명 지어진다는 사실에 몸서리를 쳤다. 어떻
게 그런 끔찍한 짓을 할 수 있단 말인가? 아이가 사전에 결정
된 가치 체계 속에, 스스로를 방어할 기회도 없이, 영원히 갇혀
버린다는 것은 얼마나 큰 비극인가? 이거야말로 아동 학대가
아닐 수 없었다. 잉마르는 보다 안전을 기하기 위해, 아르헨티
나의 전 대통령 후안 페론의 초상화도 아직 태어나지도 않은
홀예르의 방에다 걸어 놓았다.

항상 서두르는 경향이 있는 잉마르에게 있어서 홀예르를 학교에 보내야 하는 법적 의무는 큰 골칫거리가 아닐 수 없었다. 물론 아이는 읽기와 쓰기를 배워야 했다. 하지만 아이들에게 기독교적 가르침이며 지리며 기타 쓸데없는 것들을 부과한다는 것은 진정한 교육에 바쳐져야 할 귀중한 시간을 갉아먹을 뿐이었다. 진정한 교육, 다시 말해서 국왕은 폐위되고 국민에 의해 선출된 대표자로 대체되어야 한다(가능하다면 민주적인 방식으로)는 것을 아들에게 가르치기 위해 가정에서 행해져야 할 그 중요한 교육 말이다.

「가능하다면 민주적인 방식으로?」 헨리에타가 놀라며 반문했다.

「말꼬리 잡고 늘어지지 마!」 잉마르가 쏘아붙였다.

처음에는 홀예르가 한 번이 아니라 몇 분 간격으로 두 번이나 태어났기 때문에 일이 다소 복잡해진 듯했다. 하지만 잉마르는 지금까지 자주 그래왔듯이 불편한 점을 장점으로 바꿔놓았다. 혁명적인 아이디어가 떠오른 것이다. 그는 40초간 생각을 해본 다음, 결정한 바를 아내에게 밝혔다.

홀예르와 홀예르는 번갈아 학교에 나간다는 거였다. 그들의 탄생은 집에서 이루어졌기 때문에, 아이 하나만 출생 신고를 하고, 다른 하나의 존재는 비밀에 부치면 된단다. 게다가 전화 줄이 발에 걸려 콘센트가 뽑히는 바람에 산파를 부르지 못한 것은 큰 행운이었는바, 덕분에 거북스러운 증인이 생기지 않았단다.

홀예르 1이 월요일에 학교에 가면, 홀예르 2는 집에 남아 아버지로부터 공화주의적 원칙들을 교육받는다. 화요일에 아이들은 서로 위치를 바꾸며, 다른 요일들도 이런 식으로 진행된다. 그 결과, 학교 교육은 적당량으로, 진정으로 중요한 교육은 충분하게 이루어질 수 있을 것이다…….

헨리에타는 지금 자신이 잘못 들은 것이기를 바랐다. 그렇다면 잉마르는 아이 중 하나의 존재를 평생 감추겠다는 얘긴가? 학교에? 이웃들에? 세상 전체에?

뭐, 대충 그래. 잉마르가 고개를 끄덕였다. 공화국을 위한 일이야.

또 사실 학교는 안 다녀도 무방하단다. 너무 많은 책은 사람을 멍청하게 만드니까. 자신은 공부하지 않았는데도 회계사가 되지 않았는가?

「회계사가 아니라 회계 보조지.」 헨리에타는 정정했고, 말꼬리 잡고 늘어지지 말라는 주의를 다시 한 번 들었다.

잉마르는 아내가 불안해하는 것을 이해할 수 없었다. 도대체 왜 그렇게 걱정하는가? 이웃들과 세상이 험담을 할까 봐서? 아냐, 여보, 이 외딴 숲 속에는 이웃이라 할 만한 인간들이 없어. 저 오른쪽 언덕에 요한이 살고 있긴 하지만, 말코손바닥사슴을 밀렵하는 것 외에 그 인간이 하는 일이 뭔데? 게다가 잡은 고기를 나눠 먹지도 않고 말이야. 그리고 이 세상은 대체적으로 별로 존중할 만한 가치가 없어. 어딜 가나 왕들과 왕족들만 득실대는 게 이 세상이라고.

「그럼 당신은 어떻게 할 건데?」 헨리에타가 물었다. 「우체국에다 사표를 내고 아이 중의 하나와 온종일 집에서 뒹굴 거야? 가족이 살아가는 데 필요한 돈을 나 혼자서 벌어야 하는 거냐고?」

잉마르는 아내가 이토록 속이 좁은 것이 몹시 유감스러웠다. 물론 그는 우체국을 떠날 수밖에 없었다. 두 개의 풀타임 직업을 동시에 가질 수는 없는 노릇이니까. 하지만 가족에 대한 의무는 다할 생각이었다. 부엌일도 기꺼이 도울 의향이 있었다. 더 이상 씨주머니를 서늘하게 유지하지 않아도 되니까.

헨리에타는 잉마르가 주방이 어디 있는지 알고 있는 이유는 단 하나, 그들의 집이 비좁기 때문이라고 대꾸했다. 그리고 만일 잉마르와 그의 씨주머니가 제발 가스레인지에서 멀찌감치 떨어져 있어 주기만 한다면, 자기가 재봉일과 부엌일과 기저귀 가는 일까지 다 감당할 수 있을 것 같다고 덧붙였다. 이렇게 말하면서 그녀는 쓸쓰레한 미소를 머금었다. 사실 그가 〈생명력이 넘친다〉는 말은 하나의 완곡어법에 불과했던 것이다!

다음 날, 잉마르는 사표를 제출했다. 그는 3개월 치의 봉급과 함께 즉시 떠날 수 있었고, 바로 그날 저녁에는 평소에는 너무도 조용했던 우체국 회계과의 머리가 허옇게 센 남녀 직원들의 집에서 떠들썩한 축하 파티가 벌어졌다.

이때가 1961년, 거기서 수천 킬로미터 떨어진 소웨토의 한 오두막에서 놀랄 만큼 똑똑한 계집아이가 태어난 바로 그해였다.

홀예르와 홀예르의 어린 시절 동안, 잉마르는 집에서 쓸데없이 어정대면서 일하는 아내를 방해하거나, 아니면 공화주의적 성격의 잡다하고도 유치한 짓들을 하면서 시간을 보냈다.

그는 빌헬름 모베리가 정신적 리더로 있는 공화주의 클럽에 출입했다. 당시 이 전설적인 작가는 공화정 수립을 당의 강령에 집어넣었지만, 정작 이의 실현을 위해서는 아무 일도 하지 않는 사회주의자 혹은 자유주의자 배신자들에게 단단히 화가 나 있었다.

처음부터 지나치게 튀고 싶지 않았던 잉마르는 두 번째 모임을 기다렸다가 제안했다. 황태자를 납치하여 어딘가에 숨겨놓음으로써, 끊임없이 생겨나는 왕위 계승 후보자들의 흐름을 끊어 버리면 어떻겠느냐고. 또 이를 위해 상당한 규모로 알고 있는 이 클럽의 자금을 자신이 관리할 용의가 있노라고 덧붙였다.

탁자 주위에 경악의 침묵이 몇 초간 흐른 뒤, 모베리 자신이 직접 잉마르를 출입문에까지 끌고 가서는 작별 인사를 대신하여 그의 궁둥이를 걷어찼다.

모베리의 오른발 한 방과 그 뒤를 이은 계단에서의 추락 과정은 진정 고통스러웠다. 잉마르는 절뚝거리며 집으로 돌아가면서, 하지만 자신은 끄떡없다고 중얼거렸다. 저 클럽의 공화주의자들은 자기네끼리 서로 잘났다고 실컷 떠들도록 놔두리라. 그에겐 다른 생각들이 있었다.

한 예를 들자면, 잉마르는 색깔이 희미해진 사민당에 가입했다. 페르 알빈 한손이 저 끔찍이도 혼란스러웠던 제2차 세계대전 기간 동안 점성술에 의지하여 나라를 이끈 이후로 사민당이 스웨덴의 정권을 잡고 있었다. 전쟁 전에 한손은 공화국 수립을 요구하며 정치적 경력을 쌓아 왔지만, 이 늙은 금욕 생활 옹호자는 일단 권력을 잡고 나더니 친구들과의 포커 게임과 데운 와인을 자신의 신념보다 우선시했다. 이는 한손이 매우 재능 있는 인물이었기에 더욱 유감스러운 일이었다. 그가 능력 있는 인물이라는 것은 부인할 수 없는 사실이었다. 그렇지 않다면 어떻게 각각 아이를 둘씩 가진 아내와 정부(情婦)의 기분을 수십 년 동안이나 유쾌한 상태로 유지해 올 수 있었겠는가?

잉마르의 계획은 사민당 내에서 충분히 높은 위치로 올라가서는 어느 날 저 빌어먹을 국왕을 가급적 먼 곳으로 — 의회적 방법을 통해 — 보내 버린다는 거였다. 소련 사람들은 벌써 암캐 한 마리를 우주공간으로 날려 보내는 데 성공하지 않았던가? 다음번에는 인공위성에 개 대신 스웨덴 국가원수를 집어넣을 수 있으리라……. 이렇게 중얼거리며 잉마르는 에스킬스투나의 사민당 지부 사무실에 도착했는데, 쇠데르텔리에의 사민당 지부 사무실에 가지 않은 것은 그의 장인이 있는 공산당 사무실 바로 옆에 붙어 있었기 때문이다.

하지만 사민당에서의 잉마르의 정치 경력은 공화주의자 클럽에서의 그것보다 훨씬 짧게 끝났다. 그는 어느 목요일에 사민당에 가입했는데, 이와 동시에 이틀 후인 토요일에 〈전매청〉[13] 앞에서 돌릴 전단도 한 아름 떠맡게 되었다.

에스킬스투나 사민당 지부는 국제 문제들에 관심이 많았고, 사이공의 고딘디엠의 퇴임을 요구하고 있었다. 하지만 고딘디엠은 대통령이잖은가? 게다가 수천 년 동안 내려온 베트남 왕조를 끝내 버린 사람 아닌가?

물론 모든 것이 그렇게 아름답게만 이루어진 것은 아니었

---

13 스웨덴에서 주류 판매는 국가가 독점하고 있다. 그래서 주류를 판매하는 상점들에는 〈전매청〉이라는 별명이 붙는다.

다. 예를 들면 고딘디엠의 동생은 아편 연기로 먼저 자신의 뇌를 조금 그슬은 다음에, 베트남 대통령 선거 때 개표 책임자로서 형을 위해 2백만 장의 표를 〈뻥 가게 했다〉는 얘기가 나돌았다. 물론 일이 그런 식으로 이루어진 건 좋지 않았지만, 그래도 그 정도의 하찮은 일로 대통령 사임을 요구하는 것은 너무 지나치지 않은가?

하여 잉마르는 떠맡은 전단들을 강에다 던져 버린 다음, 고딘디엠과 미군의 효율성을 찬양하는 다른 전단들을 인쇄했다. 사민당이 입은 피해는 그다지 크지 않았으니, 당 지부의 네 지도자 중 세 사람이 마침 토요일 아침에 전매청에 갈 일이 있었기 때문이다. 잉마르가 찍어 낸 전단들은 유권자들의 손이 아닌 쓰레기통으로 직행했고, 이 신입 당원은 아직 교부받지도 않은 당증을 당장 반환하라는 요청을 받았다.

세월이 흘렀다. 홀예르와 홀예르는 자라났고, 아빠 잉마르의 계획에 맞게 거의 똑같은 모습이 되었다.

엄마 헨리에타는 바느질하고, 스트레스 해소를 위해 존 실버를 피우고, 두 아이에게 사랑을 쏟으며 나날을 보냈다. 가족 중에서 가장 나이가 많은 사람, 즉 잉마르는 아들들 앞에서 공화정 찬가를 부르며 대부분의 시간을 보냈고, 그 나머지 시간은 스톡홀름에 올라가 왕정에 혼란을 야기하기 위한 활동들을 하며 보냈다. 이런 일이 있을 때마다 헨리에타는 아무리 숨기려 해도 허사가 되곤 하는 설탕통에 처음부터 다시 돈을 채워 넣어야 했다.

몇 차례의 개인적인 실망을 맛보긴 했지만, 그래도 1960년대는 잉마르와 그의 신조를 위해서는 충분히 훌륭했던 10년으로 여겨져야 하리라. 예를 들어 그리스에서 한 군인 집단이 정권을 탈취하고는 콘스탄티노스 2세와 궁정 사람들 전체를 로마로 쫓아냈다. 이제 그리스 왕정은 지나간 역사가 되었고, 경제적으로는 찬란한 미래가 펼쳐질 거라는 희망이 가득했다.

베트남과 그리스의 경우는 변화를 얻기 위해서는 폭력을 사용해야 한다는 것을 잉마르에게 증명해 주었다. 그가 옳았고, 모베리는 틀렸던 것이다. 그에게 걷어차인 궁둥이는 수십 년이 지난 지금까지도 얼얼했다. 빌어먹을 작가 놈 같으니!

스웨덴 왕도 빨리 로마로 이사 가는 게 좋으리라. 우주공간으로 날아가 라이카[14]와 함께 지내고 싶지 않다면 말이다. 로마에 가면 저녁마다 만날 벗도 있지 않은가? 저 망할 놈의 왕들은 어차피 다 친척지간이니까.

〈1968년은 이 잉마르의 해가 될 거야!〉라고 그는 성탄절에 가족에게 단언했다.

「잘됐네!」 헨리에타는 이렇게 대꾸하며 남편이 준 선물 상자를 열었다.

그녀가 어떤 특별한 기대를 품은 것은 아니었지만, 아무리 그래도 선물이랍시고 넣어 놓은 것이 아이슬란드 대통령 아스게이르 아스게이르손의 사진 액자인 것을 봤을 때는······.

이제는 담배를 끊어 봐야겠다고 정말로 진지하게 생각했었는데 말이다.

---

14 1957년 소련의 인공위성 스푸투니크 2호에 실려 우주공간으로 날아간 개의 이름.

1968년 가을, 홀예르와 홀예르는 그들이 한 명이 아니라는 사실이 밝혀졌던 날에 잉마르가 결정한 요일별 교대 등교의 원칙에 따라 스웨덴 학제 안으로 들어가게 되었다.

학교에서 교사는 이상한 점을 발견했다. 홀예르는 월요일에 배운 것을 화요일이면 까먹고, 화요일에 얻은 지식은 바로 그 다음 날에 없어지는데, 월요일의 지식은 이 수요일에 다시 나타나는 것이었다. 그렇긴 했지만 전체적으로 볼 때 아이는 성적이 괜찮은 편이었고, 어린 나이에도 불구하고 정치에 관심이 많았다. 따라서 크게 걱정할 필요는 없을 듯했다.

그 후 몇 해 동안 크비스트 가족의 광기는 약간의 소강상태를 맞았으니, 잉마르가 바깥으로 원정 나가는 일보다는 가정에서의 교육에 역점을 두었기 때문이다. 그래도 나갈 일이 있을 때에는 항상 아이들을, 특히 더 철저한 감시를 필요로 하는 아이를 데리고 갔다. 처음부터 홀예르 2라고 불렸던 녀석은 아주 이른 나이부터 신념이 흔들리는 기미를 보였던 것이다. 하지만 홀예르 1은 전혀 달랐다.

운명의 장난으로, 출생 신고가 된 것은 홀예르 1이었다. 신분증을 지닌 것은 그였고, 넘버 2에겐 법적인 존재가 없었다. 그는 일종의 예비품인 셈이었다. 넘버 1과 넘버 2 사이의 유일한 차이는 후자가 공부에 소질이 있다는 점이었다. 이 때문에 시험일이면 항상 홀예르 2가, 그의 순서가 아닐 때에도, 학교에 갔다. 단 한 번 예외는 몸에 열이 심하게 올랐을 때였다. 며칠 후, 교사는 그를 불러서는 네가 어떻게 피레네 산맥이 노르웨이에 있다고 답할 수 있었느냐고 물었다.

헨리에타는 홀예르 2의 운명이 상대적으로 불행하다는 것을 느꼈고, 이 때문에 한층 우울해졌다. 그녀의 사랑하는 미친 남편은 정말로 한계가 없단 말인가?

「물론 내게도 한계가 있어.」 잉마르가 고개를 끄덕이며 대답했다. 「바로 그 문제를 최근 얼마 동안 생각해 봤지. 국민 전체를 단 한 방에 설득하는 게 과연 가능한 건지, 나도 더 이상 확신이 안 서.」

「국민 전체를 설득한다고?」

「그래, 단 한 방에.」

스웨덴은 적잖은 면적을 지닌 나라였던 것이다. 잉마르는 이 나라를 한 지역 한 지역 차례로 변화시켜 나가는 방안을 고려해 보고 있었다. 남쪽 최남단 곳에서부터 시작하여 북쪽으로 올라가면 어떨까? 물론 그 역방향으로도 가능하겠지만, 저 위쪽은 끔찍이 춥지 않은가? 기온이 영하 40도까지 내려가는데 무슨 기운이 있어서 정치체제를 바꾸려 하겠는가?

헨리에타가 가장 우려되는 점은 넘버 1이 아버지의 신념에 대해 추호의 의심도 품지 않는다는 사실이었다. 아들의 눈은 번쩍거렸다. 잉마르의 광기가 심해질수록 더욱 번쩍거렸다. 그녀는 더 이상 그 어떤 광기도 용납하지 않으리라 마음먹었다. 그러지 않으면 자신도 미쳐 버릴 것이기에.

「이제부터 당신은 집에 꼼짝 말고 붙어 있어! 그게 싫으면 영원히 집을 나가든지!」 그녀는 남편에게 선언했다.

헨리에타를 사랑하는 잉마르는 그녀의 최후통첩에 굴복했다. 물론 요일별 교대 등교 원칙과 현재와 과거의 대통령들에 대한 끊임없는 언급은 계속 유지되었다. 하지만 잉마르의 친공화주의적 원정은 아이들의 학업이 끝나 갈 무렵까지는 잠잠해졌다.

그러고 나서 병이 다시 재발하여, 잉마르는 새 왕위 계승자가 탄생한 스톡홀름의 왕궁 앞에서 시위를 하러 떠났다. 더 이상 참을 수 없게 된 헨리에타는 홀예르와 홀예르를 부엌으로 불러서는 둘 다 앉으라고 말했다.

「얘들아, 이제 내가 너희들에게 모든 걸 밝히겠다.」

그녀의 이야기가 끝났을 때, 스무 개비의 담배가 하얀 재로 변해 있었다. 그녀는 아들들에게 다 얘기해 주었다. 1943년에 쇠데르텔리에 법정에서 잉마르를 처음 만난 일부터 지금 현재까지. 그녀는 아비가 한 짓들을 판단하지는 않고, 다만 있었던 그대로 묘사하기만 했다. 출산 시 두 아이를 혼동해서 누가 먼저 태어났는지 알 수 없게 만들어 버린 일까지.

「넘버 2야, 네가 넘버 1일 가능성도 있지만, 난 잘 모른다. 아무도 몰라.」

그녀는 자신의 이야기는 너무도 분명하기 때문에, 두 아들이 여기서 당연한 결론을 끌어내리라고 믿었다.

그녀의 생각은 딱 50퍼센트만 옳았을 뿐이다.

두 홀예르는 그녀의 이야기를 경청했다. 한 소년에게 어머니의 이야기는 어떤 영웅의 전설과도 흡사했다. 그것은 고귀한 의무감에 사로잡혀 모든 역경에 맞서 끝없는 투쟁을 벌이는 한 사나이에 대한 묘사였다. 반대로 다른 소년에게는 이 이야기가 어머니의 죽음을 예고하는 것으로 느껴졌다.

「자, 이제 너희에게 말해야 할 것은 다 말했다.」 이야기를 마치며 헨리에타가 말했다. 「이렇게 하는 것은 나에겐 중요한 일이었단다. 오늘 내가 너희에게 들려준 이야기를 잘 되새겨 보고, 앞으로 너희 삶을 어떻게 살아야 할지 잘 생각해 보렴. 그러고 나서 내일 아침 식사 때 다시 얘기해 보자꾸나.」

이날 밤, 헨리에타는 비록 공산주의자 리더의 딸이긴 했지만 신에게 기도했다. 두 아들이 자신을 용서해 주기를, 또 그들의 아비를 용서해 주기를 기도했다. 아이들이 깨달을 수 있기를, 그리하여 이 어그러진 상황이 바로잡히고 정상적인 삶이 시작될 수 있기를 기도했다. 당국을 찾아가 열여덟 살 먹은 신생아의 시민권을 신청하는 데 신께서 도와 달라고 간청했다.

「하느님, 제발! 제발!」 헨리에타는 애원했다.

그리고 잠이 들었다.

다음 날 아침, 잉마르는 여전히 돌아오지 않았다. 헨리에타는 아이들과 자신을 위해 귀리죽을 끓이며 피로감을 느꼈다. 아직 쉰아홉 살밖에 되지 않았지만, 나이보다 훨씬 늙어 보이는 그녀였다.

그녀의 삶은 무척이나 고단했다. 모든 의미에서 그랬다. 근심으로 가득한 삶이었다. 이제 그녀는 자신의 이야기를 아이들에게 넘겨주었다. 이제 남은 일은 그들의 판결을 기다리는 것뿐이었다. 그리고 신의 판결도.

어머니와 두 아들은 식탁에 앉았다. 홀예르 2는 어머니의 비탄을 느꼈고, 이해했다. 홀예르 1은 아무것도 보지 못했고, 이해하지도 못했다. 하지만 그는 느꼈다. 어머니를 위로해야 한다고 느꼈다.

「엄마, 걱정 마. 난 절대로 포기하지 않겠다고 약속할게! 난 살아서 숨을 쉬고 있는 한, 아빠를 위해 투쟁을 계속할 거야.

살아서 숨을 쉬고 있는 한 말이야! 엄마, 내 말 들었어?」

헨리에타는 분명히 들었고, 더 이상 견뎌 낼 수 없었다. 그녀의 심장은 산산이 부서져 버렸다. 슬픔 때문에. 죄책감 때문에. 그동안 억눌러 온 꿈들과 비전들과 아름다운 환상들 때문에. 그녀의 삶 가운데 아무것도 그녀의 바람대로 이루어지지 않았기 때문에. 32년 동안을 불안 속에서 살아왔기 때문에. 이 광기는 영원히 계속될 거라고 아들 중의 하나가 방금 약속했기 때문에. 하지만 무엇보다도 1947년 가을 이후로 필터 없는 존 실버를 무려 477,200개비나 피웠기 때문에.

헨리에타는 포기를 모르는 투사였다. 또 그녀는 아이들을 사랑했다. 하지만 심장이란 한 번 부서지면, 정말로 부서지는 법이다. 중증 심근경색이 몇 초 만에 그녀의 생명을 앗아 갔다.

홀예르 1은 담배가 — 그리고 자신의 약속이 — 어머니를 죽였다는 사실을 이해하지 못했다. 넘버 2는 이 사실을 말해 줄까도 생각해 봤지만, 그래 봤자 더 나아질 게 없다는 걸 깨닫고는 입을 다물었다. 쇠데르텔리에의 지역신문에 공고된 부고를 본 그는 자신이 얼마나 존재가 없는 존재인지를 처음으로 깨달았다.

사랑하는 아내이자

어머니인

헨리에타 크비스트가

우리 곁을 떠났습니다.

우리는 영원히 그녀를 그리워할 것입니다.

1979년 5월 15일, 쇠데르텔리에에서

잉마르와

홀예르가.

———

Vive la République![15]

———

15 프랑스어로 〈공화국 만세〉라는 뜻.

ㄱ

존재하지 않는 폭탄과
존재하지 않게 된 엔지니어

놈베코는 1만 2천 볼트 철책 뒤로 돌아왔고, 시간은 계속해서 흘러갔다.

제2번 폭탄과 3번 폭탄은 문제없이 완성되었다. 그러고 나서는 제4번과 5번의 차례였다.

각 제조팀은 다른 제조팀이 존재한다는 사실조차 몰랐다. 엔지니어는 완성된 제품을 혼자서 통제했다. 이 폭탄들은 엔지니어의 사무실 내부에 있는 비밀 창고 중 하나에 보관되었으므로, 그는 아무도 모르는 가운데 하녀의 도움을 받을 수 있었다.

사실 이 프로젝트의 최고 책임자인 판 데르 베스타위전 엔지니어는 아침 10시부터 얼큰히 취해 있는 일이 잦은 관계로, 폭탄 제조와 관련하여 일어나는 일들을 더 이상 통제하지 못하고 있었다(그전에는 통제했는지 잘 모르겠지만). 한편 그의 하녀로 말할 것 같으면, 그녀는 청소를 하고, 엔지니어를 대신하여 모든 걸 처리하기 위해 도서관의 책들을 읽느라 너무 바빴다. 또 새 마대 걸레를 구하지 못한 탓에 바닥을 닦는 데도 많은 시간이 소요되었다.

그 결과, 제4번과 5번 폭탄이 완성되고 난 뒤에도 병행적인 제조 과정은 계속되어서 제6번 폭탄이 만들어졌고…… 또 제7번 폭탄도 덩달아 만들어졌다.

다시 말해, 서류상으로는 존재하지 않는 폭탄이었다.

이 황당한 실수를 발견한 하녀는 이를 그녀의 상관에게 알렸고, 상관은 심히 난처해졌다. 복잡한 폭탄 해체 작업을 대통령과 정부 몰래 행한다는 것은 불가능했다. 사실 그는 어떻게 해체하는지도 잘 몰랐다. 또 이게 실수였음을 제조팀에게 밝히고 싶은 마음도 없었다. 차라리 이 존재하지 않는 폭탄이 계속 존재하지 않는 상태로 남아 있는 편이 나았다.

놈베코는 앞으로 다른 폭탄들에 대한 주문이 들어올지도 모르며, 이 일곱 번째 피조물은 그것의 존재를 알아채는 사람이 없는 한 계속 존재하지 않는 상태로 남아 있을 수 있다며 엔지니어를 위로했다.

〈알아! 나도 그 생각을 하고 있었어!〉라고 엔지니어는 대꾸했지만, 실상 방금 그의 머리에 스친 것은 하녀가 이제 어른이 다 됐고, 꽤나 예뻐졌다는 생각이었다.

이리하여 존재하지 않는 폭탄은 그 존재가 정식으로 인정된 여섯 쌍둥이와 함께 창고에 갇히게 되었다. 엔지니어 외에는 아무도 이 장소에 출입할 수 없었다. 물론 〈네이름이뭐더라〉는 예외였다.

이중 철책 뒤에서 10여 년을 보내면서, 놈베코는 펠린다바의 한정된 도서관에서 읽을 만한 것은 다 읽었다. 그리고 장서의 대부분은 읽을 만한 가치가 없는 것들이었다.

그녀는 이제 나이가 스물여섯에 가까운 성숙한 여자가 되어 있었지만 그렇다고 해서 크게 달라진 것은 없었다. 그녀가 이해한 바로는 백인들과 흑인들은 서로 섞이면 안 되었다. 왜냐하면 ─ 모세오경의 첫 번째 책과 개혁교회의 말에 따르면 ─ 신께서 그렇게 정하셨기 때문이란다. 연구소 내에 함께 섞이고 싶은 누군가가 있다는 말은 아니었다. 하지만 그녀는 한 남자를, 그리고 그와 함께 할 수 있는 것을 꿈꾸고 있었다. 그 특별한 영역에서 말이다. 그녀는 그것에 관련된 이미지들을 본 적이 있었다. 책 상태로 말하자면 1924년에 출간된 『지구의 평화』보다 약간 더 낫다고 할 수 있는 어떤 문학작품에서였다.

하는 수 없었다. 연구소 울타리 바깥에서 송장이 되느니보다는 울타리 안에서 사랑에 대해 아무것도 모르고 있는 편이 나았다. 그러지 않을 경우, 그녀가 맛보게 될 유일한 접촉은 그녀가 묻히게 될 땅속의 지렁이들과의 그것이었다.

하여 놈베코는 자신의 충동을 억제했고, 엔지니어에게는 7년의 형기가 11년으로 바뀌었다는 사실을 상기시키지 않았다. 그렇게 거기에 남아 있었다.

아직은 얼마간 더.

남아프리카공화국의 국방부 예산은 그럴 만한 여력도 없는데 계속 증가해 갔다. 절망적인 적자를 보이는 국가 예산의 5분의 1이 군(軍)에 쏟아부어지는 가운데, 국제사회는 다시금 남아프리카공화국에 대한 금수 조치를 단행했다. 남아프리카공화국 국민들의 마음을 가장 아프게 만든 것 중 하나는, 같이 놀겠다고 나서는 나라가 하나도 없었기 때문에 이제 축구와 럭비를 혼자서 해야 한다는 점이었다.

하지만 나라는 그럭저럭 버텨 나갈 수 있었으니, 금수 조치에 모든 나라가 참여한 것은 아니었기 때문이다. 그리고 증가하는 각종 제재들에 대한 반대의 목소리도 적지 않았다. 예를 들어 영국 수상 마거릿 대처와 미국 대통령 로널드 레이건은 대략 비슷한 관점을 표명했다. 즉, 금수 조치가 있을 때마다 가장 타격을 받는 것은 국민 중 가장 빈곤한 계층이라는 거였다. 스웨덴 보수당의 리더 울프 아델손은 이 관점을 매우 우아하게도 이렇게 표현했다.

「만일 우리가 남아프리카공화국에서 나오는 상품들을 보이콧한다면, 거기 사는 검둥이들은 모두 실업자가 됩니다…….」

사실, 문제의 핵심은 다른 데에 있었다. 대처와 레이건에게 — 그리고 울프 아델손에게도 — 가장 곤혹스러운 점은 사람들이 아파르트헤이트를 싫어한다는 사실이 아니었다. 어차피 인종주의는 수십 년 전부터 〈정치적으로 올바른〉 게 아니었으니까. 진정한 문제는 이 체제를 과연 무엇으로 대체하느냐, 였다. 예를 들어, 아파르트헤이트와 공산주의 중에서 하나를 선택하는 것은 결코 간단한 일이 아니었다. 아니, 오히려 간단한 일일 수도 있었다. 특히나 미국 영화배우 협회 회장이었던 시절에, 그 어떤 공산주의자도 할리우드에 접근하지 못하도록 기를 쓰고 싸웠던 로널드 레이건에게는 말이다. 소련 공산주의를 파괴하려고 군비 경쟁에 천문학적 액수를 쏟아붓고 있으면서, 다른 한편으로는 이 공산주의의 한 형태가 남아프리카공화국에서 정권을 잡게 놔둔다면 사람들이 어떻게 생각하겠는가? 더욱이 저 빌어먹을 남아프리카공화국 놈들이, 아니라고 부인하고는 있지만, 원자폭탄까지 보유하고 있는 판국 아닌가?

이처럼 아파르트헤이트 정책 앞에서 애매한 태도를 취했던 대처와 레이건과 의견이 달랐던 사람들 중에는 스웨덴 수상 올로프 팔메와 리비아 사회주의의 지도자 무아마르 알 카다피도 있었다. 팔메는 목청껏 외쳤다. 〈아파르트헤이트는 개혁되지 않는다! 아파르트헤이트는 제거되어야 한다!〉 그러고 나서 얼마 되지 않아 그 자신이 제거되었다. 그를 암살한 사내는 자기가 지금 어디 있는지도, 왜 자기가 그런 짓을 했는지도 모르는 정신이상자였다. 적어도 그 반대 증거가 나타났을 때까지는……. 결국 이 사건의 진상은 영영 규명되지 않았다.[16]

팔메와 달리 카다피는 꽤 오랜 세월 동안 목숨이 붙어 있게 될 것이다. 그는 남아프리카의 저항운동 단체인 ANC에 수백 톤의 무기를 보내 주면서, 백인의 압제에 맞선 고귀한 투쟁을 침을 튀겨 가며 찬양했지만, 다른 한편으로는 우간다 대량학살의 장본인, 독재자 이디 아민을 자신의 궁전에 숨겨 주었다.

이게 바로 이 세상이 돌아가는 괴이한 방식들인 것이다…….미국에서는 공화당과 민주당이 하나가 되어 팔메와 카다피와 공동 보조를 취하며, 그들 자신의 대통령에 반기를 들었다. 의회는 남아프리카공화국과의 모든 형태의 교역과 투자를 금지하는 법안을 가결시켰다. 미국과 요하네스버그 간의 직행 비행도 불가능해졌다. 시도해 보는 자는 유턴을 하든지, 격추되

---

16 이 암살의 배후에 남아프리카공화국 정보기관이 숨어 있다는 설이 있다.

든지, 둘 중 하나를 택해야 했다.

대처와 다른 유럽 지도자들은 패배할 팀에서 경기하고 싶지 않았으므로, 갈수록 많은 나라들이 미국과 스웨덴과 리비아의 뒤에 줄을 섰다.

남아프리카공화국은 여기저기 균열이 가기 시작하고 있었다.

펠린다바 연구소에 살게 된 이후로, 놈베코가 세상 돌아가는 흐름을 알 수 있는 가능성은 매우 제한되어 있었다. 그녀의 세 중국 친구는, 피라미드는 이집트에 있고 자신들은 꽤 오래전부터 이곳에 있었다는 사실 외에는 아는 게 별로 없었다. 엔지니어도 큰 도움이 되지 못했다. 세상에 대한 그의 분석은 갈수록 다음과 같은 몇 마디의 투덜거림으로 환원되는 경향이 있었다. 〈빌어먹을! 이제 미국 의회의 호모 놈들도 금수 조치를 결정했다는군!〉

또 놈베코가 텔레비전이 있는 대기실의 바닥을 청소할 수 있는 횟수나, 이 일에 할애할 수 있는 시간은 제한되어 있었다. 다행스럽게도 예리한 관찰 감각을 지닌 그녀는 이제 진행 중인 프로젝트가 없다는 걸 눈치챘다. 복도에는 뛰어다니는 사람이 보이지 않았다. 수상이나 대통령이 방문하는 일도 더 이상 없었다. 엔지니어의 알코올 중독증이 심각한 수준에서 이제 재앙의 단계로 넘어간 것도 좋지 않은 징조였다.

놈베코로서는 엔지니어가 주위 사람들에게 뭔가를 아는 척하며 거들먹대던 시절이 그리울 뿐이었다. 머지않아 그는 풀타임으로 브랜디를 퍼마시리라. 또 대통령은 옆 소파에 앉아서 이 나라가 이렇게 뒤집혀 나락으로 떨어지는 것은 다 깜둥이들 때문이라고 이를 갈리라……. 이런 상황에서 자신에게 어떤 일이 일어나게 될지, 놈베코는 상상하고 싶지도 않았다.

「이제 거위와 거위의 친구들이 현실을 마주해야 할 때가 온 것 같아.」 어느 날 저녁, 그녀는 세 중국 친구에게 나무랄 데 없는 우어로 말했다.

「때가 됐겠지, 뭐.」 중국 자매들이 완벽하지는 않은 이시코사어로 대꾸했다.

시절은 P. W. 보타에게 갈수록 어려워져 갔지만, 그는 〈커다란 악어〉답게 수면에 두 눈과 콧구멍만 내놓은 채로 깊은 물을 유유히 통과하고 있었다.

물론 그는 몇 가지 개혁을 고려해 볼 수도 있었다. 사람이란 시대에 맞춰 살아야 하는 법이니까. 수세기 전부터 이 나라 국민은 흑인, 백인, 유색인 그리고 인도인으로 분류되어 있었다. 이제 그는 유색인과 인도인에게 투표권을 내주었다. 흑인들에게도 주었지만…… 단지 그들의 영토 내에서만 주었다.

또 보타는 인종 간의 관계를 규제하는 제약들을 완화했다. 이제 흑인들과 백인들은, 순전히 이론적으로는, 공원의 벤치에 함께 앉을 수 있었다. 또 그들은, 순전히 이론적으로는, 극장에 같이 들어가고, 함께 영화를 관람할 수도 있었다. 또 그들은, 순전히 이론적으로는, 서로의 체액을 섞을 수도 있었다(실제적으로도 가능했지만, 이 경우는 돈이나 폭력을 통해서였다).

하지만 선심은 이것으로 충분했다. 그 나머지 부분에 있어서는, 권력을 자신에게 집중시키고 인권을 제한하고 언론 검열을 강화했다. 신문들은 불평할 하등의 이유가 없었다. 결국 모든 것은 정신이 똑바로 박힌 기사를 쓰지 못한 자신들 탓이니까. 나라가 흔들릴 때 필요한 것은 강력한 리더십이지, 〈만인을 사랑합시다〉식의 헛소리를 늘어놓는 기사들이 아닌 것이다.

하지만 보타가 무슨 짓을 해봐도 상황은 악화될 뿐이었다. 급속도로 커가던 나라 경제는 갑자기 성장을 멈추고 뒷걸음치기 시작했다. 게토에서 소요가 일어날 때마다 군대로 하여금 진압하도록 놔뒀지만 그 대가는 만만치 않았다. 그리고 이놈의 검둥이들은 아무리 퍼줘도 도무지 만족할 줄을 몰랐다. 예를 들어 보타는 만델라에게 앞으로 체제에 타협적인 태도를 보이겠다는 약속만 하면 당장 석방해 주겠다고 제안했다. 〈앞으로는 쓸데없이 문제를 일으키지 마시오.〉 그러자 감옥 섬에서 20년을 보낸 저항운동가는 대답했다. 〈그렇다면 난 지금 있는 곳에 남겠소!〉 그리고 실제로 그렇게 했다.

시간이 흐름에 따라, P. W. 보타가 이룬 가장 큰 변화는 만델라를 어느 때보다도 카리스마 넘치는 아이콘으로 만든 것이라는 사실이 명확해졌다.

그 나머지는 모든 게 전과 같았다. 아니, 달랐다. 그 나머지는 모든 게 악화되었다.

보타는 지치기 시작했다. 그는 결국 ANC가 정권을 잡게 되리라는 걸 깨달았다. 그리될 경우…… 그렇다, 어떻게 여섯 개나 되는 원자폭탄을 공산주의자 검둥이들의 손에 넘겨줄 수 있단 말인가? 말도 안 되는 얘기였다. 차라리 그것들을 해체해서, 홍보 수단으로 써먹는 게 현명했다. 국제 원자력 기구가 지켜보는 가운데, 〈우리는 우리의 의무를 다할 뿐입니다〉라는 식으로 말하면서…….

대통령은 아직 결정을 내리지는 못했지만, 그래도 펠린다바를 책임진 엔지니어에게 직접 전화를 걸어 스탠바이 상태로 있으라고 지시했다. 수화기 저쪽에서 들려오는 목소리는 상당히 탁하게 느껴졌다. 아침 9시밖에 안 된 시간에……? 아니, 설마 그럴 리는 없겠지…….

판 데르 베스타위전 엔지니어가 저지른 조그만 실수, 다시 말해서 지금 여섯 쌍둥이 형제들 옆에 나란히 서 있는 그 녀석은 갑자기 극도로 부담스러운 비밀이 되었다.

이제 엔지니어에게 남은 것은 자신의 실수를 쿨 하게 인정하고, 이 실수를 일 년이 넘도록 비밀로 간직했음을 밝힌 다음, 밥풀떼기만큼의 은퇴 수당과 함께 해고되는 일뿐이었다. 혹은…… 이 상황을 자신에게 유리하게 뒤집어 자신의 재정적 독립을 보장할 수도 있었다.

이 어려운 선택을 앞에 둔 엔지니어의 고뇌는 클리프드리프트 마지막 반 리터를 혈관 속에 집어넣는 데 필요한 시간만큼 이어졌다. 그러고 나니 해답은 저절로 튀어나왔다.

모사드의 두 요원, A 요원과 B 요원과 진지한 대화를 나눠야 할 시간이 온 것이다.

「야! 네…… 〈네이름이뭐더라〉!」 그가 혀 꼬부라진 소리로 놈베코를 불렀다. 「가서 두 유대 놈을 데려와! 우리가 비즈니스를 좀 해야 하거든!」

엥엘브레흐트 판 데르 베스타위전은 이제 자신의 임무는 끝나가고, ANC가 곧 정권을 잡을 것이며, 자신의 커리어는 막을 내렸다는 사실을 이해했다. 따라서 아직 기회가 있을 때 은

퇴 후를 준비해 놓는 게 중요했다.

〈네이름이뭐더라〉는 프로젝트 파트너인 이스라엘에서 파견되어 핵무기 개발 과정을 감시해 온 두 요원을 찾으러 갔다. 복도를 걸으며 그녀는 속으로 중얼거렸다. 이 양반이 멍청한 짓을 하나 더 추가하려는 모양이야. 아니, 두 개일지도 모르지.

놈베코는 모사드 요원, A와 B를 엔지니어의 사무실 안으로 안내한 다음, 상황이 악화될 경우 엔지니어가 자신이 위치해 있기를 원하는 전략적 구석에 가서 섰다.

「오, 유대 선생 넘버 1과 유대 선생 넘버 2, 두 분 다 안녕하시오? 샬롬![17] 자, 어서 앉으시오! 두 분께 아침 해장술로 브랜디 한잔 대접할까? 야, 〈네이름이뭐더라〉! 우리 두 친구분께 술 좀 따라 드려!」

놈베코는 두 요원에게 만일 원하신다면 생수가 있다고 속삭였다. 그들은 그걸 원한다고 대답했다.

판 데르 베스타위전 엔지니어는 단도직입적으로 설명에 들어갔다. 자신은 살아오면서 항상 운이 따랐는데, 그 문제의 운이 자신의 손안에 핵무기를 하나 넣어 주었다. 그것은 아무도 그 존재를 모르며, 따라서 사라진다 해도 아무도 아쉬워하지 않을 그런 폭탄이다. 사실, 자신은 이 폭탄을 잘 간직하고 있다가, 저 테러리스트 만델라가 대통령 관저에 들어가자마자 곧바로 거기로 날려 보내야 옳을 터이나, 자신은 혼자서 전쟁을 수행하기에는 약간 늙었다는 기분이 든다…….

「그래서 나는 혹시 예루살렘에 있는 유대인분들의 최고 보

17 유대인들의 인사말.

스께서 초강력 폭탄을 하나 구매할 의향이 없는지, 우리 유대 선생 A와 유대 선생 B께 한번 문의해 봐야겠다는 생각을 하게 된 거요. 뭐, 우리끼리니까 값은 잘 쳐드릴게. 그러니까 3천만 달러. 메가톤당 천만 달러인 셈이지……. 자, 건배!」 말을 마친 그는 자신의 잔을 단숨에 비운 다음, 이제 휑하니 비어 버린 술병을 불만스레 쳐다봤다.

모사드 요원 A와 B는 제안에 대해 정중히 감사를 표한 뒤, 이스라엘 정부에 한번 문의해 보겠다고 약속했다.

「아, 난 절대로 강요는 안 해요!」 엔지니어가 덧붙였다. 「만일 당신네가 원하지 않으면, 난 다른 사람에게 팔 거요. 난 흥정할 시간이 없거든.」

그는 브랜디를 구하러 사무실을, 그다음엔 연구소를 떠났다. 두 요원과 〈네이름이뭐더라〉를 뒤에 남기고.

「이런 말씀드려서 죄송합니다만,」 그녀가 조심스럽게 입을 열었다. 「엔지니어님의 운은 이제 그분께 등을 돌린 것 같은데요. 안 그런가요?」

〈그리고 내 운도요〉라는 말은 속으로만 했다.

「놈베코 양, 난 항상 당신의 총명함에 대해 경의를 품어 왔어요.」 A 요원이 대답했다. 「그리고 당신의 이해심에 대해서도 미리 감사드리고요.」

그 역시 〈당신도 상황이 아주 더럽게 됐어〉라는 말은 속으로만 생각했다.

이스라엘은 엔지니어의 제안을 거절하고 싶은 게 아니었다. 천만의 말씀이었다. 단지 이 판매자가 단순한 술꾼 이상의 인물, 즉 전혀 예측 불가능한 인물이라는 점이 문제였다. 만일 그

가 제멋대로 거리를 쏘다니게 놔둔다면, 자기 돈의 근원이 어
딘지 떠들어 댈 거고…… 그 결과는 폭발적일 터였다. 다른 한
편으로는, 제안을 정중히 거절할 수도 없는 노릇이었다. 왜냐
하면 그 경우 폭탄은 어떻게 되겠는가? 엔지니어는 아무 놈팡
이에게나 그걸 넘겨 버릴 수 있는 위인이었다.

따라서 취해야 할 조치는 자명했다. 모사드 요원 A는 프리
토리아 게토의 한 부랑자에게 차 한 대를 구해 오라는 임무를
맡겼고, 부랑자는 다음 날 밤 1983년형 닷선 로렐을 끌고 왔
다. 그 사례로 불쌍한 친구는 — 약속대로 — 현금 50랜드와
— 팁으로 — 이마에 총알 한 발을 받았다.

요원은 이 자동차를 가지고, 며칠 후 엔지니어가 그의 클리
프드리프트 비축분이 바닥났을 때 들르곤 하는 바에서 귀가하
고 있을 때 깔아뭉개어, 그의 지독하게도 질긴 운을 끝내 버렸
다. 예전에 놈베코가 그러했듯, 사고가 일어났을 때 엔지니어
는 보도 위를 걷고 있었다.

엔지니어가 처음 맛보는 불운은 엄청난 것이었다. A 요원이
후진하자 그는 두 번째로 뭉개졌고, 운전자가 서둘러 사고 현
장을 떠날 때 세 번째로 뭉개졌다.

이렇게 끝나는 건가? 그는 자동차가 몸 위를 두 번째로 지
나가고 세 번째가 시작되기 직전에 언뜻 자문했다. 11년 전 놈
베코가 했던 것과 똑같이.

이번에는 그랬다.

모사드 요원 B는 엔지니어의 사망 소식이 연구소에 전해진
직후에 놈베코와 접촉했다. 사건은 아직 단순한 교통사고로

여겨지고 있었으나, 현장에 출동한 전문가들이 증언을 토대로 작업을 마치면 의견은 바뀔 것이었다.

「놈베코 양, 당신과 나는 몇 가지 얘기를 좀 나눠야 해요.」 요원이 말했다. 「그리고 미안하지만 좀 빨리해야 할 것 같네요.」

놈베코의 머리가 팽팽 돌아갔다. 그녀의 생명보험이었던 알코올 중독자 판 데르 베스타위전이 이제는 사망 보장이 되어버렸다. 자신도 머지않아 그와 비슷한 상태가 되리라······.

「네, 맞아요. 그럼 지금부터 정확히 30분 후에 엔지니어님의 방에서 회의를 가질 테니, 요원님께서는 동료분도 데리고 오세요.」

B 요원은 놈베코는 생각이 제대로 돌아가는 여자이며, 자신이 처한 상황의 불안정성을 충분히 인식하고 있다는 사실을 오래전부터 알고 있었다. 이 점을 이용하여 그와 그의 동료는 그녀를 통제할 수 있을 터였다.

이 하녀는 열쇠를 가지고 있고, 가장 보안이 철저한 구역들에 출입할 수 있는 인물이었다. 그들이 폭탄을 입수할 수 있게 해줄 수 있는 사람은 바로 그녀였다. 그 대가로 그들은 새빨간 거짓말 하나를 제공하리라.

그녀를 살려 주겠다는 약속 말이다.

하지만 이 아가씨는 그런 약속보다도 30분의 말미를 원한단다. 왜······? 요원이 보기에는 의미 없는 짓이었다. 뭐, 그래도 30분 정도야······. 비록 일분일초가 아까운 때이긴 하지만 말이다. 경찰은 엔지니어가 암살되었다는 사실을 언제고 알아챌 수 있었다. 그리되면 아무리 동맹국의 비밀요원이라 할지라도 3메가톤에 달하는 폭탄을 반출하는 것은 훨씬 어려워질 터였다.

뭐, 그래도 30분 정도야……. B 요원은 승낙의 뜻으로 고개를 끄덕였다.

「그렇다면 12시 5분에 다시 봅시다.」

「12시 6분이에요.」놈베코가 정정했다.

그 뒤를 이은 30분 동안, 그녀는 그냥 앉아서 기다리기만 했다.

요원들은 정한 시간에 맞춰 돌아왔다. 놈베코는 엔지니어의 회전의자에 앉아, 그들에게 맞은편에 앉으라고 상냥하게 권했다. 사상 초유의 광경이었다. 아파르트헤이트의 체제의 핵심부에 위치한 회전의자에, 젊은 흑인 여자가 앉아 있는 모습이라니…….

놈베코는 회의를 시작했다. 그녀는 두 모사드 요원이 일곱 번째 원자탄을 얻고 싶어 한다는 걸 알고 있다고 말했다.

이 진실을 별로 인정하고 싶지 않은 두 요원은 침묵을 지켰다.

「자, 우리 탁 터놓고 얘기하자고요!」놈베코가 말했다.「그러지 않으면 이 모임은 시작도 못 하고 끝나 버리지 않겠어요?」

A 요원은 고개를 끄덕이면서, 놈베코 양께서 상황을 잘 파악하셨다고 인정했다. 그리고 덧붙이기를, 만일 그녀의 도움으로 이스라엘이 이 폭탄을 얻게 된다면, 그 대가로 그녀가 펠린다바를 떠날 수 있게 해주겠다는 거였다.

「그러고 나서는 제가 엔지니어님처럼 차에 깔리게 해주시겠죠? 아니면 사살되어 가까운 사바나에 매장되거나.」

「아니, 그게 무슨 말씀입니까, 놈베코 양!」A 요원이 거짓말을 했다.「우리는 당신의 머리카락 한 올도 건드릴 뜻이 없어요. 우릴 대체 어떻게 보는 거죠?」

놈베코는 이 거짓말을 받아들이는 듯한 표정을 지었다. 그러면서 자신은 벌써 한 차례 차에 깔린 적이 있으며, 그 경험을 되풀이하고 싶지는 않다고 말했다.

「당신들은 어떻게 폭탄을 이 기지에서 반출할 생각이죠? ······만일 그걸 얻게 된다면 말이에요.」

B 요원은 자신들이 꾸물대지만 않는다면 비교적 쉬운 일이 될 거라고 대답했다. 그의 설명은 이랬다. 폭탄이 든 궤짝에 예루살렘에 있는 이스라엘 외무성의 주소를 써 붙인 다음, 이 화물이 외교 우편물로 간주될 수 있게끔 필요한 서류를 꾸민다. 이 외교 우편물은 프리토리아의 대사관을 통해 적어도 일주일에 한 번씩 발송되므로, 남아프리카공화국 사람들이 보안 규칙을 강화하거나, 궤짝을 열어 보지 않는 한 문제없이 이스라엘로 떠날 수 있다. 물론 엔지니어가 사망한 진정한 이유가 발견되면, 궤짝 뚜껑은 곧바로 열린다고 봐야겠지만.

「그 조치에 대해서는 제가 두 분께 특별히 감사드리고 싶어요.」 놈베코는 솔직하게, 또 음험하게 말했다. 「정확히 두 분 중 어느 분이시죠?」

「누가 했든 뭐가 그리 중요하겠소?」 장본인인 A 요원이 얼결에 대답했다. 「어차피 끝난 일인데. 그리고 놈베코 양도 그게 필요한 일이었음을 이해하고 계시잖소.」

놈베코가 특히 이해한 것은 두 요원이 자신의 덫에 걸려들었다는 사실이었다.

「그럼 내 안전은 어떻게 보장해 줄 생각이신가요?」

요원들은 놈베코를 그들의 자동차 트렁크에 숨길 생각이었다고 대답했다. 이 트렁크는 보안 조치가 현 수준에 머물러 있는 한 수색되는 일이 없을 거였다. 사실 펠린다바의 두 이스라엘 비밀요원은 지금까지 모든 의심에서 벗어나 있었다.

일단 밖으로 나오면 덤불숲으로 들어가 여자를 트렁크에서 꺼낼 거고, 그녀가 몸부림치는 양상에 따라 이마, 관자놀이, 목덜미 중 한 곳에 총알이 박힐 거였다.

조금은 유감이었다. 왜냐하면 놈베코 양은 여러 가지로 예외적인 여성이었을 뿐만 아니라, 요원들 자신과 마찬가지로 판 데르 베스타위전의 공공연한 멸시의 대상이 되어 왔기 때문이었다. 그 근거라고는 자신이 우월한 인종에 속해 있다는 그릇된 확신밖에는 없는 어처구니없는 멸시 말이다. 그녀로 봐서는 참으로 애석한 일이었지만, 이 사안에는 더 중대한 이해가 걸려 있었다.

「우리의 생각은 아가씨를 우리 트렁크에 숨겨 몰래 빼낸다는 겁니다.」A 요원이 요약했다.

「좋아요.」놈베코가 대꾸했다. 「하지만 그것만으론 충분치 않아요.」

그러고 나서, 그들이 요하네스버그-트리폴리 편도 티켓을 마련해 주지 않는 한, 자신은 그들을 돕기 위해 손가락 하나까딱하지 않겠노라 선언했다.

「트리폴리?」요원 A와 B가 똑같이 놀라며 되물었다. 「아니, 거기는 가서 뭘 하려고?」

사실 놈베코에겐 딱히 대답할 게 없었다. 지난 몇 년 동안 그녀의 목표는 프리토리아의 국립 도서관에 가는 거였으나, 이제 거기는 갈 수 없게 되었다. 그녀는 이 나라를 떠나야만 했다. 그런데 카다피는 ANC 편이라고 하지 않던가?

놈베코는 대답했다. 자신은 나라를 바꾼다면 이왕이면 친절한 나라에 가고 싶은데, 리비아가 바로 그런 나라처럼 보인단다. 하지만 만일 두 요원께서 더 좋은 제안이 있으시다면, 자신은 두 귀를 활짝 열고 듣겠단다.

「단, 텔아비브나 예루살렘은 사양하겠어요. 전 적어도 이번 주말까지는 살아 있고 싶으니까요.」

모사드 요원 A는 앞에 앉은 여자가 더욱 매력적으로 느껴졌다. 문제는 그녀에겐 미래가 없다는 점이었다. 트렁크가 닫히자마자 그녀는 무덤을 향해 출발하는 거고, 그리되면 비행기 티켓에 쓰인 내용은 더 이상 아무런 의미가 없었다. 트리폴리? 안 될 게 뭐가 있겠는가? 달나라라도 보내 주리라.

「그래요, 리비아도 괜찮겠지요. 아파르트헤이트에 가장 비판적인 나라인 스웨덴도 고려해 볼 수 있겠고요. 거기 가서 망명 신청을 하면 단 10초 만에 허가를 내줄 겁니다.」

「어머나!」

「하지만 카다피에게는 문제점이 몇 가지 있어요.」

「그게 뭐죠?」

A 요원은 대통령이 이스라엘과의 대화를 수락했다는 이유만으로 이집트를 수류탄으로 공격한 저 트리폴리의 미치광이에 대해 설명해 줄 수 있게 되어 너무도 신이 났다.

놈베코 양의 미래에 대해 약간의 관심을 보여 주는 것도 나쁠 건 없으리라. 적어도 그녀의 뒤통수에 총알을 박기 전까지는 신뢰 관계를 구축할 수 있을 테니까.

「카다피는 남아프리카공화국만큼이나 핵무기를 손에 넣으려고 광분하고 있어요. 지금까지는 별 소득이 없었지만요.」

「아, 그렇군요.」

「그래도 최소한 20톤의 머스터드가스를 보유한 것에 위안을 삼고 있고, 세계 최대의 화학무기 공장도 갖고 있죠.」

「아이고머니나!」

「또 자신에 대한 모든 반대와 파업과 시위를 금지했어요.」

「세상에!」

「게다가 누구라도 자기와 다른 의견을 말하면 즉각 처형해 버리죠.」

「정말 인간미라곤 눈곱만큼도 없는 사람인가요?」

「오, 아니에요. 그는 이디 아민을 데려다 보살펴 줬죠. 그 독재자가 우간다에서 도망쳐야 했을 때 말이에요.」

「거기에 대해선 뭔가 읽어 본 것 같아요.」

「이것 말고도 얘기해 줄 게 많아요.」

「아니면 더 이상은 없겠죠?」 놈베코가 살짝 비꼬았다.

「아, 놈베코 양……. 부디 내 뜻을 오해하지 마세요. 우린 당신의 행복을 염려하고 있고, 당신에게 아무 일도 일어나지 않기를 바랄 뿐이에요. 비록 방금 당신이 마치 우리가 믿을 만한 인간들이 못 된다는 듯이 말했지만 말입니다. 솔직히 그런 말을 들으니 너무 가슴이 아프네요……. 하지만 만일 당신이 정히 트리폴리에 가고 싶다면, 우린 당신의 바람이 이루어질 수 있도록 노력하겠어요…….」

오, 완벽했어! B 요원이 속으로 감탄했다.

음, 완벽했어! A 요원도 스스로 감탄했다.

이건 내가 평생 들어 본 소리 중 가장 멍청한 소리야! 놈베코는 속으로 욕을 퍼부었다. 요하네스버그의 위생국 직원들, 그리고 자신에 대한 엄청난 착각 속에서 헤매는 알코올 중독자 엔지니어도 겪어 본 그녀였지만, 정말이지 이렇게 웃기는 소리는 한 번도 들어 본 적이 없었다.

이 두 인간이 내 행복을 염려하고 있다고? 두 모사드 비밀요원이? 그녀가 소웨토에서 태어났을지언정 그렇게 순진하지는 않았다.

어쨌든 리비아에는 더 이상 마음이 끌리지가 않았다.

「그럼 스웨덴은 어떤가요?」

〈그래요, 거기가 나을 거예요〉라고 요원들이 대답했다. 비록 그 나라 수상이 암살당하긴 했지만, 일반 국민들은 큰 위험 없이 거리를 산책할 수 있단다. 또 그들이 앞에서도 말했듯이, 스웨덴 사람들은 남아프리카공화국 사람들 중에서 아파르트헤이트 체제 반대자라면 쌍수를 들고 환영하는데, 놈베코 양 자신도 그중의 하나가 아니냔다.

놈베코는 고개를 끄덕였다. 그리고 잠시 묵묵히 앉아 있었다. 그녀는 스웨덴이 어디 붙어 있는지 알고 있었다. 거의 북극 근처였다. 아무튼 소웨토에서 까마득히 먼 곳이었는데, 이 또한 나쁘지 않았다. 지금까지의 그녀의 삶을 이뤄 온 모든 것에서 멀리멀리 떨어진 곳……. 이 조국에 대체 무슨 미련을 가질 수 있단 말인가?

「만일 놈베코 양께서 스웨덴에 가져가고 싶은 게 있다면, 우리가 최선을 다해 도와 드리겠어요.」 공갈빵 같은 신뢰 관계를 좀 더 강화해 보고자 B 요원이 약속했다.

조금만 더 계속하면 내가 당신들 말을 정말로 믿어 버리겠어, 라고 놈베코는 생각했다. 하지만 당신들이 원하는 것을 얻자마자 나를 죽여 버리지 않는다면, 당신들로선 용서할 수 없는 직업적 실수를 저지르는 게 아닐까?

「영양(羚羊) 육포 한 상자도 나쁘지 않겠네요.」 그녀가 대답했다. 「스웨덴엔 영양이 없지 않겠어요?」

A 요원과 B 요원도 그렇게 생각한단다. 그리고 즉시 큰 소포와 작은 소포에 붙일 우편 라벨을 작성하겠단다. 폭탄이 든 궤짝은 프리토리아의 대사관을 거쳐 예루살렘의 외무성으로 향할 거고, 영양 육포는 스톡홀름 주재 이스라엘 대사관으로 보내져 며칠 후에 놈베코 양이 직접 찾아갈 수 있을 거란다.

「자, 이제 얘기가 다 끝난 거죠?」 A 요원은 이제 모든 게 잘 해결됐다고 생각하며 물었다.

「네. 그렇게 하기로 해요. 하지만 아직 한 가지가 남았어요.」

뭐야, 또? A 요원에게는 그의 직업에 필요한 잘 발달된 육감이 있었다. 이 순간, 그는 자신과 자신의 동료가 너무 빨리 축배를 들었다는 걸 느꼈다.

「지금 상황이 급하다는 건 알아요.」 놈베코가 말을 이었다. 「하지만 우리가 출발하기 전에 제가 해결해야 할 게 하나 있어요. 한 시간 후, 그러니까 1시 20분에 다시 만나요. 그 전에 비행기 티켓과 영양 육포를 준비해 놓으려면 두 분께서도 서두르셔야 할 거예요.」

이렇게 말한 다음, 놈베코는 엔지니어의 책상 뒤에 있는 문을 통해 방을 나가, 요원들은 출입할 수 없는 구역으로 사라져 버렸다.

「우리가 얘를 과소평가한 건가?」 A가 B를 돌아보며 물었다.

B는 미간을 잔뜩 찌푸린 얼굴로 대답했다.

「자넨 티켓을 맡아. 난 육포를 맡을 테니.」

「혹시 이 돌이 뭔지 아세요?」 그들이 다시 모였을 때, 놈베코는 판 데르 베스타위전의 책상 위에 다이아몬드 원석 하나를 내려놓으며 물었다.

A 요원은 다방면에 재주가 많은 사람이었다. 예를 들어 그는 한대에 만들어졌다는 거위의 정체를 한눈에 척 알아보고 1970년대의 남아프리카공화국 시대로 돌려놓은 적이 있었다. 그리고 지금은 눈 아래 놓인 것이 대략 1백만 셰켈의 가치를 지닌 물건이라는 걸 알아보았다.

「흠, 그렇군…… 헌데 놈베코 양은 무슨 말을 하고 싶은 거죠?」

「전 스웨덴에 가고 싶어요. 사바나의 어느 관목 뒤 구덩이 속이 아니고요.」

「그래서 그 대가로 우리에게 이 다이아몬드를 주겠다는 건가요?」 A 요원과는 달리 놈베코를 계속 과소평가 중인 B 요원이 물었다.

「제가 그 정도로밖에 안 보이나요? 아뇨. 전 단지 이 다이아몬드로 두 분께 한 가지 사실을 증명하고 싶을 뿐이에요. 즉, 조금 전에 우리가 만나고 난 직후에 제가 조그만 꾸러미 하나를 이 기지 밖으로 빼내는 데 성공했다는 사실이죠…… 이제 두 분은 둘 중 하나를 선택하셔야 해요. 첫 번째 선택은 제가 이와 비슷한 다이아몬드 하나를 써서 정말로 꾸러미를 반출했고, 또 그 문제의 꾸러미가 목적지에 잘 도착했음을 또 다른 다이아몬드를 써서 분명히 확인했으며, 또 이 펠린다바의 박봉에 시달리는 250여 직원 중 하나가 이와 같은 거래를 받아들였다는 사실을 믿는 거예요. 그리고 두 번째 선택은 믿지 않는 거죠.」

「대체 무슨 소릴 하는지 모르겠군.」 B 요원이 인상을 찌푸렸다.

「음…… 최악의 경우가 염려되는구먼.」 A 요원이 신음하듯 말했다.

「네, 바로 그거예요!」 놈베코가 미소를 지으며 대꾸했다. 「전 아까 우리가 나눈 대화를 녹음했어요. 두 분께서 한 남아프리카공화국 시민을 살해했고, 또 이 나라의 가장 위험한 무기 중의 하나를 훔치려 했다는 걸 고백한 대화였죠. 만일 이 녹취물이 유포될 경우, 두 분과 두 분의 나라에 어떠한 결과가 오게 될지, 두 분께서 잘 이해하시리라 믿어요……. 전 이걸 어디로 보냈는지는 말씀드리지 않겠어요. 다만, 수령인이 제가 뇌물을 먹인 메신저를 통해 알려 온 바에 의하면, 녹취물은 무사히 잘 도착했대요. 다시 말해서 이 기지 밖 멀리에 있다는 거죠. 만일 제가 그걸 24시간 이전에 회수하면 ─ 아니 죄송해요, 23시간 38분이군요, 정말이지 좋은 분들과 같이 있으니까 시간이 너무 빨리 가네요! ─ 그것은 이 세상에서 영원히 사라져 버린다고 두 분께 약속드릴 수 있어요.」

「만일 당신이 그걸 직접 회수하지 않으면, 세상에 공개되고?」 A 요원이 물었다.

놈베코는 쓸데없는 대답으로 시간을 허비하지는 않았다.

「자, 어느덧 이 모임도 끝난 것 같네요. 제가 트렁크 속에서 여행하고 난 뒤 살아남을 가능성은 좀 더 커진 것 같고요. 솔직히 처음에는 가능성이 제로 아니었나요?」

이렇게 말한 뒤 놈베코는 자리에서 벌떡 일어섰다. 그리고 알리기를, 영양 육포가 든 상자는 30분 내에 우편물 발송 센터에 인도되어야 할 것이며, 커다란 궤짝도 그리되도록 조치할 것인바, 사실 그 문제의 궤짝은 바로 이 옆방에 있었단다…… 또한 그녀는 그 궤짝이 외교적 위기에 휘말리고 싶지 않은 모든 사람이 건드릴 수 없는 것이 될 수 있도록 필요한 서류며, 증명서며, 직인이며, 기타 등등이 준비되기를 기다리고 있겠단다.

A와 B는 뚱한 얼굴로 고개를 끄덕였다.

이스라엘 요원들은 새로이 대두한 상황을 분석해 봤다. 이 빌어먹을 하녀가 대화 녹취물을 소유하고 있다는 말은 사실일 수도 있을 것 같았으나, 이것을 펠린다바 밖으로 빼냈다는 주장은 신빙성이 덜해 보였다. 물론 그녀에겐 다이아몬드 원석이 하나 있었고, 이걸 한 개 가지고 있다면 여러 개도 가지고 있을 수 있다는 얘기였다. 그리고 이걸 여러 개 지녔다면, 이곳 직원 중 하나가 자신과 가족이 죽는 날까지 경제적으로 걱정 없이 살고 싶은 유혹에 넘어갔을 가능성도 충분히 있었다. 하지만 이는 단지 가능성일 뿐, 확실한 것은 아니었다. 하녀(그들은 너무도 부아가 치밀었기 때문에 더 이상 그녀의 이름을 부르지 않았다)는 이 기지에서 11년 동안 살아왔지만, A와 B는 그녀가 자신들 말고 다른 백인과 어울리는 것을 본 적이 없었다. 정말로 250여 직원 중 하나가 자기들이 등 뒤에서 〈깜둥이〉라고 부르는 여자에게 영혼을 팔았을까?

요원들은 방정식에 성적(性的)인 차원을 첨가해 보았다. 다시 말해서 이 하녀가 보석 외에 자신의 몸을 제공했다면? 이 경우, 확률은 그들에게 불리해졌다. 다이아몬드 하나를 위해 그런 심부름을 할 수 있을 만큼 비윤리적인 인물이라면, 그녀를 고발하는 비윤리적인 짓도 능히 할 수 있을 거였다. 하지만 만일 이 작자가 성적으로 몇 번 더 재미 보길 기대한다면, 자신의 혓바닥을 꼭 물고 있으리라. 혹은 신체의 다른 부위를 — 몸이 충분히 유연하다면 — 꼭 물고 있을지도 모르겠지만.

요원 A와 B는 놈베코가 자기 손안에 있다고 주장하는 에이스 패를 정말로 가지고 있을 위험성이 60퍼센트이고, 그렇지 않을 가능성이 40퍼센트라는 결론에 이르렀다. 이 확률은 너무도 고약했다. 그리고 그녀가 그들과 — 무엇보다도! — 이스라엘에 끼칠 수 있는 피해는 계산하기도 힘들었다.

선택의 여지가 없었다. 하녀는 예정대로 자동차 트렁크에 오를 거고, 예정대로 스웨덴행 항공권을 받을 거고, 영양 육포 10킬로그램은 예정대로 스톡홀름으로 발송될 거였다. 반면, 총알 한 발이 그녀의 뒤통수에 박히는 일은 없을 거였다. 이마에도 아니고, 다른 어떤 부위에도 아닐 거였다. 살아 있는 그녀는 계속 큰 위험 요소로 남겠지만, 죽으면 더 큰 위험 요소가 되기 때문이었다.

29분 후, 놈베코는 A 요원에게서 항공권과 영양 육포 그리고 외교 우편물에 첨부할 정식 서류들을 사본 포함, 2부씩 받았다. 그녀는 요원에게 감사를 표한 다음, 자신은 15분 후에 출발할 수 있다고 말했다. 이제 두 개의 우편물이 제대로 처리되고 있는지 가서 살필 참이었다.

「큰 상자와 작은 상자?」 자매들 중 가장 창의성이 풍부한 막내가 물었다. 「놈베코 양은 우리가 그것을⋯⋯.」

「바로 그거야.」 놈베코가 대답했다. 「그 소포들은 절대로 요하네스버그에 계신 언니들 엄마에게 보내면 안 돼. 작은 소포는 스톡홀름으로 가야 해. 그건 내 거야. 그러니 제발 손대지 말아 줬으면 고맙겠어. 큰 것은 예루살렘으로 갈 거고.」

「예루살렘?」 둘째가 깜짝 놀라며 되물었다.

「이집트에 있어.」 맏이가 설명했다.

「너, 떠나는 거야?」 막내가 물었다.

「응, 하지만 아무한테도 말하지 마. 난 잠시 후에 몰래 빠져나갈 거니까. 난 스웨덴으로 가. 이제 마지막 인사를 나눠야 해. 언니들은 좋은 친구였어.」

그들은 포옹을 나눴다.

「놈베코, 몸조심해!」 중국 자매들이 이시코사어로 당부했다.

「짜이젠(再見)!」 놈베코가 화답했다. 「안녕!」

그런 뒤에 엔지니어의 사무실로 가서 책상 서랍을 열고 자신의 여권을 꺼냈다.

「요하네스버그 중심가 시장 광장에 있는 마켓 씨어터로 가 주세요!」 놈베코가 외교관용 차량 트렁크에 기어 들어가면서 A 요원에게 말했다.

마치 어떤 손님이 단골 택시 기사에게 말하고 있는 듯한 모습이었다. 또 요하네스버그 시내를 자기 손바닥처럼 꿰고 있고, 자기가 어디로 가는지 분명히 알고 있는 듯한 모습이기도 했다. 사실인즉슨, 그녀는 몇 분 전에 잠시 짬을 내어 펠린다바 도서관에 최근에 들어온 책 몇 권을 뒤적거려, 이 나라에서 가장 사람들이 북적거릴 만한 장소를 찾아낸 것뿐이었다.

「알았소.」 A 요원이 무뚝뚝하게 대답했다. 「그렇게 하지.」

그는 트렁크 덮개를 닫았다.

그는 놈베코가 자기들을 녹취물을 가진 사람에게로 데려가지 않는다는 걸 알고 있었다. 그 자리에서 둘 다 총 맞아 죽을 짓을 왜 하겠는가? 또 그는 목적지에 도착하자마자 놈베코가 도망쳐 2분도 못 되어 군중 속으로 사라지리라는 것도 알고 있었다. 그는 하녀가 이겼다는 것을 알고 있었다.

적어도 제1라운드는.

하지만 폭탄이 이 나라를 뜨는 순간, 그녀에겐 더 이상 생명보험이 없었다. 녹취물이 공개된다 하더라도, 아니라고 부인하면 그만이었다. 어차피 모두가 이스라엘을 욕하는 세상 아닌가? 물론 이런 종류의 테이프들이 많이 돌아다니는 건 사실이었다. 하지만 그런 것들이 존재한다고 하여 그 내용까지 믿는다는 것은 좀 웃기는 일 아닌가?

어쨌든 제2라운드가 있을 거였다.

모사드의 코털을 건드려 놓고 무사하길 바라?

1987년 11월 12일 목요일 오후 2시 10분, 요원들의 자동차는 펠린다바를 떠났다. 같은 날 오후 3시 1분, 같은 정문으로 이날의 일간 우편물이 기지를 떠났다. 평소보다 11분 늦은 시각이었다. 유난히도 부피가 큰 한 수하물 탓에 트럭을 바꿔야 했기 때문이었다.

3시 15분, 판 데르 베스타위전의 사인을 조사한 수사 책임자는 엔지니어가 살해되었다는 결론을 냈다. 세 명의 독립적인 증인이 내놓은 증언은 거의 일치했다. 더욱이 그들 중 둘은 백인이었다.

이 증언들은 현장 조사를 행한 수사 책임자의 소견을 뒷받침해 주었다. 엔지니어의 뭉개진 얼굴에는 고무 자국이 세 군데 남아 있었다. 최소한 세 개의 타이어가 지나갔다는 얘긴데, 일반적으로 차에는 타이어가 양쪽에 두 개씩 달려 있었다. 다시 말해서, 엔지니어는 한 대 이상의 차에 깔렸거나, 그게 아니라면 ― 증인들이 이구동성으로 주장하듯이 ― 동일한 차에 여러 차례 깔렸다는 뜻이었다.

3시 30분, 펠린다바의 보안 수준이 한 단계 격상되었다. 경비병 초소에서 일하는 흑인 청소부는 즉각 해고되어야 했다. G동 건물의 흑인 하녀와 주방에서 일하는 세 아시아 여자도 마찬가지였다. 이들 다섯 사람은 보안팀의 위험도 분석 조사를 거친 후, 풀려날 예정이었다. 뭐, 그럴 가능성도 있다는 얘기였다……. 기지를 출입하는 모든 차량은 수색되었다. 군사령관이 운전대를 잡고 있다 해도 예외는 아니었다.

사람들에게 길을 물어 공항까지 간 놈베코는 물결처럼 흘러가는 여행객들의 등만 보고 걸었고, 마침내는 보안 검색대를 통과했는데 본인은 그 사실조차 모르고 있었다. 어쨌든 그녀는 재킷 속에 숨긴 다이아몬드가 금속 탐지기에 걸리지 않는다는 사실을 알게 되었다.

모사드 요원들은 놈베코의 항공권을 급히 구입해야 했는데, 남은 것은 값비싼 비즈니스석밖에 없었다. 승무원들이 놈베코에게 제공되는 퐁파두르 엑스트라 브뤼 샴페인은 항공 요금에 포함되어 있다는 사실을 설명하기 위해서는 꽤 오랜 시간이 필요했다. 뒤따라 나온 다른 음식들에 대해서도 마찬가지였다. 또 승객들의 음식 쟁반을 치우는 스튜어디스들을 도우려 드는 그녀를 다시 자리에 앉히기 위해서는 정중하면서도 엄한 태도가 필요했다.

아몬드를 뿌려 구운 산딸기에 커피를 곁들인 디저트 시간이 되어서야 놈베코는 시스템을 대충 이해하게 되었다.

「소화를 위해 브랜디 한잔 드릴까요?」 스튜디어스가 상냥하게 물었다.

「네, 좋아요! 혹시 클리프드리프트 있나요?」

그러고는 곧 잠에 빠져들었다. 그녀는 깊고 달콤한 잠을 오래도록 잤다.

스톡홀름 아를란다 국제공항에 도착한 그녀는 너무도 우아하게 속여 먹은 모사드 요원들이 준 지침을 그대로 따랐다. 그녀는 처음 보이는 국경 경찰 요원에게 곧바로 다가가서는 정치 망명을 요청했다. 자신이 남아프리카공화국의 불법 단체인 ANC의 일원이라는 게 요청 사유였다. 어떤 제삼국의 비밀 정보부에 핵폭탄을 넘겼다는 소리보다는 훨씬 듣기 좋은 말 아니겠는가?

뒤이은 심문은 활주로가 내려다보이는 환한 방에서 진행되었다. 창문을 통해 그녀는 태어나서 처음으로 눈송이가 떨어지는 광경을 보았다. 남아프리카에서는 여름이 한창 시작되고 있을 때 내리는 첫눈이었다.

8

무승부로 끝난 게임과
제대로 삶을 살 줄 모르는 사업가

잉마르와 홀예르 1은 헨리에타에게 경의를 표하는 최선의 방법은 투쟁을 계속하는 거라고 의견 일치를 보았다. 넘버 2는 아버지와 쌍둥이 형제의 생각이 틀렸다고 확신했지만 굳이 말하지는 않았고, 그렇다면 가족이 먹고살 돈은 누가 벌 거냐고만 물었다.

잉마르는 미간을 찌푸리면서, 요즘 자신은 너무 많은 일들로 머리가 복잡했기 때문에 이 문제에 신경을 쓰지 못한 것은 사실이라고 인정했다. 헨리에타의 설탕통에는 아직 백 크로나짜리 지폐 몇 장이 남아 있었지만, 이것들은 고인의 뒤를 이어 곧 사라져 버릴 거였다.

다른 뾰족한 수가 없었기 때문에, 왕년의 우체국 직원은 전에 일했던 우체국의 회계 보조직에 다시 지원하기로 결심했다. 2년만 있으면 정년퇴직인 그의 상관은 자신은 남은 2년을 크비스트 씨로 인해 망칠 의향이 전혀 없노라고 대답했다.

집안의 재정 상황은 암울하게 흘러갔다. 며칠 동안은 그랬다. 그러다가 잉마르의 장인이 사망했다.

손자들을 한 번도 만나지 않은(그리고 결국 잉마르의 모가지도 비틀어 버리지 못한) 이 골수 공산주의자는 자본주의가 그 어느 때보다도 번영을 구가하는 꼴을 보면서 쓰라린 가슴을 부여안고 81세의 나이로 세상을 떠났다. 그나마 다행이었던 것은 자신의 모든 소유가 홀예르들과 잉마르의 손으로 들어가는 꼴은 보지 않았다는 사실이다. 모든 것을 상속받은 이는 공식적으로 존재하는 홀예르 1이었다.

쇠데르텔리에 공산당 리더는 그의 정치 활동과 병행하여 소련의 제품들을 수입하는 사업을 했다. 그는 죽기 직전까지 스웨덴 각지의 시장을 돌아다니며 소련 제품을 판매하고 소련의 위대함을 선전했다. 이 두 활동 중 어느 것도 크게 성공하진 못했지만, 적어도 그 수입은 일상의 기본적인 필요들을 커버하고, 컬러 텔레비전을 시청하고, 매주 2회 〈전매청〉에 들르고, 매달 공산당에 3천 크로나를 기부할 수 있을 정도는 되었다.

넘버 1이 외조부로부터 물려받은 유산에는 상태가 괜찮은 트럭 한 대와 상품들이 가득 찬 차고 겸 창고가 포함되어 있었다. 여러 해 동안 노인은 자기가 판매하는 양보다 조금 더 많은 상품을 수입해 왔던 것이다.

그 상품들 중에는 검은 캐비아와 붉은 캐비아, 절인 오이, 훈제한 크릴새우, 조지아 차[茶], 벨로루시 리넨 제품, 러시아 털장화, 이누이트 물개 가죽이 있었다. 또 그 유명한 페달 달린 녹색 쓰레기통을 포함한, 다양한 종류의 법랑 용기도 있었다. 러시아 군모인 푸라쉬키와 북극에서도 얼어 죽을 염려가 없는 모피 방한모 우산카도 있었다. 고무 주전자와 딱총나무 문양으로 장식된 술잔도 있었다. 밀짚으로 짠 290밀리미터짜리 신발도 있었다. 『공산당 선언』 5백 권과 우랄산(産) 염소털로 만든 숄 2백 장도 있었다. 시베리아 호랑이 가죽 넉 장도 나왔다. 잉마르와 두 아들은 차고에서 이 모든 것들의 목록을 작성했다. 마지막으로 기입된 것은 보통 물건이 아니었다. 그것은 카렐리아 화강암으로 제작한 높이 2.5미터의 레닌상(像)이었다.

만일 잉마르의 장인이 살아 있었다면, 그리고 사위의 모가지를 비트는 대신에 그와 대화를 나눌 마음이 있었다면, 자신은 이 석상을 위대한 지도자에게 인간적인 면모를 부여한 실수를 범한 페트로자보츠크의 한 예술가에게서 헐값으로 사들였다는 사실을 말해 줄 수 있었으리라. 이 예술가의 손끝에서 레닌의 강철 같은 회색 눈은 약간 겸연쩍은 표정을 띠게 되었고, 그의 손은 미래를 향해 힘차게 뻗어 있는 대신에 그가 이끌어야 할 인민들에게 마치 〈안녕하셨어요?〉라고 인사하는 것처럼 보이게 되었던 것이다. 제작을 의뢰한 페트로자보츠크 시장은 결과물을 보고 꼭지가 홱 돌아서는, 당장에 이 물건을 사라지게 할 것이며, 그렇지 않으면 자신이 직접 나서서 네놈을 사라지게 할 거라고 고함쳤다.

바로 이때, 물품 구입을 위해 이 나라를 돌고 있던 잉마르의 장인이 딱 나타났던 것이다. 그리하여 2주 후, 석상은 쇠데르텔리에의 한 차고 안에서 〈안녕하셨어요?〉라고 인사하고 있었다.

잉마르와 넘버 1은 이 모든 보물들을 뒤적거리며 기쁨에 겨워 키득거렸다. 이 정도면 몇 년 동안 집안이 먹고사는 데 아무 문제가 없으리라!

이 새로운 전망에도 넘버 2는 기쁘지가 않았다. 그는 어머니의 죽음을 계기로 어떤 진정한 변화가 일어나기를 바랐던 것이다.

「요즘 시장에서 레닌은 그다지 인기 있는 것 같지 않던데?」 그가 보다 못해 한마디 했다.

그 즉시 핀잔이 쏟아졌다.

「야, 넌 왜 그렇게 매사에 부정적이냐?」 아빠 잉마르가 쏘아붙였다.

「맞아! 야, 넌 왜 그렇게 매사에 부정적이냐?」 홀예르 1도 쏘아붙였다.

「러시아어판 『공산당 선언』도 마찬가지고.」 넘버 2는 굴하지 않고 덧붙였다.

차고에 쌓인 상품들은 8년 동안 크비스트 가족을 먹여 살려 주었다. 아빠 잉마르와 쌍둥이들은 장인과 외조부의 발자취를 따라 이 시장 저 시장 돌아다니면서 크게 비참하지 않은 생활을 영위할 수 있었다. 무엇보다도 수입의 일부분을 쇠데르텔리에의 공산주의자들에게 떼어먹히지 않아도 되었기 때문이었다. 국세청에 대해서도 마찬가지였고.

넘버 2는 모든 걸 버리고 떠나 버리고 싶은 충동에 사로잡히곤 했으나, 그래도 지금은 아버지와 형의 바보짓이 잠잠해졌다는 사실로 스스로를 위로했다.

8년이 지났을 때 창고에 남은 것은 2.5미터짜리 카렐리아 화강암 레닌상과 러시아어판 『공산당 선언』 5백 권뿐이었다. 잉마르는 그중 한 권을 마리에스타드 시장의 한 맹인에게 파는 데 성공했다. 그리고 다른 한 권은 말뫼 시장으로 향하던 길에, 갑자기 일어난 복통으로 도로변 구덩이 위에서 팬티를 내려야 했던 날에 화장지로 사용되었다.

어떤 의미에서는 홀예르 2의 말이 맞았다고 할 수 있겠다.

「이젠 어떻게 하지?」 태어나서 한 번도 자기 생각이란 걸 가져 본 적이 없는 홀예르 1이 물었다.

「뭐라도 해야지! 스웨덴 왕실하고 관계없는 일이라면 아무거나 하자고!」 홀예르 2가 대답했다.

「무슨 소리야? 우리가 해야 할 일은 바로 그거야!」 잉마르가 말했다. 「요 몇 년 동안 그 일을 너무 소홀히 한 것 같아.」

잉마르는 레닌의 석상을 변조한다는 계획을 갖고 있었다. 그는 최근에 이 레닌상과 스웨덴 국왕이 닮은 점이 상당히 많다는 사실을 발견했던 것이다. 석상의 콧수염과 턱수염을 없애고, 코 길이를 조금 줄이고, 개똥모자 밑으로 내려온 머리칼에 약간의 웨이브를 넣어 주기만 하면 되는 일이었다. 그 즉시 블라디미르 일리치[18]는 국왕 폐하에게 자리를 내주리라!

「공화주의자인 아빠가 2미터 50짜리 국왕의 석상을 팔겠다는 거야?」 홀예르 2가 아버지에게 반문했다. 「아빠는 원칙이고 나발이고 없는 거야?」

「이놈아, 왜 이렇게 건방지냐? 목구멍이 즉 포도청이야! 난 이 사실을 젊었을 때 한 구세군 병사의 자전거를 훔치지 않으면 안 되었을 때에 깨달았지. 그 사람 이름도 홀예르였지만.」

그리고 계속해서 쌍둥이에게 단언하기를, 이 나라에는 거의 정신병자에 가까운 국왕 숭배자들이 얼마나 많은지 너희는 상

---

18 레닌의 이름.

상도 못 할 거란다. 국왕의 석상은 그들에게 2만 크로나, 혹은 3만 크로나를 안겨 줄 수 있단다. 어쩌면 4만 크로나가 될 수도 있단다. 석상이 팔리면 트럭도 처분할 수 있을 거란다.

잉마르는 작업에 착수했다. 그는 깎고, 줄질하고, 광택을 냈다. 꼬박 일주일을 작업했다. 결과는 그의 기대를 훨씬 뛰어넘는 것이었다. 결과물을 본 홀예르 2는 사람들이 자기 아버지에 대해 여러 가지 소리를 할 수 있겠지만, 적어도 추진력 하나는 끝내준다고 생각했다. 예술적 재능 또한 없지 않았다.

이제 석상을 시장에 내놓기만 하면 됐다. 잉마르는 이 기념물을 윈치로 트럭에 끌어올려 스톡홀름 부근의 모든 공작, 백작, 남작들을 찾아다니다 보면, 그들 중의 하나가 이 카렐리아 화강암으로 된 스웨덴 국왕을 자기 집 정원에 모시지 않고는 살 수가 없다는 것을 깨닫게 될 거라고 생각했다.

윈치 작업은 만만한 일이 아니었다. 국왕이 공중에서 떨어지기라도 하면 낭패였다. 열의에 넘치는 홀예르 1은 자신은 도울 준비가 되어 있으니 지시만 내리라고 말했다. 반면, 넘버 2는 두 손을 바지 주머니에 찔러 넣은 채 아무 말이 없었다.

두 아들을 쳐다본 잉마르는 어느 녀석의 도움도 받지 않는 게 좋겠다고 생각했다.

「자, 둘 다 몇 걸음씩 물러나라고, 날 방해하지 마!」 그가 외쳤다.

그런 다음 복잡하기 이를 데 없는 시스템에 따라 예술 작품을 가죽끈으로 십자형으로 묶었다.

그리고 나서 정말로 혼자서 석상을 트럭 짐칸의 입구에까지 끌어올리는 데 성공했다.

「거의 다 됐어!」 국왕을 증오하는 사내는 신이 나서 외쳤는데, 그로부터 일 초 후에 가죽끈이 툭 끊어졌다.

잉마르 크비스트의 기나긴 투쟁은 이 순간에 끝이 났다.

국왕은 그를 향해 정중히 몸을 굽히면서 처음으로 그와 시선을 마주쳤고, 그런 다음 천천히, 하지만 가차 없이 자신의 창조자 위로 떨어져 내렸다. 잉마르는 카렐리아 화강암으로 된 2.5미터짜리 석상에 깔려 즉사했고, 석상도 박살이 났다.

홀예르 1은 충격으로 넋이 나갔다. 바로 옆에 서 있던 그의 형제는 아무런 감정도 느껴지지 않는 자신이 부끄러웠다. 그는 죽은 아버지와 그 옆에 흩어져 있는 국왕의 조각들을 내려다보았다.

게임은 무승부로 끝난 것 같았다.

며칠 후, 쇠데르텔리에의 한 지역신문에 다음과 같은 부고가 떴다.

저의 사랑하는 아버지
잉마르 크비스트가
제 곁을 떠났습니다.
전 영원히 그분을 그리워할 것입니다.
1987년 6월 4일, 쇠데르텔리에에서
홀예르가.

———

Vive la République!

외관상으로 볼 때 홀예르 1과 2는 서로의 완벽한 복사판이었다. 하지만 그들의 내면은 전혀 달랐다.

넘버 1은 아버지의 투쟁에 대해 한 번도 의심해 본 적이 없었다. 반면 넘버 2의 의심은 일곱 살 때부터 나타나 시간이 갈수록 커져 갔다. 열두 살 때 넘버 2는 아버지의 정신이 온전치 못하다는 걸 눈치챘다. 어머니가 죽고 나서는 잉마르의 생각에 이의를 제기하는 일이 점점 더 잦아졌다.

하지만 그는 가족을 두고 떠나지는 않았다. 세월이 흘러가면서 아버지와 동기에 대한 책임감이 커져 갔던 것이다. 쌍둥이 형제와 이어진 끈은 자르기가 쉽지 않았다.

왜 이 두 형제의 생각이 이렇게 달랐는지 정확히 설명하기란 어려운 일이다. 아마도 법적 존재를 갖지 못한 홀예르 2가 넘버 1에게는 없는 지적 능력을 갖췄기 때문이리라.

따라서 둘이 학교를 다닐 때 각종 시험을 치르는 것은 당연히 홀예르 2의 몫이었다. 또 그는 형제의 명의로 운전 시험을 통과한 뒤, 그에게 운전법을 가르쳐 주기도 했다. 그가 취득한 것은 대형트럭 면허로, 외조부의 유산이며, 재산이라 할 만한 유일한 것인 볼보 F406을 사용하기 위해서였다. 이 트럭의 명의자도 홀예르 1로, 무언가를 소유하기 위해선 법적으로 존재해야 했기 때문이다.

아버지가 사망한 뒤, 넘버 2는 당국을 접촉하여 자신의 존재를 알리는 것을 고려해 보았다. 무엇보다도 상급학교에 진학하여 공부를 계속하고 싶었다. 또 여자를 만나 사랑도 해보고, 섹스도 경험해 보고 싶었다. 섹스를 할 때의 느낌이 어떨지 정말로 궁금했다.

하지만 좀 더 깊이 생각해 보니, 일이 그렇게 간단치만은 않았다. 예를 들어, 그가 중학교 때 얻은 우수한 성적을 어떻게 사용한단 말인가? 그것은 홀예르 1의 것이 아닌가? 법적으로 말하자면 그는 초등학교도 못 나온 사람이었다.

게다가 더 시급한 문제들이 있었다. 예를 들어 당장에 먹고 살아야 하는 문제였다. 그런데 홀예르 1에게는 신분증과 운전 면허증이 있었고, 따라서 일자리를 찾아 나설 조건이 충분히 되었다.

「일자리?」 이 문제를 언급하자 넘버 1은 놀라며 반문했다.

「그래, 일자리! 스물여섯 살이나 먹은 사람이 일자리를 찾아보는 게 그렇게 특별한 일은 아니잖아!」

홀예르 1은 그렇다면 넘버 2가 자기 대신, 자기 이름으로 이 일을 처리해 주면 어떻겠느냐고 제안했다. 학교 다니는 내내 그렇게 해왔듯이 말이다. 이에 홀예르 2는, 국왕이 아버지를 죽여 버린 지금, 어린 시절은 뒤로 던져 버려야 한다고 대답했다. 또 자신은 더 이상 넘버 1의 심부름꾼 노릇을 하고 싶은 생각이 없으며, 아버지의 심부름꾼 노릇을 할 생각은 더더욱 없단다.

「그건 국왕이 아니라 레닌이었어!」 홀예르 1이 뿌루퉁하게 대꾸했다.

넘버 2는 쏘아붙였다. 아버지 위로 떨어져 동반 자살을 한 게 누구였든 자신은 상관없다. 심지어는 마하트마 간디였더라도 상관없다. 그것은 지나간 역사일 뿐이다. 이제는 미래를 만들어야 한다. 가급적 둘이서 함께 만들어 가면 좋겠지만, 그러려면 넘버 1이 정치체제 변혁에 관련된 모든 잡생각을 쓰레기

통에 던져 버리겠다고 약속해야 한다……. 넘버 1은 어차피 자신에겐 아무런 생각이 없다고 웅얼거렸다.

넘버 2는 이 대답에 만족하고는, 이후의 며칠 동안 그들의 삶의 다음 단계에 대해 생각해 보았다.

가장 시급한 문제는 식탁 위에 뭔가 먹을 것을 올려놓기 위한 돈을 마련하는 거였다.

그 해결책은 바로 그 식탁을 파는 거였다. 좀 더 정확히 말해서 집 전체를 팔아야 했다.

쇠데르텔리에의 교외에 위치한 조그만 농가는 주인이 바뀌었고, 형제는 볼보 F406으로 거처를 옮겼다.

그들이 판 것은 성냥갑만 한 농가였지 성(城)이 아니었던 것이다. 그것도 잉마르의 머리가 이상해지기 시작한 이후로, 그러니까 약 40년 동안 제대로 관리되지 못한 형편없는 가옥이었다. 따라서 공식적인 소유주 홀예르 1의 손에 들어온 것은 15만 크로나에 불과했다. 홀예르 형제가 뭔가를 하지 않으면 얼마 안 가서 바닥날 액수였다.

홀예르 1은 홀예르 2에게 네 조각으로 부서진 석상의 값이 얼마나 될 것 같냐고 물었다. 홀예르 2는 이 이야기를 다시는 꺼내지 못하게끔, 망치와 끌을 가져와서는 석상을 가루로 만들어 버렸다. 그러고 나서 쌍둥이 형제에게 러시아어판『공산당 선언』498권도 불태워 버릴 계획이라고 말했다. 하지만 우선은 잠시 혼자 있고 싶기 때문에 산책을 좀 하고 오겠단다.

「제발 내가 없는 동안 너무 많이 생각하지 마.」

홀예르 2는 산책을 하면서 그들에게 남은 것을 정리해 보았다. 트럭 한 대였다. 그렇다면 운송업은 어떨까? 상호는 〈홀예르&홀예르〉라 하고⋯⋯.

홀예르 2는 지역신문에다 광고를 냈다. 〈소규모 운송업자가 일거리를 찾습니다.〉 곧바로 답변이 날아왔다. 그네스타 시의 한 베개 도매상이 도움이 필요하단다. 이전의 운송업자는 배달 완수 임무를 다섯 번 중에 한 번은 잊어버렸을 뿐만 아니라, 세금 납부도 두 번에 한 번씩 잊어버렸기 때문에, 사회에 진 빚을 갚기 위해 아르뇌 교도소로 이사를 가야 했다. 국가는 이 운송업자가 인력시장에 복귀할 수 있기 위해서는 18개월이 필요하다고 판단했지만, 그의 됨됨이를 익히 알고 있는 베개 도매상은 좀 더 시간이 걸리리라고 생각했다. 어쨌든 도매상은 당장에 후임자가 필요했다.

〈그네스타 오리털&깃털 이불〉 사(社)는 오랫동안 베개를 제조하여 호텔이나 다양한 공공기관에 납품해 왔다. 처음에는 잘나가던 사업이 어느 순간부터 기울기 시작했다. 결국 사장은 직원 네 명을 해고하고, 중국산 베개를 수입하기에 이르렀다. 그 후 업무 자체는 단순해졌지만, 여전히 힘든 일이었고, 도매상은 자신이 늙었다고 느끼기 시작했다. 그는 과로에 시달렸고 모든 게 지겨워졌지만, 다른 식으로 살 수도 있다는 사실을 잊어버렸기 때문에 계속 일만 했다.

홀예르 1과 홀예르 2는 그네스타 근교에 위치한 도매상의 업소에서 그를 만났다. 그렇게 화려한 곳은 아니었다. 창고 하나와 철거될 예정인 건물 한 채가 마당을 사이에 두고 마주 보고 있었으며, 길 건너편에는 여러 해 전에 문을 닫은 도기 공장이 있었다. 이웃으로는 고철 하치장 하나가 있을 뿐, 일대는 황량하기 이를 데 없었다.

홀예르 2는 언변이 좋았고, 홀예르 1은 입을 꼭 다물고 있으라는 쌍둥이 형제의 지시를 충실히 이행해 주었으므로, 도매상은 새 운송업자에게 큰 기대를 걸게 되었다.

이렇게 모든 일이 순조롭게 진행되어 가고 있는데, 연금관리공단에서 편지 한 장이 날아들어, 도매상은 곧 65세가 되며, 따라서 이제 연금을 받을 수 있게 되었다고 알려 주었다. 뜻밖의 소식이었다. 하지만 이게 웬 떡인가? 풀타임으로 빈둥거리기…… 이거야말로 그가 꿈꾸던 삶이 아니었던가? 춤도 조금 춰볼 수 있지 않을까? 그는 1967년의 늦여름부터는 스텝을 밟아 본 적이 없었다. 한바탕 신나게 놀아 보려고 스톡홀름까지 올라가 〈날렌〉을 찾아갔는데, 이 유명한 나이트클럽은 복음주의 예배당으로 개조된 지 오래였던 것이다.

어쨌든 이 연금공단의 고지는 도매상에게 유쾌한 소식이 아닐 수 없었다. 하지만 홀예르와 홀예르에게는 전혀 그렇지가 않았다.

넘버 2는 공격적으로 나가기로 마음먹었다. 어차피 잃을 것도 없으니까. 그는 도매상의 사업 전체를 (철거예정 건물과 도기 공장까지를 포함하여) 홀예르&홀예르가 이어받으면 어떻겠느냐고 제안했다. 그 대가로 그가 죽을 때까지 매달 3천5백 크로나씩을 입금해 주겠다고 했다.

「일종의 추가 연금인 셈이죠.」홀예르 2가 설명했다. 「왜냐하면 솔직히 말씀드려서 저희에겐 사장님의 업체를 사들일 수 있을 만한 현찰이 없걸랑요.」

새로이 연금 수령자가 된 사내는 잠시 생각해 보고는 대답했다.

「좋아! 하지만 3천5백 크로나 말고 3천 크로나만 받겠어! 단, 조건이 하나 있어!」

「조건요?」

「그래, 그러니까……」 도매상이 사연을 들려주기 시작했다.

베개 회사 사장이 연금을 깎아 주는 대신에 요구한 조건은 자신이 14년 전에 도기 공장에서 발견한 한 미국인을 홀예르 형제가 책임지고 보살펴 주는 거였다. 이 미국인은 원래 베트남전 때 군사용 터널을 짓던 엔지니어였다. 베트콩의 공격으로 중상을 입은 그는 일본의 어느 병원에서 치료를 받았다. 건강을 회복한 뒤 병실 바닥에 구멍을 뚫고 탈출하여 홋카이도로 갔고, 거기서 어선을 얻어 타고 소련 해역으로 들어갔다. 소련 해안 경비선으로 옮겨진 다음, 여차 저차 해서 모스크바에 이르렀고, 거기서 다시 헬싱키로 가게 됐으며, 결국에는 스웨덴까지 흘러들어 여기서 정치 망명자 지위를 얻을 수 있었다.

하지만 스톡홀름에 온 그는 어딜 가나 CIA 요원들이 도사리고 있다고 믿었다. 그들이 탈영병인 자신을 붙잡아 곧바로 전장으로 돌려보내려 한다고 확신했던 것이다. 그래서 시골로 도망간 그는 이곳저곳을 떠돌다가 결국 그네스타에 이르렀고, 여기서 한 도기 공장을 발견하고는 무단 침입하여 방수포 밑에 기어 들어가 잠이 들었다. 은신처로 이 장소를 선택한 것은 순전히 우연만은 아니었으니, 아버지의 뜻에 순종하기 위해 엔지니어가 되고 군인이 되었지만, 그의 몸 깊은 곳에는 도기

장이의 피가 흐르고 있었던 것이다.

베개 도매상은 햇빛에 약한 회계 자료의 일부를 도기 공장에 보관했고, 이 때문에 매주 몇 차례씩 그곳을 방문하곤 했다. 어느 날, 바인더들 사이에서 겁에 질린 얼굴 하나가 불쑥 나타났다. 바로 미국인이었고, 도매상은 그에게 연민을 느꼈다. 그는 미국인에게 프레드스가탄 가 5번지의 철거예정 건물에 있는 아파트 하나에서 기거할 것을 제의했다. 또 원한다면 도기 공장을 부활시켜도 상관없지만, 문은 반드시 잠가 놓으라고 당부했다.

미국인은 이 제안을 받아들이고는, 곧바로 도기 공장과 길 건너편 프레드스가탄 가 5번지 건물의 1층에 붙은 자신의 아파트를 잇는 터널을 파기 시작했다. 도매상이 왜 허락도 구하지 않고 공사를 시작했느냐고 묻자, 미국인은 CIA가 아파트 문을 두드리면 도망갈 탈출로가 필요하다고 대답했다. 이 터널 공사는 여러 해가 걸렸다. 터널이 완성된 날, 베트남전쟁은 벌써 끝난 지 오래였다.

「솔직히 완전히 정상이라곤 볼 수 없지. 하지만 그는 이 거래의 일부야.」 도매상이 못 박았다. 「그는 아무도 해치지 않는 사람이야. 내가 알기로는 가마로 이것저것 만들어서 근처 시장에다 내다 파는 모양이더군. 정신이 좀 이상하긴 해도, 자기 자신 외엔 아무에게도 피해를 주지 않아.」

홀예르 2는 망설였다. 그는 주위에 괴상한 것은 더 이상 두고 싶지 않았다. 쌍둥이 형제와 아버지가 남긴 고약한 유산만으로도 충분했다. 반면, 도매상의 제안을 받아들이면 미국인처럼 철거예정 건물에서 살 수 있었다. 매트리스가 깔린 트럭 뒤 칸이 아니라 진짜 집에서 말이다.

그는 결국 신경쇠약증 환자, 미국인 도공을 맡기로 결정했고, 이에 따라 도매상의 모든 소유는 홀예르&홀예르 사로 정식 이전되었다.

평생 과로에 시달려 온 사람이 마침내 쉴 수 있게 된 것이다! 다음 날, 그는 인생을 즐기기 위해 스톡홀름으로 올라갔다. 수도(首都)의 명소 스투레바데트 스파에서 목욕을 한판 때린 뒤, 스투레호프 레스토랑에서 식초에 절인 청어를 곁들여 슈납스를 한잔 걸칠 계획이었다.

문제는 그가 이 북적대는 대도시에 지난번에 왔던 이후로 자동차 통행이 우측 통행으로 바뀌었다는 사실을 깜빡했다는 점이었다. 그네스타에서는 거리에 차가 많지 않아 문제 될 게 없었다. 하지만 비르예르 야를스가탄 가에서, 그는 엉뚱한 방향을 쳐다보면서 횡단보도에 들어섰다.

「인생아, 내가 간다!」 그는 외쳤다.

대답한 것은 죽음이었다. 그는 곧바로 버스에 치여 즉사했다.

「너무 슬픈 일이야.」 소식을 접한 홀예르 1이 혀를 찼다.

「맞아. 그리고 우리한텐 잘된 일이야.」 홀예르 2가 대꾸했다.

홀예르와 홀예르는 길 건너편에 사는 미국인을 보러 갔다. 베개 도매상의 비극적인 운명에 대해 알려 주고, 원하면 계속 여기에 있어도 좋다고 말해 주기 위해서였다. 고인과 그렇게 약속을 했고, 약속은 지켜야 했기 때문이었다.

홀예르 2는 문을 두드렸다.

안에선 아무런 기척이 없었다.

이번에는 홀예르 1이 문을 두드려 보았다.

「CIA에서 왔소?」 어떤 목소리가 물었다.

「아뇨, 쇠데르텔리에에서 왔어요.」 홀예르 2가 대답했다.

몇 초간 침묵이 흐른 뒤에 조심스레 문이 열렸다.

대화는 원만하게 진행되었다. 미국인은 처음에는 경직된 태도를 보였지만, 두 홀예르가 자신들 중의 하나도 호적 상황이 약간 복잡하다는 식으로 암시하자 분위기가 한결 풀어졌다. 도공은 정치 망명 허가를 받은 게 사실이었지만, 그 이후로 스웨덴 당국과 전혀 접촉이 없었고, 지금은 자신이 어떤 신분에 있는지 알아볼 엄두도 못 내고 있었던 것이다.

도공이 느끼기에, 이 홀예르 형제를 미국 비밀첩보부의 앞잡이로 의심하게 할 만한 요소는 별로 없었다. 사실은 거의 없다고 할 수 있었다. 왜냐하면 CIA 직원들이 아무리 괴상한 인간들이라 해도, 이렇게 똑같은 얼굴에 이름까지 똑같은 요원 두 명을 보낼 리는 없기 때문이었다.

미국인은 이따금 그들 대신 베개를 배달해 주면 어떻겠느냐는 홀예르 2의 제안도 진지하게 고려해 봤다. 하지만 그에겐 요구조건이 있었다. 배달 차량에 가짜 번호판을 부착해 달라는 거였다. 그래야만 CIA가 이 나라에 거미줄처럼 깔아 놓은 무수한 비밀 카메라 중 하나에 자신의 모습이 찍히는 사태가 발생할 경우, 그들이 자신의 위치를 추적해 내지 못할 거란다.

홀예르 2는 하늘을 한번 올려다본 다음, 쌍둥이 형제를 돌아보며 이따 밤에 나가서 번호판 몇 개를 훔쳐 오라고 말했다. 그러자 도공은 자신이 CIA 요원들의 눈에 띄게 되는 날, 어떤 어두운 숲길에서 그들을 따돌리기 위해 필요하니 트럭을 검정색으로 도색해 달라고 요구했고, 홀예르 2는 이걸로 충분하다고 생각했다.

「가만히 생각해 보니까요, 그냥 우리 둘이서 배달하는 게 낫겠어요. 어쨌든 고맙습니다.」

도공은 의심에 찬 눈으로 그를 쳐다봤다. 왜 이 사람은 별안간 생각을 바꾼 거지?

홀예르 2는 전반적으로 볼 때 자신의 삶이 아주 따분한 방향으로 흘러가고 있다고 느꼈다. 게다가 자기 형제는 최근 들어 여자 친구까지 하나 만들었다는 사실을 질투 섞인 심정으로 확인해야 했다. 그렇게 정상적으로 보이는 여자는 아니었지만, 뭐, 유유상종이라고 했으니…… 나이는 대략 열일곱 정도고, 이 세상의 모든 것(아마도 홀예르 1만은 예외겠지만)에 대해 격렬한 분노에 차 있는 여자였다. 그들이 처음 만난 것은 이 휘발유 같은 성격의 아가씨가 썩어 빠진 은행 시스템에 대해 일인 시위를 벌이고 있던 그네스타 시 중심가에서였다. 이 처녀는 니카라과 대통령 다니엘 오르테가의 대리인을 자처하며 50만 크로나의 대출을 요청했는데, 지점장(그녀의 아버지이기도 했다)은 자신은 대리인에게는 절대로 대출해 주지 않으며, 따라서 대출을 받고 싶으면 오르테가 대통령 자신이 그네스타에 와서 신분증을 제출하고 신용도를 증명해야 한다고 대답했다.

신용도를 증명하라고? 그래, 자기 딸내미한테 이런 식으로 배신 때리는 지점장 자신은 얼마나 신용도가 있는데?

어쨌든 이리하여 한바탕 시위가 벌어졌던 것이다. 그 반향은 극히 미미했으니, 시위를 지켜보는 사람이라곤 은행 문 앞에 서 있는 그녀의 아버지, 〈전매청〉이 열리기만을 기다리며 근처의 공원 벤치에 앉아 있는 추레한 행색의 두 사내, 그리고 홀예르 1뿐이었기 때문이다. 홀예르 1은 아파트 바닥을 수리하던 중, 널판에 못을 박다가 망치로 내리쳐 다친 엄지를 치료할 붕대와 소독약을 사려고 시내에 나온 거였다.

이때 처녀의 아버지의 머릿속에 어떤 생각이 부글대고 있었을지는 충분히 짐작이 가능하다. 또 두 찌꺼기 인생은 50만 크로나면 〈전매청〉에서 얼마나 많은 것들을 살 수 있을까(둘 중 더 대담한 쪽은 엑스플로리 보드카[19] 백 병은 문제없을 거라고 생각했다) 하는 행복한 상상에 잠겨 있었다. 반면, 홀예르 1은 시위녀를 보고 가슴이 뭉클해졌다. 그녀는 아주 힘든 투쟁을 벌이고 있는(문제의 인물이 미국을 비롯한 대부분의 나라들과 사이가 좋지 못하다는 점에서 결코 틀린 생각은 아니었다) 어느 대통령을 위해 저렇듯 열렬히 싸우고 있지 않은가!

처녀가 시위를 마치자 홀예르는 자신을 소개한 뒤, 스웨덴 국왕을 폐위시키고 싶은 자신의 꿈에 대해 설명했다. 5분 만에 그들은 서로가 발가락과 양말처럼 꼭 맞는다는 사실을 알게 되었다. 처녀는 여전히 은행 문 앞에 서 있는 불쌍한 아버지에게로 가서 말하기를, 이제 엿 같은 아빠와는 더 이상 볼일이 없을 터인데, 왜냐하면 자신은…… 가만있자, 저 사람 이름이 뭐더라?

홀예르 2는 쌍둥이와 함께 쓰던 아파트에서 쫓겨나, 상태가

---

19 스웨덴의 대중적인 보드카로, 현재 병당 약 이삼 만 원 정도의 가격이다.

훨씬 한심한 맞은편의 아파트에 혼자 들어가야 했다. 정말이지 이 삶이란 구덩이는 그 밑바닥이 어디인지 알 수 없었다.

그러던 어느 날, 그는 스톡홀름 북쪽에 있는 웁란스 베스뷔의 난민 수용소에 배달차 가게 되었다. 창고 앞에 차를 세운 그는 거기서 약간 떨어진 벤치 위에 한 젊은 흑인 여자가 앉아 있는 걸 보았다. 그는 인도해야 할 베개들을 창고 안으로 날랐다. 그리고 다시 나왔을 때, 아프리카 아가씨가 그에게 말을 걸어왔다. 그는 예의 바르게 대답해 줬고, 이에 감동한 그녀는 당신 같은 남자가 존재한다는 게 정말 놀랍다고 스스럼없이 말했다.

이 말이 홀예르 2의 마음에 얼마나 깊이 꽂혔던지, 그는 자신도 모르게 이렇게 대답하고 말았다. 「문제는 내가 그렇지 못하다는 사실이죠.」

만일 그 뒤에 무슨 일들이 일어날 줄 알았더라면, 그는 입을 놀리는 대신에 그대로 몸을 돌려 십 리 밖으로 달아났을 것이다.

제3부

현재란?
희망의 왕국과 실망의 영토가 갈라지는
영원의 그 부분.

– 앰브로스 비어스

9
만남,
뒤바뀜,
그리고 뜻밖의 출현

놈베코는 자신이 남아프리카공화국에서 자유를 위해 투쟁한, 현상금 걸린 운동가라고 주장했다. 이런 종류의 사람들을 무척이나 좋아하는 스웨덴은 즉각 그녀에게 이 나라에 체류할 권리를 내주었다. 그리고 첫 번째 체류 장소는 움란스 베스뷔의 칼스룬드 난민 수용소였다.

때는 엄동설한이었다. 하지만 그녀는 제7동 건물 앞으로 나와, 〈이민국〉이라는 글자가 찍힌 담요를 두르고 벤치에 앉아 있었다. 그렇게 앉아서는 갑자기 얻게 된 이 넘치는 자유를 어떻게 사용해야 할지 생각해 보았다. 이러고 있었던 것이 벌써 나흘째였다.

그녀도 어느덧 스물여섯 살이었다. 괜찮은 사람 몇 명 정도 알게 된다면 좋은 출발이 될 거였다. 정상적인 사람들 말이다. 아니, 정상적인 사람을 단 한 명만이라도 만났으면 했다. 그녀에게 스웨덴에 대해 가르쳐 줄 수 있는 사람.

흠, 또 뭐가 있을까? 이 나라에도 분명히 국립 도서관이 있으리라. 비록 장서의 대부분이 그녀가 이해할 수 없는 언어로 쓰여 있긴 하겠지만. 그녀에게 스웨덴에 대해 가르쳐 줄 수 있는 그 정상적인 사람은 스웨덴어도 가르쳐 줄 수 있지 않을까?

놈베코는 영양 육포를 질겅거릴 때 생각이 가장 잘 돌아갔다. 불행히도 펠린다바 연구소에서 영양 육포는 메뉴에 오르지 않았다. 거기를 빠져나오는 데 11년씩이나 걸린 것은 아마 이 때문인지도 몰랐다.

혹시 영양 육포가 이스라엘 대사관에 도착해 있는 건 아닐까? 조금 켕기긴 하지만, 한번 가볼까? 못 갈 것도 없지 않은가? 그녀가 두 모사드 요원에게 위협 수단으로 흔든 녹취 테이프는, 그게 순전히 뻥이긴 하지만, 여전히 효력이 있으니까.

바로 이때, 빨간 트레일러가 달린 대형트럭 한 대가 수용소 안으로 들어왔다. 트럭은 후진하여 창고 앞으로 접근했고, 한 젊은 남자가 뛰어내려서는 비닐 포장된 베개들을 내리기 시작했다. 그렇게 무수히 왕복한 끝에 트레일러를 완전히 비웠다. 그런 다음, 창고 책임자로 보이는 한 여자로부터 서류에 서명을 받는 모습이 보였다. 세상에, 여자가 책임자라니! 물론 백인이긴 하지만 놀라운 일이 아닐 수 없었다.

놈베코는 젊은 남자에게 다가가 뭣 좀 묻고 싶다고 말했다. 하지만 자신은 스웨덴어를 못 하는 고로, 영어로 말하겠다고 했다. 혹시 당신이 이시코사어나 우어를 아신다면 또 모르겠지만.

남자는 놈베코의 얼굴을 보면서, 자신은 영어를 할 줄 안다고 대답했다. 하지만 다른 두 언어는 이름도 들어 보지 못했단다.

「안녕하세요.」 그는 손을 내밀며 인사했다. 「난 홀예르라고 해요. 자, 내가 도울 수 있는 일이 뭔가요?」

놈베코는 입을 멍하니 벌리고 악수를 나눴다. 세상에! 예절 바른 백인 남자라니!

「난 놈베코예요. 남아프리카공화국에서 왔죠. 정치 난민이에요.」

홀예르는 그녀의 처지에 대해 유감을 표시한 뒤, 스웨덴에 오신 걸 환영한다고 말했다. 이곳이 너무 춥지는 않나요? 만일 원한다면 자기가 창고에 가서 담요를 한 장 더 얻어다 줄 수도 있단다.

놈베코는 자기 귀를 의심했다. 불과 몇 초 전에 만나기를 꿈꿨던 그 정상적인 사람이 벌써 나타났단 말인가? 그녀는 너무나도 놀라고 감탄한 나머지 이렇게 말했다.

「세상에 당신 같은 사람도 존재하는군요!」

홀예르는 서글픈 눈으로 그녀를 쳐다봤다.

「문제는 내가 그렇지 못하다는 사실이죠.」

「네? 그렇지 못하다뇨?」 놈베코는 혹시 자기가 잘못 이해한 게 아닌가 의심하며 되물었다.

「존재하지 않는다고요. 난 존재하지 않아요.」

놈베코는 그를 머리에서 발끝까지 훑어보았다. 아, 참, 난 운도 없어! 태어나서 처음으로 존중할 만한 사람을 만났다고 생각했는데, 글쎄 한다는 말이 자긴 존재하지 않는단다. 아, 젠장!

놈베코는 더 이상의 설명을 요구하지 않았다. 다만, 혹시 이스라엘 대사관이 어디 있는지 아느냐고만 물었다.

홀예르로서는 남아프리카공화국 출신의 난민과 이스라엘 대사관 사이에 어떤 직접적인 관계가 있는 건지 금방 이해되지 않았지만, 자기가 상관할 문제는 아니었다.

「내 기억이 맞는다면, 스톡홀름의 중심가에 있을 거예요. 마침 내가 그 방향으로 가니까, 놈베코 양을 거기까지 태워 드릴까요? 아, 물론 저를 귀찮게 생각하지 않으신다면 말이죠.」

그는 다시 정상적인 모습을 보이고 있었다. 자기를, 즉 자신의 존재를 귀찮게 생각하지 말아 달란다. 다시 말해서 자신의 존재를 인정하고 있었다.

놈베코는 남자를 다시 한 번 살펴보았다. 괜찮아 보이는 사람이었다. 그녀를 대하는 말투도 총명하면서도 친절했다.

「네, 고마워요.」 그녀가 마침내 대답했다. 「잠시만 기다려 줄래요? 가위를 가지러 방에 들렀다 올게요.」

그들은 스톡홀름 중심가를 향해 남쪽으로 달렸다. 남자는 알고 보니 꽤나 수다스러웠다. 그는 그녀에게 스웨덴과 스웨덴의 발명품들과 노벨상과 비욘 보리 등에 대해 얘기해 주었다.

놈베코도 수많은 질문을 퍼부었다. 비욘 보리가 정말로 윔블던을 5연패 했나요? 굉장하네요! 그런데 윔블던이 뭐죠?

빨간 트럭은 스토르가탄 가 31번지에 위치한 이스라엘 대사관 앞에 섰다. 조수석에서 내린 놈베코는 철책문 앞의 경비원에게 가서는 자신을 소개한 다음, 혹시 남아프리카공화국에서 자기 앞으로 온 소포가 없느냐고 물었다.

있단다. 경비원은 홀예르에게 몸을 돌려 트럭을 저쪽 길모퉁이에 있는 하역장으로 후진시키라고 소리친 뒤, 다시 놈베코에게는 서류에 서명을 해야 하니 기다려 달라고 말했다. 가만있자…… 그런데 이놈의 서류를 어디다 두었더라?

놈베코는 이의를 제기하려 했다. 소포는 트럭에 실을 게 아니라고 말이다. 그녀는 원래 소포 꾸러미를 옆구리에 끼고 혼자서 돌아갈 계획이었다. 버스를 타든, 걸어가든, 자기가 알아서 난민 수용소로 돌아가리라……. 하지만 경비원은 미소를 지으며 홀예르에게 어서 차를 대라고 손짓했다. 그러고는 다시 서류 더미로 눈길을 돌렸다.

「자, 보자, 그 서류가…… 이것도 아니고, 이것도 아니고…….」

이렇게 시간이 조금 흘렀다. 서류 처리가 모두 끝났을 때, 소포는 이미 트럭에 실렸고 홀예르는 다시 출발할 준비를 하고 있었다. 놈베코는 조수석으로 올라갔다.

「이제 어느 가까운 버스 정류장에 데려다 주세요.」 그녀가 부탁했다.

「근데 내가 이해 안 되는 점이 하나 있어요.」 트럭 기사가 대꾸했다.

「뭐가요?」

「그 소포에는 영양 육포 10킬로그램이 들어 있는 걸로 아는데…….」

「맞아요. 그런데요?」 놈베코는 호주머니 속의 가위를 움켜쥐었다.

「내 생각으로는 족히 1톤은 될 것 같아요.」

「1톤?」

「내가 트럭을 갖고 있기에 망정이지.」

놈베코는 몇 초 동안 말이 없었다. 이 정보의 의미를 이해하는 데 필요한 시간이었다. 이윽고 그녀가 입을 열었다.

「느낌이 안 좋은데요.」

「뭐가 느낌이 안 좋죠?」

「모든 게 다요.」

모사드 요원 A는 요하네스버그의 한 호텔 방에서 콧노래를 흥얼대고 있었다. 그의 동료 B 요원은 새로운 임무를 부여받고 벌써 부에노스아이레스를 향해 날아가는 중이었다. 자신도 아침 식사를 마치면 얀 스머츠 국제공항으로 가리라. 거기서 고국으로 날아가 몇 주 동안의 합당한 휴가를 즐기리라. 그러고 나서는 스웨덴으로 가리라. 남아프리카공화국에서 끝냈어야 했지만, 그 고약한 협박 때문에 그러지 못했던 그 일을 즐거이 처리하기 위하여……

전화벨이 울렸다. 전화를 건 사람은…… 시몬 페레스, 말을 빙빙 돌리지 않기로 명성이 높은 이스라엘의 외무부 장관이었다.

「자네, 왜 나한테 말고기 10킬로그램을 보냈는가?」

모사드 요원 A는 머리를 재빨리 굴려 봤고, 무슨 일이 일어났는지 곧바로 이해했다.

「아, 장관님, 정말로 죄송합니다! 끔찍한 혼선이 있었던 것 같습니다. 제가 즉시 문제를 해결하도록 하겠습니다.」

「그 혼선이 대체 무엇이었기에, 내가 받아야 할 그것 대신에 말고기 10킬로그램을 받은 건가?」 전화상으로 〈원자폭탄〉이라는 표현을 쓰고 싶지 않았던 외무부 장관이 이렇게 따졌다.

「정확히 말씀드리자면, 그건 말고기가 아니라 영양 고기입니다만……」 A 요원은 이렇게 설명하는 순간 벌써 자신의 정확함을 후회했다.

어쨌든 그는 길길이 뛰는 외무부 장관과의 통화를 간신히 끝내고서 스톡홀름에 있는 이스라엘 대사관에 전화를 걸었다. 잠시 후 정문의 경비원과 연결된 그는 이렇게 지시했다.

「남아프리카공화국에서 온 8백 킬로그램짜리 화물을 절대로 대사관 밖으로 나가게 하지 마! 내가 곧 갈 거니까, 그것에 손끝 하나 대지 말고 그대로 있어!」

「허, 이것 참 곤란하게 됐는데요…….」 경비원이 대답했다. 「사실은 방금 전에 어떤 참한 흑인 아가씨 한 분이 와서 그걸 트럭으로 실어 갔거든요. 근데 유감스럽게도 이름은 잘 모르겠네요. 서두르는 통에 영수증 받아 놓는 걸 깜빡해서스리…….」

모사드 요원 A는 결코 욕하는 법이 없는 사람이었다. 신앙심 깊은 가정에서 엄격한 교육을 받고 자란 덕이었다. 하지만, 수화기를 내려놓고 침대 가장자리에 털썩 주저앉은 그는 내뱉었다.

「이런 시부랄!」

A 요원은 놈베코 마예키를 죽일 수 있는 여러 가지 방법들을 떠올려 보았다. 가장 천천히 죽이는 방법이 가장 좋아 보였다.

「원자폭탄?」 홀예르가 눈을 뚱그렇게 뜨며 물었다.
「네, 원자폭탄이에요.」 놈베코가 고개를 끄덕였다.
「핵무기라고요?」
「맞아요.」

놈베코는 1톤에 육박하는 소포를 홀예르가 나르게 된 이 상황에서는 그도 사정을 다 아는 게 좋겠다고 생각했다. 하여 그녀는 펠린다바에 대해 얘기해 주었다. 또 핵무기 비밀 프로젝트에 대해서도, 여섯 개의 폭탄에 대해서도, 일곱 번째 폭탄에 대해서도, 판 데르 베스타위전에 대해서도, 그의 비극적인 최후에 대해서도, 모사드 요원들에 대해서도, 스톡홀름으로 발송되었어야 옳은 영양 육포 상자에 대해서도. 예루살렘이 원래 예정지였으나, 지금 그들 뒤에 실려 있는 훨씬 더 큰 궤짝에 대해서도 설명해 주었다. 놈베코는 더 이상의 자세한 설명은 제공하지 않았지만, 홀예르는 지금 자신이 어떤 상황에 처해 있는지 분명히 깨달았다.

모든 게 다 이해가 되었지만, 일이 이런 식으로 어긋난 것은 도무지 이해가 되지 않았다. 놈베코와 두 요원이 처리해야 했던 것은 두 개의 소포로, 하나는 작은 것이고, 하나는 엄청나게 큰 것이었다. 이게 그렇게 복잡한 일은 아니지 않은가?

놈베코는 자신이 짚이는 바를 말해 주었다. 연구소의 우편물 담당자는 세 명의 중국 처녀로, 이들은 사람이 좋기는 하나 정신이 약간 산만하다. 이들에게 붙여야 할 우편 라벨을 동시에 두 개를 맡긴 것은 좀 무모한 도전이 아니었나 싶다. 그래서 일이 이렇게 꼬인 것 같다…….

「음, 달리 설명할 수는 없겠네요.」 홀예르는 등골이 오싹해지는 걸 느끼며 고개를 끄덕였다.

놈베코는 잠시 침묵을 지켰다. 홀예르가 말을 이었다.

「그렇다면, 당신과 모사드, 그러니까 세계에서 최고로 유능하다는 이스라엘 정보기관의 요원들이 〈정신이 약간 산만한〉 세 처자에게 배송지 주소 붙이는 일을 맡겼단 말인가요?」

「뭐, 그렇게 말할 수 있겠네요.」 놈베코가 인정했다.

「그렇다면, 그렇게 신뢰하기 힘든 이들에게 우편물 관리 책임을 맡긴 사람은 대체 누구죠?」

「아마도 엔지니어겠죠. 사실은 내가 만나 본 사람 중에서 가장 멍청한 사람 중의 하나였어요. 글은 읽을 줄 아는데, 그 외엔 할 줄 아는 게 별로 없었어요. 내가 어렸을 때 상대해야 했던, 역시나 답답하기 이를 데 없는 요하네스버그 위생국 직원을 떠올리게 하는 사람이었죠.」

홀예르는 더 이상 대꾸가 없었지만, 그의 대뇌 뉴런들은 사방팔방으로 움직였다. 원자탄을 운반해 본 적이 있는 사람이라면 뉴런의 이런 움직임에 대해 조금 아는 바가 있으리라.

「여기서 유턴을 해서 이스라엘 사람들에게 폭탄을 돌려주면 어떨까요?」놈베코가 제안했다.

홀예르는 정신적 마비 상태에서 소스라치듯이 깨어났다.

「절대로 안 돼요!」

자신은 비록 법적 존재도 없는 신세이긴 하나, 그래도 이 나라를 사랑하며, 이 스웨덴 땅에서 그게 이스라엘이 됐든 다른 나라가 됐든 어떤 외국의 비밀정보기관에게 자기 손으로 핵무기를 넘겨주는 일은 결코 있을 수 없단다.

「절대로 안 돼요! 그리고 당신도 난민 수용소에 있으면 안 돼요. 왜냐하면 분명히 이스라엘 사람들이 당신과 폭탄을 찾아내려고 할 거니까.」

놈베코는 그의 생각을 이해할 수 있었다. 하지만 자신은 존재하지 않는다고 또다시 말했는데, 이 점은 도무지 이해가 되지 않았다. 놈베코는 그 이유를 물어보았다.

「얘기하자면 너무 길어요.」홀예르가 웅얼거렸다.

놈베코는 잠시 생각에 잠겼다. 그녀가 자유의 몸이 되고 나서 한 가지 바란 게 있다면, 그건 정상적인 사람들을 만나는 거였다. 여태까지 그런 이들을 경험해 본 일이 없기 때문이었다. 그러던 차에 아주 정상적으로 보이는 한 스웨덴 남자가 나타났다. 사람 좋고, 사려 깊고, 교양 있는 남자였다. 그런데 자신은 존재하지 않는다고 계속 우기고 있으니…….

이렇게 생각하고 있을 때 홀예르가 말했다.

「그건 그렇고, 난 지금 그네스타의 한 철거예정 건물에 살고 있어요.」

「멋지네요.」

「당신도 거기서 지내면 어때요?」

놈베코는 이 홀예르에게는 가위를 사용하지 않아도 되겠다고 생각했다. 그네스타에 있는…… 철거예정 건물이라고 했나?

뭐, 나쁠 것도 없었다. 그녀는 인생의 반을 쓰러져 가는 오두막에서 살았고, 나머지 반은 철조망 울타리 속에서 살았다. 이에 비하면 철거예정 건물은 그래도 발전한 셈 아닌가?

「그런데 홀예르 씨는 정말로 난민 한 명과 핵무기 한 개를 떠안고서 살아갈 생각이 있어요? 게다가 어느 외국 정보부의 추격까지 받아 가면서? 확실해요?」 그녀는 물었다.

솔직히 홀예르는 아무것도 확신할 수 없었다. 하지만 이 아가씨가 마음에 드는 것은 사실이었다. 이 아가씨를 재판도 거치지 않은 채로 모사드의 손아귀에 넘겨 버린다는 것은 있을 수 없는 일이었다.

「아뇨.」 그가 대답했다. 「솔직히 나도 잘 모르겠지만, 어쨌든 내 제안은 유효해요.」

놈베코도 홀예르가 마음에 들었다. 마음에 드는 이 남자가 얼마만큼이나 존재하는지는 잘 모르겠지만.

「이 원자폭탄 때문에 내게 화가 나지는 않았어요?」

「뭐…… 살다 보면 그럴 수도 있죠.」

외스테르말름 구에 있는 이스라엘 대사관을 떠난 그들은 E4 고속도로를 타기 위해 노르말름 구와 쿵스홀멘 구를 통해 북쪽으로 올라갔다. 이제 앞 유리를 통해 스웨덴 최고층 빌딩인「다옌스 뉘헤테르」지의 사옥이 눈에 들어왔다. 홀예르는 저 폭탄이 터지면 무슨 일이 일어나게 될까, 하는 상상에 자신도 모르게 사로잡혔다. 결국 그는 놈베코에게 물었다.

「어, 그러니까…… 만일 우리가 가로등에 부딪쳐서 폭탄이 폭발한다면…… 그럼 정확히 무슨 일이 일어나는 거죠? 물론 당신과 나는 상태가 과히 좋지는 않을 것이고…… 저 빌딩도 무너지나요?」

놈베코는 아닌 게 아니라 두 사람은 살아남지 못할 거라고 대답했다. 또 빌딩도 마찬가지란다. 폭탄은 거의 모든 것을 파괴할 거란다. 그러니까 반경…… 58킬로미터 내의 것은 거의 다.

「반경 58킬로미터 내의 것은 거의 다?」

「네. 사실은 전부 다지만요.」

「반경 58킬로미터 내라고요? 그렇다면 이 대(大)스톡홀름 전체가 몰살되는 건가요?」

「난 이 대(大)스톡홀름의 크기를 잘 모르지만, 이름을 들으면 꽤 커 보이네요. 하지만 고려해야 할 다른 요소들도 있어요.」

「다른 요소들?」

「폭발 순간의 불덩어리 자체 외에도, 지진 충격파, 초기 방사선, 풍향 등을 고려해야 하죠. 또 다른 요소들도 있는데……
예를 들어 만일 우리가 저기 보이는 가로등을 들이받아 폭탄
이 폭발한다면…….」

「아, 생각해 보니 그런 가정은 안 하는 게 좋겠네요.」 홀예르
는 이렇게 말하며 두 손으로 운전대를 꼭 움켜잡았다.

「……만일 그렇게 된다면 스톡홀름 지역의 모든 병원은 즉
각 불타 버릴 텐데, 그렇게 되면 방사선에 중상을 입은 수십만
명의 환자들은 누가 치료하죠?」

「맞아, 누가 치료하지?」

「어쨌든 당신이나 나는 아니겠죠.」

그는 이 반경 58킬로미터 지역을 벗어나야 한다는 절실한
욕구에 사로잡혔다. 그는 E4 고속도로에 진입하여 맹렬히 가
속했다. 놈베코는 그가 아무리 멀리, 그리고 빨리 달린다 해
도, 폭탄이 트럭 안에 들어 있는 한 그들은 여전히 반경 58킬
로미터 내에 위치한다는 사실을 상기시켜 줘야 했다.

속도를 늦추고 잠시 생각해 본 그는 승객에게 물었다. 놈베
코 양께서는 폭탄을 제조할 때 참여하셨으니, 혹시 그것을 해
체하는 방법도 알고 계시는지? 놈베코는 설명했다. 원자폭탄
에는 두 가지 종류가 있다. 하나는 실전용이요, 다른 하나는
실전용이 아닌 것들이다. 그런데 지금 그들이 가지고 돌아다
니는 폭탄은 불행히도 첫 번째 종류의 것으로, 해체하는 데
4~5시간이 필요하다. 그녀가 남아프리카공화국을 떠나기 전
에 일이 너무 급박하게 돌아간 탓에 미처 해체할 시간을 갖지
못하였다. 또 해체 방법이 담긴 유일한 도표는 불행히도 지금
이스라엘인들의 손에 있다. 그런데 아마 홀예르도 이해하고

있겠지만, 현 상황에서는 그들에게 전화를 걸어 도표를 팩스로 보내 달라고 부탁할 형편이 못 된다…….

홀예르는 근심에 찬 얼굴로 고개를 끄덕였다. 놈베코는 자기 생각으로는 폭탄이 충분히 튼튼하다며 홀예르를 위로했다. 어쩌다가 트럭이 미끄러져 도로를 벗어난다 해도 그와 그녀와 대(大)스톡홀름에는 별일이 없을 가능성이 많다…….

「확실해요?」 홀예르가 물었다.

「하지만 시험해 볼 필요는 없겠죠……. 자, 거의 도착했나요?」

「네. 도착해서 우선적으로 해야 할 일은, 내 쌍둥이 형제에게 체제 변혁을 위해 트럭 안에 있는 것을 사용하면 절대로 안 된다는 점을 이해시키는 일이에요.」

홀예르가 사는 곳은 정말로 철거예정 건물이었다. 하지만 놈베코의 눈에는 아주 괜찮아 보였다. 그것은 L자형의 4층 건물로, 역시 L자형인 창고와 마주 보며 중간에 안마당을 이루었으며, 좁다란 입구 통로를 통해 거리로 나가게 되어 있었다.

놈베코가 느끼기에, 이 건물을 철거하는 것은 순전한 낭비였다. 물론 그녀가 기거할 아파트로 올라가는 엘리베이터에는 여기저기에 구멍이 뚫려 있었다. 또 그 아파트의 창문 몇 개는 유리 대신 널판으로 막혀 있고, 목재로 된 벽면에 난 틈들 때문에 웃풍도 심했다. 하지만 전체적으로 볼 때, 그녀가 소웨토에서 지내던 오두막에 비하면 궁전이나 다름없었다. 적어도 바닥에는 맨땅이 아닌 마루가 깔려 있었으니까.

홀예르와 놈베코는 천신만고 끝에 트레일러에서 궤짝을 끌어내려, 엄청난 양의 베개가 쌓여 있는 창고의 한쪽 구석으로 옮겨 놓는 데 성공했다.

이제 팰릿들 위에 견고히 자리 잡은 궤짝은 더 이상 즉각적인 위험은 아니었다. 불이 꽤 잘 붙는 편인 수만 개의 베개에 불이 나지만 않는다면, 뉘셰핑, 쇠데르텔리에, 플렌, 에스킬스투나, 스트렝녜스, 스톡홀름은 모두 제자리에 붙어 있을 것이었다. 그네스타도 마찬가지고.

폭탄을 안전하게 모셔 놓자마자 놈베코는 홀예르에게 질문을 몇 가지 던졌다. 먼저, 홀예르의 무존재(無存在)에 관한 문제였다. 그다음에는 그의 형제에 관한 거였다. 왜 홀예르는 그의 형제가 체제 변혁을 위해 폭탄을 사용할 유혹을 느끼리라고 생각하는 건지? 그는 어떤 사람인지? 지금 어디에 있는지? 그리고 이름은 뭔지?

「이름은 홀예르야.」 홀예르는 대답했다(그네스타에 도착하고 나서 그들은 서로 말을 놓기로 했다). 「지금 아마 이 건물 어딘가에 있을 거야. 우리가 궤짝을 옮길 때 그가 얼굴을 내밀지 않은 것은 그야말로 천운이었어.」

「홀예르?」 놈베코가 놀라며 반문했다. 「홀예르와 홀예르?」

「그래, 맞아. 그가 곧 나라고 할 수 있지.」

이제 홀예르가 모든 걸 명확하게 설명해 주지 않으면, 놈베코는 더 이상 이곳에 머물지 못하겠단다. 폭탄이라면 자신은 질리도록 본 것이기 때문에, 홀예르가 가져도 상관없단다.

그녀는 궤짝 위로 베개 여러 개를 던진 다음에 그 위로 기어 올라가 한쪽 구석에 웅크리고 앉았다. 그런 다음 홀예르에게 말했다.

「자, 설명해 봐!」

40여 분에 걸친 홀예르의 이야기가 모두 끝나자, 더 고약한 어떤 것을 예상했던 놈베코는 오히려 안도감을 느꼈다.

　「그러니까 네가 존재하지 않는 것은 단지 신분증이 없기 때문인 거야? 세상에! 그건 아무것도 아니야! 넌 얼마나 많은 남아프리카공화국 사람들이 너와 같은 처지인지 알기나 해? 나 역시 마찬가지였어. 만일 내가 존재했다면, 그건 날 노예로 부렸던 그 천치 같은 엔지니어가 그게 자기에게 편리하다고 판단했기 때문이었어.」

　홀예르 2는 놈베코의 위로를 고맙게 받아들인 뒤, 자기도 궤짝 위로 기어올랐다. 그는 놈베코의 맞은편 구석에 몸을 눕히고는 심호흡을 했다. 정말이지 너무 많은 일들이 일어난 하루였다. 우선은 아래 놓인 궤짝 속의 폭탄 때문이었고, 또 자신의 인생 이야기 때문이기도 했다. 처음으로 가족이 아닌 타인이 자신의 모든 비밀을 알게 된 것이다.

　「그래, 넌 갈 거야, 아님 여기 있을 거야?」 홀예르 2가 물었다.

　「여기 있고 싶어. 그래도 돼?」

　「있어도 돼. 하지만 난 잠시 조용히 쉬고 싶어.」

　「나도 그래.」

　놈베코는 이렇게 말하고 새 친구의 맞은편에 편안히 자리 잡았다. 그녀 역시 비로소 숨을 좀 쉬어 보기 위해서였다.

　바로 이때, 뭔가 삐걱거리는 소리가 나더니, 폭탄이 든 궤짝의 널판 하나가 움직였다.

　「아니, 이게 무슨 소리야?」 홀예르가 깜짝 놀라 주위를 두리번거리는데, 두 번째 널빤지가 바닥으로 떨어져 내리며 거기서 팔 하나가 삐죽 솟아 나왔다.

「난 뭔지 알 것 같아.」놈베코가 중얼거렸다.

그녀의 추측은 곧바로 확인되었으니, 세 중국 아가씨가 눈을 꿈쩍거리며 궤짝에서 기어 나왔던 것이다.

「안녕?」막내가 놈베코를 발견하고는 인사를 했다.

「먹을 것 좀 있어?」둘째가 대뜸 물었다.

「마실 것도 좀!」맏이가 덧붙였다.

10
뇌물이 안 통하는 수상과
국왕을 납치하고 싶은 남자

이 어처구니없는 하루는 대체 언제야 끝나려나? 넘버 2는 베개로 꾸민 침대에서 벌떡 일어나서는, 방금 궤짝에서 기어나와 나란히 앉아 있는 세 여자를 멍하니 쳐다보았다.

놈베코는 떠나온 이후로 중국 자매들을 걱정해 왔다. 펠린다바의 보안 조치는 한층 강화될 게 뻔했다. 그러면 자신이 겪어야 할 운명이 대신 그녀들 위로 떨어지지 않겠는가?

「지금 무슨 일이 일어난 거지?」 홀예르가 물었다.

「난 앞으로 무슨 일이 일어날지는 모르겠어.」 놈베코가 대답했다. 「왜냐하면 삶이란 원래 이런 식인 것 같으니까…… 하지만 방금 일어난 일이 뭔지는 알겠어. 그것은 큰 소포와 작은 소포가 뒤바뀐 이유를 우리가 알게 되었다는 사실이야. 멋지게 빠져나온 걸 축하해, 언니들!」

중국 자매들은 원자폭탄과 주먹밥 2킬로그램과 물 5리터를 가지고 궤짝 속에서 나흘을 지낸 끝에 뱃가죽이 등에 붙어 있었다. 홀예르는 그들을 자신의 아파트로 데려갔고, 거기서 자매들은 난생처음으로 월귤과 선지가 듬뿍 들어간 블랙푸딩을 맛보게 되었다.

「우리가 옛날에 거위를 만들던 점토가 생각나.」둘째가 시커먼 블랙푸딩을 우물우물 씹으며 논평했다. 「이거 한 개 더 맛볼 수 없나요?」

배를 채운 세 자매는 홀예르의 커다란 침대에 나란히 누웠다. 그들에겐 이 건물에서 사용 가능한 마지막 것인 4층의 아파트가 배당되었지만, 거실에 난 커다란 구멍을 메운 후라야 입주할 수 있었던 것이다.

「잠자리가 너무 비좁아서 미안합니다.」홀예르가 이렇게 사과하고 있을 때, 세 자매는 벌써 아기들처럼 두 주먹을 꼭 쥐고서 잠들어 있었다.

〈철거예정〉건물은, 문제의 건물이 언젠가는 허물릴 운명이기 때문에 그런 이름이 붙는다. 철거예정 건물에는 아주 예외적인 경우에만 사람이 들어가 산다.

따라서 쇠름란드 주 그네스타 시의 한 철거예정 건물에 다음과 같은 사람들이 바글대고 있었다는 사실은 특기할 만하다. 미국인 도공 하나. 매우 비슷하면서도 다른 두 형제. 휘발유 같은 성격의 아가씨 하나. 남아프리카공화국에서 도망쳐 나온 난민 아가씨 하나. 판단력이 온전치 못한 중국 아가씨 셋.

이 모든 사람들이 비핵국가인 스웨덴에서, 어쩌다 3메가톤급 핵탄두 바로 옆에 붙어서 살아가고 있었다.

지금까지 핵무기 보유국 리스트에는 미국, 소련, 영국, 프랑스, 중국, 인도가 올라 있었다. 전문가들의 일치된 의견에 따르면, 이 국가들이 보유한 핵탄두의 개수는 도합 6만 5천 개에 달했다. 반면 이 무기들로 지구를 모두 몇 번이나 날려 버릴 수 있느냐에 대해서는 의견이 분분했다. 폭탄마다 위력이 모두 달랐기 때문이었다. 비관적인 이들은 열네 번 내지 열여섯 번이라고 주장했다. 가장 낙관적인 이들은 두 번으로 잡았다.

이제는 남아프리카공화국이 리스트에 추가되어야 했다. 또 이스라엘도 마찬가지였다. 이 두 나라 중 누구도 사실을 인정하려 들지 않았지만 말이다. 어쩌면 파키스탄도 해당될 거였다. 인도가 핵폭탄을 터뜨린 이후로 자기들도 핵무기를 개발해 내겠다고 공언해 온 나라였으니까.

그리고 이제는 스웨덴이었다. 스웨덴 자신은 까맣게 모르는 사실이었지만.

홀예르와 놈베코는 잠들어 있는 중국 자매들을 뒤로하고서 좀 더 차분한 대화를 위해 창고로 돌아왔다. 폭탄이 든 궤짝은 그 위에 쌓인 베개들로 인해 아주 아늑해 보였다. 상황 자체는 특별히 아늑할 게 없었지만.

둘은 다시 궤짝 위로 올라가 양쪽 끝에 있는 각자의 자리에 앉았다.

「자, 이놈의 폭탄을 어떻게 한다?」 홀예르가 말을 꺼냈다.

「이게 더 이상 위험해지지 않을 때까지 그냥 이렇게 놔두면 안 될까?」 놈베코가 제안했다.

홀예르는 희망이 이는 걸 느꼈다. 그래, 그렇게 되려면 얼마나 걸리는데?

「26,200년.」 놈베코가 대답했다. 「오차 범위는 대략 세 달

정도고.」

홀예르 2와 놈베코는 오차 범위가 얼마든 간에 26,200년은 기다리고 앉아 있기에는 너무 긴 시간이라는 것에 의견이 일치했다. 이어 홀예르는 이 폭탄이 얼마나 큰 정치적 파장을 가져올 수 있는지를 설명했다. 스웨덴은 중립국이고 ― 스웨덴 자신의 주장에 따르면 ― 세계에서 가장 도덕성을 중시하는 모범적인 국가이다. 이 나라는 자신이 그 어떤 핵무기도 보유하지 않았다고 확신하고 있으며, 1809년 이후로는 그 어떤 전쟁도 벌인 적이 없다. 그런데 이런 나라에서 핵무기가 발견된다면…….

홀예르 2는 두 가지가 필요하다고 말했다. 첫째, 폭탄을 이 나라의 지도자들에게 맡길 것. 둘째, 소문이 새어 나가지 않게끔 그 일을 은밀하게 처리할 것. 또 필요한 게 하나 더 있단다. 한 쌍의 시한폭탄이라 할 수 있는 자신의 쌍둥이 형제와 그의 여자 친구가 어떤 멍청한 짓을 벌이기 전에 일을 신속히 처리할 것.

「좋아.」 놈베코가 동의했다. 「너희 나라 국가원수가 누구지?」

「국왕. 비록 결정을 내리는 사람은 그가 아니지만.」

결정을 내리지 않는 국가원수……. 뭔가 펠린다바의 상황과도 비슷하게 느껴졌다. 거기서 엔지니어는 놈베코가 시키는 대로 하지 않았던가. 그 자신은 의식하지 못하는 채로 말이다.

「그럼 누가 결정하지?」

「아마 수상이겠지.」

이어 홀예르는 현 스웨덴 수상은 잉바르 칼손이라고 알려 주었다. 이 칼손은 전 수상 올로프 팔메가 스톡홀름 시내 한복판에서 암살되고 나서 얼떨결에 수상직에 오른 사람이란다.

「그럼 칼손에게 전화해.」

홀예르는 그렇게 했다. 그는 수상 관저의 전화번호를 돌려서는 수상을 바꿔 달라고 요청했다. 그는 수상의 보좌관에게 연결되었다.

「안녕하세요, 전 홀예르라고 합니다. 매우 긴급한 사안 때문에 잉바르 칼손 씨와 대화하고 싶은데요.」

「그렇군요. 어떤 일이죠?」

「미안하지만 당신에겐 말씀드릴 수 없어요. 극비 사항이라서요.」

올로프 팔메가 살아 있을 때, 수상의 이름은 전화번호부에 올라 있었다. 따라서 수상과 접촉하고 싶은 시민은 누구나 그의 집에 직접 전화를 걸 수 있었다. 아이들을 재우는 시간이나 저녁 식사를 하고 있는 중이 아니면 수상은 까다롭게 굴지 않고 전화를 받았다. 하지만 이런 좋은 시절은 1986년 2월 28일, 그러니까 팔메가 경호원도 없이 영화 구경을 갔다가 등짝에 총을 맞아 사망한 날에 끝이 났다. 이제 그의 후임자는 평범한 시민들로부터 보호되고 있었다. 보좌관이 대답하기를, 자신은 어떠한 경우에도 낯선 사람에게서 걸려 온 전화를 정부 수반에게 연결해 줄 수 없다는 사실을 홀예르 씨는 이해해야 한다고 했다.

「하지만 이건 중요한 일이에요.」

「다들 그렇게 얘기하죠.」

「아주 중요한 일이에요.」

「미안해요. 원한다면 편지를 쓰세요. 그걸 어디다 보내느냐면……」

「이건 원자폭탄과 관련된 일이에요.」

「뭐라고요? 지금 테러 위협을 하는 건가요?」

「아, 맙소사, 아니에요! 오히려 정반대예요! 아, 물론 이 원자폭탄이 위협이 되는 것은 사실이죠. 그래서 내가 이걸 치워 버리려고 하는 거라고요.」

「그러니까 당신은 당신의 원자폭탄을 치워 버리고 싶으시다? 그래서 그걸 수상님에게 줘버리려고 전화를 하셨다, 이 말씀인가요?」

「네……」

「말씀드리고 싶은 것은, 수상님께 갖가지 물건들을 주려고 하는 사람들이 당신 말고도 종종 있다는 사실이에요. 바로 지난주만 해도, 어떤 신사분이 그분께 신형 자동세탁기를 보내야 한다고 우겨 댔죠. 하지만 수상님은 어떤 선물도 받지 않아요. 따라서 수상님은 유감스럽게도 당신의…… 가만있자, 원자폭탄이라고 했나요? 이게 정말 테러 위협이 아닌 게 맞아요?」

홀예르는 자신에게 나쁜 의도가 전혀 없다고 다시 한 번 확언했다. 하지만 대화가 더 이상 진전될 수 없다는 걸 느끼고는, 어쨌든 고맙다고 말하며 정중히 작별을 고했다.

홀예르는 놈베코의 권고에 따라 이번에는 국왕에게 전화를 걸었다. 왕실 비서관에게 연결된 그는 조금 전과 거의 같은 — 하지만 좀 더 거만한 어조의 — 말을 들어야 했다.

이게 만일 완벽한 세계였다면, 수상은(적어도 국왕은) 직접 전화를 받고, 제공된 정보를 곰곰이 생각해 본 뒤, 직접 그네스타에 달려와 폭탄과 궤짝을 수거해 갔을 것이다. 국가에 대한 잠재적 위협물인 홀예르 2의 형제가 궤짝을 발견하고, 질문을 던지고, 나름대로 — 오, 신이여, 제발 그러지 못하게 하소서! — 머리를 굴리기 전에 말이다.

만일 완벽한 세계였다면 그러했을 것이다.

하지만 있는 그대로의 세계에서는 홀예르 1과 그의 여친 휘발유녀가 창고 문을 왈칵 열면서 들이닥쳤다. 그들이 달려온 것은 쌍둥이 형제의 냉장고 안에 있던, 그리고 그들이 슬쩍할 예정이었던 블랙푸딩이 사라진 이유를, 또 역시 쌍둥이 형제의 침대 위에 웬 중국 여자들이 누워 코를 골고 있는 이유를 따지기 위해서였다. 그들의 질문에는 몇 가지 질문이 추가되었다. 이 흑인 여자는 대체 누구이며, 창고에 새로 들어온 이 궤짝 안에는 무엇이 들어 있는지?

놈베코는 새로운 인물들의 표정과 몸짓을 통해 자신과 궤짝이 토론의 중심에 있음을 짐작했고, 만일 이 토론이 영어로 진행될 수 있다면 자신도 기꺼이 참여하고 싶다고 말했다.

「당신, 미국 사람이야?」 휘발유녀는 이렇게 묻고는, 자신은 미국인을 증오한다고 덧붙였다.

놈베코는 자신은 남아프리카공화국 출신이며, 미국 인구가 적지 않다는 점을 감안할 때 모든 미국인을 증오하는 일은 무척 힘겨운 일이 될 것 같다고 대답했다.

「궤짝 속엔 뭐가 들었지?」 홀예르 1이 물었다.

홀예르 2는 이 질문에는 대답하지 않고, 침대에 누워 있는 세 중국 아가씨와 여기 있는 이 아가씨는 정치 난민이며, 이들은 이 철거예정 건물에 잠시 머물 예정이라고 설명했다. 또 넘버 1이 훔칠 새도 없이 블랙푸딩이 사라져 버린 것에 대해서도 깊이 사과했다.

그래, 넘버 1은 이 일을 매우 유감스럽게 생각한단다! 그러더니 다시 물었다.

「그런데 저 궤짝은 뭐냐고? 또 그 안에 들어 있는 건 대체 뭐냐고?」

「아, 내 개인 물건이야.」 놈베코가 대신 대답했다.

「당신의 개인 물건?」 이렇게 되묻는 휘발유녀의 어조는 좀 더 자세한 설명을 원하고 있었다.

놈베코는 넘버 1과 그의 여친의 눈빛 가운데 주체할 수 없는 호기심이 번득이는 걸 보았다. 이제 각자의 영역을 분명히 표시해 둬야 할 필요가 있었다.

「맞아. 아프리카에서 막 건너온 내 개인 물건. 여기 있는 나처럼 말이야. 난 아주 얌전한 사람이지만, 또 예측하기도 힘든 사람이기도 해. 한번은 어떤 손버릇 나쁜 노인네의 허벅지에 가위를 박아 준 일도 있지. 그리고 또 한번은…… 같은 일이 또다시 일어났어. 같은 사람이었는데, 이번엔 다른 가위를 반대쪽 허벅지에 박아 주었지.」

홀예르 1의 제한된 이해력으로는 상황을 제대로 파악하기가 쉽지 않았다. 궤짝 위의 여자는 아주 부드러운 어조를 사용하고 있었지만, 이와 동시에 만일 궤짝을 가만히 놔두지 않으면 가위를 휘두르겠다고 암시하고 있지 않은가……? 왠지 기분이 으스스해진 그는 여친의 팔을 잡고 우물우물 작별을 고한 뒤 그곳을 떠났다.

「냉장고 아래 칸에 소시지가 좀 남았을 거야!」 홀예르 2가

커플의 등에 대고 소리쳤다. 「직접 장 보러 갈 생각이 없다면 말이야!」

이제 창고에는 홀예르 2와 놈베코와 폭탄만 남았다. 홀예르는 다시 입을 열었다. 아마 놈베코도 이해했겠지만, 방금 그들이 만난 사람은 자신의 공화주의자 형제와 성질머리 고약한 그의 여친이란다……

놈베코는 고개를 끄덕였다. 그녀는 속이 편치가 않았다. 앞으로 저 두 사람과 원자폭탄과 함께 같은 대륙 안에서 살아가야 한다니……. 아니, 같은 대륙이 아니라 같은 나라에서……. 아니, 같은 집에서……. 빨리 이 문제를 해결해야 하리라……. 하지만 우선은 휴식이 필요했다. 얼마나 길고도 파란만장한 하루였던가!

홀예르도 같은 심정이었다. 정말로 길고도 파란만장한 하루였다.

그는 놈베코에게 담요 한 장과 베개 하나를 내준 뒤, 자신은 매트리스를 하나 들고서 그녀를 아파트까지 데려다 주었다. 문을 열고 매트리스를 내려놓은 그는 그녀에게 멋진 성(城)을 제공해 주지 못해 유감이지만, 그래도 편안히 지내길 바란다고 말했다.

놈베코는 감사를 표하고 작별 인사를 한 뒤, 문 앞에 홀로 서서는 잠시 생각에 잠겼다.

지금 자신은 새로운 삶의 문턱에 서 있었다. 그렇게 만만한 삶은 아닐 터였다. 두 손에는 원자폭탄 하나가 들려 있고, 뒤로는 두 모사드 요원이 이를 갈며 쫓아올 테니 말이다.

물론 불평만 할 상황은 아니었다. 지금 그녀가 있는 곳은 소웨토의 오두막이 아니라 그녀만의 아늑한 아파트였다. 더 이상 똥 무더기를 치우느라 허우적거리지 않아도 되고, 온종일 술 냄새를 푹푹 풍기는 엔지니어와 함께 이중 철책 안에 갇혀 있지 않아도 되었다.

프리토리아의 국립 도서관은 이제 끝난 얘기였다. 대신 그녀에게는 그네스타의 도서관이 있었다. 홀예르 2의 말에 따르면 장서도 상당하단다.

그녀는 당장에라도 저 빌어먹을 원자폭탄을 번쩍 들어다가 이스라엘 대사관에 가져다주고 싶었다. 그것을 대사관 근처 어딘가에 내려놓고 경비원에게 알린 다음, 후다닥 달아나 버릴 수도 있지 않을까? 그런 다음 이 나라의 이민 절차를 다시 밟아 체류증을 얻고, 대학에 진학하면 스웨덴 시민이 될 수도 있을 거였다.

그러고 나서는? 음, 프리토리아 주재 스웨덴 대사가 되는 것도 나쁘지 않으리라. 그리고 첫 업무로 보타 대통령을 음식 없는 만찬에 초대한다면……?

이 즐거운 상상에 놈베코의 얼굴에는 미소가 번졌다.

하지만 현실에서는 홀예르가 스웨덴 수상과 국왕 외에는 아무에게도 폭탄을 넘기지 않겠다고 버티고 있었다. 그런데 수상도 국왕도 전화를 받을 기미가 없었다.

홀예르 2는 그녀가 이제까지 만난 사람들 중 가장 정상적인 인물이었다. 심지어는 사뭇 매력적이기까지 했다. 그녀는 그의 뜻을 존중해 주고 싶었다.

그를 제외하면 지금 그녀는 맛이 간 사람들로만 둘러싸여 있는 것 같았다. 이런 사람들에게 신경 쓸 필요가 있는 걸까?

하지만 어떻게 저들을 저대로 받아들일 수 있단 말인가?

예를 들어, 홀예르에게서 이야기를 들은 그 미국인 도공……. 그가 망상증 속에서 헤매든지 말든지, 그냥 놔둬야 할 것인가? 아니면 자신이 영어를 하기 때문에 자동적으로 CIA에 속하는 것은 아니라는 사실을 이해시켜 줘야 할 것인가?

또 그럴 나이는 훨씬 지났건만 여전히 어린아이처럼 행동하고 있는 저 중국 자매들……. 힘든 여행을 했지만 블랙푸딩을 양껏 먹고 푹 자고 나면 금방 원기를 회복할 거고, 그렇게 일어나면 또 주위를 두리번거리기 시작하리라. 저들의 미래에 대해 자신은 얼마만큼이나 책임이 있는 걸까?

홀예르와 이름이 같은 그의 형제의 경우는 보다 명확했다. 그는 무조건 폭탄으로부터 멀리 떨어뜨려 놓아야 했다. 그의 여친도 마찬가지였다. 이건 결코 남에게 미룰 일이 아니었다.

펠린다바에서 청소부였던 아가씨는 이 스웨덴에서도 제대로 된 삶을 시작하기 위해서는 먼저 약간의 청소와 정리가 필요하다는 것을 깨달았다. 우선 하루빨리 스웨덴어를 배워야 했다. 2킬로미터밖에 떨어져 있지 않은 도서관을 이용하지 않고 산다는 것은 생각할 수 없는 일이니까. 폭탄을 지키는 일도 마찬가지로 중요했다. 또 저 미친 도공과 철도 없고 분별력도 없는 세 아가씨를 어떤 식으로든 보살피지 않는다면 마음이 편할 것 같지가 않았다. 그리고 나서, 유일하게 가치가 있어 보이는 관계, 즉 홀예르 2와의 관계를 위해 쓸 수 있는 시간이 약간이라도 남아 있기를 바랄 뿐이었다.

하지만 일단은 잠을 자야 했다. 놈베코는 아파트 안으로 들어가 문을 잠갔다.

다음 날 아침, 그녀가 일어나 상황을 점검해 보니 홀예르 1은 예테보리에 베개를 배달하러 휘발유녀를 데리고 아침 일찍 떠났단다. 세 중국 자매는 벌써 일어나 소시지를 먹고서 다시 잠이 들어 있었다. 홀예르 2는 폭탄도 감시할 겸, 궤짝 위의 푹신한 자기 자리에 앉아 서류를 정리하고 있었다. 서류의 대부분은 스웨덴어로 되어 있었으므로 놈베코는 아무런 도움이 되지 못했다.

「그동안 난 도공과 인사나 하고 올까?」 놈베코가 말했다.

「잘해 봐!」

「누구요?」 문 뒤에서 도공이 물었다.

「저는 놈베코라고 해요. 전 CIA 요원이 아니에요. 오히려 모사드에게 쫓기고 있는 몸이죠. 그러니 들어가게 해주세요.」

도공의 강박증은 오로지 미국 정보기관에만 관련된 것이었으므로, 그는 그녀의 부탁을 들어주었다. 여성인 데다가 흑인이라는 사실도 그녀에게 유리하게 작용했다. 물론 지구 상에 흩어져 있는 미국 비밀요원들의 성별과 체격과 피부색은 어물전의 생선들만큼이나 다양하겠지만, 그래도 그 원형(原型)은 삼십 대의 백인 남성이 아닌가. 또 여자는 자신이 한 아프리카 부족의 언어를 완벽히 구사한다는 것을 증명해 보였다. 더욱이 그녀는 자기가 유년기를 보냈다고 주장하는 소웨토에 대해 너무도 많은 디테일을 제공했기 때문에, 그녀가 정말로 그곳 출신이라는 가능성을 완전히 배제할 수 없었다.

한편 놈베코는 상대방의 심리적 파손 상태의 광범위함이 그저 놀랍고 신기할 따름이었다. 따라서 그와의 신뢰 관계를 구축할 수 있는 전략으로는 짧고도 규칙적인 방문이 좋아 보였다. 「그럼, 내일 봐요!」 그녀는 얼른 작별을 고하고 나와 버렸다.

위층 아파트에서는, 중국 자매들이 다시 깨어나 있었다. 그들은 스웨덴의 유명한 비스킷빵인 크네케브뢰드를 어디선가 찾아내어, 놈베코가 도착했을 때 그걸 오물거리고 있었다. 놈베코가 그들의 다음 계획이 뭐냐고 묻자, 그 문제는 아직 생각해 보지 않았다는 대답이 돌아왔다. 자기들의 외삼촌 쳉타오를 찾아가는 것도 괜찮지 않을까 생각한단다. 그는 바로 이 근방에 산단다. 바젤이라는 도시란다. 아니면 베른일지도 모른단다. 아니면 본일지도. 아니, 어쩌면 베를린일 수도 있단다. 그들의 외삼촌은 신품(新品) 골동품 제조의 전문가이며, 자기들이 좀 도와주겠다고 제의하면 거절하지는 않을 거란다.

펠린다바의 도서관 덕분에, 놈베코는 유럽과 유럽의 대도시들에 대해 조금 알고 있었다. 따라서 바젤도, 베른도, 본도, 베를린도 〈바로 이 근방〉에 있는 곳들은 아니라고 장담할 수 있었다. 게다가, 설령 거주하는 도시를 정확히 안다 해도, 이 세 자매가 거기서 외삼촌을 찾아내는 것은 쉽지 않아 보였다. 아, 물론 거주하는 나라부터 알아내야 하겠지만.

자매들은 대답하기를, 자기들에겐 자동차 한 대와 약간의 현금만 있으면 된단다. 그러면 나머지는 저절로 해결될 거란다. 본이든 베를린이든 길을 물어 얼마든지 찾아갈 수 있단다. 어쨌든 그것은 스위스에 있는 도시란다.

놈베코는 그들에게 경제적인 도움을 줄 수 있었다. 소녀 시절부터 그녀의 유일한 재킷이었던 옷의 안감은 여전히 다이아몬드를 품고 있었다. 그녀는 그중 하나를 빼내어 값을 감정받기 위해 근처의 보석상을 찾아갔다. 이 보석상은 한 외국 출신 조수에게 속은 적이 있었고, 그 이후로는 그 어떤 외국인도 믿지 않았다.

그래서 영어를 하는 젊은 흑인 여자가 가게에 들어와 카운터에 다이아몬드 원석을 올려놓자, 그는 그녀에게 당장 가게를 나갈 것이며, 그렇지 않으면 경찰을 부르겠다고 경고했다. 스웨덴 경찰과 접촉하고 싶은 마음이 전혀 없었던 놈베코는 보석을 주워 들고는 방해해서 미안하다고 사과한 뒤 가게를 나왔다.

할 수 없었다. 중국 자매들은 스스로 돈을 마련해야 하고, 자동차도 알아서 구해야 했다. 사소한 것들은 얼마든지 도울 수 있었지만, 그들의 여행 경비를 댈 수는 없었다.

같은 날 오후, 홀예르 1과 휘발유녀가 돌아왔다. 넘버 1은 자기 형제의 식품고가 깨끗이 털린 것을 보았고, 굶어 죽지 않으려면 스스로 장 보러 가는 수밖에 없었다. 놈베코로서는 휘발유녀와 단둘이서 대화를 나눌 수 있는 절호의 기회였다.

그녀의 계획은 두 단계로 이루어져 있었다. 첫째, 적(휘발유녀와 홀예르 1)을 안다. 지피지기는 전술의 기본이므로. 둘째, 그들을 폭탄으로부터 정신적, 물리적으로 멀어지게 한다.

「아, 미국 여자?」 놈베코가 노크하자, 문을 연 휘발유녀가 말했다.

「이미 말했지만 난 남아프리카공화국 출신이야. 넌 어디 출신이니?」

「물론 스웨덴.」

「그럼 나한테 커피 한잔 끓여 줄 수 있겠네. 차면 더 좋고.」

휘발유녀는 대답하기를, 차를 끓여 줄 수도 있지만, 그보다는 커피가 좋겠단다. 왜냐하면 남미의 커피 농장에서의 노동 조건은 인도의 차 농장의 그것보다 낫다는 소리를 들었기 때문이란다. 물론 그 말이 거짓말일 수도 있지만. 왜냐하면 이 나라 인간들은 거짓말을 엄청나게 해대므로.

놈베코는 주방에 자리 잡고 앉으며, 아닌 게 아니라 이 세상에 거짓말이 없는 나라는 없는 것 같다고 인정했다. 그러고 나서, 보다 간단하고도 일반적인 질문으로 대화를 시작했다.

「그래, 넌 잘 지내니?」

이 질문에 대한 답변은 10분 동안 계속되었다. 요약하자면, 자신은 매우 안녕하시지 못하다는 거였다.

휘발유녀는 모든 것에 대해 화가 나 있었다. 이 나라가 원자력 에너지에 의존하고 있는 것에 대해 화가 나 있었다. 또 석유에 대해. 댐들에 대해. 시끄럽고 흉물스러운 풍력 발전기들에 대해. 스웨덴과 덴마크를 잇는 다리가 건설되고 있다는 사실에 대해. 모든 덴마크인들에 대해, 왜냐하면 그들은 덴마크 놈들이므로. 모든 밍크 사육자들에 대해, 왜냐하면 그들은 밍크를 사육하므로. 모든 가축 사육자들에 대해. 육식을 하는 모든 이들에 대해. 육식을 하지 않는 모든 이들에 대해(여기서 놈베코는 잠시 헷갈렸다). 모든 자본주의자들에 대해. 거의 모든 공산주의자들에 대해. 자기 아버지에 대해, 왜냐하면 그는 은행에서 일하므로. 자기 어머니에 대해, 왜냐하면 그녀는 전혀 일을 하지 않으므로. 자기 할머니에 대해, 왜냐하면 그녀는 귀족의 후손이므로. 자기 자신에 대해, 왜냐하면 그녀는 세계를 변화시키는 대신 목구멍에 풀칠하기 위해 임금(賃金)의 노예가 되지 않을 수 없으므로. 그리고 자기에게 보다 높은 연봉의 노예직을 제공해 주지 못하는 이 사회에 대해.

또 그녀는 자신과 홀예르가 이 철거예정 건물에 공짜로 살고 있다는 사실에 대해서도 화가 나 있었다. 왜냐하면 이 때문에 자신이 집세 지불을 거부할 수 없게 되었으므로. 아, 정말이지, 당장이라도 화염병을 들고 바리케이드 위로 뛰어오르고 싶은 심정이야! 그런데 그녀를 한층 더 화나게 만드는 것은, 도대체가 이놈의 나라에는 바리케이드가 씨가 말랐다는 사실이었다.

놈베코는 이 휘발유녀가 남아프리카공화국에서 일해 보는 것도 괜찮겠다고 생각했다. 공동변소에서 분뇨통을 두어 개 비워 보면 시야가 좀 더 넓어질 텐데……

「그래, 이름은 뭐니?」

놈베코는 이 질문에 휘발유녀가 더욱 화를 낼 줄은 전혀 예상하지 못했다. 자기의 이름은 너무도 끔찍하기 때문에 차마 입에 담을 수도 없단다.

놈베코가 계속 물어보자 결국 휘발유녀는 굴복했다.

「셀레스티네.」[20]

「와우! 정말 아름다운 이름이네!」

20 셀레스티네Celestine는 〈천상의〉, 〈하늘에서 내려온〉, 〈선녀 같은〉 등의 의미가 담겨 있다. 요즘에는 많이 사용되지 않기 때문에 약간 〈구닥다리〉 이름이라 할 수 있다. 이처럼 기독교적, 전통적, 부르주아적 냄새가 나기 때문에 이 인물의 성향과는 어울리지 않는다.

「우리 꼰대가 지어 준 거야. 은행 지점장이지. 에이, 개떡 같은 인간, 뒈져 버려라!」

「그럼 널 부르고도 생명에 지장이 없으려면 어떻게 불러야 하지?」

「셀레스티네라고만 안 부르면 돼. 그럼 넌? 네 이름은 뭐야?」

「놈베코.」

「그것도 못지않게 끔찍하군!」

「고마워. 차를 조금 더 마실 수 있을까?」

놈베코가 자기만큼이나 형편없는 이름을 갖고 있었기 때문에, 휘발유녀는 차를 한 잔 더 따라 주었고, 더불어 자기를 셀레스티네라고 부르는 것도 허락해 주었다. 놈베코는 그녀와 악수를 나누며 차를 대접하고 대화해 준 것에 대해 감사를 표했다. 층계에서 그녀는 홀예르 1과 접촉하는 일은 다음 날로 미루기로 결정했다. 적에 대해 알아보는 일은 너무도 진 빠지는 일이었다.

자기 이름으로 불리기 싫어하는 여자와의 만남을 통해 놈베코가 얻은 가장 큰 수확은 이 휘발유녀가 자신의 도서관 카드를 사용해도 상관없다고 말한 것이었다. 휘발유녀는 거기서 대출할 수 있는 책이라곤 다양한 종류의 부르주아적 정치 선전뿐이라는 사실을 깨달은 것이었다. 반쯤 부르주아적인 칼 마르크스의 『자본론』만은 예외였는데, 개떡 같게도 독일어판이었다.

그네스타 도서관에 처음 방문한 놈베코는 카세트테이프가 딸린 스웨덴어 교본을 빌려 왔다. 홀예르 2는 궤짝 위 베개들 틈에서 그녀와 함께 맨 앞부터 과(課) 세 개를 공부했다.

〈안녕하세요? 어떻게 지내세요? 건강은 어떠십니까? 네, 저는 잘 지내요.〉 카세트에서 다양한 인사말들이 — 물론 스웨덴어로 — 흘러나왔다.

「저도요!」 학습 속도가 무척 빠른 놈베코가 대답했다.

그날 오후, 놈베코는 이제 홀예르 1을 만나 봐야 할 때가 되었다고 느꼈다. 그를 찾아간 그녀는 곧장 본론으로 들어갔다.

「듣자하니, 당신 공화주의자라면서?」

물론이란다. 모든 사람이 공화주의자가 되어야 한단다. 군주제는 타락한 제도란다. 아, 정말이지 이 청년의 머릿속은 절망적으로 휑했다! 스스로는 아무것도 생각할 줄 모르는 인간이었다.

놈베코는 대답했다. 공화정에도 부정적인 점들이 없는 것은 아니다. 예를 들어 남아프리카공화국을 봐라……. 그래, 아무튼…… 내가 온 것은 당신을 돕기 위해서다.

그녀가 온 진짜 목적은 그를 폭탄으로부터 멀리 떼어 놓기 위해서였지만, 그녀는 해석의 여지를 큰 폭으로 남겨 놓았다.

「오! 놈베코 양이 도와준다면 정말로 고맙지!」

그녀는 대략 구상해 놓은 계획에 따라 홀예르 1에게 부탁했다. 몇 달 전 국왕이 당신 아버지 위로 떨어지고 난 이후로, 당신의 공화주의 사상이 어떤 방향으로 흘러왔는지 말해 줄 수 있는지?

「그건 국왕이 아니었다고! 레닌이었다고!」 홀예르 1이 정정했다. 이어 말하기를, 자신이 자기 형제만큼 약삭빠르지 못한 것은 사실이지만, 그래도 그에게 제안하고 싶은 계획이 하나 있단다.

그것은 헬리콥터를 타고 가서 경호원들을 제거하고 국왕을 납치하여, 어딘가로 데려가서 그에게 퇴위를 강요하는 거란다.

놈베코는 넘버 1을 물끄러미 쳐다보았다. 이게 이 남자가 머리통을 두드리고 쥐어짜서 얻어 낸 결과물이란 말인가?

「자, 놈베코 양은 어떻게 생각하셔?」

놈베코는 생각한 것을 차마 입 밖에 낼 수가 없었다. 그녀는 다만 이렇게 물었다.

「이 계획이 아직 다 완성된 건 아니겠지?」

「뭔 말이야?」

「음, 그러니까, 예를 들어서 말이야, 헬리콥터는 어디서 구할 건데? 헬리콥터 조종은 누가 할 건데? 국왕은 어디서 납치할 건데? 그다음에는 어디로 데려갈 건데? 퇴위하라고 그를 설득하기 위해 어떤 논거를 제시할 건데? 몇 가지 예만 들어 보자면 말이야.」

홀예르 1은 조용해져서 눈을 내리깔았다.

두 형제 사이에 지적 유전자가 분배될 때에 넘버 1이 심지를 잘못 뽑았다는 사실은 갈수록 분명해지고 있었다. 하지만 놈베코는 이 생각도 입 밖에 내지 않았다.

「……좋아. 내가 한번 연구해 볼 테니까, 한두 주만 시간을 줘. 그리고 이 일은 잘될 거라고 생각해. 하지만 지금은 당신의 형제를 보러 가야겠어. 머리 좀 식히러.」

「고마워! 정말로 고마워!」

놈베코는 홀예르 2에게로 돌아와서는, 자신은 그의 쌍둥이 형제와 대화를 나눴으며, 이제는 홀예르 1의 생각을 궤짝으로부터 멀어지게 하기 위한 최선의 방법을 연구해 볼 것이라고 말했다. 자신의 대략적인 계획은 홀예르 1로 하여금 체제 변화에 다가가고 있다고 믿게 만들면서, 사실은 폭탄으로부터 멀어지게 하는 데 있다는 거였다.

홀예르 2는 고개를 끄덕이면서, 이제 모든 게 한결 나아질 것 같은 예감이 든다고 대답했다.

11
잠시 동안의 햇살

펠린다바에서 주방을 책임졌던 중국 자매들은 블랙푸딩과 소시지와 크네커브뢰드에 금방 싫증이 났다. 하여 그들은 그들 자신과 프레드스가탄 가의 다른 주민들을 위해 식당을 하나 열었다. 그들의 요리 실력은 진짜배기였으므로, 홀예르 2는 베개 판매에서 얻은 수익을 기꺼이 그들의 사업에 투자했다.

또 그는 놈베코의 계획에 따라 휘발유녀로 하여금 베개 배달 일을 맡게 하는 데 성공했다. 협상이 쉽지는 않았지만, 그녀는 자신이 가짜 번호판을 부착한 차량을 불법적으로 운전하지 않으면 안 된다는 사실을 알게 되자 일에 흥미를 느끼기 시작했다.

사실 휘발유녀가 경찰의 관심을 프레드스가탄 가로 끌어들이면 안 되는 이유들을 모두 합치면 족히 3메가톤은 될 거였다. 물론 트럭의 번호판들은 훔친 것들이라 차량을 그네스타와 연결시키지는 못할 거였다. 하지만 운전기사는 열일곱 살에 불과한 데다가, 운전면허도 없었다. 따라서 그녀는 검문을 받게 될 경우, 아무 말도 하지 말 것이며, 특히 이름은 밝히지 말라는 엄명을 받았다.

휘발유녀는 자신은 짭새들을 너무나 증오하기 때문에, 그들 앞에서 조용히 입을 다물고 있기란 힘들 거라고 대답했다. 이에 홀예르 2는 그렇다면 말하는 대신에 노래를 부르면 어떻겠느냐고 제안했다. 이 방법을 사용하면, 아무것도 밝히지 않은 채로 경찰들을 최대한으로 약올려 줄 수 있지 않겠는가? 결국 홀예르 2와 휘발유녀는 경찰에 걸리게 되면, 그녀는 자신의 이름이 〈에디트 피아프〉라고 주장하고 약간 맛이 간 표정을 지으며(그녀라면 충분히 할 수 있다는 게 홀예르의 생각이었다) 〈*Non, je ne regrette rien*(아니, 난 아무것도 후회하지 않아요)〉[21] 을 부르기로 합의를 봤다. 그녀가 전화를 걸 수 있게 될 때까지 계속 이 노래만 부른다는 거였다. 그녀가 홀예르 2에게 전화를 걸고, 통화할 때도 같은 멜로디만 반복한단다. 그러면 홀예르 2가 무슨 상황인지 이해할 거란다.

휘발유녀는 홀예르 2가 즉시 자신을 구하러 달려올 거라고 믿었지만, 사실 그의 진정한 의도는 그녀가 경찰을 이끌고 들이닥치기 전에 창고에서 폭탄을 치운다는 거였다.

「와우, 그렇게 짭새들을 가지고 놀면 정말 쿨하겠어! 나는 파시스트들이라면 이가 갈려!」 그녀는 이렇게 말하고는, 이 프랑스 상송의 클래식인 노래의 가사를 꼭 외우겠다고 맹세했다.

그녀가 너무도 열광적인 모습을 보였기 때문에 홀예르 2는 체포 자체가 목적이 되어서는 안 된다는 점을 강조해야만 했다. 오히려 베개 배달부의 제1 임무는 감방에 들어가지 않는

---

21 프랑스 가수 에디트 피아프Edith Piaf(1915~1963)의 대표곡.

거라고 설명했다.

휘발유녀는 신바람이 한풀 꺾인 표정으로 고개를 끄덕였다.

무슨 말인지 이해했는지?

「알았어, 시발! 알아들었다고!」

동시에 놈베코는 홀예르 1의 관심을 창고의 궤짝으로부터 떨어뜨려 놓는 데 성공하는, 그녀 자신의 기대를 훨씬 뛰어넘는 쾌거를 이뤘다. 그녀의 계획은 그를 어떤 학교에 등록시켜, 헬리콥터 조종사 자격증 취득을 준비하게 한다는 거였다. 취득 후에는 그의 계획을 실현하라고 아낌없이 격려도 해줄 생각이었으니, 실제로 그렇게 될 가능성이 제로에 가까웠기 때문이다.

자격증 취득을 위해서 정상적인 학생이라면 약 1년이 필요하지만, 홀예르 1은 최소한 4년이 걸릴 거였다. 이 유예 기간은 놈베코와 홀예르 2가 폭탄을 처리하기에 충분한 시간이었다.

놈베코가 좀 더 자세히 들여다보니, 예비 조종사는 항공 시스템, 항공 안전, 비행 기술, 운항 계획, 기상학, 항법, 운항 절차, 그리고 기체역학을 공부해야 했다. 놈베코가 보기에 홀예르 1이 이 여덟 과목을 전부 따라간다는 것은 불가능했다. 게다가 홀예르는 몇 달 못 가서 싫증 낼 가능성이 다분했고, 그전에 수업에서 쫓겨나지 않으면 그나마 다행이었다.

다시 궁리를 해본 놈베코는 홀예르 2에게 도움을 구했다. 그들은 며칠 동안 신문의 구인 공고를 샅샅이 뒤진 끝에 적당한 일자리를 하나 찾아냈다.

이제 남은 일은 약간의 분장 작업, 다른 말로 하자면 〈경력 증명서 위조〉라는 작업이었다. 홀예르 2의, 자격이 극도로 부족한 형제를 완전히 딴 사람으로 바꾸는 일이었다.

넘버 2는 놈베코의 지시에 따라 문안을 작성하고, 가위로 오려 내고, 풀로 붙였다. 만족한 그녀는 그의 도움에 대해 감사를 표한 뒤, 결과물을 옆구리에 끼고 홀예르 1을 보러 갔다.

「당신, 일자리를 구해 보는 게 어때?」 그녀가 물었다.

「우씨……!」 홀예르 1은 짜증부터 냈다.

놈베코가 생각하고 있는 것은 그냥 평범한 일자리가 아니란다. 그녀는 설명하기를, 지금 브롬마 시에 소재한 〈택시헬리콥터〉 사(社)는 고객 안내 등의 잡무를 맡게 될 남성 직원을 한 명 구한단다. 만일 그가 이 자리를 얻는다면, 그는 현장을 체험할 수 있음은 물론, 어깨 너머로 헬리콥터 조종 기술도 익힐 수 있을 거란다.

「그날이 왔을 때, 당신은 준비되어 있을 거야.」 놈베코는 자신의 말을 한 마디도 믿지 못하면서 단언했다.

「와, 기똥찬 생각이야!」 홀예르가 무릎을 탁 쳤다.

그렇다면 놈베코 양은 어떻게 자기가 그 일자리를 따낼 수 있을 거라고 생각하는지?

에, 그러니까…… 최근 그네스타 도서관은 그 어떤 문서라도 완벽하게 복사해 내는 컬러 복사기를 한 대 구입했단다.

이어 그녀는 홀예르 1의 이름으로 된 지원서와 훌륭한 추천서들을 그에게 보여 주었다. 이를 위해서는 약간의 문서위조와 스톡홀름 왕립 고등기술학교에서 나온 발행물들 중에서 몇 장을 뜯어내는 게 필요했지만, 어쨌든 결과물은 매우 인상적이었다.

「뭐? 왕립 고등기술학교?」 홀예르 1이 얼굴을 찡그리며 외쳤다.

놈베코는 못 들은 척하고 넘어갔다.

「자, 이게 왕립 고등기술학교의 기계 부문 학위증이야. 당신은 엔지니어고, 항공기 전반에 걸쳐 해박한 지식을 갖고 있지.」

「정말?」

「당신은 4년 동안 말뫼 시 근교에 위치한 스투루프 공항에서 관제탑 조수로 근무했어. 그리고 또 4년 동안은 〈택시스코네〉 사의 접수 직원이었고.」

「하지만 난 한 번도……」 넘버 1은 더듬거렸지만, 놈베코가 그의 말을 잘랐다.

「그냥 지원해! 아무 생각하지 말고 그냥 지원하라고!」 그는 시키는 대로 했고, 정말로 그 자리를 얻었다.

홀예르 1은 만족했다. 그는 헬리콥터로 국왕을 납치하지도 못했고, 아직 조종사 자격증도, 헬리콥터도, 명확한 계획도 없었지만, 어쨌든 헬리콥터 (헬리콥터가 세 대나 되었다!) 가까이에서 일하면서 여러 가지 것들을 배우고, 이따금 조종사들에게서 공짜 수업을 받으면서 — 놈베코의 계획에 따라 — 그의 흐리멍덩한 꿈을 이어 나갈 수 있었던 것이다.

직업전선에 뛰어든 홀예르 1은 브룸마에서 얼마 떨어지지 않은 블라케베리의 한 널찍한 원룸으로 이사했다. 이로써 홀예르 2의 단순한 형제는 당분간 폭탄으로부터 격리될 수 있었다. 그보다 한층 단순한 정신의 소유자인 여친까지 그를 따라갔다면 이상적이었을 터이나, 요즘 그녀의 관심사는 에너지 문제(모든 형태의 에너지는 나쁜 것이다)에서 여성 해방의 문제로 넘어가 있었다. 그녀의 생각으로는, 여성 해방을 위해서는 17세의 소녀도 씩씩하게 대형트럭을 운전할 줄 알아야 하고, 그 어떤 남정네보다 많은 양의 베개를 번쩍 들어 나를 수 있어야 했다. 이런 이유로 그녀는 철거예정 건물에 남아서 노예직을 꿋꿋이 이어 나갔고, 두 연인은 그리움을 달래기 위해 두 집 사이를 부지런히 왕복해야만 했다.

미국인 도공의 상태도 점차로 호전되고 있었다. 놈베코는 만날 때마다 그의 긴장이 풀려 가는 것을 느꼈다. CIA의 위협에 대해 누군가와 대화할 수 있다는 것이 그에게 좋은 영향을 미치는 모양이었다. 놈베코는 기꺼이 그 역할을 맡아 주었으니, 그의 헛소리는 정말이지 아프리카의 타보의 모험담만큼이나 재미있었기 때문이다. 도공의 주장에 따르면, 미국 비밀정보기관은 도처에 깔려 있단다. 도공 덕분에 놈베코는 이 나라의 택시들에 장착된 새 자동변속기는 모두 샌프란시스코에서 제조되었다는 새로운 사실을 알게 되었다. 도공은 이 사실이 무엇을 의미하는지는 더 이상 부연할 필요도 없지 않으냐고 반문했다. 하지만 누군가가 공중전화 부스에서 자기에게 직접 전화를 걸어, 최소한 한 택시 회사는 미국 비밀정보기관에 봉사하는 걸 거부한다는 사실을 친절하게도 알려 주었단다. 적어도 보블렝에 택시 회사만큼은 수동변속기를 고수하고 있단다.

「놈베코 양도 어디 갈 일이 있으면, 이 정보를 꼭 참고하길 바라요.」

이런 경우가 한두 번이 아니었지만, 놈베코는 보클렝에가 그네스타에서 얼마나 떨어진 곳인지 몰랐기 때문에 지금 도공이 얼마나 멍청한 소리를 한 건지도 모르고 지나갔다.

이 베트남전의 탈영병은 심리적으로 극도로 불안정했고 끊임없는 망상에 사로잡혀 있었지만, 네이팜옐로 색조의 토기나 도자기로 아름다움을 창조하는 영역에 있어서는 실로 뛰어난 재능을 발휘했다. 그는 이렇게 만든 물건들을 직접 내다 팔았다. 돈이 필요해지면 버스나 보클렝에 택시 회사에서 총알같이 달려온 택시를 타고 이 시장 저 시장을 돌아다녔다. 기차는 절대로 이용하지 않았으니, 스웨덴 철도청과 CIA가 연결되어 있다는 것은 공공연한 비밀이었기 때문이다. 그는 그의 작품들로 꽉 채워져 바윗덩이만큼이나 무거운 가방 두 개를 가져갔지만, 가격이 어처구니없을 정도로 낮게 책정된 물건들은 몇 시간이면 동이 났다. 보클렝에 택시 회사가 끼어들었을 경우, 그의 판매는 적자로 마감되곤 했는데, 220킬로미터에 달하는 택시 여행은 물론 공짜가 아니었기 때문이다. 도공이 이해하지 못하는 것은 한두 가지가 아니었지만, 그중에서도 매출액과 순수입의 차이, 그리고 자신의 재능에 대해서는 절망적으로 무지했다.

얼마간의 시간이 흐른 후, 놈베코는 홀예르 형제와 셀레스티네와는 스웨덴어로 웬만큼 소통할 수 있게 되었고, 중국 자매들과는 우어로, 미국인 도공과는 영어로 대화했다. 또 그녀는 그네스타 도서관에서 책을 얼마나 많이 대출했던지, 그네스타 문학협회 이사진에 ― 셀레스티네의 이름으로 ― 영입하겠다는 제의를 정중히 고사해야만 했다.

그 나머지 시간은 이곳에서 유일하게 정상적인 인물인 홀예르 2와 가급적 많은 시간을 가지려고 했다. 그녀는 회사의 회계 일을 도왔으며, 상품의 구매, 판매, 배달의 효율성을 향상시킬 수 있는 방법에 대해서도 조언했다. 홀예르 2로서는 그저 고마울 따름이었다.

하지만 그는 1988년 초여름이 되어서야 놈베코가 계산을 할 줄 안다는 사실을 알게 되었다. 아주 복잡한 계산 말이다.

6월의 어느 날 아침이었다. 그가 창고에 도착하자, 놈베코가 인사를 건네고는 이렇게 말했다.

「팔만 사천사백팔십.」

「너도 안녕? 그런데 지금 무슨 말을 한 거야?」

놈베코는 그에게 종이 네 장을 내밀었다. 그가 자고 있는 동안, 그녀는 창고의 규모와 베개 하나의 부피를 측정했고, 이를 통해 지금 재고로 쌓여 있는 베개의 정확한 개수를 계산해 내었던 것이다.

그녀가 이렇게 한 까닭은, 전(前) 사장이 급사하는 바람에 인수인계가 제대로 이뤄지지 않았다고 홀예르가 항상 투덜거려 왔기 때문이었다. 예를 들어 베개의 재고 물량이 대체 몇 개나 되는지 모르겠다는 거였다.

놈베코가 건넨 종이 중 첫 번째 페이지에는 이런 것이 있었다.

$$\frac{\left[\left(20\times7\times6\times\frac{1.60}{2}\right)+\left[7\times12\times6\times\frac{1.60}{2}\right]+\left[\left(\dfrac{\left(9\times\frac{1.60}{2}\right)-\left(6\times\frac{1.60}{2}\right)}{2}\right)\times7\right]\times(20+12)\right]-3\times3\times9\times\frac{1.60}{2}-2\times3\times2\right)}{0.5\times0.6\times0.05}$$

$$=\frac{\left(672+403.2+1.2\times7\times32-3\times3\times9\times\frac{1.60}{2}-2\times3\times2\right)}{0.5\times0.6\times0.05}$$

$$=\frac{(672+403.2+268.8+64.8-12)}{0.015}$$

$$=\frac{1267.2}{0.015}=84,480$$

홀예르는 한참을 들여다보고는, 자기는 뭐가 뭔지 전혀 모르겠다고 말했다. 놈베코는, 뭐가 뭔지 모르겠는 건 조금도 이상한 일이 아니며, 이것을 이해하기 위해서는 방정식 전체를 봐야 한다고 설명했다.

「자, 여길 봐!」 그녀는 페이지를 넘기며 말했다.

$$창고의\ 부피=(A\times B+C\times D)\times E+\left(\frac{(CF-E)\times C}{2}\right)$$

$$=(A\times C+B\times D)\times 그림자E\times\frac{높}{H}+\left(\left(\frac{\left(\left[그림자F+\frac{높}{H}\right]-\left[그림자E+\frac{높}{H}\right]\right)\times C}{2}\right)\right)\times(A+D)$$

$$=\left(A\times C\times 그림자E\times\frac{높}{H}\right)+\left[B\times D\times 그림자E\times\frac{높}{H}\right]+\left[\left(\frac{\left(\left[그림자F\times\frac{높}{H}\right]-\left[그림자E\times\frac{높}{H}\right]\right)}{2}\right)\times C\times(A+D)\right]$$

「그림자E?」 홀예르 2는 뭐라도 말해야 하겠기에 그냥 이렇게 물었다.

「응. 햇빛이 비칠 때 창고의 크기를 계산해 봤어.」

그러고는 다시 페이지를 넘겼다.

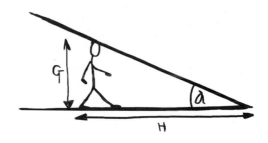

「이 철사 같은 사람은 뭐지?」 이번에도 뭐라도 말하려고 그냥 던진 질문이었다.

「이건 나야. 얼굴이 너무 하얀 것 같긴 하지만, 매우 정확하게 표현되었어. 펠린다바의 엔지니어가 내 여권을 발급해 준 이후로, 난 내 키를 알고 있어. 따라서 내 그림자 길이를 재서, 그걸로 창고의 그림자 길이와 함께 등식을 만들기만 하면 됐지. 이 나라에서는 해가 아주 낮게 뜨기 때문에 일이 쉬웠어. 적도 지방이었다면 어떻게 해야 할지 참 난감했을 텐데 말이야. 비가 퍼붓는 지역에서도 마찬가지일 테고.」

홀예르는 여전히 뭐가 뭔지 알 수 없었다.

「이건 아주 간단한 거라고……」 놈베코는 인내심을 가지고 계속 설명해 주려고 다시 페이지를 넘기려 했다.

「아니, 나한텐 전혀 간단하지 않아.」 홀예르가 그녀의 손을 잡았다. 「궤짝 위의 베개들도 포함된 거야?」

「응. 열다섯 개.」

「네 침대에 있는 것은?」
「아 참, 그건 깜빡했네!」

12

원자폭탄 위의 사랑과
차등가격 전략

홀예르 2와 놈베코에게 삶은 복잡한 것이었다. 하지만 이무렵에 복잡한 상황에 처해 있던 사람은 비단 이 둘만이 아니었다. 전 세계의 여러 나라들과 TV 방송국들은 넬슨 만델라의 70회 생일을 축하하기 위해 1988년 6월에 계획된 콘서트에 대해 어떤 태도를 취해야 할지 몰라 골머리를 앓고 있었다. 만델라는 어쨌든 테러리스트였고, 또 계속 테러리스트로 남게 될수도 있었지만, 문제는 세계적 팝스타들이 런던 근교의 웸블리에서 열릴 예정인 콘서트에 참여할 뜻을 잇달아 밝히고 있다는 점이었다.

많은 이들에게 있어 해결책은 이 행사를 인정하는 동시에 인정하지 않는 것이었다. 예를 들어, 이 콘서트를 녹화 방영한 미국의 폭스TV는 콘서트 출연자들의 노래와 발언 가운데서 최대 광고주인 코카콜라의 눈썹을 찌푸리게 할 수 있는 정치적 내용을 모두 삭제했다고 한다.

아무튼 세계 67개국의 6억 시청자가 이 콘서트를 시청했는데, 단 한 나라만이 이 사건을 완전한 침묵 속에 묻어 버렸다.

다름 아닌 남아프리카공화국이었다.

몇 달 후에 치러진 스웨덴 총선의 결과, 사민당과 잉바르 칼손은 정권을 유지하는 데 성공했다.

에혀……!

홀예르 2와 놈베코가 동시에 장탄식을 터뜨린 것은 특별히 좋아하는 다른 정당이 있어서가 아니라, 칼손이 계속 수상직에 붙어 있음으로 해서 수상실에 다시 전화를 걸어 봤자 아무 소용이 없을 거였기 때문이다. 폭탄은 여전히 그 자리에 놓여 있어야 했다.

이 총선의 가장 주목할 만한 결과는 새로 창당된 녹색당이 의회에 입성했다는 사실이었다. 반면, 〈이 개떡 같은 세상을 부숴 버려!〉라는 존재하지 않는 정당에 던져진 표가 무효 처리된 사실은 크게 주목받지 못하였다. 그 표를 행사한 이는 얼마 전에 18회 생일을 맞은 그네스타의 한 젊은 여성이었다.

1988년 11월 17일은 놈베코가 철거예정 건물에 들어온 지 정확히 1년째 되는 날이었다. 이날을 축하하기 위해 홀예르는 깜짝 케이크를 준비했다. 같은 날에 입주한 세 중국 자매는 초대하지 않았다. 창고 궤짝 위에 케이크를 가운데 두고 마주 앉은 것은 놈베코와 홀예르, 단 두 사람뿐이었다. 그는 이렇게 하기를 원했다. 그녀의 마음도 다르지 않았다.

놈베코는 오늘따라 홀예르가 너무나 사랑스럽게 느껴진 나머지 그의 볼에 입을 맞췄다.

어른이 되고부터 홀예르의 꿈은 오직 하나였다. 존재하는 것, 보다 큰 전체의 일부분으로서 존재하는 거였다. 그가 갈망하는 것은 정상적인 삶이었다. 아내와 아이들과 정직한 직업(이 베개들과, 혹은 왕실과 관계가 없는 것이면 무엇이든 좋았다)이 있는 정상적인 삶 말이다.

엄마, 아빠, 그리고 아이들…… . 생각만 해도 가슴이 두근거렸다. 특히나 정상적인 유년기를 가져 보지 못했기 때문에 더욱 그러했다. 친구들이 자기 방의 벽에다 배트맨이나 조커의 포스터를 걸어 놓고 있을 때, 어린 홀예르는 핀란드 대통령의 초상화를 들여다보고 있어야 했다.

어떤 가정도 아닌 가정의, 아이도 아닌 아이의, 엄마도 아닌 엄마가 되려고 할 여자가 과연 세상에 존재할까? 자신과 아이들에게는 존재하지만, 사회에서는 존재하지 않는 남편에 만족할 수 있는 여자를 과연 찾아낼 수 있을까? 온 가족이 철거예정 건물에서 살아야 하고, 할 수 있는 놀이라곤 원자폭탄 옆에서 서로를 베개로 때리는 놀이밖에는 없는 삶을 받아들일 여자가 과연 나타날까?

아니, 그런 일은 결코 일어나지 않으리라…… .

그저 세월만 흘러가리라…… .

그런데 달들이 지나감에 따라, 홀예르는 놈베코도…… 자기만큼이나 존재가 없는 존재임을 조금씩 의식하게 되었다. 더욱이 그녀도 자기처럼 폭탄 때문에 몹시 미묘한 상황에 처해 있었다. 무엇보다도 그녀는 정말로…… 아름다웠다.

그리고 지금 볼에다 해준 이 키스.

홀예르는 결심했다. 놈베코는 단지 이 세상 여자들 중에서 가장 갖고 싶은 여자일 뿐 아니라, 그에게 허용된 유일한 여자였다. 만일 이 상황에서 시도도 한번 해보지 않고 지나간다면, 자신은 정말로 불쌍한 녀석이었다.

「……놈베코, 근데 말이야…….」

「응? 왜 그래, 자기?」

자기? 희망이 있다는 얘기네!

「만일에 내가…… 만일 내가 네게 좀 가까이 다가가면…….」

「응? 그런데?」

「네 가위를 꺼낼 거야?」

놈베코는 지금 가위는 주방의 서랍 속에 있으며, 당분간은 거기서 움직이지 않을 거라고 대답했다. 또 덧붙이기를, 사실은 오래전부터 자신도 그가 좀 더 가까이 다가오기를 바라 왔단다. 둘 다 곧 스물여덟 살이 되는 성인들 아닌가? 놈베코는 하지만 자신은 한 번도 남자와 자본 적이 없다고 고백했다. 소웨토에서는 어린아이였고, 그 후에는 연구소에 갇혀서 대다수가 혐오스러우며 자신에겐 금지된 인종에 속하는 남자들에게 둘러싸여 살아왔단다. 그런데 거기에선 금지된 것이 여기에선 다행히도 금지되지 않았단다. 더욱이 놈베코는 오래전부터 홀예르가 그의 형제와는 완전히 다르다는 것을 느껴 왔단다. 그래서 만일 그가 원한다면…… 자기도 원한단다.

홀예르는 거의 숨도 쉴 수 없었다. 자기가 자기 형제와 완전히 다르다는 말은 그가 태어나서 들어 본 최고의 찬사였다. 그는 자신 역시…… 그걸 경험해 보지 못했다고 고백했다. 그러니까 내겐 그런 기회가…… 우리 아버지로 인한 그 모든 일들 때문에…… 놈베코는 정말로 나와…….

「자, 얘기는 그만 좀 하고 그냥 가까이 오면 안 돼?」 놈베코가 그의 입을 막았다.

존재하지 않는 남자에게 가장 어울리는 짝은 말할 것도 없이 그처럼 존재하지 않는 여자일 것이다. 놈베코는 웁란스 베스뷔의 난민 수용소에 들어간 지 며칠 만에 도망쳐 나와, 지금은 지구 표면에서 흔적도 없이 사라져 버린 사람이었다. 일 년 전부터 스웨덴의 주민등록대장에서 그녀의 이름 앞 여백에는 〈실종됨〉이라고 적혀 있었다.

홀예르 역시 자신의 무존재 상태와 관련하여 아직 아무런 조치도 취하지 않고 있었다. 너무나 복잡한 사안이었을 뿐만 아니라, 놈베코에 대한 그의 관심은 일을 더욱 복잡하게 만들었다. 만일 당국이 그의 주장을 확인하기 위해 조사를 시작한다면 무슨 일이라도 일어날 수 있었다. 예를 들어 놈베코와 폭탄이 발견될 수도 있는 일이었다. 이 경우, 그는 아직 제대로 시작되지도 않은 가정의 행복을 잃게 될 위험이 있었다.

상황이 이러했기에 홀예르와 놈베코가 〈아이를 갖게 되어도 상관없어〉라고 암묵적으로 동의한 것은 지각없는 짓으로 느껴질 수도 있다. 심지어 그들은 나중에 아이가 생기지 않자, 그게 일어나기를 간절히 바라기까지 했다.

놈베코는 딸을 갖고 싶었다. 다섯 살부터 똥통을 나르지 않아도 되는, 그리고 시너에 의존하여 연명하다가 결국 그 시너로 인해 죽는 어머니와 살지 않아도 되는 딸을 말이다. 홀예르는 아기가 아들이든 딸이든 상관없단다. 중요한 것은 아이의 정신이 세뇌되지 않고 자라는 거란다.

「요약하자면, 국왕에 대해 자유롭게 생각할 수 있는 권리를 가진 여자아이?」 궤짝 위에 쌓인 베개들 틈에서 놈베코가 홀예르의 품에 파고들며 속삭였다.

「존재하지 않는 아빠와 도망 다니는 엄마를 가진 아이. 인생 첫출발로는 이 이상 좋을 수 없지.」

놈베코는 몸을 한층 밀착했다.

「한 번 더?」 홀예르가 물었다.

「응.」

또 이 궤짝 위에서? 홀예르는 불안해했으나, 놈베코는 몸을 몇 번 맞붙이든 폭탄은 터지지 않을 거라고 안심시켰다.

중국 자매들의 요리 실력은 실로 대단한 것이었으나, 철거 예정 건물 4층 아파트 거실에 위치한 레스토랑이 손님으로 채워지는 경우는 매우 드물었다. 홀예르 1은 브룸마에서 근무했다. 셀레스티네는 배달 일 때문에 외출이 잦았다. 자기 굴속에 웅크린 미국인 도공은 불필요한 위험에 노출되지 않기 위해 (적어도 이번에는 그의 의심이 옳았다) 통조림으로 만족했다. 또 홀예르 2와 놈베코는 둘만의 로맨틱한 저녁 식사가 필요할 때는 그네스타 중심가를 찾아가곤 했다.

만일 〈헛지랄한다〉라는 표현이 우어에도 존재했더라면, 세 자매는 이따금 느끼는 감정을 요약하기 위해 이 표현을 즐겨 사용했을 것이다. 게다가 이 일은 그들의 손에 한 푼도 쥐여주지 못했고, 스위스에 사는 그들의 삼촌에게 한 걸음도 다가가게 해주지 못했다.

하여 천진난만한 세 자매는 진짜 레스토랑을 열기로 결정했다. 그네스타 유일의 중국 음식점은 스웨덴 사람이 주인이고,

그 주방에서 일하는 두 종업원은 타이 출신이라는 사실은 그들이 결심을 굳힌 계기가 되었다. 타이인들로 하여금 중국 음식을 만들게 하는 짓은 법의 처벌을 받아 마땅하다는 게 자매들의 생각이었다. 그들은 정통 중국 레스토랑 〈북경반점〉이 프레드스가탄 가에 문을 열었다는 공고를 지역신문에 냈다.

「자, 우리가 뭘 했는지 한번 봐!」 그들은 훌예르에게 신문을 내밀며 자랑스럽게 외쳤다.

잠시 후, 충격에서 벗어난 훌예르는, 지금 당신들은 당신들이 체류할 권리가 없는 나라에서, 당신들이 거주하지 않는 것으로 되어 있는 철거예정 건물에 무허가업소를 연 것이라고 설명해 주었다. 더구나 그들은 이 나라 식품안전청이 정한 규제 항목 중 최소한 여덟 항목을 위반하려 하고 있다고 덧붙였다.

자매들은 마치 이상한 동물을 보듯이 그를 쳐다보았다. 아니, 도대체 이 나라는 누가, 어디서, 어떻게 요리를 하든, 또 그걸 누구에게 팔아먹든, 왜 남의 일에 끼어들어 잔소리를 한대?

「그게 바로 스웨덴이야!」 자신의 존재를 모르는 이 나라에 대해 잘 아는 훌예르가 대답했다.

불행 중 다행으로 공고는 아주 조그만 활자로, 그것도 영어로 인쇄되었다. 따라서 이날 저녁에 나타난 사람은 시청 환경과의 여자 과장 한 사람뿐으로, 그녀는 식사를 위해서가 아니라, 갓 개업한 식당을 폐쇄하려고 찾아온 거였다.

훌예르 2는 대문으로 나가서 공고는 누군가가 벌인 실없는 장난일 뿐이라고 단언했다. 누가 이런 철거예정 건물에서 돈 내고 식사하려고 하겠어요? 게다가 여기엔 아무도 안 살아요.

여기엔 배달할 베개만 잔뜩 쌓여 있을 뿐이라고요.

그런데 혹시 과장님은 베개 2백 개를 구매할 의향이 없으신 가요? 물론 환경과 한군데서 쓰기엔 좀 많겠지만, 우린 도매상 이라 이렇게만 판답니다…….

아니, 시청에는 베개가 필요 없단다. 그네스타 시청의 직원 들은 사무실에서 깨어 있는 것을 원칙으로 삼고 있으며, 지금 보시다시피 사무실을 벗어나서도 마찬가지란다. 하지만 그녀 는 공고가 장난이었다는 설명을 받아들이고는 발길을 돌려 집 으로 향했다.

이렇게 당장의 위기는 넘겼지만, 홀예르 2와 놈베코는 삶의 다음 단계로 빨리 뛰어들지 못해 안달하는 중국 자매들을 어 떻게든 관리해야 한다는 걸 깨달았다.

「우린 이미 교란 전략을 사용해 본 적이 있잖아?」 홀예르는 헬리콥터에 관련된 일자리를 얻은 자기 형제와 트럭을 불법으 로 몰게 되어 희희낙락하고 있는 그의 여친을 떠올리며 제안 했다. 「이번에도 그 방법을 사용해 보면 어떨까?」

「음…… 한번 생각해 볼게.」

다음 날, 그녀는 잠시 잡담을 나누러 미국인 도공을 찾아갔 다. 이날 아침, 그녀는 스웨덴에서 이뤄지는 모든 전화 통화는 미국 버지니아 주 CIA 본부의 한 층 전체에 들어찬 직원들에 의해 모조리 녹음되고 분석되고 있다는 확신에 사로잡힌 한 남자의 장광설을 들어야만 했다.

「그 층은 무지하게 넓겠네요.」 놈베코가 논평했다.

CIA의 전화 도청에 대한 도공의 설명이 끝도 없이 펼쳐지고 있을 때, 놈베코는 자매들 생각에 사로잡혀 있었다. 이제 식당을 열지 못하게 된 언니들이 그렇다면 뭘 할 수 있을까? 그들이 잘하는 게 뭐였더라?

우선, 개를 중독시키는 재주가 있었다. 문제는 그 재주가…… 너무 뛰어나다는 거였다. 또 이 그네스타 바닥에서는 그게 돈벌이로 연결되기가 쉽지 않았다. 그리고 그들은…… 맞아, 한대의 거위상을 만들 줄도 알았다. 오, 그래, 이건 연구해 볼 만한 가치가 있었다! 마침 길 건너편에 도기 공장이 있지 않은가? 이 미국인 도공도 있고 말이다. 이 양반을 중국 언니들과 연결시켜 본다면?

아이디어 하나가 꼬물꼬물 올라오기 시작했다.

「오늘 오후 3시에 미팅이 있을 거예요!」 미국인 도공이 여전히 CIA의 도청에 대해 침을 튀기고 있을 때 놈베코가 말했다.

「엉, 무슨 일로?」 그가 놀라며 물었다.

「3시예요.」

약속한 시간에 딱 맞추어 남아프리카공화국 출신의 세 중국 자매를 데리고 다시 나타난 놈베코는 도공 집의 문을 두드렸다.

「누구요?」 도공은 문을 사이에 두고 물었다.

「모사드!」

미국인은 유머 감각이라곤 전혀 없는 사람이었지만, 어쨌든 놈베코의 목소리를 알아듣고는 문을 열어 주었다. 도공은 안전을 위해 조식, 중식, 석식을 중국 자매들이 조리한 진미보다는 자신의 통조림으로 해결해 왔기 때문에 그들이 서로 마주친 적은 거의 없었다. 놈베코는 이들 네 사람의 관계가 최대한 원만하게 시작되기를 바라는 마음에서 도공에게 설명했다. 이 세 아가씨는 베트남 북부 까오방 주(州)의 한 소수 민족 출신으로서, 아편 재배에 종사하며 평화롭게 살고 있다가, 그 흉포한 미군들을 견디지 못하고 고향을 떠나온 난민들이다……

「오, 내가 진심으로 사과해요!」 도공은 이 거짓말을 그대로 믿는 듯했다.

놈베코에 이어 이번에는 맏이가 설명을 계속했다. 전에 우리는 2천 년 된 도기들을 기가 막히게 잘 만들었어요. 하지만 지금은 작업할 곳도 없고, 수석 디자이너이신 우리 어머니께서는 지금 남아프리카공화국에 계신 까닭에……

「남아프리카공화국에?」 도공이 놀라며 반문했다.

「아니, 아니, 베트남에요!」 맏이는 급히 정정하고는 서둘러 설명을 이어 갔다.

만일 도기장이님께서 자기들이 작업장에 출입할 수 있게 해 주시고, 또 작품 제작을 맡아 주신다면, 자기들은 한대 도기들이 어떻게 보여야 하는지에 대해 조언해 드릴 수 있단다. 또한 자기들은 작품이 진품 한대 거위상처럼 보이려면 어떤 방법들을 사용해야 하는지 빠삭하게 알고 있단다.

오케이. 여기까지는 도공도 오케이였다. 하지만 가격에 대해서는 열띤 토론이 벌어졌다. 미국인은 39크로나가 적당한 가격이라고 생각한 반면, 자매들은 적어도 3만 9천은 받아야 한다고 주장했다. 그것도 달러로.

놈베코는 가급적 관여하지 않겠다는 방침이었지만, 그래도 한마디 던지지 않을 수 없었다.

「그 두 안을 절충하면 어때요?」

협력 체제는 예상 외로 훌륭하게 작동했다. 미국인은 거위 상이 어떻게 보여야 하는지를 금방 터득했을 뿐만 아니라, 한 대의 마상(馬像)들도 얼마나 기가 막히게 만들어 내는지, 보다 진짜처럼 보이게 하기 위해서는 귀 한쪽을 깨뜨려야 할 정도였다.

완성된 거위와 말 들은 도기 공장 뒤의 땅에 파묻혔다. 그런 다음 자매들은 그 위에 닭똥과 오줌을 뿌려, 작품들이 3주 만에 폭삭 늙어 2천 년 묵은 것처럼 보이게끔 만들었다. 가격은 두 개의 시리즈로 구분하여 책정하기로 했다. 첫 번째 시리즈는 39크로나로 스웨덴 각지의 시장에서 팔고, 두 번째 시리즈는 3만 9천 달러로, 여기엔 만이가 제작한 진품 인증서를 첨부하기로 했다. 이 진품 인증서 제작법을 만이에게 가르쳐 준 사람은 그녀의 어머니로, 이 어머니는 이 비법을 그녀의 오라비이자 거장 중의 거장인 쳉타오에게서 직접 전수받은 것이라 했다.

첫 번째 판매는 모두의 예상을 훌쩍 뛰어넘었다. 첫 번째 달에 자매들과 도공은 도합 열아홉 점에 대한 구매자들을 찾아냈다. 그중 열여덟 점은 시비크 시장에서 팔렸으며, 나머지 한 점은 국제적인 명성을 자랑하는 부코프스키 경매에서였다.

하지만 이 스톡홀름의 골동품 경매 회사를 통해 작품을 유통시킬 경우 — 이미 놈베코와 자매들도 경험한 바 있지만 — 잘못하면 재판정에 서게 될 위험이 있었다. 하여 그들은 스톡홀름의 중국인 협회를 통해 한 퇴역 정원사를 찾아냈다. 스웨덴에서 30여 년을 지낸 후에 셴젠(深圳)으로 돌아가려고 준비 중인 사람이었다. 그는 10퍼센트의 커미션을 받는다는 조건으로, 경매장에서 공식 판매자의 역할을 맡아 달라는 제안을 받아들였다. 비록 만이의 진품 인증서가 충분히 설득력 있기는 했지만, 사기 행위가 발각될 가능성을 완전히 배제할 수는 없었다. 그렇게 될 경우, 스웨덴의 법망이 아무리 넓다한들, 머나먼 중국의 셴젠까지 미치기란 어려운 일일 터였다. 게다가 셴젠은 1100만 명이나 되는 인간이 우글거리는 곳이라서, 스웨덴 경찰의 눈에 띄지 말아야 할 충분한 이유가 있는 모든 중국인들에게 이상적인 환경이었다.

놈베코는 회계를 맡았고, 이 비공식적 회사의 매우 비공식적인 이사진의 일원이기도 했다.

「정리하자면, 첫 번째 회계월 동안 일반 시장을 통한 판매 수익은 커미션 제외 총 702크로나고, 경매사를 통한 수입은 커미션 제외 총 27만 3천 크로나야. 소요 경비는 시비크 시장을 갈 때의 교통비로, 전부 해서 650크로나밖에 들지 않았어.」

따라서 첫 번째 회계월에 도공이 올린 순수입은 52크로나에 불과했다. 심지어는 그조차도 그룹의 두 계열사가 거둔 실적들 간에 큰 차이가 있다는 사실을 이해했다. 다른 한편으로, 부코프스키 경매는 너무 자주 이용할 수 없었다. 만일 첫 번째 한 대 거위가 낙찰된 지 얼마 되지도 않았는데 두 번째 거위가 튀어나온다면, 진품 인증서의 질이 아무리 훌륭하다 해도 얼마 안 가서 경매 회사는 의심을 품게 될 거였다. 따라서 그쪽으로는 일 년에 한 번 정도가 적당했다. 그것도 중국으로 돌아가기 직전의 명의 제공자가 나타날 경우에만 해야 했다.

자매들과 미국인은 첫 번째 달 수익의 일부분을 중고 승합차를 사는 데 투자했고, 〈시장가〉는 99크로나로 조정했다. 도공은 그 이상은 안 된다고 버텼다. 반면 그는 회사 카탈로그에 그의 개인적인 컬렉션인 〈네이팜옐로 사이공〉을 추가했다. 이 모든 활동들은 — 부코프스키 경매사가 다시 작품을 받아들일 준비가 될 때까지는 — 그들에게 매달 1만 크로나의 수입을 안겨 주었다. 그룹 전체가 살아가기에 충분하고도 남는 돈이었다. 하기야 집세도 낼 필요가 없는 그들이었으므로.

13

감동적인 재회와
자신의 별명대로 된 남자

프레드스가탄 가 5번지의 주민 중 하나가 갑자기 사망하게 되기까지는 아직 얼마간의 시간이 남아 있던 때였다.

홀예르 1은 택시헬리콥터 사에서 행복한 시간을 보내고 있었다. 그는 그가 맡은 직무, 다시 말해서 전화받는 일과 커피 끓이는 일을 아주 훌륭하게 해냈다. 게다가 그는 때때로 회사의 헬리콥터 세 대 중 하나를 타고 비행 실습을 할 수 있었고, 그때마다 국왕을 납치한다는 자신의 목적에 한 걸음씩 다가가고 있다고 믿었다.

그가 이러고 있을 때, 그의 여친 휘발유녀는 훔친 번호판을 단 트럭을 몰고 스웨덴 전역을 누비고 다니면서, 언젠가는 교통 검문에 걸리리라는 희망으로 늘 유쾌한 기분을 유지하고 있었다.

세 중국 자매와 미국인 도공은 이 시장 저 시장을 돌아다니며 99크로나짜리 골동품을 팔았다. 처음에는 그들이 미덥지 않아 항상 따라다녔던 놈베코는 어느 정도 안심할 수 있다고 느낀 후부터 집에 남아 있는 일이 많아졌다. 시장에서 판매되는 것 외에도, 부코프스키 경매사는 대략 일 년에 한 번 꼴로 한대의 새 골동품에 속아 넘어갔는데, 그것은 경매에서도 쉽게 팔려 나갔다.

자매들의 계획은 돈을 얼마간 모으면 승합차에 도기 작품을 가득 싣고 스위스의 삼촌을 찾아간다는 거였다. 아니면 내친 김에 돈을 많이 벌어 볼 생각도 있었다. 이제는 더 이상 급하지 않았던 것이다. 이 나라(이름이 뭐든 무슨 상관?)도 꽤나 짭짤하고 게다가 재미있잖아?

도공의 강박증은 이제 세 자매에게로 집중되었고, 그에 따라 발작 빈도가 현저히 줄어들었다. 예를 들어 그는 매달 한 번씩 숨겨진 도청 마이크를 찾는답시고 작업장을 발칵 뒤집어 놓았다. 하지만 찾아내지 못했다. 아무것도 없었다. 한 번도 없었다. 참으로 이상한 일이었다.

1991년의 총선이 열렸고, 〈이 개떡 같은 세상을 부숴 버려!〉 당은 이번에도 한 표를 획득하였으나 무효 처리되었다. 스웨덴은 수상이 바뀌었고, 마침내 홀예르 2는 아마도 당사자는 원하지 않겠지만 그래도 받지 않으면 안 되는 어떤 물건을 선물하기 위해 새 수상에게 전화를 걸 수 있게 되었다. 불행히도 칼 빌트는 이 선물을 받아들이거나 사양할 기회를 갖지 못했으니, 그의 보좌관이 어떤 전화를 수상에게 연결하고 어떤 전화를 연결하지 말아야 할지에 대해 그의 전임자와 같은 시각을 갖고 있었기 때문이다. 하여 이번에는 국왕에게 다시 한 번 시도를 해봤지만, 4년 전과 같은 왕실 비서관이 같은 답변을 주었다. 게다가 그 어조는 전보다도 더욱 거만해져 있었다.

놈베코는 홀예르가 폭탄을 수상 외에는 아무에게도 넘기지 않으리라 굳게 마음먹고 있다는 것을 알고 있었다. 어쩌다 인연이 닿는다면, 국왕은 예외겠지만.

하지만 4년이 지나고, 또 한 차례의 정권 교체도 겪고 나서 그녀는 비로소 깨달았다. 소동을 벌이지 않고 수상에게 접근할 수 있으려면 뭔가 중요한 인물이어야 했다. 예를 들어, 어떤 나라의 국가원수거나 3~4만 명의 직원을 거느린 대기업 총수 같은 사람이어야 했다.

혹은 유명한 예술가여야 했다. 그해, 〈카롤라〉라는 이름의 스웨덴 여자가 폭풍에 관한 노래를 불러서, 전 세계에 중계된 노래자랑대회에서 우승을 했다.[22] 놈베코는 그녀가 그 후 수상을 만났는지는 알 수 없었지만, 어쨌든 수상은 그녀에게 전보를 한 통 보냈다고 한다.

아니면 스포츠 스타도 가능할 거였다. 그 비욘 보리라는 사람은 한창 전성기를 구가하던 시절에는 원하면 언제든 수상이나 국왕을 만나 볼 수 있었을 거였다. 어쩌면 지금도 그럴 거였다.

어쨌든 뭔가 중요한 사람이어야 했다. 다시 말해, 홀예르 2는 전혀 아니었다. 그리고 놈베코 자신은 한낱 불법 체류자였다.

하지만 다른 면에서 볼 때, 4년 전부터 놈베코는 더 이상 전기 울타리 안에 갇힌 신세가 아니었고, 앞으로도 이런 상태가 계속되기를 간절히 바라고 있었다. 그래서 그녀는 자신이 지

---

22 1991년 로마에서 열린 〈유로비전 송 컨테스트〉에서 〈폭풍우에 휩싸여 *Fångad av en stormvind*〉로 대상을 수상한 카롤라 핵비스트Carola Häggkvist를 말함.

역 도서관의 장서를 매주 한 시렁씩 섭렵해 가는 동안, 폭탄이 얼마간 더 창고에 놓여 있어야 한다면, 그건 어쩔 수 없는 일이라고 생각하게 되었다.

한편, 흘예르 2는 사업을 확장하여, 호텔 납품용 목욕타월과 비누도 취급하게 되었다.

베개와 목욕타월과 비누는 그가 아버지로부터 멀어지기를 갈망했던 소년 시절에 꿈꿨던 것이라곤 할 수 없지만, 당장은 현실에 만족하며 사는 수밖에 다른 도리가 없었다.

1993년의 초가을, 백악관과 크렘린 궁에는 만족의 기운이 가득했다. 얼마 전에 미국과 소련은 두 초강대국의 핵무기의 규제를 위한 상호 협력에 있어서 또 한 단계를 넘어선 바 있었다. 그리고 이번에는 〈스타트2〉 협정을 통해 추가적인 핵 감축에 동의했던 것이다.

조지 부시와 보리스 옐친은 이제 지구가 한층 안전한 장소가 되었다고 믿었다.

하지만 그들은 그네스타에 와본 적이 없었다.

같은 해 여름, 세 중국 자매가 스웨덴에서 돈벌이를 계속할 수 있는 가능성은 점점 줄어들었다. 모든 것은 쇠데르셰핑의 한 화상(畵商)이 한대의 진품 거위상이 이 나라의 모든 시장에서 팔리고 있다는 사실을 발견하면서부터 시작되었다. 그는 거위상 열두 점을 구입하여 스톡홀름의 부코프스키 경매사에 가져갔다. 그는 한 점당 22만 5천 크로나를 원했다. 대신 그에게 떨어진 것은 두 손목에 채워진 수갑과 감방이었다. 지난 5년 동안 판매된 다섯 점에다, 또다시 무더기로 등장한 열두 점의 거위는 더 이상 신뢰를 받기 힘들었던 것이다.

이 사기 사건은 신문에 보도되었고, 기사를 읽은 놈베코는 즉시 중국 자매들에게 상황을 알렸다. 이제 그들은 명의 제공자가 있든 없든 간에, 부코프스키 사에는 얼씬도 하면 안 된다고 경고하면서.

「왜 안 된다는 거지?」 그 어떤 일에서고 위험을 눈곱만큼도 감지하지 못하는 막내가 놀라며 물었다.

놈베코는 지금 이 단계에서 이해하지 못하는 사람은 더 설명해 줘도 이해하지 못한다고 대답했다. 언니들은 더 이상 군말하지 말고 시키는 대로만 해!

자매들은 이제 그들의 사업을 접어야 할 때가 되었음을 느꼈다. 이미 돈도 꽤 모아 놓았고, 미국인 도공의 가격 정책으로는 더 벌 가능성이 희박하기도 했다.

하여 그들은 방금 따끈따끈하게 구워 낸 기원전의 도기 골동품 260점을 승합차에 꽉꽉 채워 넣고 놈베코와 마지막 포옹을 나눈 다음, 외삼촌 쳉타오의 골동품 사업을 돕기 위해 스위스를 향해 출발했다. 그들이 가져간 골동품 거위는 점당 4만 9천 달러에, 말은 7만 9천 달러에 판매할 예정이었다. 또 너무 심하게 망쳐졌기 때문에 희귀한 물건으로 간주될 수 있는 것들은 가격이 16만 달러 내지 30만 달러 사이에 책정되었다. 중국 아가씨들이 이러고 있는 사이, 미국인 도공은 그가 제작한 동일한 아이템을 점당 39크로나에 팔려고 다시 스웨덴의 시장들을 전전하기 시작했다. 더 이상 가격을 타협할 필요가 없음에 너무도 행복해하면서.

이별의 순간에 놈베코는 자매들에게, 골동품들은(특히나 문

외한들에게는) 무척이나 오래되었고 아름답기 때문에 그들이
책정한 가격은 합리적이라고 말했다. 하지만 이 방면에 있어서
스위스 사람들은 스웨덴 사람들만큼 어수룩하지 않으므로 진
품 인증서를 대충 만들어서는 안 될 거라고 충고했다. 이에 만
이는 그런 걱정은 안 하셔도 된다고 대꾸했다. 그들의 외삼촌
은 누구나처럼 몇 가지 결점이 있긴 하지만, 위조 인증서를 만
드는 기술에 있어서만큼은 세상에서 따를 자가 없단다. 그런
데 이분이 한번은 바로 그 일 때문에 영국에서 감옥살이를 하
신 적이 있었단다. 그 빌미를 제공한 것은 런던의 지독하게 솜
씨 없는 어떤 작자로, 그가 제작한 진짜 인증서들이 얼마나 형
편없었던지 쳉타오 외삼촌이 만든 가짜 인증서가 지나치게 완
벽한 것으로 보이게 되었단다. 스코틀랜드 야드[23]의 후각 예민
한 수사관들은 진짜 인증서가 위조품이라고 확신하고는 런던
의 그 얼간이를 감옥에 처넣었단다. 그리고 석 달 후에야 자기
들의 실수를 알아챈 그들은, 가짜 진품 인증서가 사실은 가짜
가 아니며, 쳉타오의 진짜가 가짜라는 사실을 알게 되었단다.

쳉타오는 이 일에서 큰 교훈을 얻었단다. 이후 그는 그의 작
업이 너무 완벽해지지 않도록 주의를 기울이고 있단다. 가치
를 높이기 위해 말들의 한쪽 귀를 깨뜨리는 질녀들처럼 말이
다. 자매들은 놈베코에게 모든 게 잘될 거니까 너무 걱정하지
말라고 안심시켰다.

「그런데 영국이라고 했어?」 놈베코가 이렇게 물은 것은 무
엇보다도 자매들이 영국과 스위스를 제대로 구별하며 말하는

23 영국 런던 경찰국의 별칭.

건지, 확실치가 않았기 때문이다.

아, 그건 벌써 오래된 이야기란다. 그들의 삼촌은 감옥살이를 하면서 한 스위스 사기꾼과 한방을 썼는데, 그는 얼마나 솜씨가 좋았던지 쳉타오 삼촌보다 두 배나 되는 형기를 때려 맞았단다. 따라서 스위스인은 당분간 신분증이 필요 없었을 것이므로 고맙게도 그걸 자신에게 빌려 주었다……고 생각한 삼촌은 그걸 잘 챙겨 놓았단다. 이는 쳉타오 삼촌이 누군가에게서 무언가를 빌릴 때 늘 사용하는 방법이었단다. 어쨌든 삼촌이 석방된 날, 경찰관들이 벌써 교도소 문 앞에서 기다리고 있었단다. 그들은 그를 라이베리아로 돌려보낼 생각이었단다. 왜냐하면 그가 영국에 오기 전 거기에 있었기 때문인데, 알고 보니 이 중국인은 아프리카 출신이 아니라 스위스 출신이었단다. 그리하여 그들은 삼촌을 라이베리아 대신 바젤로 돌려보냈단다. 가만, 그게 본이었던가……? 아님 베를린이었던가……? 아무튼 그를 스위스로 보냈단다.

「또 보자, 놈베코!」 자매들은 이시코사어 중에서 그들이 아직 잊지 않은 몇 안 되는 단어로 작별을 고했다.

「주하오(祝好)!」 놈베코는 출발하는 승합차에 대고 소리쳤다. 「언니들, 행운을 빌어!」

자매들이 떠나가는 것을 보면서 놈베코는 잠시 계산을 시도해 보았다. 바젤과 베를린을 제대로 구별하지 못하는 세 중국계 불법 난민이 고물 승합차를 타고 유럽 대륙을 가로질러 스위스에 이르고, 또 그 나라에 들어가 그들의 삼촌을 찾아낼 확률은 과연 얼마나 될까? 도중에 아무에게도 붙잡히지 않고서 그리될 수 있는 확률 말이다.

놈베코는 그 후 세 자매를 다시는 보지 못하였으므로, 그들이 자기들이 찾는 나라가 나올 때까지 무조건 직진하기로 결정했다는 사실을 알지 못하였다. 그들이 판단하기에, 어딜 가나 이해할 수 없는 표지들만 보이는 상황에서는, 무조건 직진하는 것만이 유일하게 현명한 행동이었다. 또 놈베코는 스웨덴 번호판을 단 차량이 유럽의 여러 국경들을(오스트리아-스위스 국경을 포함하여) 아무 문제없이 통과했다는 사실도 알지 못하였다. 또 자매들이 스위스 땅에 들어가 처음 한 일은 가장 가까운 중국 음식점을 찾아가 주인장에게 혹시 쳉타오 씨를 아느냐고 물은 거였다는 사실도 알지 못하였다. 주인장은 그를 알지 못했지만, 어쩌면 그를 알지도 모르는 누군가를 알고 있었고, 또 이 누군가가 알고 있는 누군가는 자기 동생의 집에 세 든 사람의 이름이 어쩌면 쳉타오일지도 모르겠다고 알려 주었다. 이리하여 중국 자매들은 바젤 근교의 한 마을에서 정말로 그들의 외삼촌을 찾아냈다. 그들의 재회는 참으로 감동적이었다.

놈베코로서는 상상도 할 수 없는 일들이었다.

프레드스가탄 가에서 홀예르 2와 놈베코는 서로 떨어질 수 없는 사이가 되었다. 놈베코는 홀예르가 옆에 있기만 해도 행복해진다는 걸 깨달았다. 또 홀예르는 홀예르대로 그녀가 입을 열 때마다 무한한 자부심을 느꼈다. 그녀는 세상에서 가장 총명한 여자였다. 또한 가장 아름다운 여자이기도 했다.

홀예르와 놈베코는 창고의 베개들 가운데서도 꿈을 잃지 않으며, 아이를 갖기 위해 애를 쓰고 있었다. 임신으로 인해 갖가지 복잡한 일들이 초래될 수도 있었지만, 노력에도 불구하고 아이가 생기지 않자 그들의 좌절감은 갈수록 커져 갔다. 마치 아기가 태어나면 지금의 수렁에서 빠져나올 수 있기라도 한 듯이 말이다.

그다음 단계는 모든 것을 폭탄 탓으로 여기는 것이었다. 이 폭탄만 없애 버리면 곧바로 아기가 생길 것 같았다. 그들은 이성적으로는 원자폭탄과 임신 간에 직접적 관계가 없음을 잘 알고 있었지만, 이 일에 있어서만큼은 점점 더 감성적으로 되어 갔다. 예를 들어, 그들은 매주 한 번씩 핑크빛 활동의 무대를 도기 공장으로 옮겼다. 새로운 장소에는 새로운 가능성이 있지 않을까? ……없으면 할 수 없지만.

놈베코가 이제는 입지 않는 재킷의 안감 속에는 여전히 스물여덟 개의 다이아몬드가 들어 있었다. 첫 번째 시도가 실패로 끝나고 나서, 놈베코는 보석을 팔려고 돌아다니는 일에 내포된 위험에 자신과 다른 사람들을 노출시키려 하지 않았다. 하지만 이제 그 생각이 다시 그녀를 유혹하기 시작했다. 만일 그들에게 큰돈이 생긴다면, 그 골치 아픈 수상에게 접근하는 새로운 길이 열릴 수도 있지 않을까? 이런 점에서 볼 때, 스웨덴이 절망적으로 깨끗한 나라라는 사실은 너무도 유감스러웠다. 그렇지만 않다면 뇌물을 적절히 사용하여 그들의 목적에 쉽게 도달할 수 있을 텐데 말이다…….

여기까지 얘기를 들은 홀예르는 묵묵히 고개를 끄덕였다. 놈베코의 마지막 말은 그렇게 나빠 보이지 않았다. 그는 그녀의 생각을 당장 실험해 보기로 했다. 그는 보수당의 전화번호를 찾아내어 전화를 걸었다. 먼저 자신의 이름을 밝힌 다음,

자신은 보수당에 2백만 크로나를 기부할 생각이 있는바, 그 조건은 자기가 당의 지도자인 — 동시에 정부의 수반이기도 한 — 이를 독대하는 거라고 말했다.

당의 지도부는 관심을 보였다. 물론 그들은 칼 빌트와의 만남을 주선해 줄 수도 있단다. 하지만 먼저 홀예르 씨 자신이 누구이며, 원하는 게 무엇인지를 밝히고, 성명, 주소, 전화번호 등 신상 정보를 상세히 알려 달란다.

「전 익명으로 남고 싶은데요.」 홀예르는 한번 버텨 봤다.

그러자 대답하기를, 그건 가능한 일이지만, 정부 수반이시기도 한 당의 지도자를 보호하기 위해서는 몇 가지 보안 조처가 꼭 필요하단다.

홀예르 2는 재빨리 머리를 굴려 봤다. 자신의 이름은 홀예르 1이고, 현재 블라케베리에 거주하며, 브롬마의 택시헬리콥터 사에 근무하고 있다고 주장할 수도 있지 않을까?

「그럼 수상님을 만나 볼 수 있는 건가요?」

지도부는 확실한 것은 약속할 수 없지만, 여하튼 최선을 다하겠노라 대답했다.

「그럼 저는 2백만 크로나를 기부하는 대가로…… 그분을 어쩌면 만나게 될 수도 있다는 얘긴가요?」

대략 그렇단다. 홀예르 씨가 잘 이해하셨단다.

아니, 이 홀예르 씨는 전혀 이해가 되지 않았다! 수상 한번 만나는 게 이토록이나 어렵다는 사실에 좌절한 그는 보수당은 남의 돈을 사취하고 싶으면 다른 사람을 찾아볼 것이며, 다음 번 선거 때는 최대한 재수가 없기를 바란다고 저주를 퍼붓고는 전화를 끊어 버렸다.

연인이 이러고 있는 동안 놈베코는 생각에 잠겨 있었다. 수상이 스물네 시간 내내 수상실에 앉아 있는 것은 아니었다. 그도 여기저기 돌아다니며 사람들을 만난다. 국가원수나 장관 같은 이들을…… 또 그는 가끔씩 텔레비전에 나오기도 하고, 진보 쪽이나 보수 쪽의 기자들 앞에서 자신의 생각을 밝히기도 한다. 주로 보수 쪽 기자들 앞인 경우가 많지만.

홀예르나 놈베코가 어떤 나라의 국가원수가 될 가능성은 별로 없다고 봐야 했다. 반면 (물론 이것도 그렇게 만만한 일은 아니었지만) 정부 기관에서 어느 정도의 직위에 오르는 것은 보다 쉬워 보였다. 이를 위해서는 홀예르가 먼저 학위를 따야 했다. 그는 홀예르 1의 이름으로 공부를 계속할 수 있었다. 수상에게 접근할 수 있게 해주는 것이라면 전공은 무엇이든 좋았다. 그렇다면 먹고사는 문제는? 놈베코의 재킷 속에 들어 있는 재산을 현금화할 수만 있다면 베개, 목욕타월, 비누 장사는 더 이상 필요하지 않을 거였다.

홀예르는 놈베코의 제안을 곰곰이 생각해 봤다. 정치학? 경제학? 대학에서 몇 년을 보내야 하고, 공부를 마친다 해도 어떤 결과가 보장되는 것은 아니었다. 하지만 이거라도 안 한다면? 지금 이 상태로 죽는 날까지 가야 했다. 아니면 그의 쌍둥이 형제가 자신은 결코 헬리콥터 조종법을 배울 수 없다는 걸 깨닫게 되는 날까지, 혹은 휘발유녀가 아무리 애써도 경찰 검문을 당하지 않는 데에 지쳐 버리는 날까지 계속 이런 나날을 보내고 있어야 했다. 저 맛이 간 미국인이 그 전에 무슨 일을 저지르지 않는다면 말이다…… 더욱이 상급 학교에 진학하여 공부를 계속하는 것은 자신이 늘 품어 온 꿈이 아니었던가. 놈베코는 우리에겐 아이는 없지만 적어도 계획이 하나 생겼지 않느냐고 말하며 홀예르를 끌어안았다. 두 사람은 가슴에 작은 희망이 이는 것을 느꼈다.

이제 남은 것은 다이아몬드를 파는 확실한 방법을 찾아내는 일이었다.

어떻게 하면 믿을 만한 보석상을 만날 수 있을까를 계속 궁리하던 놈베코는 우연히 그 해결책을 찾아냈다. 그것은 그네스타 도서관 앞의 보도에서였다.

그의 이름은 안토니오 수아레스였다. 1973년에 칠레에서 쿠데타가 일어났을 때, 가족과 함께 스웨덴으로 건너온 정치 난민이었다. 하지만 주위에서 그의 이름을 아는 사람은 거의 없었다. 사람들은 그를 〈보석상〉이라고 불렀는데, 사실 그는 전혀 보석상이 아니었다. 하지만 한때 그네스타 유일의 보석점에서 조수로 일하면서, 자기 형으로 하여금 보석점을 털 수 있도록 도와준 일은 있었다.

보석털이는 성공리에 끝났지만, 다음 날 그의 형은 너무도 기쁜 나머지 혼자서 술을 너무 많이 마셨다. 만취 상태로 운전석에 오른 그는, 너무 빠른 속도로, 그리고 다소 삐뚤삐뚤하게 차를 몰았던 관계로 한 순찰차에게 걸렸다.

로맨틱한 감성의 소유자였던 형은 대뜸 여경의 풍만한 가슴을 예찬하기 시작하다가 코에 라이트스트레이트 한 방을 얻어맞았다. 그 즉시 그는 맹렬한 사랑에 사로잡혔다. 세상에 성깔 있는 여자보다 매력적인 게 또 있을까? 그는 성질이 난 여경이 내민 알코올 농도 측정기를 한쪽에다 점잖게 내려놓은 후, 시가 20만 크로나짜리 다이아몬드 반지를 호주머니에서 꺼내어 그녀에게 청혼했다.

기대했던 〈네, 좋아요!〉라는 대답 대신, 그는 손목에 수갑이 철컥 채워져 가장 가까운 곳에 있는 감방에 처넣어졌다.

모든 게 너무 급했던 남자는 다 불었고, 그 동생은 다 부인했지만 결국은 형을 따라 철창 속으로 들어가게 되었다.

「전 이분을 태어나서 한 번도 본 적이 없습니다!」 그는 카트리네홀름 법원의 검사에게 엄숙히 선언했다.

「하지만 이 사람은 당신의 형이잖소?」

「네, 맞습니다! 근데 전 이분을 한 번도 본 적이 없습니다!」

하지만 검사는 두 형제가 아기였을 때부터 같이 찍은 사진들을 비롯하여, 피고의 주장이 거짓말임을 입증하는 단서를 몇 가지 갖고 있었다. 그들이 그네스타의 같은 주소지에 등록되어 있다는 사실은 가중정상(加重情狀)을 구성했고, 그들의 공동 옷장에서 장물의 대부분이 발견되었다는 사실 또한 마찬가지였다. 게다가 그들의 양심적인 부모는 그들에게 불리하게 증언했다.

이 사건 이후로 〈보석상〉이라는 별명을 얻게 된 사내는 공범인 형과 함께 할 교도소에서 4년을 복역했다. 그러고 나서 형은 칠레로 돌아갔고, 가짜 보석상은 볼리비아에서 수입한 싸구려 장신구 따위를 팔며 근근이 살아갔다. 그의 계획은 돈이 백만 크로나가 될 때까지 저축하여, 그 돈을 가지고 타이로 가서 산다는 거였다. 그와 놈베코는 시장 광장에서 여러 번 마주친 적이 있었다. 서로 긴 대화를 나눈 적은 없었지만, 지나가며 목례 정도는 주고받는 사이였다.

스웨덴의 시장을 찾는 사람들은 비록 속은 플라스틱이긴 하지만 반짝반짝 빛나는 볼리비아 은(銀) 하트의 가치를 제대로 알아보지 못하는 것 같았다. 2년 동안 뼈 빠지게 일한 칠레인은 마침내 우울증에 빠졌고, 이 모든 삶이 결국은 똥덩이일 뿐이라고 생각하게 되었다(전적으로 맞는 생각이었다). 그는 목적했던 백만 크로나 중에서 12만 5천을 모았을 뿐이지만, 더이상 계속해 나갈 힘이 없었다. 이렇게 실의에 빠진 상태에서 그는 어느 토요일 오후에 솔발라 경마장으로 가서는 가진 돈을 몽땅 털어 마권을 샀다. 돈을 다 잃어버리고서 홈레요르덴 공원의 벤치에 자빠져 누워서는 그대로 뒈져 버릴 생각이었다.

　그런데 그가 배팅한 말들은 (지금까지 한 번도 그런 적이 없었던 녀석들이) 모두가 제대로 뛰어 주었고, 그렇게 경주가 끝난 후에 순위를 모두 맞힌 사람은 단 한 명으로 그는 상금으로 총 3670만 크로나를 획득했다. 즉석에서 받은 현금만 해도 20만 크로나에 달했다.

　보석상은 공원 벤치에 자빠져 뒈지리라는 생각은 당장에 집어치우고, 대신에 한번 인사불성이 되도록 마셔 보리라 작정하고는 카페 오페라로 향했다.

　이 일에 있어서 그는 기대 이상의 성공을 거뒀다. 다음 날 오후에 깨어난 그는 팬티와 양말만 걸친 벌거숭이 상태로 스톡홀름 슬루센의 힐튼호텔 스위트룸에 누워 있는 자신을 발견했다. 엉덩이를 팬티로만 간신히 가리고 있는 꼬락서니는 어젯밤의 단독 파티가 썩 유쾌하지만은 않았다는 사실을 암시해 주었지만, 기억이 전혀 없는 관계로 뭐라 단언할 수는 없었다.

　그는 룸서비스를 불러 아침 식사를 주문했다. 샴페인을 반주 삼아 스크램블드에그를 삼키면서 그는 앞으로의 인생을 설계했다. 타이 이주 계획은 집어치웠다. 그는 스웨덴에 남아, 이번에는 진짜 기업을 하나 경영할 생각이었다.

다시 말해 보석상이 될 것이었다.

그는 순전히 복수하겠다는 마음으로, 전에 조수로 일했고 나중에는 절도를 모의했던 보석점 바로 옆에다 자신의 상점을 열었다. 그네스타는 그네스타였고, 이 조그만 소읍에 보석점은 하나로 충분했기 때문에 그는 여섯 달도 안 되어 자신의 전 고용주를 파산시킬 수 있었다. 놈베코가 다이아몬드를 들고 찾아갔을 때 경찰을 부르려 했던 바로 그 사람을 말이다.

1994년 5월의 어느 날, 자신의 가게로 향하고 있던 보석상은 도서관 앞에서 한 흑인 여자와 마주쳤다.

「보석상 아니에요?」 놈베코가 반갑게 외쳤다. 「정말 오랜만이네요! 그래, 요즘은 어떻게 지내죠?」

어디서 본 적이 있는 것 같은 여자였다. 하지만 어디였더라? 아, 맞아! 그 맛이 간 미국인과 도무지 종잡을 수 없는 세 중국 여자와 함께 시장을 돌아다니던 그 아가씨!

「잘 지내요. 이를테면 난 볼리비아제 플라스틱 은 하트를 진짜 보석과 바꿨다고 할 수 있죠. 요즘 시내에서 보석점을 운영 중이거든요.」

놈베코로서는 굉장한 소식이 아닐 수 없었다. 갑자기, 그리고 전혀 예상치 못한 방식으로 스웨덴 귀금속 업계에 아는 사람이 나타난 것이다. 금상첨화로 이 사람은 윤리 의식이 매우 희박한, 아니 윤리 의식이 전혀 없는 인물이었다.

「와우, 너무 잘됐네요!」 그녀가 환성을 터뜨렸다. 「우리, 거래를 좀 해보지 않을래요? 내가 말이에요, 다이아몬드 원석이 몇 개 있는데 그걸 현금으로 바꾸고 싶걸랑요.」

보석상은 하느님께서 정하신 길들은 정말이지 인간의 머리로는 이해할 수 없다고 생각했다. 그는 신께 여러 차례 기도를 드린 바 있지만, 한 번도 응답받은 적이 없었다. 그리고 그 부도덕한 도둑질은 하느님의 마음을 상당히 언짢게 해드렸을 터였다. 한데 이게 웬일인가? 지금 주님께선 그의 머리 위로 금은보화를 소낙비처럼 부어 주고 계시지 않은가!

「난 다이아몬드 원석에 대해 아주 관심이 많아요. 가만있자, 이름이…… 놈베코 양이라고 하셨던가?」

지금까지 그의 사업은 계획대로 진행되지 않았다. 하지만 하늘이 허락하신 이 만남 덕분에, 그는 또다시 자신의 가게를 털려는 계획을 내려놓을 수 있게 되었다.

그로부터 석 달 후, 스물여덟 개의 다이아몬드는 각자 새 주인을 찾게 되었다. 대신 놈베코와 홀예르는 지폐로 빵빵하게 채워진 배낭 하나를 받았다. 무려 1960만 크로나나 되는 돈이었다. 거래가 이렇게 은밀하게 이뤄지지 않았더라면 15퍼센트는 더 받았을 것이나, 홀예르가 항상 말했듯이 1960만 크로나는 1960만 크로나였다.

그는 가을 학기 대학 입학시험에 응시했다. 태양은 찬란하게 빛나고 새들은 즐거이 지저귀고 있었다.

제4부

삶이 반드시 순탄해야 할 필요는 없다.
그 안에 어떤 알맹이가 들어 있기만 하다면.

– 리즈 마이트너

14
반갑지 않은 손님과
갑작스러운 죽음

1994년 봄, 남아프리카공화국은 핵무기를 개발했다가 스스로 포기한 전무후무한 나라가 되었다. 핵무기 폐기 작업은 소수 백인들이 흑인들에게 정권을 양도하기 직전에 시작되었다. 해체 작업은 여러 해가 걸렸고, 그 과정을 감시한 국제 원자력기구는 모든 것이 종료되었을 때 남아프리카공화국의 핵탄두 6기는 더 이상 존재하지 않는다고 공식 선언했다.

반면, 그 존재가 알려지지 않은 일곱 번째 폭탄은 여전히 존재했다. 게다가 그것은 머지않아 다시 움직이게 될 거였다.

모든 것은 휘발유녀가 아무리 애를 써도 경찰 검문을 당하지 않는 데에 슬슬 지쳐 가고 있을 때 시작되었다. 그녀는 속도 제한을 준수하지 않았고, 백색 선이 이어진 곳에서 추월했으며, 건널목을 지나는 조그만 노파들에게 요란하게 경적을 울렸다. 하지만 몇 년째 이러고 있는데도 경찰은 코빼기도 비치지 않았다. 이 나라에는 똥이나 처먹어야 마땅한 경찰관들이 무수히 존재했으나, 셀레스티네는 그들 중 단 한 명에게도 그렇게 말해 줄 기회를 갖지 못하였다.

〈*Non, je ne regrette rien*〉을 부를 수 있는 전망은 아직도 너무 매력적이었지만, 어느 날 아침에 잠에서 깨어나 자신도 어느덧 시스템의 일부가 되어 버린 것을 깨닫는 끔찍한 일이 일어나기 전에 뭔가가 일어나야 했다. 더구나 며칠 전에는 홀예르 2까지도 대형트럭 면허를 취득하는 게 좋지 않겠느냐고 슬며시 떠보는 게 아닌가?

그녀는 너무도 좌절한 나머지 홀예르 1에게 달려가, 이제는 타격을 가할 때가 되었다고 선언했다.

「타격을 가해?」

「그래! 이 썩어 문드러진 시스템에 발길질을 한번 날려 주자고!」

「구체적으로 무슨 생각을 하는 건데?」

휘발유녀는 당장은 정확히 말해 줄 수 없었다. 그녀는 가까운 상점으로 달려가, 그 똥이나 다름없는 부르주아 신문인 「다엔스 뉘헤테르」를 한 부 사왔다. 가진 놈들을 위한 정치 선전으로만 채워진 형편없는 일간지였다. 아, 개떡 같아! 이 냄새나는 걸 펼쳐야 하다니!

그녀는 신문을 조금 뒤적거려 봤다. 그리고 조금 더 뒤적거려 봤다. 분노 지수를 상승시키는 정보를 무수히 발견했지만, 그녀를 완전히 폭발하게 만든 것은 17면에 실린 코딱지만 한 기사였다.

「이거!」 그녀는 꽥 소리쳤다. 「이거, 이거! 이건 도저히 그냥 넘어갈 수 없어!」

일간지의 설명에 따르면, 스웨덴민주당[24]이 다음 날 스톡홀름의 세르옐 광장에서 시위를 벌일 예정이라는 거였다. 약 3년 전의 총선에서 이 당은 약 0.09퍼센트의 표를 획득했는데, 휘발유녀가 느끼기로는 이것도 너무 많은 숫자였다. 그녀는, 과거에 나치였던 자가 이끄는 이 당은 추악한 인종주의자들로 이루어져 있으며, 이들은 왕실이라면 환장을 하는 인간들이라고 남친에게 설명해 주었다.

또 휘발유녀는 스웨덴민주당에게 필요한 것은…… 무엇보다도 그들에 대한 화끈한 반대 시위라고 덧붙였다.

이 당이 국왕과 왕비에 환장을 한다는 설명에 홀예르 1의 가슴에는 거대한 노여움이 일었다. 그래! 그 오랜 세월 동안 외로운 투쟁을 벌였던 아빠 잉마르의 위대한 정신을 천하 만민에 고취할 수 있게 되었으니, 이 얼마나 기쁜 일인가!

「어차피 내일 난 근무가 없어!」 그가 대답했다. 「자, 그네스타에 가서 준비를 하자!」

그렇게 손팻말을 만들고 있는 홀예르 1과 휘발유녀의 모습이 놈베코의 눈에 띄었다. 거기엔 이런 문구들이 쓰여 있었다. 〈스웨덴민주당은 스웨덴을 떠나라!〉, 〈왕실을 타도하자!〉, 〈국왕을 달나라로 보내자!〉, 〈스웨덴민주당은 천치 집단이다!〉

이 극우 정당에 대해 약간 읽어 본 바 있는 놈베코는 고개를 주억거렸다. 하지만 그녀가 경험한 바로는 나치 전력이 반드시 정치 활동에 방해가 되는 것은 아니었다. 제2차 세계 대전 이후 남아프리카공화국 수상들 대부분이 바로 이 나치 혈통이

---

24 1988년에 설립된 스웨덴의 극우 정당.

아니었던가? 스웨덴민주당은 지난 총선에서 불과 0.09퍼센트의 표를 획득하는 데 그쳤다고는 하지만, 그들은 국민들에게 공포심을 불어넣는 수사법을 사용하고 있었고, 이 공포 전략은 지금까지 늘 그래 왔듯이 앞으로도 쭉 통할 거라는 게 놈베코의 생각이었다.

따라서 놈베코는 〈스웨덴민주당은 천치 집단이다!〉라는 문구에는 전적으로 동의할 수 없었다. 실제로는 나치이면서 공식적으로는 나치가 아니라고 주장하는 것은 오히려 상당히 영리한 행동이 아닌가? 그녀는 두 반대 시위자에게 이 점을 지적했다.

그러자 휘발유녀는 맹렬히 반론을 펼치면서, 자기로서는 놈베코 본인이 나치로 의심된다고 말했다.

놈베코는 손팻말 제작장을 나와 홀예르 2를 찾아가 말했다. 이제 아주 골치 아픈 일이 생길지도 모르겠다, 저 시한폭탄 홀예르 1과 그의 여친이 그들의 얼굴을 전국에 알리려 스톡홀름에 올라갈 채비를 하고 있다…….

「아, 잘들 해보라고 해!」 홀예르는 얼마나 큰 재앙이 기다리고 있는지도 모르고 얼굴을 찡그리며 손을 내저었다.

스웨덴민주당 시위의 주요 연사는 당수 자신이었다. 그는 얼기설기 세워 놓은 연단에 마이크를 들고 서서는 스웨덴 고유의 가치와 그것을 위협하는 것들에 대해 열변을 토했다. 그는 무엇보다도 더 이상 이민자들을 받아들이지 말 것과, 1910년 11월 이후로 스웨덴에서 시행되지 않는 사형제를 부활시킬 것을 촉구했다. 그와 의견이 같은 50여 명의 사람들이 박수갈채를 보냈다. 그들 바로 뒤에는 분노로 이글거리는 한 젊은 아가씨와 그의 남자 친구가 아직 위장된 상태로 있는 손팻말을 들고 서 있었다. 그들의 계획은 자신들의 목소리가 소음에 묻히는 것을 피하기 위해 당수의 연설이 끝나는 즉시 반대 시위에 들어간다는 거였다.

그런데 셀레스티네는 단지 젊고 분노에 차 있을 뿐만 아니라, 이따금 화장실도 다녀와야 한다는 사실이 밝혀졌다. 그녀는 홀예르 1의 귀에 대고 광장 옆에 있는 문화회관 화장실에 금방 다녀오겠다고 속삭였다.

「그리고 나서 저 천치들에게 뜨거운 맛을 보여 주겠어!」 그녀는 이렇게 약속하고는 홀예르 1의 볼에 키스를 했다.

불행히도 연사는 얼마 안 있어 말해야 할 것을 다 말해 버렸다. 청중은 흩어지기 시작했다. 홀예르 1은 홀로 행동하지 않을 수 없게 되었다. 그는 손팻말을 덮은 종이를 떼어 내고 그 밑의 〈스웨덴민주당은 천치 집단이다!〉라는 메시지를 드러냈다. 사실 그는 〈국왕을 달나라로 보내자!〉가 더 마음에 들었지만, 셀레스티네가 좋아하는 이것으로 만족해야 했다.

메시지가 드러난 지 몇 초도 안 되어 스웨덴민주당의 두 젊은 당원이 그걸 보았다. 그들은 기분이 더러워졌다.

이 청년들은 둘 다 병가를 내고 나온 몸이었음에도 불구하고, 홀예르에게 득달같이 달려들어 손팻말을 빼앗아 산산조각을 내버리려 했다. 하지만 여의치 않자 둘 중 하나가 그걸 물어뜯어 해체하려 했는데, 거기에 쓰인 문구가 전혀 근거 없는 내용만은 아니었음을 시사하는 행동이었다.

기대했던 결과가 빨리 나타나지 않자, 다른 하나는 그걸 집어 들어 그것이 반으로 쪼개질 때까지 홀예르의 머리통을 후려치는 용도로 사용했다. 그러고 나서 두 청년은 지쳐 힘이 빠질 때까지 홀예르를 레인저 장화로 잘근잘근 밟았다. 홀예르는 목불인견의 꼬락서니가 되어 땅바닥에 널브러졌지만, 마지막 남은 힘을 끌어 모아 프랑스어로 〈*Vive la République*(공화국 만세)!〉라고 신음하듯 부르짖었고, 이를 두 청년은 또 한 번의 도발로 느꼈다. 그들이 이 외국어를 알아들어서가 아니라, 홀예르 1은 분명히 뭔가를 지껄였고, 뭔가를 지껄인 행위에는 또 한 번의 매질이 가해져야 마땅했기 때문이었다.

구타를 끝낸 청년들은 잔해를 치워 버리기로 결정했다. 그들은 홀예르 1의 머리칼과 한쪽 팔을 붙잡아 광장을 가로질러 지하철 입구까지 질질 끌고 갔다. 거기서 그를 지하철 입구 회전문 앞에 내동댕이친 다음, 추가적인 발길질로 구성된 제3차 구타에 들어갔다. 이제 저 지하철 속으로 기어 들어가 다시는 그 더러운 상판대기를 지상에 보이지 않는 게 좋을 거라는, 이제 거의 움직이지도 못하는 홀예르에게 준 무언의 경고였다.

「*Vive la République!*」 그야말로 피떡이 되었지만 패기만은 청청한 홀예르는, 〈좆같은 외국놈들!〉이라고 내뱉으며 멀어져 가는 청년들의 등에다 대고 두 번째로 부르짖었다.

얼마 안 있어 한 사람이 홀예르를 도우려 달려왔다. 요즘 한창 활개를 치고 있는 극우 정당들에 대한 다큐멘터리를 제작하기 위해 카메라맨을 대동하고 현장에 나온 〈스베리예스 텔레비전〉의 리포터였다.

리포터는 홀예르에게 당신은 누구이며, 어떤 단체를 대표하여 나왔느냐고 물었다. 희생자는 목불인견의 상태로 정신이 혼미한 중에서도, 자신은 블라케베리에 사는 홀예르 크비스트로, 군주정의 멍에 아래 신음하고 있는 이 나라의 모든 시민을 대표하노라고 밝혔다.

「그렇다면 공화주의자인가요?」

「*Vive la République!*」 4분 사이에 세 번째로 홀예르의 입에서 같은 구호가 터져 나왔다.

볼일을 마치고 문화회관에서 나온 휘발유녀는 홀예르가 보이지 않아 잠시 당황하다가, 지하철 입구에 군중이 모여 있는 것을 발견했다. 사람들을 헤치고 들어간 그녀는 리포터를 옆으로 밀치고는, 남친을 부축하여 지하철 안으로 들어가 교외선을 타고 그네스타로 돌아왔다.

만일 카메라맨이 이 모든 장면을 촬영하지 않았더라면 사건은 이걸로 끝났을 것이다. 더욱이 카메라맨은 땅바닥에 드러누운 홀예르가 병가를 내고 나왔지만 컨디션은 최상이었던 두 스웨덴민주당원의 등에 대고 〈*Vive⋯⋯ la⋯⋯ République⋯⋯!*〉라고 신음하는 순간에 그의 얼굴을 클로즈업하여 포착하는 데 성공했다.

구타 장면은 32초 분량으로 멋지게 편집되어 피해자 인터뷰 장면과 함께 이날 저녁 뉴스 프로그램인 〈라포르트〉에 방영되었다. 이 32초간의 구타 장면은 극적 효과가 얼마나 훌륭하게 살려졌던지, 방송사는 26시간 만에 세계 33개국에 방영권을 팔 수 있었다. 덕분에 얼마 안 있어 전 세계 10억 시청자는 홀예르 1이 늘씬하게 얻어맞는 모습을 감상할 수 있게 되었다.

다음 날 아침, 잠에서 깨어난 홀예르 1은 온몸이 부서질 듯

아팠다. 불행 중 다행으로 타박상뿐, 골절은 없었다. 하여 그는 출근하기로 결정했다. 오전에만 해도 헬기 두 대가 뜨기 때문에, 처리해야 할 서류가 꽤 많았던 것이다.

그가 5분 늦게 출근해 보니, 조종사 중의 하나이기도 한 그의 상관이 그냥 집에 들어가서 쉬라고 말했다.

「어제저녁에 자넬 TV에서 봤어. 어떻게 그렇게 얻어맞고도 이렇게 서 있을 수 있나? 그냥 집에 들어가서 푹 쉬어! 며칠 병가를 내라고, 이 사람아!」

그러고 나서 상관은 로빈슨66 헬기를 타고 칼스타드 방향으로 이륙했다.

「야, 이 미친놈아, 그런 상통을 하고 앉아 있으면 손님들이 다 도망가 버리겠어!」 두 번째 조종사는 이렇게 소리치고는 두 번째 로빈슨66을 몰고 예테보리 방면으로 날아갔다.

홀예르는 조종사가 없는 실로스키76 헬기 옆에 홀로 남게 되었다

그런데 집으로 돌아갈 힘조차 없었다. 그는 절뚝거리며 주방으로 가서는 모닝커피를 한 잔 만들어 사무실로 돌아왔다. 울어야 할지 웃어야 할지 모르겠는, 참 묘한 기분이었다. 그는 그야말로 뼈도 못 추릴 정도로 얻어맞았다. 그러나 다른 한편으로는 〈라포트〉 뉴스에 나간 이미지들이 지금 엄청난 반향을 얻고 있지 않은가! 만일 이게 유럽 전역에 공화주의 운동을 일으키는 기폭제가 된다면?

홀예르가 이해한 바로는, 웬만큼 이름 있는 TV 방송국은 모두 자신의 구타 장면을 방영하였다. 그는 정말 화끈하게 얻어맞았다. 자기가 봐도 기막히게 멋진 영상들이었다. 홀예르

는 차오르는 자부심에 가슴이 뻐근해졌다.

그가 이런 상념에 잠겨 있을 때, 한 남자가 불쑥 사무실로 들어왔다. 예고 없는 방문이었다.

남자는 홀예르를 노려보았고, 그 즉시 홀예르는 이 사람과 이 상황을 피하고 싶은 기분이 들었다. 하지만 도망갈 방법은 전혀 보이지 않았고, 남자의 눈빛이 얼마나 단호했던지 홀예르는 그대로 의자 위에 못 박히고 말았다.

「어떻게 오셨죠?」 홀예르가 불안스레 물었다.

「그래, 내 소개부터 해야겠지.」 남자는 영어로 대답했다. 「내 이름은 당신과는 상관없고, 또 난 어떤 비밀기관에서 일하는데 그 기관 이름도 당신에겐 중요치 않아. 만일 누군가가 내 물건을 훔치면 난 화가 나. 만일 그 훔친 물건이 원자폭탄이면 더욱 화가 나지. 그리고 훔친 물건이 빨리 돌아오지 않으면 정말로 성질이 나고. 한마디로 난 지금 아주 화가 나 있어.」

홀예르 크비스트는 당최 무슨 말인지 이해할 수 없었다. 이렇게 뭔가를 이해하지 못하는 상태가 그에게 드문 일은 아니었으나, 그렇다고 해서 이 상태가 편안하지는 않았다. 단호한 눈빛의 — 그리고 목소리도 단호한 — 사내는 지갑에서 두 장의 확대 사진을 꺼내어 책상 위에 탁 내려놨다. 첫 번째 사진에는 어느 하역장에 서 있는 자신의 쌍둥이 형제가 선명히 보였다. 두 번째 사진에서는 홀예르 2와 어떤 다른 남자 하나가 지게차를 사용하여 커다란 궤짝 하나를 트럭 짐칸에 싣고 있었다. 바로 그 궤짝이었다! 사진들은 1987년 11월 17일에 촬영된 거였다.

「이건 당신이야.」 요원은 홀예르 1의 형제를 손가락으로 짚으며 설명했다. 「그리고 이건 내 거고.」 그는 궤짝을 가리키며 덧붙였다.

핵무기의 증발로 인해 모사드 요원 A가 고통을 겪어 온 지도 어언 7년째였다. 또 그가 그걸 찾아내기 위해 작업해 온 시간 역시 7년이었다. 그는 즉시 양방향으로의 추적을 시작했다. 첫 번째 방향은 도둑을 ― 폭탄이 도둑과 함께 있기를 바라며 ― 찾는 것이었다. 두 번째 방향은 폭탄이 서구 혹은 세계의 다른 지역 시장에 갑자기 출현할 경우를 대비하여 땅바닥에 귀를 대고 끈기 있게 탐지하는 거였다. 도둑을 통해 폭탄을 회수하는 게 여의치 않다면, 장물아비를 통해서라도 찾아내야 하지 않겠는가?

A 요원은 먼저 스톡홀름에 가서 이스라엘 대사관의 감시 카메라에 찍힌 영상을 분석하는 일부터 시작했다. 대사관 정문에 설치된 카메라는 소포의 영수증에 서명한 이가 놈베코 마예키였음을 명명백백하게 보여 주고 있었다.

혹시 착오로 물건이 뒤바뀐 것은 아닐까? 이 경우, 왜 그 청소부 여인은 대사관에 트럭을 끌고 온 것일까? 영양 육포 10킬로그램은 자전거 바구니에도 들어가는 부피이다. 그리고 만일 그게 착오에 의한 거였다면, 여자는 그 사실을 발견하고는 다시 돌아오지 않았겠는가? 물론 이상한 점이 없는 건 아니었다. 하역장의 감시 카메라 기록에 따르면, 궤짝이 트럭에 실릴 때 여자는 그 자리에 없었다. 그때 그녀는 여전히 경비원 옆에 서서 서류에 서명하고 있었다…….

아니, 아니었다! 여기엔 일말의 의심도 있을 수 없었다. 그는 경력을 통틀어 두 번째로 멋지게 속아 넘어간 것이다. 훈장도 여러 번 받은 모사드의 일급 요원인 그가, 일개 흑인 청소부 따위에게 말이다! 벌써 그를 한 번 속여 먹은 바로 그 청소부에게 말이다!

하지만 그는 참을성 있는 성격이었다. 그래, 언젠가는 서로 마주치는 날이 오리라…….

「그때가 되면, 우리 친애하는 놈베코 마예키 양, 그대는 다른 사람이 되고 싶을 거야……. 다른 곳에 있고 싶을 거라고…….」

대사관 정문의 감시 카메라는 핵무기를 빼돌리는 데 사용된 빨간 트럭의 번호판도 포착해 놓았다. 또 하역장에 설치된 감시 카메라는 놈베코의 백인 공범에 대한 선명한 이미지를 여러 장 남겨 놓았다. A 요원은 앵글 별로 몇 장을 골라 인쇄하고 복사하게 했다. 뒤이은 수사의 결과는 놈베코 마예키가 대사관에 폭탄을 찾으러 온 바로 그날 난민 수용소에서 사라져 버렸다는 사실을 알려 주었다.

차량 번호판을 추적해 보니 알링소스에 거주하는 앙네스 살로몬손이라는 여자가 나타났다. 그런데 그녀의 차는 피아트 리트모로, 색깔은 똑같이 빨갰지만, 트럭이 아니었다. 즉 번호판은 훔친 거라는 얘기였다. 청소부는 프로의 솜씨를 보이고 있었다.

이제 A 요원이 할 수 있는 일은 트럭 운전수의 사진들을 인터폴에 보내는 것뿐이었다. 의뢰 결과, 문제의 인물은 어떤 알려진 무기 밀매 조직의 일원은 아니라는 거였다. 원자폭탄을 트럭에 싣고 돌아다니는 그 작자가 말이다.

이에 A 요원은, 첫째, 자신은 능숙한 사기꾼에게 당했다, 둘째, 폭탄은 이미 스웨덴 국경 밖으로 나갔다, 셋째, 따라서 이제 보다 시계(視界)가 불량한 국제 무대로 눈을 돌려야 한다, 라는 논리적인 동시에 완전히 틀린 결론에 이르렀다.

시간이 흐르면서, 남아프리카공화국의 폭탄 말고도 다른 폭탄들이 세상에 굴러다니기 시작했고, 이는 A 요원의 작업을 한층 어렵게 만들었다. 소련이 해체되자, 상상의 혹은 실제의 원자폭탄들이 여기저기에서 출현했다. 각국 정보부의 보고서들은 아제르바이잔에서 핵탄두 1기가 사라져 버렸다는 사실을 1991년부터 언급해 왔다. 도둑들은 미사일 두 개 중에서 하나를 선택할 수 있었는데, 보다 가벼운 것이 마음에 들었던 모양이다. 기실, 그들이 가져간 것은 껍데기뿐으로, 원자탄 도둑들이 반드시 보통 사람보다 똑똑한 것은 아니라는 사실을 증명해 주었다.

1992년, A 요원은 우즈베키스탄 사람인 샤브카트 압두자파로프를 추적해 봤다. 전 소련군 대령이었던 그는 타쉬겐트에서 아내와 자식들을 버리고 사라졌다가 3개월 후에 상하이에서 다시 출현했는데, 수집된 정보에 의하면 1500만 달러에 팔 폭탄 하나를 가지고 있다고 했다. 책정된 가격으로 볼 때, 문제의 〈폭탄〉이 보통 폭탄은 아닌 게 분명했다. 하지만 A 요원이 현장에 도착하기도 전에, 압두자파로프는 선거(船渠)의 물속에서 목덜미에 드라이버가 꽂힌 시체로 발견되었다. 그의 폭탄은 아무 데서도 발견되지 않았고, 지금까지도 그러하다.

1994년부터 A 요원은 텔아비브에 배치되었다. 비교적 중요한 직책이었지만, 남아프리카공화국에서 그 재수 없는 사건이 일어날 때까지 그가 쌓아 온 경력을 생각해 본다면 아주 보잘것없는 자리이기도 했다. 그는 이렇게 이스라엘에 머물면서 다양한 경로를 통해 계속 추적해 왔고, 놈베코와 미지의 트럭 운전수의 모습을 항상 머릿속에 간직해 왔다.

그런데 이게 웬일인가! 따분하기 이를 데 없는 어떤 임무를 위해 잠시 암스테르담에 들렀을 때였다. 뉴스를 시청하고 있는데, 스톡홀름의 한 광장에서 벌어진 정치 그룹들 간의 난투극 장면이 나왔다. 레인저 장화로 짓밟히는 피해자의 얼굴이 화면을 가득 채웠다.

바로 그였다!

빨간 트럭의 사내!

홀예르 크비스트, 블라케베리, 스웨덴.

「죄송한데요, 그 원자폭탄 얘기는 대체 뭐죠?」

「당신, 어제 얻어맞은 걸로 충분치 않아?」 A 요원이 대꾸했다. 「원한다면 그 커피는 끝내도 좋지만, 빨리 마셔. 왜냐하면 5초 후에 당신과 나는 놈베코 마예키를 찾아갈 거거든. 그 여자가 어디에 있든지 말이야.」

홀예르 1은 너무도 열심히 생각한 나머지 머리통이 터질 것 같은 두통을 느꼈다. 책상 건너편의 사내는 어떤 나라의 비밀 정보부 소속이란다. 그리고 그는 자기가 홀예르 2인 줄 알고 있고, 놈베코를 찾고 있는데, 그 이유인즉슨 그녀가…… 원자폭탄을 훔쳤기 때문이란다!

「궤짝!」 홀예르 1이 갑자기 외쳤다.

「맞아! 그게 어디 있지? 폭탄이 든 궤짝이 지금 어디 있느냔 말이야?」

홀예르는 자신에게 밝혀진 진실을 천천히 곱씹어 보고 있었다. 그러니까 모든 혁명가들이 꿈꾸는 최종 병기가 7년 전부터 프레드스가탄 가의 창고에 놓여 있었다는 얘기였다! 국왕으로 하여금 퇴위를 결심하게 만들 수도 있는 그 유일한 물건이 바로 옆에 있었는데, 등잔 밑이 어둡다고 자긴 7년 동안 전혀 모르고 지냈다는 얘기였다!

「에이씨! 지옥 불에나 떨어져 버려라!」 홀예르 1이 내뱉었다.

「뭐야?」 A 요원이 눈을 치켜뜨며 되물었다.

「아, 당신한테 한 말이 아니고요, 놈베코 양에게 한 말이에요.」

「그 점에 있어선 나도 당신과 의견이 같지만, 그 일이 실현될 때까지 앉아서 기다리고 싶지는 않아. 따라서 당신은 나를 당장 그 여자에게로 데려다 주어야겠어. 그 여자 지금 어디 있어? 어서 대답해!」

A 요원의 단호한 목소리는 매우 설득력이 있었다. 그가 쳐들고 있는 권총도 마찬가지였다.

홀예르의 머릿속에 자신의 어린 시절이 떠올랐다. 아버지의 투쟁도 떠올랐다. 또 이 투쟁의 일원이 되었고, 하지만 이 투쟁을 제대로 수행할 수 없었던 자신의 무력한 삶 전체가 주마등처럼 지나갔다.

그런데 그 해결책이 바로 코 아래 놓여 있었다니…….

지금 홀예르를 힘들게 하는 것은, 만일 자기를 놈베코에게 데려다 주지 않으면 총을 쏘겠다고 위협하는, 알 수 없는 어떤 비밀기관의 요원이 아니었다. 그보다는 오히려 지금까지 자기 형제의 여자 친구에게 감쪽같이 속아 왔다는 사실이었다. 그리고 이제는 너무 늦어 버렸다는 사실이었다. 7년 동안 그는,

아버지의 평생의 숙원을 이룰 수 있는 기회를 바로 옆에 두고 살아왔다. 그 사실을 까맣게 모르는 채로 말이다!

「내 질문을 제대로 듣지 못한 모양이군?」 요원이 말했다. 「무릎에다 총알을 한 발 박아 주면 주의력을 높이는 데 도움이 될까나?」

무릎에 총알을 박겠다고? 두 눈 사이가 아니고? 당분간은 홀예르가 쓸모 있다는 얘기였다. 하지만 그다음은? 만일 그가 요원을 프레드스가탄 가까지 데려다 주면, 이 권총 사나이는 1톤에 가까운 궤짝을 한쪽 옆구리에 끼고, 다른 손으로는 〈바이 바이〉를 흔들면서 조용히 떠나갈까?

아니, 물론 그럴 리는 없었다. 그들로 하여금 빨간 트럭에 폭탄을 싣는 것을 돕게 하고는 모두 다 죽일 거였다.

그렇다. 그들 모두를 죽일 거였다. 만일 홀예르가 불현듯 자신의 의무로 느껴진 그 일을 하지 않는다면 말이다. 그는 이제 자신이 할 수 있는 일은 오직 하나, 자기 형제와 셀레스티네를 위해 싸우는 일뿐임을 깨달았다.

「좋아요, 내가 요원님을 놈베코에게 데려다 드리겠어요.」 마침내 홀예르 1이 입을 열었다. 「하지만 그녀를 놓치기 싫으시다면 헬리콥터로 가야 해요. 왜냐하면 지금 그녀는 폭탄을 가지고 튀려 하고 있걸랑요.」

지금 상황이 급하다는 이 거짓말은 자신도 모르게 불쑥 튀어나온 말이었다. 아니, 단순한 거짓말을 넘어서 하나의 쓸 만한 생각으로 간주될 수도 있는 말이었다. 〈만일 그렇다면, 이 것은 내 인생 최초의 생각인 셈이군〉이라고 홀예르는 속으로 중얼거렸다. 또 최후의 생각이기도 했다. 왜냐하면 그는 자신의 생명으로 마침내 뭔가 쓸모 있는 일을 해볼 작정이었기 때문이다.

그는 죽을 것이었다.

A 요원은 청소부와 그녀의 일당에게 세 번째로 속아 넘어가고 싶지는 않았다. 이번엔 또 무슨 꿍꿍이지?

놈베코는 홀예르 크비스트가 텔레비전에 나와서 자신이 위험에 노출되었다는 사실을 깨달은 걸까? 그래서 지금 급히 보따리를 싸고 있는 걸까? 요원은 진짜 한대 거위상과 짝퉁 골동품을, 그리고 다이아몬드 원석과 유리 조각을 구별할 수 있었다. 또 이것 말고도 할 줄 아는 것들이 많았다. 반면 헬리콥터 조종은 능력 밖의 일이었다. 따라서 앞에 있는 사내에게 조종간을 맡기지 않을 수 없는 상황이었다. 조종석엔 두 사람이 앉게 될 거였다. 조종간을 잡은 사람과, 권총을 든 사람.

결국 A 요원은 헬리콥터에 탑승하기로 결정했다. 하지만 일이 틀어질 경우를 대비하여 B 요원에게 미리 알려 두기로 했다.

「청소부가 있는 정확한 좌표를 대봐.」

「청소부라뇨?」

「놈베코 말이야.」

홀예르는 시키는 대로 했다. 사무실 PC의 지도 프로그램을 사용하니 단 몇 초 만에 필요한 정보가 나왔다.

「좋아. 내 동료에게 알릴 동안 잠깐 앉아 있어. 그다음에 출발한다.」

요원은 휴대전화를 통해 B 요원에게 암호로 된 메시지를 발송했다. 지금 자신이 어디 있으며, 누구와 함께 있으며, 어디로 갈 것이며, 어떤 이유로 가는지 등등을 알린 다음, 홀예르에게 명령했다.

「자, 이제 출발!」

지난 몇 해 동안, 홀예르 1이 택시헬리콥터 사의 조종사들과 함께한 비행 연습은 적어도 90시간은 되었다. 하지만 그가 혼자 조종석에 앉은 것은 이번이 처음이었다. 이제 자신의 삶이 끝났다는 걸 그는 잘 알고 있었다. 그는 이 저승길에 그 빌어먹을 놈베코(요원 말로는 〈청소부〉라고 했던가?)와는 기꺼이 동행하고 싶었지만, 자기 형제는 아니었다. 또 사랑스러운 셀레스티네도 아니었다.

헬리콥터가 관제 공역을 벗어나자마자 홀예르는 해발 2천 피트 높이로 올라가서는 120노트 항속을 유지했다. 그렇게 20여 분을 비행했다.

그네스타 부근에 이르렀을 때, 홀예르는 착륙 준비를 하지 않았다. 대신 그는 자동조종 모드를 작동시켜, 헬기가 2천 피트 고도와 120노트 항속을 유지한 채 똑바로 동쪽을 향하도록 만들었다. 그런 다음, 거침없는 동작으로 안전벨트를 풀고 헤드세트를 벗어 던진 다음, 조종실 뒤쪽으로 기어갔다.

「지금 뭐하는 거야?」 요원이 기겁하며 소리쳤지만, 홀예르는 대꾸도 하지 않았다.

홀예르 1이 헬기 뒷문의 잠금장치를 푼 다음 옆으로 밀어 열고 있을 때, 요원은 상황을 통제하기 위해 몸을 뒤로 돌리려 했다. 몹시 미묘한 상황이었고, 시급한 조치가 필요했다. 그는 4점식 안전벨트를 풀려고 안간힘을 썼으나 허사였다. 몸을 비틀수록 안전벨트는 더욱 강한 힘으로 그를 좌석에 붙여 놓았다. 그는 으르렁대며 위협했다.

「야! 만일 헬기에서 뛰어내리면 총을 쏠 거야!」

평소에 재치 있는 말대꾸는 꿈도 꾸지 못했던 홀예르 1은 이렇게 대답하며 스스로도 깜짝 놀랐다.

「나를 땅에 닿기도 전에 확실히 죽여 놓고 싶어서요? 그런다고 해서 요원님 상황이 나아질까요?」

A 요원은 부아가 끓어올랐다. 지금 자신은 조종도 할 줄 모르는 실로스키76 헬기에 혼자 남겨지려는 참이다. 이번에는 자살하려고 옆에서 꼬물대고 있는 조종사에게 오지게 당한 것이다. 입에서는 태어나서 두 번째로 욕설이 튀어나오려 하고 있었다. 그는 안전벨트에 묶인 몸을 다시 한 번 비틀어 보면서, 오른손의 권총을 왼손으로 옮기려고 했는데…… 아뿔싸, 그만 권총을 놓쳐 버렸다!

좌석 뒤쪽으로 떨어진 권총은 막 뛰어내리려던 홀예르의 발밑까지 주르르 미끄러졌다.

홀예르는 얼결에 그걸 집어 안쪽 호주머니에 쑤셔 넣은 다음, 요원에게 행운을 빌었다.

「근데 정말 운이 없으시네요! 헬기 조종 교본을 깜빡하고 사무실에다 놓고 왔어요.」

그다음에는 더 이상 덧붙일 말이 없었으므로 홀예르는 허공으로 점프했고, 약 1초간 모종의 내적 평화를 느꼈다. 딱 1초 동안이었다.

그러고 나서 권총을 요원에게 사용할 수도 있었다는 사실을 번쩍 깨달았다.

「에혀, 내가 하는 일이 다 그렇지 뭐……」 홀예르는 한탄했다. 늘 멍청하게 판단하고, 뒤늦게야 머리가 돌아가는 것, 이게 언제나의 자신이었다.

어쨌거나 그의 몸은 바위처럼 단단한 어머니 대지를 향해 6백 미터를 여행하며 시속 245킬로미터까지 가속되었다.

「안녕, 잔인한 세상아! 아빠, 내가 가요!」 홀예르의 외침은 거센 바람에 묻혀 버렸다.

헬기에 혼자 남겨진 요원은 자동조종 모드를 해제하려면 어찌해야 하는지, 또 해제하고 나면 어찌해야 하는지 전혀 모르는 채로 발트 해가 있는 정동(正東) 방향으로 120노트의 속도로 비행하고 있었다. 헬기에는 약 80분 동안 비행할 수 있는 연료가 들어 있었고, 에스토니아 국경에 닿으려면 아직 160분을 더 날아가야 했다. 그리고 거기까지는 망망대해였다.

A 요원은 눈앞에 복잡하게 붙어 있는 버튼이며 표시등이며 도구들을 한번 들여다보고는 다시 고개를 뒤로 돌렸다. 뒷문은 아직도 열려 있었다. 헬기 아래로는 어느덧 뭍이 사라지고 대신 물이 보였다. 아주 많은 양의 물이 보였다.

오랜 경력 동안 A 요원이 미묘한 상황에 처한 것은 이번이 처음은 아니었다. 그는 어떤 상황에서고 냉정을 유지하는 훈련을 받았다. 따라서 이번에도 그는 침착하고도 체계적으로 상황을 분석했다. 그리고 결론에 도달했다.

「엄마야!」

그네스타 프레드스가탄 가 5번지가 철거예정 건물로 지정된 지도 거의 20년이 되었을 때, 이런 종류의 건물에 대한 현행

법규가 마침내 시행되었다. 모든 것은 시청 환경과의 여자 과장이 반려견을 데리고 산책을 나오면서 시작되었다. 이날 그녀는 기분이 별로 좋지 않았다. 왜냐하면 전날 저녁 동거남을 마침내 집에서 쫓아냈기 때문이다. 그런데 누굴 약 올리겠다는 것인지 어디선가 떠돌이 암캐가 한 마리 나타났고, 반려견은 암캐를 쫓아 달아나 버렸다. 정말이지 수컷들이란 다리가 두 개든 네 개든 그놈이 그놈이었다.

결과적으로 호색견이 붙잡힐 때까지 아침 산책은 여러 곳을 우회하게 되었고, 그 덕분에 과장은 프레드스가탄 가 5번지의 철거예정 건물에서 사람 사는 흔적을 발견하게 되었다. 여러 해 전에 어떤 레스토랑을 연다는 공고가 났었던 바로 그 더러운 건물이었다.

그때 자기가 속아 넘어간 걸까? 그녀가 끔찍이 싫어하는 게 두 가지가 있었으니, 하나는 전 동거남이었고, 다른 하나는 누군가에게 속아 넘어가는 거였다. 물론 전 동거남에게 속아 넘어간 일이 최악이긴 했지만, 지금 이 일도 그냥 넘어갈 수는 없었다.

이 구역은 그네스타가 뉘셰핑에서 떨어져 나와 독립된 시를 이루게 된 1992년에 산업 구역으로 지정된 바 있었다. 지자체는 이 구역에서 뭔가를 해보려는 계획이 있었지만, 보다 시급한 다른 사안들이 있어 왔다. 하지만 아무나 마음대로 이 안에 들어와 살 수 있다는 얘기는 아니었다. 이뿐이 아니라, 길 건너편의 옛 도기 공장에서도 어떤 불법적인 경제활동의 냄새가 느껴졌다. 그렇지 않다면 왜 문 앞 쓰레기통이 점토 포장 박스들로 가득하단 말인가?

환경과 과장은 불법 경제활동은 무정부 상태의 전 단계라고 믿는 사람 중의 하나였다.

그녀는 먼저 배신당한 좌절감을 개한테 쏟아 내고는 집으로 돌아와 개밥 그릇에 미트볼 몇 개를 퍼 넣은 다음, 성적 욕구를 충족시킨 수컷들이 다 그렇듯 정신없이 자고 있는 아킬레스에게 작별을 고했다. 그런 다음 개척시대 미국 서부에나 어울릴 법한, 하지만 지금 프레드스가탄 거리에서 버젓이 자행되고 있는 불법행위에 종지부를 찍기 위해 동료들을 만나러 달려갔다.

그로부터 몇 달 후, 공무원들과 정치가들은 긴 숙의 끝에 마침내 결론을 내렸다. 이에 따라 프레드스가탄 가 제5번지는 헌법 제2장 제15조에 의거하여 몰수되고, 비워지고, 철거될 것이라는 고지가 부동산 소유주 홀예르&홀예르 사에 날아들었다. 시 당국은 이 고지를 정부 기관지에 공고함으로써 정해진 의무를 다한 셈이 되었으나, 호색견의 주인인 여자 과장은 인도적 견지에서 문제의 주소의 모든 잠재적 거주자들에게 고지문을 보냈다. 그 편지들이 건물 우편함들마다 꽂힌 것은 1994년 8월 11일이었다. 고지문에는 관련 조항들 외에도, 모든 입주자들은 12월 1일 이전까지 건물을 떠나야 한다고 적혀 있었다.

이 고지문을 가장 먼저 읽은 사람은 셀레스티네로, 그녀는 거의 항상 그렇듯 이때도 아주 화가 나 있는 상태였다. 바로 이날 아침, 그녀는 전날의 구타로 온몸이 멍투성이임에도 불구하고 출근하겠다고 우긴 불쌍한 남친을 브롬마로 떠나보내야 했던 것이다.

분노가 폭발해 버린 그녀는 놈베코를 찾아가 그 끔찍한 고지문을 흔들어 보이며 소리쳤다. 저 피도 눈물도 없는 공권력이 평범하고도 정직한 우리를 거리로 내몰려 하고 있어!

「음, 우리가 그렇게 평범하고 정직하다곤 할 수 없지.」놈베코가 대꾸했다. 「별것도 아닌 일에 그렇게 화부터 내지 말고, 창고 안, 아늑한 곳으로 들어가자고! 그러잖아도 나와 홀예르는 아침 차를 마시려던 참이야. 넌 정치적 이유가 있으니까 원한다면 커피를 마셔도 돼. 이런 때일수록 조용하고도 차분하게 얘기하는 게 낫지 않겠어?」

조용하고 차분하게? 드디어 — 드디어! — 투쟁다운 투쟁을 할 수 있게 된 이 마당에? 홀예르와 놈베코는 그 개떡 같은 〈아늑한 구석〉에 기어 들어가 그 엿 같은 차를 실컷 마시란다. 자기는 투쟁할 거란다! 압제를 타도하자!

시의 고지문을 구겨 던진 휘발유녀는 온몸으로 분노를 내뿜으며(그녀에게 이 분노 말고 뭐가 있겠는가?) 안뜰로 내려가서는 홀예르&홀예르 사의 빨간 트럭에서 가짜 번호판을 떼어낸 다음, 운전석에 앉아 시동을 걸고 후진하여 차량을 프레드스가탄 가 5번지 건물과 창고를 잇는 좁다란 정문에 쑤셔 넣었다. 그러고 나서 있는 힘을 다해 핸드브레이크를 잡아당긴 뒤, 차 문이 충분히 열리지 않자 차창으로 간신히 빠져나와서는 차 열쇠를 우물 안에 집어던진 다음, 트럭이 더 이상 움직이지 못하여 모든 침입과 탈출에 대한 효과적인 방벽을 이룰 수 있도록 타이어 네 개를 하나하나 터뜨렸다.

이렇게 사회에 대한 항거의 신호탄을 쏘아 올린 휘발유녀는 번호판을 옆구리에 끼고 홀예르와 놈베코가 있는 곳으로 달려와서는, 이 아늑한 구석에서 한가롭게 차(커피도 마찬가지겠지만)나 홀짝거리는 시절은 이제 끝났는바, 왜냐하면 이제 점거 시위를 해야 할 때가 왔기 때문이라고 선언했다. 그녀는 나간 김에 도공도 데려왔다. 가급적 사람을 많이 모으는 게 좋다고 판단했기 때문이다. 사랑하는 홀예르가 직장에 있는 게 한스러웠다. 하지만 어쩔 수 없었다. 투쟁을 미뤄서는 안 되는 법!

이렇게 셀레스티네가 정신을 못 차리는 도공을 뒤에 달고 들이닥쳤을 때, 홀예르 2와 놈베코는 폭탄 궤짝 위에서 서로 몸을 붙이고 앉아 있었다.

「자, 전쟁이다!」 휘발유녀가 포효했다.

「엉? 무슨 말이야?」 놈베코가 반문했다.

「뭐야? CIA야?」 도공도 물었다.

「근데 넌 왜 내 트럭 번호판을 들고 돌아다녀?」 홀예르 2도 물었다.

「이건 장물이잖아.」 휘발유녀가 대답했다. 「만일 이게 집에서 발견되면…….」

바로 이 순간, 그들의 머리 위에서 굉음이 울렸다. 홀예르 1은 시속 2백 킬로미터가 넘는 속도로 6백 미터를 수직 낙하한 끝에 창고의 낡아 빠진 지붕을 뚫은 다음, 그 아래 쌓인 50,640개의 베개 더미에 멋지게 쑤셔 박힌 것이다.

「어머, 자기야!」 휘발유녀는 얼굴이 환해지며 외쳤다. 「자긴 지금 브롬마에 있는 줄 알았는데?」

「……내가 살아 있는 거야?」 홀예르 1이 오만상을 하고 자기 어깨를 문지르며 물었다. 어깨는 폭행을 당하고 나서 그의 몸에서 유일하게 성한 부위였지만, 지금은 그의 체중과 속도로 무너져 내린 지붕에 가장 먼저 부딪힌 부위이기도 했다.

「그래 보이는데?」 놈베코가 대답했다. 「하지만 대관절 왜 지붕을 뚫고 내려온 거야?」

홀예르 1은 셀레스티네의 뺨에 입을 맞춘 뒤, 위스키를 더블로 달라고 자기 형제에게 부탁했다. 아니, 트리플로 달란다. 그는 자신의 장기(臟器)들이 모두 제자리에 붙어 있는지 확인하고, 생각을 좀 정리하고, 잠시 혼자 있기 위해 술이 필요하단다. 그러고 나서 다 얘기해 주겠단다.

홀예르 2는 부탁대로 해주었고, 위스키와 베개와 궤짝 옆에 홀예르 1을 혼자 남겨 두고 다른 이들과 함께 창고를 나왔다.

휘발유녀는 이 틈을 이용하여, 이 장소를 점거한 뒤 거리에 어떤 변화가 발생했는지 확인해 보았다. 아무런 변화도 없었다. 당연한 일 아니겠는가? 그들은 어느 산업 구역 언저리에 위치한, 다니는 사람이 거의 없는 거리에 살고 있었고, 이웃이라곤 고철상 한 사람뿐이었다. 그리고 타이어가 펑크 난 트럭 한 대가 대문을 막고 있다고 해서, 꼭 그 안에 점거 사태가 진행 중이라고 생각해야 한다는 법은 없었다.

아무도 신경 쓰지 않는 점거는 무의미한 일이었다. 따라서 휘발유녀는 일이 올바른 방향으로 흘러갈 수 있도록 약간의 힘을 가하기로 작정했다.

그녀는 몇 군데에다 전화를 걸었다.

우선 「다엔스 뉘헤테르」지에, 그다음에는 〈라디오 쇠름란드〉에, 마지막으로는 「쇠데르만란드 뉴스」지에 걸었다. 「다엔스 뉘헤테르」는 늘어지게 하품을 하면서 전화를 받았다. 스톡홀름에서 볼 때 그네스타는 세상의 끝에 있는 장소처럼 느껴지는 모양이었다. 에스킬스투나에 소재한 라디오 쇠름란드는 전화를 뉘셰핑 지부로 돌려주었는데, 거기서는 점심 식사 후에 다시 전화를 해달라고 말했다. 「쇠데르만란드 뉴스」는 보다 관심을 보였다. 하지만 이 관심은 점거에도 불구하고 경찰이 꿈쩍도 하지 않았다는 사실을 알게 되자 픽 꺼져 버렸다.

「그 어떤 외부인도 무언가가 점거되었다고 생각하지 않는 상황에서, 과연 당신의 점거 행위가 하나의 점거 행위로 간주될 수 있을까요?」 철학적인 ─ 그리고 아마도 게으른 ─ 성향의 편집 주간이 그녀에게 물었다.

휘발유녀는 셋 다에게 엿이나 먹으라고 소리친 뒤, 이번에는 경찰에 전화를 걸었다. 전화를 받은 것은 순스발 경찰서의 교환양이었다.

「네, 경찰입니다. 무엇을 도와 드릴까요?」

「안녕, 이 더러운 짭새 년아! 이제 우리는 이 자본주의자 도둑놈들이 지배하는 사회를 박살 내버릴 거야! 민중의 손에 권력을 돌려줄 거라고!」

「전화하신 용건이 뭔가요?」 어느 모로 보나 경찰의 대표자라고는 생각할 수 없는 불쌍한 교환양이 겁에 질린 목소리로 물었다.

「말해 줄 테니 잘 들어, 이 잡년아! 지금 우린 그네스타의 반을 점거하고 있고, 만일 우리의 요구가 받아들여지지 않을 경우……」

여기서 휘발유녀는 눈을 감고 머리를 부르르 흔들었다. 가만, 이 〈그네스타의 반〉이란 말은 어디서 나온 거지? 그리고 우리의 요구가 뭐였더라? 그리고 만일 이 요구가 받아들여지지 않으면…… 뭘 해야 하지?

「그네스타의 반이라고요?」 교환양이 놀라며 되물었다. 「잠간만요, 전화를 돌려 드릴…….」

「프레드스가탄 가 5번지야.」 휘발유녀가 교환양의 말을 끊었다. 「알아들었어, 못 알아들었어?」

「점거는 왜 하시는…… 그리고 전화 거신 분은 누구죠?」

「그딴 건 신경 쓸 것 없어. 만일 우리의 요구가 관철되지 않을 경우, 우리는 차례로 지붕에서 뛰어내릴 거야. 우리의 피로시 전체가 잠길 때까지!」

여기서 문제는 셀레스티네가 한 이 말에 교환양과 그녀 자신 중에서 누가 더 놀랐냐는 거였다.

「오, 맙소사!」 교환양이 외쳤다. 「제발 전화를 끊지 마세요! 제가 전화를 돌려 드리…….」

휘발유녀는 교환양에게 더 말할 시간을 주지 않고 전화를 끊어 버렸다. 메시지가 대충 전달된 것 같았기 때문이다. 또 생각했던 대로 정확히 표현하지 못한 것 같아서였다. 생각 자체가 있었는지는 잘 모르겠지만.

좋아! 어쨌든 이제부터는 진짜로 점거 상황인 거고, 그래서 기분이 아주 좋았다.

이때, 놈베코가 셀레스티네의 아파트 문을 두드렸다. 홀예르 1이 더블인지 트리플인지 위스키를 모두 마신 다음, 모두가 집합해 주기를 원하고 있다는 거였다. 그들에게 뭔가 얘기할 게 있단다. 셀레스티네도 창고로 왔으면 좋겠고, 또 오는 길에 도공도 데려오면 더욱 좋겠단다.

「난 이 궤짝 안에 뭐가 들어 있는지 알아!」홀예르 1이 말문을 열었다.

무슨 일이든 금방금방 이해하는 놈베코였지만 이 말만큼은 잘 이해되지 않았다.

「당신이 어떻게 그걸 안다는 거지? 당신은 지붕을 뚫고 들어오더니만, 느닷없이 지난 7년 동안 모르고 있던 뭔가를 안다고 하고 있어. 하늘나라에 올라갔다가 내려오기라도 한 거야? 만일 그렇다면 거기서 누구와 얘기하고 왔어?」

「입 닥쳐, 이 염병할 청소부야!」홀예르 1은 이렇게 쏘아붙였고, 이 말에 놈베코는 즉각 깨달았다. 이 넘버 1은 모사드와 직접 접촉을 했든지, 아니면 하늘나라에 올라갔을 때 엔지니어를 만나고 왔든지, 둘 중의 하나였다.

하지만 엔지니어는 분명 천국에는 못 갔을 터이므로 두 번째 가설은 별로 설득력이 없어 보였다.

홀예르 1은 다시 이야기를 계속했다. 자기는 조퇴하라는 지시를 받았음에도 불구하고 혼자 사무실에 남아 있었는데, 갑자기 어떤 나라의 비밀기관에 소속된 한 사내가 들어오더니, 자길 놈베코에게로 데려다 달라고 요구했다는 거였다.

「〈청소부〉에게로?」놈베코가 되물었다.

사내는 홀예르를 권총으로 위협하여 한 대 남아 있던 헬리콥터에 오르게 했고, 자길 그네스타까지 데리고 가라고 명령했단다.

「다시 말해서 몹시 화가 난 외국 비밀요원 하나가 언제라도 저 지붕을 뚫고 내려올 수 있다는 얘기네?」홀예르 2가 물었다.

아니, 그렇지 않단다. 문제의 요원은 지금 발트 해 상공을 비행 중이며, 헬기의 연료가 다 떨어지는 순간 추락하여 물고기 밥이 될 거란다. 넘버 1 자신은 그의 형제와 셀레스티네의 목숨을 구하기 위해 헬리콥터에서 뛰어내렸단다.

「그리고 내 목숨도 구하려 했겠지.」놈베코가 비꼬았다. 「하마터면 같이 깔려 죽을 뻔했잖아.」

홀예르 1은 그녀를 죽일 듯 노려보면서 대꾸했다. 자기도 베개들보다는 네 머리 위에 직통으로 떨어졌다면 너무도 좋았겠지만, 평생 그래 왔듯 이번에도 운이 없었단다.

「그래도 이번에는 운이 좀 있었던 것 같은데?」정신없이 이어지는 사건들에 약간 멍청해진 홀예르 2가 말했다.

셀레스티네는 자신의 영웅의 품으로 뛰어들어, 그를 포옹하며 키스를 퍼부었다. 그러고 나서 자기는 더 이상 기다릴 수가 없다고 말했다.

「저 궤짝 안에 뭐가 있는지 어서 말해 봐! 어서! 어서!」

「원자폭탄이야.」홀예르 1이 대답했다.

셀레스티네는 자신의 구세주이자 연인인 남자를 풀어 주었다. 그리고 잠시 생각해 본 다음, 상황을 아주 짤막하게 요약했다.

「와우!」

놈베코는 셀레스티네, 도공, 홀예르 1 등에게 고개를 돌리고는, 지금 다들 들어서 느끼겠지만, 이 프레드스가탄 가에 사람들이 관심을 갖는 일이 없게끔 하는 것이 중요하다고 말했다. 만일 이 창고 안에 사람들이 꾀기 시작하면 사고가 터질 수도 있기 때문이란다. 아주 엄청난 사고가 말이다.

「원자폭탄?」 듣기는 했지만 정확히 이해하지는 못한 도공이 물었다.

「그 소리를 듣고 보니 느껴지는 건데, 방금 전에 내가 하지 않아도 됐을 조치를 몇 가지 취한 것 같아.」 셀레스티네가 솔직히 고백했다.

「무슨 말이야?」 놈베코가 물었다.

바로 그때, 거리 쪽에서 메가폰 소리가 들렸다.

「아, 아, 여긴 경찰이다! 건물 안에 사람이 있으면, 신원을 밝혀라!」

「CIA야!」 도공이 얼굴이 새하얘져서 외쳤다.

「CIA요? 경찰이 오면 CIA도 같이 오는 건가요?」 홀예르 1이 어리둥절하여 물었다.

「CIA야!」 도공이 되풀이했다. 「CIA……!」

「이분의 사고 회로에 버그가 난 것 같군.」 놈베코가 설명했다. 「내가 과거에 만났던 어떤 통역도 전갈에 엄지발가락을 물리고는 지금의 이분과 똑같은 반응을 보였지.」

도공은 〈CIA〉를 다시 여러 번 반복하다가 마침내 입을 다물었다. 그렇게 눈빛은 멍해지고 입은 헤벌린 채로 의자 위에 꼼짝 않고 앉아 있었다.

「……아마 리부팅 중이신 듯.」 홀예르 2가 추측했다.

다시 메가폰 소리가 들렸다.

「아, 아, 여기는 경찰이다! 건물 안에 사람이 있으면 즉시 신원을 밝혀라! 지금 정문이 막혀 있는데, 우린 무력 진입을 고려 중이다. 우리의 경고를 매우 심각하게 받아들이길 바란다!」

휘발유녀는 자신이 한 일들을 일동에게 설명해 주었다. 내가 점거 시위를 시작했다. 민주주의의 이름으로 사회에 선전 포고를 한 거다. 이를 위해 트럭을 무기로 사용했다. 또 이 일을 세계만방에 알리기 위해 경찰에 전화를 걸었다. 말하자면 가물거리는 투쟁의 불꽃에 휘발유를 드럼통으로 들이부은 거다⋯⋯.

「뭐야? 내 차에다 무슨 짓을 했다고?」홀예르 2가 고함쳤다.

「왜 그게 네 차냐?」홀예르 1이 따졌다.

휘발유녀는 넘버 2에게 그렇게 쩨쩨하게 굴어서는 안 된다고 엄하게 타일렀다. 중대한 민주주의 원칙들을 수호하느냐 못 하느냐가 달려 있는 이 상황에서 그깟 타이어 하나 펑크 난 게 뭐가 그리 중요하단 말인가? 더욱이 이웃들이 창고에 원자폭탄들을 쟁여 놓고 있을 줄 자기가 어떻게 알았겠느냐?

「원자폭탄들이 아니라, 원자폭탄 한 개야.」홀예르 2가 정정했다.

「3메가톤짜리지.」홀예르 2가 사태의 심각성을 너무 축소하려 한다고 느낀 놈베코가 덧붙였다.

도공의 입에서는 아무도 알아듣지 못한 어떤 소리가 꼬르륵 새어 나왔다. 아마도 그와 미묘한 관계를 맺고 있는 그 비밀기관의 이름인 듯했다.

「리부팅은 아닌 것 같은데?」놈베코가 고개를 갸웃했다.

홀예르 2는 어차피 끝난 일이기 때문에 트럭에 대해서는 더 이상 따지고 싶지 않았지만, 셀레스티네가 말하는 민주주의 원칙들이 대체 뭔지 궁금할 뿐이었다. 또 그가 이해한 바로는 터진 타이어는 〈하나〉가 아니라 네 개였지만, 이에 대해서도 더 이상 거론하지 않았다. 어쨌든 지금 상황이 꽤 복잡했다.

그는 신음하듯 내뱉었다.

「더 이상 고약해질 수 없는 상황이군!」

「그런 말 하긴 아직 일러.」놈베코가 말했다. 「도공을 봐. 죽은 것 같아.」

15

두 번 죽은 남자와
두 왕소금

일동은 먼저 도공을 쳐다보고, 그다음에는 놈베코를 쳐다보았다. 물론 도공은 앞만 똑바로 쳐다보고 있었다.

놈베코는 깨달았다. 홀예르 2와의 정상적인 삶은 다시 한 번 뒤로 미뤄졌고, 어쩌면 영영 오지 않을 수도 있다는 사실을. 하지만 지금은 지체 없이 행동해야 할 때였다. 존재하지도 않았던 것에 대한 애도(哀悼) 또한 뒤로 미뤄야 하리라. 그런 때가 과연 올 수나 있을지 모르겠지만.

그녀는 일동에게 설명했다. 그들에겐 경찰의 진입을 저지해야 할 이유가 적어도 두 가지 있다. 첫째, 경찰이 남쪽 벽을 부수고 들어오는 선택을 할 수도 있는데, 그 경우 그들은 해머나 굴착기 등으로 3메가톤급 폭탄을 건드릴 위험이 있다.

「그럼 경찰들이 무지하게 놀라겠네?」 홀예르 2가 말했다.

「아니, 그냥 즉사할 거야.」 놈베코가 대꾸했다. 「우리의 두 번째 문제는 의자에 앉아 있는 시체가 한 구 있다는 사실이야.」

「가만, 이 양반 얘기가 나왔으니 말인데,」 다시 홀예르 2가 말했다. 「혹시 이 양반, CIA가 오면 도망치려고 터널을 파놓지 않았을까?」

「그렇다면 왜 터널로 도망치지 않고 앉아서 죽어 버렸지?」
홀예르 1이 물었다.

놈베코는 홀예르 2에게 좋은 지적이라고 칭찬한 다음, 홀예
르 1에게는 당신도 잘하면 조만간에 그 이유를 알게 될지도
모른다고 말했다. 그런 다음, 첫째로 터널을 찾아내고(만일 터
널이 실제로 존재한다면), 둘째로, 그게 어디로 통하는지 알아
보고(만일 그게 어딘가로 뚫려 있다면), 셋째로, — 무엇보다
도 — 그게 폭탄을 옮기기에 충분히 넓은지 확인하는 게 필요
하다고 설명했다. 하지만 빨리 움직여야 했다. 왜냐하면 바깥
에 있는 사람들이 언제 행동을 개시할지 모르기 때문이었다.

「우리는 5분 후에 건물 안으로 진입한다!」 경찰이 메가폰으
로 경고했다.

물론 이 5분은 다음과 같은 일들을 하기엔 너무나 짧은 시
간이었다.

1) 터널을 찾기.

2) 그게 어디로 통하는지 확인하기.

3) 폭탄을 끌고 가는 데 필요한 램프, 밧줄, 기타 등등을 모
으기. 우선은 폭탄이 터널에 들어갈 수 있어야 하겠지만.

머릿속에 그 생각이 반짝 떠올랐을 때, 휘발유녀는 죄의식
같은 것을 느꼈어야 옳았겠지만, 이런 감정은 그녀에겐 매우
낯선 것이었다. 그녀는 아까 경찰과 통화할 때 자신도 모르게
내뱉은 몇 마디가 지금 이 상황에서 도움이 될 수도 있겠다는
것에 생각이 미쳤다.

「아, 알겠어! 어떻게 하면 우리가 시간을 벌 수 있는지!」 그녀가 소리쳤다.

놈베코는 그렇다면 최대한 빨리 얘기하는 게 좋다, 왜냐하면 지금부터 4분 30초 후에는 경찰이 폭탄에 굴착기를 박을 것이기 때문이다, 라고 말했다.

셀레스티네는 설명을 시작했다. 자신은 조금 전 짭새들과 통화할 때 약간 언성을 높였다. 비록 그들이 〈여긴 경찰이다!〉라고 마치 시비 걸 듯이 전화를 받으면서 먼저 도발한 게 사실이지만…….

놈베코는 빨리 요점을 말하라고 부탁했다.

그래서…… 그때 어쩌다가 내 입에서 튀어나온 위협을 실행에 옮긴다면 저 돼지들은 조용해질 것이다. 이건 확실하다. 아주 강력한 행동이니까. 물론 이것은 좀…… 이런 걸 뭐라고 하더라…… 그래, 좀 비윤리적이긴 하지만, 도공도 그렇게 반대할 것 같진 않다.

그러고 나서 휘발유녀는 자신의 아이디어를 밝혔다. 자, 모두들 어떻게 생각하는지?

「……좋아. 남은 시간은 4분이야.」 놈베코가 결정을 내렸다. 「자, 홀예르, 당신은 다리를 잡고, 그리고 홀예르, 당신은 머리를 잡아. 난 허리께를 붙잡아 도울 테니까.」

홀예르와 홀예르가 과거에 도공이었던 95킬로그램의 양쪽 끝을 잡았을 때, 홀예르 1의 업무용 휴대전화가 울렸다. 전화를 건 사람은 그의 상관으로, 나쁜 소식을 전하겠단다. 헬리콥터 중 한 대를 도둑맞았네. 혹시 자네가 경찰에 신고하고 보험 회사와 접촉할 순 없겠나? 안 된다고? 친구의 이사를 돕는 중이라고? 음, 하는 수 없지. 자네 지금 몸도 성치 않은데, 너무 무거운 걸 나르지는 말게나.

현장에 출동한 경찰 책임자는 창고의 남쪽 면을 이룬 양철 벽을 용접기로 잘라 내어 통로를 확보하고 건물에 진입하기로 결정을 내렸다. 그들이 받은 위협은 매우 심각한 것이었는데, 지금 건물 안에 몇 사람이나 있는지 알 길이 없었다. 가장 간단한 진입 방법은 물론 트랙터를 사용하여 문을 막은 트럭을 치우는 것이겠으나, 차량에는 폭약이 장치되었을 가능성이 있었고, 건물의 창문들도 마찬가지였다. 그래서 양철 벽을 뚫기로 했던 것이다.

「비에르크만, 용접기를 켜!」 지휘관이 지시를 내렸다.

바로 이때, 철거예정 건물의 부서진 창문 중 하나의 커튼 뒤에서 누군가의 실루엣이 나타났다. 그는 경찰들 쪽으로 고함쳤다.

「너희는 절대 우릴 못 잡아! 만약 무력으로 밀고 들어오면 우린 차례차례 여기서 뛰어내릴 거야! 내 말 들리냐, 이놈들아?」 홀예르 2는 최대한 맛이 간 소리를 내어 고함쳤다.

지휘관은 비에르크만에게 용접기를 켜지 말라고 손짓했다.

「당신은 누구요? 원하는 게 뭐요?」 그는 메가폰에 대고 물었다.

「너희는 절대 우릴 못 잡아!」 다시 커튼 뒤에서 목소리가 들렸다.

그러고 나서 한 사람이 앞으로 나왔다. 그는 힘겹게 창문턱 위로 몸을 올렸다. 뛰어내리겠다는 건가? 고작 이런 이유로 자살을……?

빌어먹을!

사내의 몸은 그대로 기울어졌다. 그리고 아래의 아스팔트로
떨어져 내렸다. 추호의 두려움도 없는 자, 독하게 마음먹은 자
의 모습이었다. 떨어져 내리면서 깩 소리도 내지 않았다. 두 손
으로 자신의 몸을 붙잡으려 하지도 않았다.

그는 머리부터 떨어졌다. 퍽 하는 소리가 경찰관들의 귀에
까지 들렸다. 피가 사방으로 튀었다. 그가 살아 있을 가능성은
전혀 없었다.

「아, 젠장!」 용접기를 든 경찰관이 토할 것 같은 기분을 느
끼며 내뱉었다.

「반장님, 이제 어떻게 하죠?」 상태가 좀 더 낫다고 할 수 없
는 또 다른 경찰관이 물었다.

「다 중지한다!」 아마도 셋 중에서 가장 상태가 나쁜 사람일
지휘관이 대답했다. 「그리고 스톡홀름의 국가 특수임무 부대
에 지원을 요청한다!」

미국인 도공은 52세에 불과했고, 평생을 베트남전쟁의 기억
과 상상 속의 추격자들에게 시달리며 살아온 사람이었다. 놈
베코와 중국 자매들이 그의 삶에 들어온 이후로 그는 망상증
에서 거의 해방되었고, 아드레날린 수준은 현저히 낮아졌으
며, 그의 몸은 이런 상태로 불안감을 제어하는 데 익숙해졌다.
그런데 CIA가 정말로 들이닥쳤다고 믿은 순간, 모든 일이 너
무도 급작스레 일어났기 때문에 아드레날린은 생체 방어에 필
요한 이전의 수준을 미처 회복하지 못했다. 대신 몸은 심실세

동 발작을 일으켰다. 동공은 확대되었고, 심장은 박동을 멈췄다. 이런 일이 일어나면 사람은 먼저 죽은 것처럼 보이고, 그다음엔 진짜로 죽는다. 또 그러고 나서 만일 4층에서 머리를 거꾸로 하여 추락한다면, 그 전에 완전히 죽지 않았다면, 확실하게 죽게 된다.

홀예르 2는 모두를 이끌고 창고로 돌아왔다. 그러고는 더이상 그들과 함께 있지 않은 이를 위해 30초간의 묵념을 올리며, 이 절체절명의 상황에 귀중한 도움을 준 그에게 충심으로 감사했다.

그런 다음에 다시 놈베코에게 지휘권을 넘겼다. 그녀는 신뢰해 주어 고맙다고 말한 뒤, 자신이 도공의 터널을 찾아냈고, 대충 둘러보고 왔노라고 설명했다. 결론을 말하자면, 미국인은 죽고 나서 모두에게 한 번이 아니라 두 번 도움을 주게 될 것 같단다.

「그이는 길 건너편의 도기 공장까지 이르는 140미터의 터널을 뚫었어. 그뿐이 아니야. 거기에 전기도 가설하고, 비상용 석유램프는 물론, 여러 달을 버틸 수 있는 통조림과 식수도 갖다 놓았어⋯⋯. 한마디로 그이는 정말로⋯⋯ 제정신이 아니었던 거야.」

「부디 이젠 편히 쉬소서!」 홀예르 1이 명복을 빌었다.

「그런데 터널 크기는 어때?」 홀예르 2가 물었다.

「궤짝이 지나갈 것 같아.」 놈베코가 대답했다. 「간신히.」

이어 놈베코는 각자에게 역할을 분배했다. 우선 셀레스티네는 아파트들을 돌아다니면서 거기 살던 사람들과 연결될 수 있는 단서들은 모두 없애고, 나머지는 남겨 둘 것.

「한 가지는 예외야.」놈베코가 덧붙였다. 「내 방에 가면 배낭이 하나 있는데 그건 가져갈 거야. 앞으로 중요하게 쓰일 물건이 들어 있어.」

〈1960만 개의 중요한 물건들이지.〉그녀는 속으로 생각했다.

홀예르 1은 터널을 통해 도기 공장에 가서 사륜 손수레를 가져올 것이며, 홀예르 2는 창고의 아늑한 공간을 정리해 그 아래 궤짝을 정상적인 폭탄 궤짝으로 되돌려 놓으라는 지시를 받았다.

「정상적인?」홀예르 2가 비꼬듯 되물었다.

「자, 실시!」

임무 분배가 끝나자, 모두가 각자의 위치로 달려갔다.

터널은 강박증적 엔지니어링의 한 빛나는 예였다. 벽면은 반듯했으며, 높직한 천장은 붕괴되지 않게끔 튼튼한 들보들을 촘촘히 대었다. 그것은 도기 공장까지 통해 있었고, 사람들이 점점 많아지고 있는 프레드스가탄 가 5번지 앞에서는 시야가 닿지 않는 저 뒤쪽으로 출구가 나 있었다.

8백 킬로그램이 넘는 원자폭탄을 손수레로 다루는 것은 과연 쉬운 일이 아니었다. 하지만 그로부터 한 시간도 못 되어, 이제는 국가 특수임무 부대 대원들까지 도착하여 시끌벅적한 철거예정 건물에서 2백여 미터밖에 떨어지지 않은, 프레드스가탄 거리와 직각 방향으로 뻗은 도로 위에서 손수레가 굴러가고 있었다.

「자, 이제 여기서 빨리 멀어지는 게 좋겠어.」놈베코가 말했다.

홀예르 형제와 놈베코는 수레를 뒤에서 밀고 휘발유녀는 앞에서 방향을 잡았다. 그들은 쇠름란드 벌판에 뻗은 좁다란 아스팔트 길을 천천히 나아갔다. 그렇게 포위된 건물에서 1킬로미터를 벗어났고, 다시 1킬로미터를 벗어났다.

셀레스티네를 제외한 모두에게 허리가 휠 정도로 고된 작업이었다. 하지만 3킬로미터 정도를 지나 야트막한 고개 하나를 넘어서자 일은 한결 수월해졌다. 고갯마루 다음에는 도로가 완만한 경사로 이어졌다. 덕분에 홀예르 1, 홀예르 2 그리고 놈베코는 잠시 숨을 돌릴 수 있었다.

단 몇 초 동안이었다.

그다음에 무슨 일이 일어나게 될지 처음 알아차린 사람은 놈베코였다. 그녀는 홀예르 형제에게 수레 앞으로 달려가 앞쪽을 붙잡으라고 다급하게 지시했다. 홀예르 2는 이 말의 의미를 이해하고는 즉각 시행했다. 홀예르 1 역시 아마도 이해했겠지만, 그는 엉덩이를 긁느라 잠시 멈추는 통에 몇 걸음 지체하고 말았다. 하지만 넘버 1의 이 일시적인 불편함이 대세에 큰 영향을 끼친 건 아니었다. 8백 킬로그램짜리 덩어리가 그 누구의 의견도 묻지 않고 굴러 내려가기 시작한 순간, 그 어떤 노력도 소용이 없어졌으니까.

끝까지 포기하지 않은 사람은 셀레스티네였다. 그녀는 수레 앞을 달리며 그것의 방향을 잡아 보려고 애썼다. 하지만 수레는 맹렬히 구르기 시작했고, 결국 그녀도 수레의 조종간을 잠가 놓고는 옆으로 몸을 날렸다. 이제 네 사람이 할 수 있는 일이라곤 3메가톤급의 대량살상무기가 좁다란 시골길을 따라 멀어져 가고, 또 점점 더 가팔라지는 비탈길을 맹렬히 굴러 내려가는 광경을 망연히 바라보는 것뿐이었다. 궤짝 옆쪽에는 1960만 크로나의 지폐로 채워진 배낭이 묶여 있었다.

「혹시 10초 안에 여기서 58킬로미터 떨어진 곳으로 이동할 수 있는 아이디어를 가진 사람 없어?」 놈베코가 폭탄을 주시하며 물었다.

「글쎄, 난 아이디어는 별로 강한 편이 아니라서.」 홀예르 1이 대답했다.

「그렇지. 하지만 넌 엉덩이 긁는 데에는 참 재능이 많았어.」 그의 형제는 이렇게 말하면서, 인생을 마감하는 멘트치고는 참 괴상하다고 느꼈다.

2백여 미터 떨어진 곳에서 도로는 왼쪽으로 살짝 휘어지고 있었다. 네 개의 바퀴 위에 실린 폭탄은 돌진을 계속했고.

블롬그렌 부처(夫妻)가 서로의 짝이 된 것은 절약을 인생 최대의 미덕으로 여기는 공통점을 지녔기 때문이었다. 마르가레타는 그녀의 하리에 열정적으로 매달렸고, 하리는 부부의 돈에 더욱 열정적으로 매달렸다. 그들은 스스로를 책임감 있는 사람으로 여겼다. 하지만 외부의 관찰자는 누구나 그들을 〈한 쌍의 왕소금〉이라고 불렀을 것이다.

하리는 평생을 고철상으로 일했다. 그는 이 사업을 스물다섯 살 때 부친에게서 물려받았다. 그의 아버지가 크라이슬러 뉴요커 세단에 치여 사망하기 전에 마지막으로 한 일은 고철 가게의 경리 직원으로 한 아가씨를 채용한 것이었다. 상속자 하리는 이 채용을 순전한 낭비라고 생각했지만, 이 문제의 여직원 마르가레타가 송장(送狀) 비용과 연체 이자를 받아 낼 수 있는 가능성을 발견한 날에는 모든 게 바뀌었다. 곧바로 미칠 듯한 사랑에 빠진 그는 청혼을 했고, 긍정적인 대답을 받았다. 결혼식은 고철가게 내에서 거행되었고, 하객은 탈의실 게시판에 붙은 쪽지를 보고 참석한 세 직원이 전부였으며, 피로연 음식은 각자가 준비해 와야 했다.

그들에겐 자녀가 없었다. 아이가 생기면 들어갈 비용을 계산하며 끊임없이 미루다가 마침내 그런 것은 신경 쓰지 않아도 될 나이가 된 것이다.

주거 문제는 저절로 해결되었다. 결혼하자마자 에크바카에 있는 마르가레타의 노모 집에 들어가 함께 살았는데, 20년 후에는 고맙게도 노파가 먼저 세상을 떠나 준 것이다. 추위에 무척이나 약했던 노파는 딸과 사위가 창문 안쪽에 서리가 끼도록 난방을 하지 않는다는 하소연과 한탄 속에 말년을 보냈다. 이제 그녀는 몸이 얼지 않는 헤르튱아 공동묘지의 지하 깊숙한 곳에 묻혀 있으니 사정이 한결 나아졌다고 하겠다. 하리도 마르가레타도 무덤을 꽃으로 장식하는 일 따위에 돈을 낭비할 이유는 없다고 생각했다.

노모의 취미는 길가에 마련한 조그만 우리에 양 세 마리를 키우는 거였다. 고인의 시신이 채 식기도 전에(물론 원래부터 아주 차가운 상태이긴 했다) 하리와 마르가레타는 녀석들을 잡아먹었다. 그리고 양 우리는 폐허가 되도록 놔두었다.

그러고 나서 부부는 고철가게를 팔고 함께 은퇴를 했다. 둘이 일흔 살, 아니 일흔다섯 살을 넘겼을 때에야 그들은 마침내 양 우리 자리에 뭔가 다른 것을 해보기로 결정했다. 하리는 우리를 허물었고, 마르가레타는 거기서 나온 널판들을 한데 쌓왔다. 그런 다음 널판 무더기에 불을 붙이자, 이내 거센 불길이 치솟았다. 하리 블롬그렌은 불이 번질 경우를 대비하여 살수 (撒水)용 호스를 들고 감시했고, 아내 마르가레타는 늘 그렇듯 그의 옆에 서 있었다.

바로 그때였다. 와지끈하는 소리와 함께 수레에 실린 8백 킬로그램짜리 원자폭탄이 울타리를 박살 내며 들어왔고, 불구덩이 한가운데까지 굴러 와서야 겨우 멈춰 섰다.

「아이고머니나! 이게 뭐람?」 블롬그렌 부인이 비명을 질렀다.

「아이고, 우리 울타리!」 블롬그렌 씨도 기겁을 했다.

이어 그들은 입을 다물고, 그들 쪽으로 허겁지겁 달려오는 네 사람을 바라보았다.

「안녕하세요, 어르신?」 놈베코가 외쳤다. 「그 호스 물로 이 불 좀 꺼주시겠어요? 즉시요! 고맙습니다!」

하리는 묵묵부답, 꿈쩍도 하지 않았다.

「즉시라고 했잖아요!」 놈베코가 다시 외쳤다. 「다시 말해서 지금 당장요!」

하지만 노인은 호스를 들고서 미동도 하지 않았다. 수레의 목재 부분은 거센 열기에 반응하기 시작했다. 배낭은 이미 화염에 휩싸여 있었다.

하리 블롬그렌이 마침내 입을 열었다.

「이 물은 공짜가 아니야.」

이때 거센 폭발음이 천지를 울렸다.

놈베코, 셀레스티네 그리고 홀예르와 홀예르는 몇 시간 전에 도공의 생명을 앗아 간 심장마비와 유사한 어떤 증상에 사로잡혔다. 하지만 폭발한 것은 이 지역 전체가 아니라 타이어 하나뿐이라는 사실을 깨달은 그들은 도공과는 달리 다시 정신을 차릴 수 있었다.

두 번째, 세 번째, 네 번째 바퀴들도 곧 만형의 뒤를 따랐다. 하리 블롬그렌은 여전히 궤짝과 배낭에 물 뿌리기를 거부하고 있었다. 그는 먼저 누가 부서진 울타리를 변상할 것인지 알고 싶어 했다. 물값 지불에 대해서도 알고 싶어 했다.

「지금 어르신은 사태의 심각성에 대해 잘 모르시는 것 같아요.」놈베코가 설명했다. 「저 궤짝에는…… 인화성 물질이 들어 있어요. 인화성이 엄청나게 강한 물질요. 저게 뜨거워지면 결과가 좋지 않아요. 아주 좋지 않아요. 제발 내 말을 믿어 주세요.」

그녀는 벌써 배낭에게는 삼가 조의를 표하고 난 뒤였다. 1960만 크로나는 작고하신 것이다.

「왜 내가 생판 모르는 여자의 말을 믿어야 하지? 먼저 내 질문에 대답부터 하쇼! 저 울타리 값은 누가 낼 거요?」

놈베코는 더 이상 얘기해 봤자 소용이 없다는 걸 깨달았다. 하여 그녀는 셀레스티네로 하여금 바통을 이어받게 했고, 셀레스티네는 기꺼이 앞으로 나섰다. 대화를 필요 이상으로 늘이지 않기 위해 그녀는 대뜸 소리쳤다.

「불 꺼! 안 그러면 죽여 버릴 테니까!」

하리 블롬그렌은 이 젊은 여자의 눈빛에서 그녀는 무슨 짓이라도 할 수 있으며, 또 같은 말을 두 번 반복할 뜻은 전혀 없다는 걸 느꼈다.

「잘했어, 셀레스티네!」놈베코가 격려했다.

「역시 내 여친이야!」홀예르 1은 우쭐해졌다.

홀예르 2는 그냥 입을 다물고 있었다. 하지만 속으로는 휘발유녀가 무리에 뭔가 유용한 일을 할 때면, 그것은 항상 살해 위협의 형태를 취한다는 사실을 깨달았다. 그래, 이런 사람도 하나쯤 있어야겠지…….

수레는 반쯤 타버렸고, 궤짝의 귀퉁이들에서도 무럭무럭 연기가 피어올랐다. 배낭은 한 줌의 잿더미로 화해 있었다. 그래도 불은 꺼졌다. 세상은 아직 이전의 모습을 간직하고 있었다. 하리 블롬그렌은 다시 힘이 나는 모양이었다.

「자, 이제 보상 문제를 얘기해도 되겠소?」

그들 중에서 놈베코와 홀예르 2만이 알고 있었다. 지금 보상 문제를 논의하자고 난리를 치는 사람이 방금 전에 물 ― 그것도 자기 우물에서 나오는 물 ― 몇 방울을 아끼겠다고 1960만 크로나를 홀라당 태워 먹었다는 사실을.

「젠장, 도대체 누가 누구한테 변상해야 하는 거야?」 놈베코가 나지막이 투덜거렸다.

이날이 시작될 때만 해도 그녀와 홀예르는 미래에 대한 구체적인 비전이 있었다. 그런데 몇 시간 후, 전혀 뜻밖의 사태가 벌어졌고, 그들의 생명 자체가 위협을 받는 일이 ― 그것도 두 번씩이나 ― 일어났다. 이제 그들의 앞날은 짙은 안갯속에 있었다. 누가 삶은 고요히 흐르는 강이라는 헛소리를 했던가?

하리와 마르가레타 블롬그렌은 이 불청객들에게서 보상금을 받아 내지 않고는 절대로 보내고 싶지 않았다. 하지만 날도 어둑해지고 있었으므로, 하리는 그들이 하는 설명에 귀를 기울여 보았다. 지금 그들에겐 현찰이 없단다. 방금 전에 타버린 배낭 안에는 얼마쯤 있었지만, 이제는 내일 은행이 열릴 때까지는 아무것도 할 수가 없단다. 은행이 열리면 돈을 찾아 해결할 것을 해결한 다음, 수레를 수리하여 궤짝을 싣고 다시 길을 떠나겠단다.

「아, 저 궤짝? 저 안엔 뭐가 들었소?」 하리 블룸그렌이 물었다.

「남의 일에 신경 쓰지 마, 영감탱이야!」 휘발유녀가 쏘아붙였다.

「내 개인 물건이에요.」 놈베코가 대답했다.

4인조는 힘을 합쳐 아직도 연기가 피어오르는 궤짝을 수레의 잔해로부터 내려서는 블룸그렌 부부의 트레일러 쪽으로 끌고 갔다. 그런 다음, 셀레스티네의 살벌한 도움이 살짝 가미된 치열한 협상을 벌인 끝에, 놈베코는 농가 차고의 자동차 자리에 궤짝을 놓아도 좋다는 허락을 얻어 냈다. 그렇지 않을 경우, 궤짝은 도로 쪽에서 보이게 되어 놈베코로서는 마음 편히 잠을 이룰 수 없을 거였다.

에크바카에는 블룸그렌 부부가 예전에 독일 관광객들에게 대여해 주던 민박집이 한 채 있었다. 지금은 이 지역 민박 협회의 블랙리스트에 올라 있었는데, 이유인즉슨 부부가 모든 것에 대해 추가 요금을 요구하고, 심지어 화장실은 동전을 넣어야 사용할 수 있게 해놓았기 때문이다.

그 이후로, 동전 사용(1회 사용에 10크로나) 화장실까지 갖춘 이 민박집은 가슴 아프게도 계속 비어 있었다. 하지만 이제 저 침입자들을 거기다 가둬 놓을 수 있게 된 것이다.

홀예르 1과 셀레스티네는 거실에 자리를 잡았고, 홀예르 2와 놈베코는 침실을 사용하기로 했다. 마르가레타 블롬그렌은 화장실 코인기의 사용 방법을 흐뭇한 마음으로 설명한 뒤, 정원에다 소변보는 일은 결코 용납할 수 없다고 덧붙였다.

홀예르 1은 그녀에게 백 크로나짜리 지폐를 내밀었다.

「이걸 10크로나 동전으로 바꿔 줄 수 있어요?」

「환전 수수료를 달라고만 해봐라!」 휘발유녀가 옆에서 도끼눈을 했다.

마르가레타 블롬그렌은 감히 환전 수수료 얘기를 꺼낼 수가 없었으므로, 동전도 바꿔 주지 못했다. 따라서 홀예르 1은 충분히 어두워질 때까지 기다렸다가 라일락 덤불 속에서 소변을 봐야 했다. 하지만 매의 눈으로 그의 모습을 지켜보는 사람들이 있었다. 바로 불 꺼진 주방에 웅크리고서 각자 쌍안경을 눈에 대고 있는 블롬그렌 부부였다.

침입자들이 수레를 부부의 울타리로 곧바로 향하게 한 것은 명백히 태만한 행동이었지만, 고의로 한 짓은 아니었다. 이어 자기네 재산이 불타는 것을 막기 위해 부부를 위협하여 물을 낭비하게 한 것은 범죄행위였지만, 그 상황에서 그들이 느꼈을 절망감을 감안하면 용서해 줄 수도 있는 일이었다. 반면 라일락 덤불 앞에 떡 버티고 서서는 정원에다 오줌을 갈긴다? 그것도 완전히 고의적으로, 또 분명히 주의를 주었음에도 불구하고? 이것은 너무도 모욕적인 행동이라서 하리와 마르가레타 블롬그렌은 머리가 핑 돌 지경이었다. 이건 절도 행위였다! 정말이지 이건 파렴치한 짓이었다! 아마도 그들이 평생 겪은 일들 중 최악의 일일 거였다!

「저 훌리건들 때문에 잘못하면 우리가 망해 버리겠어!」 마르가레타 블롬그렌이 발을 동동 굴렀다.

「맞아. 너무 늦기 전에 뭔가 조치를 취하지 않으면 말이야!」

하리 블롬그렌도 씨근덕거렸다.

놈베코, 셀레스티네 그리고 홀예르 형제가 잠에 빠져들고 있는 사이, 거기서 몇 킬로미터 떨어진 곳에서는 국가 특수임무 부대가 프레드스가탄 가 5번지 건물에 진입을 준비 중이었다. 투신자살한 시체는 물론 부검될 예정으로, 우선은 구급차에 넣어졌다. 1차 검사 결과, 그는 50세가량의 백인 남성으로 밝혀졌다.

따라서 건물 안에는 적어도 두 명의 점거자가 있었을 거였다. 하나는 경찰에 전화를 건 스웨덴 여성이고, 다른 하나는 4층의 커튼 뒤에서 나타나 투신한, 스웨덴어를 구사하는 백인 남성이었다. 투신 광경을 직접 목격한 경찰관들은 커튼 뒤에 다른 이들도 있었을지 모른다고 증언했다.

진입 작전은 이날, 그러니까 1994년 8월 11일 밤 10시 32분에 개시되었다. 특수부대는 최루가스, 불도저 한 대, 헬리콥터 한 대 등을 동원하여 세 방향으로 쳐들어갔다. 대원들은 몹시 긴장한 상태였다. 그들 중 누구도 이렇게 미묘한 작전을 경험해 본 적이 없었다. 따라서 극도의 혼란 중에 총격이 몇 차례 행해진 것은 전혀 놀라운 일이 아니었다. 그중 한 발이 베개 창고에 화재를 일으켰고, 이로 인해 주변은 자욱한 연기로 뒤덮였다.

다음 날 아침, 프레드스가탄 가의 이전 거주자들은 이 사건이 어떻게 끝났는지 블롬그렌 부부의 주방에서 라디오 뉴스를 듣고 알게 되었다.

방송 리포터에 의하면, 진입 과정에서 약간의 충돌이 발생했다고 한다. 특수부대 대원 중 하나는 다리에 총상을 입었고, 다른 세 사람은 유독가스에 중독되었다. 1200만 크로나짜리 헬리콥터는 폐쇄된 도기 공장 뒤쪽에 추락했고 불도저는 건물, 창고, 경찰차 4대 그리고 부검을 기다리는 시신이 누워 있는 구급차와 함께 전소되었단다.

하지만 전체적으로 볼 때 작전은 성공적이었단다. 왜냐하면 테러리스트들이 모두 진압되었기 때문이란다. 그들의 정확한 숫자는 아직 밝혀지지 않았는데, 건물 안에서 전원 불타 버렸기 때문이라고.

「헐!」 홀예르 2가 혀를 찼다. 「국가 특수임무 부대가 자기 자신과 죽도록 싸웠군!」

「어쨌든 이기긴 했잖아? 뭐, 백 퍼센트 맹탕은 아니야.」 놈베코는 쓴웃음을 지었다.

아침 식사를 하는 동안, 블룸그렌 부부는 이 식사 값으로 얼마나 청구할 것인지에 대해 일언반구 말도 없었다. 그들은 시종일관 침묵을 지켰다. 얼굴은 잔뜩 찌푸린 채였다. 뭔가 부끄러워하고 있는 것 같은 느낌마저 주었다. 이러한 태도는 놈베코를 바짝 긴장하게 만들었다. 왜냐하면 그녀는 지금까지 살아오면서 많은 사람들을 겪어 봤지만, 이렇게 뻔뻔한 사람들은 처음이었기 때문이다.

배낭 속의 거금은 재가 되어 버렸지만, 홀예르 2에게는 은행에 (그의 형제 명의로) 아직 8만 크로나가 있었다. 또 회사 계좌에는 40만 크로나에 가까운 돈이 들어 있었다. 그렇다면 다음 단계는? 변상금을 치러 이 끔찍한 사람들로부터 해방되고, 그들에게서 트레일러 달린 자동차를 사서 폭탄을 트레일러에 실은 다음 곧바로 이곳을 뜨는 거였다. 목적지는 아직 미정이었다. 그네스타와 이 블롬그렌 부부에게서 멀리멀리 떨어진 곳이라면 어디라도 좋았다.

「우린 어젯밤에 당신들이 정원에다 오줌 누는 걸 봤어.」 블롬그렌 부인이 불쑥 말을 꺼냈다.

아, 빌어먹을 넘버 1……. 놈베코가 속으로 탄식했다.

「아, 그랬나요?」 그녀가 대답했다. 「그렇다면 먼저 사과를 드리고요. 지금 우리가 협의하여 결정할 가격에다 10크로나를 얹어 드리도록 하겠어요.」

「아, 그럴 필요 없소.」 하리 블롬그렌이 끼어들었다. 「당신들은 전혀 신뢰할 사람들이 못 되기 때문에, 우리가 벌써 알아서 변상금을 챙겼으니까.」

「뭐라고요?」 놈베코가 깜짝 놀라며 되물었다.

「뭐, 인화성 물질? 웃기고 자빠졌네! 난 평생 동안 고철 장사를 해온 사람이야. 고철은 절대로 타지 않는다고!」 하리 블롬그렌이 말을 이었다.

「그럼 궤짝을 열었단 말인가요?」 놈베코는 최악의 상황을 우려하며 물었다.

「당신들 둘 다 모가지를 물어뜯어 버리겠어!」 휘발유녀가 소리 질렀다.

홀예르 2는 맹견처럼 으르렁대는 그녀를 꼭 붙잡아야만 했다.

홀예르 1은 너무도 복잡한 이 상황을 감당할 수 없어 방을 나가 버렸다. 더욱이 전날 밤과 마찬가지로 라일락 덤불 속에서 해결해야 할 욕구도 있었다.

하리 블룸그렌은 살벌한 휘발유녀의 표정을 보고는 한 걸음 뒤로 물러섰다. 어떻게 이리도 불쾌한 여자가 다 있지……? 어쨌든 그는 다시 장광설을 계속했다. 지난밤에 한 문장 한 문장 다 준비해 놓았기 때문에 입에서 콸콸 쏟아져 나왔다.

「당신들은 우리의 환대를 악용했어! 여러 가지를 부숴 놓은 것으로도 모자라 정원에다 오줌까지 싸갈겼지. 따라서 당신들은 전혀 신뢰할 수 없는 인간들이야. 우리로서는 당신들이 갚지 않고 내뺄 게 뻔한 변상금을 미리 확보해 두는 수밖에 없었다고. 그래서 당신들의 그 옛날 폭탄을 압수했어.」

「압수?」 소리치는 홀예르 2의 머릿속에는 창공을 뒤덮은 거대한 버섯구름의 영상이 떠올랐다.

「아무렴, 압수했지! 우린 어젯밤 그걸 한 고철가게로 가지고 갔어. 킬로그램당 1크로나를 받아 냈지. 가격이 되게 짜긴 했지만, 할 수 없었어. 당신들 때문에 입은 손실을 겨우 만회할 정도는 됐으니까. 하지만 민박비는 별도고, 그 고철가게가 어디 있는지도 알려 주지 않겠어. 더 이상은 당신들한테 당하고 싶지 않으니까.」

홀예르 2는 휘발유녀가 이중 살인을 범하지 못하게끔 꽉 붙잡고 있느라 진땀을 흘렸다. 이제 이 두 노인이 그들이 〈옛날 폭탄〉이라고 부르는 것이 사실은 비교적 최근의 모델이며, 게다가 완벽하게 작동하는 것이라는 사실을 모르고 있다는 게 분명해졌다.

하리 블롬그렌은 이 거래를 통해 쥐꼬리만큼이긴 하지만 약간의 이문을 남길 수 있었다고 덧붙였다. 따라서 자기네는 물과 울타리 파손과 정원에 오줌 싸갈긴 것에 대해서는 눈감아 줄 수 있단다. 단, 지금부터 그들의 즉각적인 출발 시까지, 오줌을 화장실에서만 눈다는 조건에서란다. 물론 다른 피해를 끼치는 일도 없어야 하겠고.

하리의 얘기가 여기까지 이르렀을 때, 홀예르 2는 휘발유녀를 데리고 밖으로 나가지 않으면 안 되었다. 정원에서 그는 그녀가 조금 진정할 수 있게끔 도와주었다. 그녀의 설명으로는, 저 두 노인네의 모습 자체에서부터 뭔가 참을 수 없는 게 느껴진다는 거였다. 그들의 말과 행동은 차치하고라도 말이다.

휘발유녀의 이 맹렬한 분노는 블롬그렌 부부가 과거 그들의 소유였으며 지금은 전(前) 직원 루네 루네손이 경영하는 고철가게까지 다녀오는 동안 예상할 수 있었던 요소는 아니었다. 이 히스테릭한 여자는 모든 상식과 논리를 벗어난 존재였다. 간단히 말해서, 노부부는 겁에 질려 버렸다. 또, 한 번도 진정으로 화를 낸 적이 없었던 놈베코도 이번에는 정말로 화가 나 있었다. 불과 며칠 전까지만 해도 그녀와 홀예르 2에게는 수렁에서 빠져나올 수 있는 방법이 있었다. 그들은 처음으로 희망이란 걸 느꼈었다. 다시 말해서 그들에겐 1960만 크로나가 있었다. 하지만 지금 남은 것은…… 이 거머리 같은 블롬그렌 부부가 전부였다.

「……블롬그렌 씨.」 놈베코가 마침내 입을 열었다. 「내가 한가지 협상안을 제안해도 될까요?」

「협상안?」

「네. 블롬그렌 씨, 난 그 고철에 큰 애착을 갖고 있어요. 따라서 내 제안은 블롬그렌 씨가 그걸 어디에 가져다줬는지 지금부터 10초 안에 내게 알려 주는 거예요. 그 대신, 난 지금 정원에 있는 아가씨가 두 분의 목을 물어뜯는 걸 막아 주겠다고 약속드리죠.」

하리 블롬그렌은 얼굴이 헬쑥해져서는 아무 대꾸도 없었다. 놈베코는 말을 이었다.

「만일 그다음에 당신 자동차를 무기한 대여해 주신다면, 우린 어쩌면 언젠가 그걸 돌려 드릴 수도 있고, 또 지금 당장 저 화장실 코인기를 박살 낸 다음, 이 집에 불을 질러 버리는 것은 참아 주겠다고 약속드리겠어요.」

마르가레타는 뭐라고 대답하려고 입을 옴쭉거렸으나 남편이 가로막았다.

「마르가레타, 내가 알아서 할 테니까 가만히 있어!」

「지금까지 난 아주 정중하게 제안을 드렸어요. 블롬그렌 씨께서는 내가 좀 더 딱딱한 어조를 사용하길 원하시나요?」

하리 블롬그렌은 계속 침묵으로 상황을 통제하려 했다. 그의 마르가레타가 다시 입을 옴쭉거리기 시작하자, 놈베코가 선수를 쳤다.

「그런데 이 테이블보는 블롬그렌 부인께서 직접 짠 건가요?」

마르가레타는 이 갑작스러운 화제 변경에 깜짝 놀랐다.

「네, 그런데요?」

「아주 예쁘군요. 이걸 당신의 목구멍에 쑤셔 넣어 주면 어떨까요, 블롬그렌 부인?」

홀예르 2와 휘발유녀는 정원에서 이 대화를 듣고 있었다.

「역시 내 여친이야!」홀예르 2가 고개를 끄덕였다.

　일은 한 번 꼬이기 시작하면 계속 꼬이기 마련이다. 폭탄이
간 곳은 이 세상의 고철가게 중에서도 절대로 가서는 안 될 유
일한 고철가게, 즉 그네스타 시 프레드스가탄 가 9번지의 고철
가게였다. 하리 블롬그렌은 이제 무엇보다도 중요한 것은 목
숨을 건지는 일이라는 걸 분명히 깨달았다. 하여 그는 자신과
아내가 한밤중에 폭탄을 트레일러에 싣고 그곳으로 갔노라고
털어놓았다. 루네 루네손이 가게에 있으리라 생각했던 것인
데, 대신 그들을 맞이한 것은 전쟁터로 화해 있는 거리였다. 고
철가게에서 불과 15미터 떨어진 건물 두 채가 화염에 휩싸여
있었다. 게다가 거리는 봉쇄되어 있어 루네손의 가게로 들어
가는 것은 불가능했다. 루네손은 밤중에 일어나 물건을 인수
하러 거기까지 왔지만, 상황이 상황인지라 그들은 고철이 든
트레일러를 일단 통제선 바로 앞에 놔둘 수밖에 없었다. 루네
손은 거리의 봉쇄가 풀리면 그들에게 전화를 걸겠다고 약속했
다. 그러면 부부가 다시 고철가게로 와서 거래를 마무리 짓자
는 거였다.

　「좋아요.」하리 블롬그렌의 자백이 끝나자 놈베코가 말했
다.「이제 두 분은 편히 쉬시면서 엿이나 실컷 잡수세요.」

　이렇게 말하고 주방에서 나온 그녀는 일행을 모은 다음, 하
리 블롬그렌의 차 운전석에 휘발유녀를 앉혔다. 홀예르 1은 조
수석에 앉게 하고, 자신은 전략을 세우기 위해 홀예르 2와 함
께 뒷자리에 앉았다.

　「자, 출발!」놈베코가 외쳤다.

휘발유녀는 시동을 걸었다.

그녀는 울타리 중에서 아직 성한 부분을 박살 내며 지나갔다.

16

깜짝 놀란 비밀요원과
감자 농사를 짓는 백작부인

B 요원은 30년에 가까운 세월 동안 모사드와 이스라엘에 봉사해 왔다. 제2차 세계 대전 중 뉴욕에서 태어난 그는, 이스라엘이 건국된 직후인 1949년에 가족과 함께 예루살렘으로 이주했다.

그는 스무 살밖에 되지 않았을 때 첫 해외 임무를 부여받았다. 하버드 대학교의 좌익 성향을 가진 학생들 가운데 침투하여 그들의 반(反)이스라엘 감정을 관찰하고 분석하는 일이었다.

그의 부모는 독일에서 살았지만, 나치스로부터 목숨을 구하려고 1936년에 미국으로 망명을 왔다. 이런 가족사로 인해 B 요원은 독일어를 유창하게 구사했고, 또 이 때문에 1970년대에는 동독에서 암중비약할 수 있었다. 그는 거의 7년 동안 동독 사람으로 살고, 또 일했다. 거기서 그가 수행한 다양한 임무 중에는 FC 카를마르크스슈타트[25] 축구팀의 서포터 역할을 하는 것도 있었다. 원래 그는 이 역할을 몇 달만 하기로 되

---

25 독일 작센 주의 도시로 지금은 켐니츠Chemnitz로 개명.

어 있었으나, 오래지 않아서 그는 주위의 수많은 관찰 대상들 보다도 더 열렬한 광팬이 되었다. 결국 자본주의가 공산주의를 거꾸러뜨려 도시 이름과 축구팀 이름이 바뀌었지만, B 요원의 축구 사랑에는 추호의 변화도 없었다. 심지어 B 요원은 아직은 무명이지만 장래가 촉망되는 한 주니어 선수에 대한 은밀하고도 약간은 유치한 오마주로서, 이후 미하엘 발락이라는 가명으로 활동해 왔다. 진짜 미하엘 발락은 양발잡이에 창의적이고 게임을 읽는 눈이 탁월한 선수로서, 빛나는 미래가 기다리고 있었다. B 요원은 자신이 모든 면에서 그와 비슷하다고 느꼈다.

A 요원이 자신이 스톡홀름에 있으며, 그 후 어떤 일들이 벌어졌는지 알려 왔을 때, B 요원은 코펜하겐에 있었다. A 요원이 더 이상 소식을 전해 오지 않았으므로, B 요원은 텔아비브의 허가를 받아 동료를 찾으러 스웨덴으로 떠났다.

8월 12일 금요일 아침에 비행기를 탄 그는 아를란다 국제공항에 도착하여 차를 한 대 렌트했다. 첫 번째 단계는 전날 그의 동료가 알려 준 주소로 찾아가는 일이었다. B 요원은 속도 제한을 세심하게 준수하며 달렸는데, 양발잡이 발락의 이름을 더럽히고 싶지 않았기 때문이다.

그네스타에 도착한 그는 프레드스가탄 거리에 조심스럽게 들어섰는데…… 웬 통제선이 그를 가로막았다. 또 홀라당 타 버린 건물 몇 채와 경찰관들, TV 방송국에서 나온 승합차들, 구경꾼들도 보였다.

그리고 저 트레일러에 실린 궤짝은……? 혹시 저게……? 아니, 그럴 리는 없었다. 그건 불가능했다. 하지만 저건 분명히……?

「안녕하세요, 요원님! 오랜만이네요.」 난데없이 B 요원 옆에 나타난 놈베코가 인사를 건넸다.

그녀는 통제선 앞에 서서 자기가 찾으러 온 궤짝을 뚫어지게 쳐다보고 있는 B 요원의 모습을 발견하고도 별로 놀라지 않았다. 왜냐하면 도저히 일어날 수 없는 일들이 줄줄이 일어난 이 마당에, B 요원이 바로 이때 여기에 서 있으면 안 된다는 이유도 없었던 것이다.

폭탄에서 눈을 떼어 고개를 돌린 B 요원의 시야에 들어온 것은…… 아니, 바로 그 청소부? 처음에는 폭탄이 어떤 트레일러에 실려 길 한가운데 떡하니 놓여 있는 게 보이더니만, 이번에는 도둑 자신이 뿅 하고 튀어나왔다. 지금 내가 헛것을 보고 있나?

놈베코는 놀라울 정도로 마음이 차분한 것을 느꼈다. 지금 요원은 놀라서 정신을 못 차리고 있을뿐더러, 설사 제정신이더라도 손끝 하나 까딱할 수 없는 처지였다. 주위에는 최소한 2백 명에 가까운 사람들이 우글대고 있고, 그 가운데는 스웨덴 매체들도 섞여 있는 것이다.

「아주 멋진 광경이죠, 안 그래요?」 그녀는 거무스레하게 그을린 궤짝을 턱짓으로 가리키며 물었다.

B 요원은 묵묵부답이었다.

홀예르 2가 놈베코 옆에 나타났다.

「홀예르입니다.」 그는 어떤 갑작스런 영감에 이끌려 요원에게 악수를 청했다.

B 요원은 내민 손을 내려다보았지만, 악수를 하지는 않았다. 대신 그는 놈베코에게 고개를 돌렸다.

「내 동료는 어디 있지? 저 불타 버린 건물 안에 있나?」

「아뇨. 최근 들은 소식에 의하면 탈린 쪽으로 갔다네요.」

「탈린?」

「네. 하지만 제대로 도착했는진 모르겠어요.」 놈베코는 이렇게 대답하며 휘발유녀에게 차를 후진시켜 트레일러에 붙이라고 신호를 보냈다.

홀예르 2가 트레일러를 블룸그렌의 차에 연결하고 있는 동안, 놈베코는 B 요원에게 더 이상 대화를 나눌 수 없음을 사과하며 작별을 고했다. 지금 자기는 할 일이 있어서 친구들과 함께 가봐야겠단다. 다음에 만나게 되면 더 오래 얘기하잔다. 혹시 두 사람이 다시 마주치는 불상사가 발생한다면…….

「자, 그럼 이만!」 놈베코는 이렇게 인사하고는 뒷좌석, 넘버 2 옆에 자리를 잡았다.

B 요원은 아무 대꾸도 없었지만, 차와 트레일러가 멀어져 가는 모습을 우두커니 바라보며 고개를 갸우뚱했다. 〈탈린?〉

B 요원이 프레드스가탄 거리에 서서 방금 일어난 일에 대해 계속 생각하고 있을 때, 셀레스티네가 운전하는 차는 그네스타를 빠져나와 북쪽으로 달리고 있었다. 홀예르 1은 그녀 옆에 앉았고, 뒷자리에서는 놈베코와 홀예르 2가 의논을 계속했다. 휘발유녀는 그 빌어먹을 자린고비가 차에 기름도 채워 놓지 않았다고 짜증을 냈다. 그녀는 처음 나타난 주유소에 차를 세웠다.

연료를 가득 채운 휘발유녀는 더 이상 박살 낼 울타리가 없었으므로 홀예르 1에게 운전대를 넘겼다. 놈베코도 이 교대를 적극 권장했다. 미친 짓으로는 훔친 자동차가 끄는 과적 트레일러로 원자폭탄을 나르는 것만으로도 충분하지 않은가? 적어도 면허증은 갖춘 운전사가 운전대를 잡는 편이 그래도 낫지 않겠는가?

홀예르 1은 계속 북쪽으로 달렸다.

「자기야, 지금 어디로 가는 거야?」 휘발유녀가 물었다.

「글쎄, 모르겠는데. 한 번도 생각해 본 적이 없어.」

「음…… 노르텔리에는 어때?」 그녀가 제안했다.

놈베코는 홀예르 2와의 대화를 중단했다. 셀레스티네에게 있어 노르텔리에는 단지 수많은 도시 중의 하나만은 아니라는 걸 그녀의 어조를 통해 느꼈던 것이다.

「왜 노르텔리에지?」 그녀가 물었다.

셀레스티네는 자기 할머니가 거기에 산다고 설명했다. 할머니는 용서할 수 없는 〈계급의 배신자〉란다. 하지만 지금 상황이 상황이니만큼…… 뭐, 다른 사람들만 견딜 수 있다면, 하룻밤 정도는 할머니와 같이 지낼 수 있단다. 게다가 할머니는 감자 농사를 짓기 때문에, 감자 몇 덩이 캐어다가 요기 정도는 할 수 있을 거란다.

놈베코는 그 노부인에 대해 좀 더 설명해 달라고 부탁했고, 길고도 비교적 명쾌한 답변을 듣게 되었다.

셀레스티네는 7년이 넘게 할머니를 보지 못했단다. 그리고 그동안 서로 한 마디도 대화를 나눈 적이 없단다. 하지만 그녀는 어린 시절에 할머니의 농가 〈셸리다〉에서 여름방학을 보내곤 했으며, 두 사람은 거기서…… 좋은 시간을 가졌단다(셸레스티네가 〈좋은〉이라는 단어를 말하며 쭈뼛거린 까닭은, 그녀의 근본적인 세계관과 배치되는 단어였기 때문이다).

이어진 설명에 따르면, 그녀는 사춘기가 되면서 정치에 관심을 갖게 됐다고 한다. 자신이 사는 세상은 부자가 더욱 부자가 되는, 엿 같은 세상이라는 걸 깨달았다는 것. 그녀 자신은 갈수록 가난해졌는데, 그 이유는 자신이 부모의 요구(예를 들어 아침 식사 때마다 엄마 아빠를 〈자본주의 돼지들〉로 취급하는 걸 중단하라는)에 따르지 않자 아버지가 용돈 지급을 중단했기 때문이라고.

열다섯 살 때 그녀는 마르크스-레닌주의 공산당(일명 〈혁명당〉)에 들어갔다고 한다. 우선 〈혁명당〉이라는 이름이 마음에 들었고(비록 자신이 어떤 종류의 혁명을 원하는지, 또 무얼 폐지하고 무얼 건설하고 싶은 것인지 전혀 몰랐지만), 또 70년대의 좌파가 80년대의 보수파에게 밀려나고 있던 그 시기에 마르크스-레닌주의자가 된다는 것은 정말로 절망적인 무언가로 보였기 때문이란다.

소외되고 반항적인 삶, 이거야말로 셀레스티네의 취향에 딱 맞는 것이었다. 더군다나 이것은 은행 지점장인, 따라서 파시스트인 그녀의 아버지가 권고하는 가치들과는 정반대되는 삶이었다. 셀레스티네의 꿈은 동지들과 함께 붉은 깃발을 휘두르며 아버지의 은행에 난입해서는, 그 주(週)의 용돈뿐 아니라 지금까지 못 받은 용돈을 이자까지 붙여서 받아 낸다는 거였다.

하지만 이 공산당 그네스타 지부의 한 미팅에서, 대략 위와 같은 목적으로 상업은행 그네스타 지점에 쳐들어가야 한다는 주장이 그녀의 입에서 튀어나왔을 때, 그녀는 먼저 야유를 받왔고, 그다음에는 격렬한 비난을 받은 뒤 축출되었다. 그 무렵 당은 짐바브웨의 로버트 무가베 동지를 지지하는 일 때문에 정신이 없었다. 짐바브웨는 이미 독립을 쟁취한 터였다. 이제 남은 것은 일당 독재국가를 세우는 일이었다. 이러한 상황에서 한 당원의 밀린 용돈을 받아 내고자 어떤 스웨덴 은행을 터는 것은 그다지 적절해 보이지 않았다. 셀레스티네는 당 지부장으로부터 〈레즈비언〉이라는 소리까지 들으며 문밖으로 쫓겨났다(당시의 마르크스-레닌주의자들에게 〈동성애자〉는 저주나 다름없는 말이었다).

이렇게 쫓겨나 극도로 분노한 소녀 셀레스티네가 할 수 있는 일이라곤 전 과목에서 최하점을 받고 학교를 졸업하는 일뿐이었으며, 그녀는 부모에 대한 항의 차원에서 이 일을 매우 열심히 했다. 예를 들어 그녀는 영어 논술문을 독일어로 작성했으며, 한 역사 시험에서는 청동기가 1972년 2월 14일에 시작되었다고 주장했다. 학교를 졸업하자마자 그녀는 최종 성적표를 아버지 책상 위에 올려놓고 작별을 고한 다음, 로슬라엔에 있는 할머니의 집으로 떠나 버렸다. 이런 딸을 어머니와 아버지는 그냥 놔뒀으니, 한두 달 있으면 제풀에 지쳐 돌아오리라 생각했기 때문이다. 어차피 그녀의 밑바닥 성적으로는 괜찮은 고등학교에 지원할 처지도 못 되었으니까. 아니, 그 어떤 고등학교에도 들어가기 힘든 상황이었다.

당시 막 육십을 넘긴 그녀의 할머니 예르트루드는 부모에게서 물려받은 감자 농장에서 뼈 빠지게 일하고 있었다. 셀레스티네는 나름대로 열심히 할머니를 도왔고, 어린 시절의 여름방학 때만큼이나 할머니를 좋아했다. 적어도 할머니의 폭탄선언이 터지기 전까지는 말이다. 어느 날 저녁, 할머니가 벽난로 불 앞에서 사실 자기는 귀족 출신이라고 털어놓았다. 셀레스티네는 경악했다. 아, 씨, 할머니! 어떻게 사람을 이렇게 배신 때릴 수 있냐고?

「그게 왜 배신이지?」 놈베코는 정말로 궁금해서 물었다.

「그럼 언니는 내가 민중의 압제자들과 시시덕거리며 지낼 수 있다고 생각해?」

그녀는 놈베코가 익히 알고 있는 그 상태로 돌아와 있었다.

「하지만 어쨌든 네 할머니였잖아? 그리고 내가 알기로는 지금도 마찬가지고.」

셀레스티네가 대답하기를, 이건 놈베코로선 이해할 수 없는 일이고, 더 이상 얘기하고 싶지도 않단다. 어쨌든 그녀는 다음 날 당장 보따리를 싸서 할머니 집을 나와 버렸단다. 하지만 딱히 갈 데가 없었으므로, 어느 집 보일러실에서 며칠 밤을 보낸 뒤에 아버지의 은행 앞에서 시위를 벌이기로 작정했던 거란다. 바로 거기서 고귀한 사명을 위해 투쟁하다 죽은 우체국 말단 직원의 아들이요, 열렬한 공화주의자인 홀예르 1을 만난 거란다. 더 이상 완벽할 수 없는 남자였단다. 그를 보는 즉시 불같은 사랑에 빠졌단다.

「그런데 지금 다시 할머니에게로 돌아가려고 하는 거야?」

「아, 시발, 그럼 지금 다른 방법이 있냐고! 저 엿 같은 폭탄 때문에 어쩔 수 없지 않냐고! 솔직히 내 마음 같아서는 저걸 드로트닝홀름 궁 앞으로 끌고 가서 터뜨려 버리고 싶다고! 그럼 최소한 존엄을 지키며 죽을 수 있을 거라고!」

놈베코는 하마터면 대꾸할 뻔했다. 왕정을 뿌리 뽑기 위해서는 구태여 40킬로미터 떨어진 왕궁까지 힘들게 찾아갈 필요는 없어. 그건 원격으로도 충분히 가능한 일이야……. 하지만 그것은 썩 권장할 만한 일은 못 되었다. 대신 그녀는 할머니 집을 찾아가겠다는 생각을 칭찬해 줬다.

「자, 그럼 노르텔리에로 가자!」 놈베코는 이렇게 결정을 내리고는, 중단되었던 홀예르 2와의 대화를 재개했다.

홀예르 2와 놈베코는 B 요원이 다시는 그들을 찾아내지 못하게끔(그가 그들을 찾아낸 건지, 혹은 그 반대인지 잘 모르겠지만) 일행의 흔적을 지워 버릴 수 있는 방안에 대해 논의했다.

홀예르 1은 브롬마의 직장을 당장 때려치우고, 블라케베리의 집에 다시는 돌아가지 말아야 했다. 간단히 말해서 그는 그의 형제처럼 가급적 최소한으로 존재해야 했다.

이 존재하기를 멈추는 것은 셀레스티네에게도 적용되어야 했으나, 그녀는 거부했다. 가을에 총선이 있고, 그다음에는 스웨덴의 유럽연합 가입 여부를 묻는 국민투표가 있기 때문이었다. 주소가 없으면, 투표권도 없었다. 또 투표권이 없으면 시민의 권리를 행사할 수도 없었다. 다시 말해서 〈이 개떡 같은 세상을 부숴 버려!〉라는 존재하지 않는 당에 한 표를 던질 수 없었다. 유럽연합 가입 여부에 대해서 자기는 찬성표를 던질 거란다. 왜냐하면 그녀의 생각으로는 이 연합 전체는 분명히 개판으로 끝날 것이기 때문에, 스웨덴도 꼭 그 일부가 되어야 한단다.

놈베코는 좀 기가 막혔다. 국민의 대다수가 투표권이 없는 나라를 떠나와 보니, 이 나라는 투표권을 가져서는 안 될 사람들이 적지 않았다. 어쨌든 그들은 결정했다. 휘발유녀가 스톡홀름 지역 어딘가에 사서함을 하나 갖되, 그것을 열 때마다 사람들의 눈에 띄지 않게끔 주의하기로. 약간 지나친 조처로 느껴지기도 했지만, 돌이켜 보면 별의별 재수 없는 일들이 다 일어나지 않았던가?

흔적을 지우기 위해서 이것 외에는 크게 할 일이 없었다. 가급적 빨리 경찰과 접촉해서, 일단의 테러리스트들이 베개 수입 및 공급업체인 홀예르&홀예르 사에 불을 지른 사건과 관련하여 한 차례 만남을 가지면 끝나는 일이었다. 이런 문제에 있어서는 치료보다 예방이 나은 법이니까. 하지만 아직은 여유가 있었다.

놈베코는 잠시 휴식을 취하려고 눈을 감았다.

노르텔리에에 도착한 일행은 차를 세우고 셀레스티네의 할머니에게 선물할 식료품을 좀 샀다. 할머니를 구태여 감자밭까지 보낼 필요가 없다는 놈베코의 판단에 따른 거였다.

도정은 베퇴 방향으로 얼마간 더 이어졌고, 뉘세트라 마을 북쪽에 이르러서는 흙길이 나타났다. 할머니는 이 흙길을 따라 수백 미터 올라가 길이 끝나는 곳에서, 여러 해 동안 방문객도 없이 혼자 살아가고 있단다. 바깥에서 나는 소리를 들은 뒤, 어떤 낯선 자동차가 트레일러를 달고 자기 집 마당으로 들어오는 것을 본 할머니는 선친이 사용하던 말코손바닥사슴 사냥용 엽총을 들고 현관 앞으로 뛰쳐나갔다.

놈베코와 셀레스티네와 홀예르 형제가 차에서 내려 보니, 한 노파가 그들에게 총을 겨누면서 자기에겐 도둑놈들이나 강도들에게 줄 게 아무것도 없다고 소리치고 있었다. 이미 꽤 피곤한 상태였던 놈베코는 더한층 피곤해졌다. 그녀는 한 걸음 앞으로 나아갔다.

「부인께서 꼭 뭔가를 쏘셔야 속이 시원하시겠다면, 저 트레일러 말고 사람한테 쏴주시면 감사하겠어요.」

「할머니, 나야 나!」 휘발유녀가 즐거운 목소리로 소리쳤다.

셀레스티네의 모습을 본 노파는 엽총을 내려놓고 달려가 손녀를 와락 껴안았다. 그런 다음, 같이 온 사람들은 어떤 사람들이냐고 물었다.

「글쎄, 친구라고나 할까?」 손녀가 대답했다.

놈베코가 말을 이어받았다.

「전 놈베코라고 해요. 우린 지금 약간 복잡한 상황에 처해 있는데요, 만일 우리가 부인께 저녁 식사를 대접해 드리는 대가로 오늘 밤만 재워 주신다면 무척 고맙겠어요.」

노파는 현관 층계참에 서서 잠시 생각해 봤다.

「흠, 잘 모르겠어……. 하지만 당신들이 어떤 종류의 사람들이며, 또 저녁 식사로는 무얼 대접할 건지 정확히 밝힌다면 더 얘기해 볼 수도 있어.」

그러고 나서 나란히 서 있는 쌍둥이의 모습을 발견하고는,

「이 똑같이 생긴 두 양반은 누구지?」

「제 이름은 홀예르예요.」 홀예르 1이 대답했다.

「저도 홀예르입니다.」 홀예르 2도 대답했다.

「메뉴는 닭볶음탕이에요!」 놈베코가 끼어들었다. 「어때요, 괜찮으세요?」

〈닭볶음탕〉은 셸리다의 문을 여는 마법의 주문이었다. 예르트루드는 이따금 이 요리를 맛보기 위해 직접 닭 모가지를 비

틀기도 했지만, 누군가가 해주는 닭볶음탕이 더 낫다는 것은 말할 나위도 없었다.

놈베코가 화덕 앞에서 부산을 떠는 동안, 다른 사람들은 부엌 식탁 주위에 둘러앉았다. 예르트루드는 요리사를 포함한 모두에게 집에서 담근 맥주를 대접했다. 이 음료는 놈베코의 기분을 한결 낫게 해주었다.

셀레스티네는 먼저 홀예르와 홀예르의 차이를 설명했다. 둘 중 한 사람은 자신의 기가 막힌 남친이며, 다른 하나는 아무 짝에도 쓸모없는 남자란다. 이 말을 등 뒤로 들은 놈베코는 셀레스티네가 그렇게 생각한다니 자신은 너무 행복하다, 앞으로 두 남자를 바꾸자고 자길 괴롭힐 일은 없지 않겠느냐, 라고 대꾸했다.

그들이 왜 셀리다에 오게 되었는지, 앞으로 얼마나 머물 생각인지, 왜 트레일러에 거무튀튀한 궤짝 하나를 싣고 다니는지를 설명해야 할 때가 되자, 분위기는 달라졌다. 예르트루드는 딱딱해진 어조로 만일 그들이 뭔가 수상쩍은 것을 거래하고 다니는 거라면 다른 집을 찾는 편이 낫다고 못 박았다. 셀레스티네는 언제라도 환영이지만, 다른 사람들은 아니라는 거였다.

「그 이야기는 이따 식사하면서 하면 어떨까요?」 놈베코가 제안했다.

맥주가 두 순배 더 돈 후에, 닭볶음탕이 완성되어 무럭무럭 김을 내며 식탁에 놓였다. 노파의 표정이 조금 풀렸고, 요리를 한 수저 맛본 후에는 더욱 풀렸다.

「하지만 음식을 먹는다고 해서, 하던 얘기를 중단해선 안 되겠지?」 예르트루드가 말했다.

놈베코는 적절한 전략을 생각해 봤다. 가장 간단한 방법은 거짓말을 하고, 이 거짓말을 최대한 오래 유지하는 거였다.

하지만 홀예르 1과 휘발유녀가 옆에 있는 한…… 저들의 혓바닥이 얼마나 오랫동안 제자리에 붙어 있을까? 일주일? 하루? 15분? 그리고 저 휘발유녀로 미루어 볼 때 역시 성격이 만만찮을 것으로 예상되는 노파는 어떻게 반응할까? 아까처럼 엽총을 휘두르지는 않을까?

홀예르 2는 불안한 눈으로 놈베코를 힐끗 쳐다보았다. 설마 전부 얘기하려는 건 아니겠지?

놈베코는 미소로 대답했다. 순수하게 확률적인 관점에서 볼 때 이제는 일이 잘 풀릴 가능성이 아주 많았다. 왜냐하면 지금까지는 줄곧 나쁜 일들만 일어났으므로.

「자?」 예르트루드가 재촉했다.

놈베코는 집주인에게 한 가지 거래를 제안하고 싶다고 했다. 「제가 우리의 이야기를 처음부터 끝까지 하나도 숨김없이 다 말씀드릴게요. 그럼 분명히 부인께선 우릴 이 집에서 내쫓으시겠죠. 우린 여기서 한동안 머물고 싶지만 말이에요. 하지만 최소한 우리가 정직하게 말하는 대가로, 오늘 밤만 여기서 머물게 해주세요. 자, 어떠세요? 닭볶음탕 조금 더 드시겠어요? 맥주잔도 채워 드릴까요?」

예르트루드는 고개를 끄덕이고는, 그들이 정말로 진실만을 말한다는 조건으로 거래를 받아들이겠다고 대답했다. 하지만 거짓말은 단 한 마디도 듣고 싶지 않단다.

「네, 단 한 마디도 안 하겠어요.」 놈베코가 약속했다. 「자, 그럼 시작할게요.」

놈베코는 펠린다바의 연구소부터 시작하여 자신이 겪은 모든 일들을 짧은 버전으로 들려주었다. 그리고 나서는 홀예르와 홀예르가 어떻게 홀예르&홀예르가 되었는지도 이야기해줬다. 또 원자폭탄의 사연도 들려주었다. 이 폭탄이 남아프리카공화국을 전 세계의 사악한 공산주의자들로부터 보호하기 위해 만들어져서는, 마찬가지로 사악한 아랍인들로부터 이스라엘을 보호하기 위해 예루살렘으로 떠날 예정이었다가, 어쩌다가 아무런 적도 없는(일반적으로 노르웨이, 덴마크, 핀란드는 그렇게 사악한 나라들로 여겨지지 않는다) 이 스웨덴 땅에 떨어져서는, 결국에는 불운하게도 홀라당 타버린 그네스타의 창고에까지 오게 된 일들을 빠짐없이 들려주었다.

지금 문제의 폭탄은 불행히도 이 집 앞에 주차되어 있는 트레일러에 실려 있으며, 우리는 이 나라의 수상이 드디어 뭔가를 좀 느끼고 전화를 받아 줄 때까지 어딘가 지낼 장소가 필요해요. 경찰은 우릴 추적해야 할 이유들이 충분히 있음에도 불구하고, 그러지를 않고 있는 상황이에요. 반면 우리는 이 모든 우여곡절 중에 어쩌다가 어떤 나라의 안기부를 약이 바짝 오르게 해버렸어요…….

놈베코는 이야기를 마쳤고, 일동은 예르트루드의 결정을 기다렸다.

「……흠, 좋아.」 잠시 생각에 잠겼던 예르트루드가 입을 열었다. 「폭탄을 저렇게 밖에다 놔두면 안 되겠지. 집 뒤편에 있는 감자 트럭에 옮겨 싣고, 저게 터졌을 때 다치는 사람이 없게끔 트럭을 감자 창고 안에다 들여놔.」

「그래 봤자 아무 소용없…….」 홀예르 1이 이의를 제기하려

했다.

놈베코가 급히 그의 말을 끊었다.

「당신은 여기 도착한 이후로 아주 훌륭하게 침묵을 지켜 줬어. 제발 앞으로도 그렇게 해줘!」

예르트루드는 〈안기부〉가 뭐하는 데인지는 잘 모르지만, 그냥 듣기로는 뭔가 〈안전〉한 것으로 느껴진단다. 또 경찰이 뒤를 쫓고 있지 않다면, 이들이 여기서 잠시, 혹은 그 이상으로 머물러도 크게 문제 될 게 없을 것 같단다. 물론 이따금 닭볶음탕을 만들어 주어야 한단다. 아님 토끼구이랄지.

놈베코는 자기들을 여기에 있게만 해주신다면 적어도 일주일에 한 번은 닭볶음탕과 토끼구이를 맛있게 요리해 드리겠노라고 굳게 약속했다. 자기 형제처럼 머리가 둔하지 않은 홀예르 2는 노파의 생각이 변하기 전에 화제를 폭탄과 이스라엘 요원들에서 다른 데로 돌려놓는 게 좋겠다고 판단했다.

「그럼 저희가 부인의 사연도 한번 들어 볼 수 있을까요?」

「내 사연을 얘기해 달라고? 아이구, 맙소사!」

셀레스티네의 할머니는 사실 자신의 진정한 신분은 백작부인으로, 핀란드의 남작이자 원수(元帥)이자 국가적 영웅인 칼 구스타브 에밀 만네르하임의 손녀라고 허두를 떼었다.

「으잉?」 홀예르 1의 두 눈이 똥그레졌다.

「이미 말했지만, 오늘 저녁, 너의 가장 큰 임무는 입을 꾹 다물고 있는 거야.」 홀예르 2가 재빨리 주의를 주었다. 「자, 예르트루드, 계속해 주세요.」

에, 그러니까 이 구스타브 만네르하임은 약관의 나이에 러시아로 가서 차르에게 영원한 충성을 맹세했단다. 그리고 1918년 7월에 차르와 그의 가족 전체가 볼셰비키들에게 살해되어 이 약속이 의미를 잃게 될 때까지 그것을 성실히 이행했단다.

「나이스, 볼셰비키!」 홀예르 1이 외쳤다.

「조용히 하라고 했지?」 홀예르 2가 형제를 째려보았다. 「계속하세요, 예르트루드.」

에, 그러니까 간단하게 말하자면 구스타브는 군인으로서 눈부신 성공을 거두었단다. 그뿐만이 아니었단다. 그는 차르의 밀정으로서 중국에까지 갔단다. 거기서 사람을 한입에 꿀꺽 삼켜 버릴 정도로 아가리가 큰 호랑이들도 때려잡고, 달라이라마도 만나고, 한 군단 전체를 이끄는 지휘관이 되기도 했단다.

하지만 애정운은 별로 없었단다. 그는 러시아-세르비아계의 한 지체 높은 미녀와 결혼하여 딸을 하나 낳았고, 또 하나를 낳았단다. 세기(世紀)가 바뀌기 직전에는 아들도 하나 낳았는데, 사산한 것으로 공식 발표되었단다. 이 일이 있은 뒤, 구스타브의 아내는 가톨릭으로 개종하고는 영국으로 건너가 수녀가 되었단다. 이로써 그가 다른 자녀를 가질 수 있는 가능성은 급격히 감소해 버렸단다.

실의에 빠진 구스타브는 기분 전환을 위해 러일전쟁이 한창인 극동으로 달려갔고, 당연한 얘기지만 전장에서 엄청난 용맹을 떨쳐 영웅이 되고 성(聖) 게오르기 훈장까지 받았단다.

그런데 사실인즉슨 그의 사산한 아들이 멀쩡하게 살아 있었단다. 나중에 수녀가 될 여인이 항상 집을 비우는 남편에게 거짓말을 한 거였단다. 아이는 죽지 않고 헬싱키의 한 가정에 입양되었단다. 이름이 적힌 종이띠를 손목에 두른 채로.

「세도미르?」 아이의 양아버지는 버럭 짜증을 냈단다. 「무슨 엿 같은 소리야? 얘 이름은 타피오야!」

타피오 만너하임, 일명 타피오 비르타넨은 영웅 중의 영웅이었던 그의 생물학적 아버지로부터는 물려받은 것이 별로 없었단다. 대신 그의 양부는 자신이 아는 모든 것, 다시 말해서 위조지폐 제작법을 전수해 주었단다. 타피오는 열일곱 살에 이미 위폐 제작의 대가가 되었고, 그로부터 몇 년 후에는 양부와 함께 헬싱키 시의 반을 속여 먹은 끝에, 이 방면에서 계속 활동하기에는 비르타넨이란 이름이 너무도 유명해져 버렸다는 사실을 알게 되었단다.

이즈음에 타피오는 자신이 원래는 귀족 출신이라는 사실을 알게 되었고, 마케팅을 위해 다시 만너하임이 되기로 결정했단다. 그리하여 사업이 그 어느 때보다도 번창하기 시작했는데, 네팔 국왕과 함께 야생동물을 사냥하던 구스타브 만너하임이 아시아에서 귀국했단다. 사냥 여행에서 돌아온 만너하임이 처음 알게 된 사실 중의 하나는 자신이 행장으로 있는 은행을 어떤 가짜 만너하임이 물먹인 일이었단다.

결국에 타피오의 양부는 체포되어 투옥되었고, 간신히 빠져나간 타피오는 올란드 군도(群島)를 통해 스웨덴까지 도망쳐서 로슬라옌에 몸을 숨겼단다. 스웨덴에서 그는 다시 비르타넨이라는 이름을 사용했는데, 은행을 상대로 작업할 때는 〈만너하임〉이 좀 더 그럴듯하게 들렸으므로 예외였단다.

얼마 되지도 않아서 타피오는 네 번이나 결혼을 했단다. 처음 세 여자는 귀족과 결혼을 했다가 천하의 상놈과 이혼을 하게 된 반면, 네 번째 여자는 처음부터 그의 정체를 알고 있었단다. 그녀는 핀란드에서와 같은 상황이 벌어지기 전에 그로 하여금 위폐 제작을 그만두게 했단다.

비르타넨 부부는 노르텔리에 근처에 〈셸리다〉라는 이름의 조그만 농가를 하나 샀고, 범죄 활동으로 형성된 자금을 3헥타르의 감자밭과 암소 두 마리와 닭 40마리에 털어 넣었단다. 그러고 나서 비르타넨 부인은 임신을 했고 1927년에 딸 예르트루드를 낳았더란다.

세월이 흘렀고, 또 다른 세계 대전이 터졌단다. 구스타브 만너하임은 늘 그렇듯이 하는 일마다 (사랑만은 제외하고) 승승장구하여 다시 전쟁 영웅과 국가적 영웅이 되었고, 이렇게 올라가고 올라가서는 핀란드의 대원수와 대통령까지 되었단다. 심지어는 미국의 우표에까지 얼굴을 내밀었단다. 그가 존재를 까맣게 모르고 있는 아들이 스웨덴의 어느 감자밭에서 약간은 위엄이 덜한 모습으로 삽질을 하고 있는 동안에 말이다.

예르트루드는 성장했는데, 사랑의 방면에 있어서는 자신의 조부만큼이나 운이 없었다. 열여덟 살 때 그녀는 노르텔리에의 한 축제에 놀러갔다가, 보드카와 로란가 레모네이드에게 지원을 받은 한 주유소 종업원에게 유혹되어 수국(水菊) 덤불 뒤에서 그만 임신을 하고 말았다. 이 로맨스가 지속된 시간은 채 2분도 되지 않았다.

그러고 나서 주유소 종업원은 무릎에 묻은 흙을 툭툭 털고는, 자기는 집으로 가는 마지막 버스를 타기 위해 서둘러야 한다고 말한 뒤 〈우린 언젠가 또 만나겠지〉라는 말로 이날의 사랑을 마무리했다.

하지만 그런 일은 영영 일어나지 않았다. 어쨌든 아홉 달 뒤 예르트루드는 딸을 낳았고, 그녀의 어머니는 암으로 세상을 떠났다. 이제 셸리다에는 아빠 타피오와 예르트루드와 갓난아기 크리스티나, 이렇게 세 사람뿐이었다. 앞의 두 사람이 감자밭에서 비지땀을 흘리는 동안, 계집애는 무럭무럭 자라났다. 크리스티나가 노르텔리에의 중학교에 들어갈 때가 되었을 때 그녀의 어머니는 흉악한 사내놈들을 조심하라고 신신당부했는데, 그 덕분이었는지는 모르나 크리스티나는 흉악함과는 전혀 관계없는 군나르를 만나게 되었다. 그들은 커플이 되었고, 결혼을 하여 셸레스티네를 낳았다. 그리고 군나르는 은행 지점장이 되었다.

「맞아! 아, 개떡 같아!」 휘발유녀가 고개를 설레설레 저었다.

「너도 그냥 입 다물고 있는 게 좋지 않겠니?」 홀예르 2가 주의를 줬지만, 예르트루드를 노엽게 하지 않으려고 평소보다는 부드러운 어조를 사용했다.

「내 삶은 그렇게 재미있는 편은 못 되었어.」 예르트루드는 잔에 남은 맥주를 마저 들이키며 결론지었다. 「뭐, 하지만 괜찮아, 내겐 셸레스티네가 있으니까. 셸레스티네, 이 할미는 네가 돌아와서 정말 좋단다!」

지난 7년 동안 한 도서관의 장서를 거의 다 섭렵하여 핀란드 역사와 만너하임 대원수의 이야기를 익히 알고 있는 놈베코로서는 예르트루드의 이야기에서 수많은 허점을 느끼지 않을 수 없었다. 예를 들어, 자신이 남작의 아들이라고 주장하는 남자의 딸이 반드시 백작부인이라는 법은 없지 않은가? 그럼에도 불구하고 놈베코는 이렇게 외쳤다.

「와, 신기하다! 지금 우리가 백작부인과 함께 만찬을 들고 있다니!」

비르타넨 백작부인은 얼굴을 발갛게 붉히고는 이 집에서 제일 좋은 포도주를 대접하겠다며 식품 저장고로 갔다. 홀예르 1은 예르트루드의 이야기에 대해 이의를 제기하고 싶은 듯 입을 벙긋거렸지만, 이를 본 홀예르 2는 지금은 그 어느 때보다도 입 닥치고 있는 게 중요하다고 말했다. 지금은 어떻게든 은신처를 구해야 할 때지, 가문의 역사에 대해 시시콜콜 따질 때가 아니라는 거였다.

예르트루드의 감자밭은 몇 년 전 그녀가 은퇴한 이후로 놀고 있는 상태였다. 그녀에겐 소형 트럭도 한 대 있었다. 일주일에 한 번씩 노르텔리에로 장을 보러 갈 때 사용하고 평소에는 집 뒤편에 세워 두었던 것으로, 지금은 핵무기 임시 보관 시설로 탈바꿈하여 집에서 50여 미터 떨어진 헛간에 들어가 있었다. 놈베코는 안전을 기하기 위해 트럭과 헛간 열쇠를 직접 관리하기로 했다. 장을 보러 갈 때는 블롬그렌 부부가 친절하게도 무기한 대여해 준 도요타를 사용하면 될 터였다. 예르트루드는 더 이상 셀리다에서 나올 필요가 없게 되었는데, 그녀로서는 오히려 아주 잘된 일이란다.

집에는 공간이 충분했다. 홀예르 1과 셀레스티네는 2층 예르트루드의 침실 옆방을 쓸 수 있었으며, 홀예르 2와 놈베코는 1층 주방의 옆방에 둥지를 틀었다.

이 두 사람은 곧바로 홀예르 1과 셀레스티네와 진지한 대화를 나눴다. 더 이상의 시위는 없을 것. 궤짝을 어디로 옮기겠다는 생각도 품지 말 것. 다른 말로 해서, 더 이상의 멍청한 짓거리는 없을 것. 그러지 않을 경우, 너희들은 모두의 생명을 위험에 빠뜨릴 수 있으니까. 예르트루드 할머니의 생명까지 포함해서.

마지막으로 홀예르 2는 자기 형제에게 약속하라고 했다. 앞으로는 사회 전복 활동을 벌이지도 않을 것이며, 폭탄을 사용하려 들지도 않겠다고. 홀예르 1은 뿌루퉁한 얼굴이 되어서는, 그럼 너는 하늘나라에서 아빠를 다시 만나게 되면 어떻게 말할 거냐고 물었다.

「〈내 인생을 망쳐 줘서 아주 고마워요〉가 어떨까?」 홀예르 2가 대답했다.

그다음 화요일은 스톡홀름에 올라가 경찰을 만나야 하는 날이었다. 이 만남을 요청한 것은 넘버 2 자신이었다. 왜냐하면 그가 예상하기로, 경찰은 존재한 적도 없고 창고에 불을 놓은 적도 없는 테러리스트들에 대한 수사의 일환으로 철거예정 건물에 혹시 세입자가 있었는지 질문해 올 거였기 때문이다.

해결책은 그럴싸한 이야기를 하나 지어내고, 휘발유녀를 데려가는 거였다. 물론 위험성은 있었지만, 놈베코는 그녀에게 만일 그녀가 정해진 대로 행동하지 않으면 일행에게 어떤 곤란한 일들이 닥치게 되는지 수없이 설명해 주었다. 결국 셀레스티네는 대화 중에 경찰관들을 — 솔직히 개자식들이지만 — 개자식들이라고 부르지 않겠노라고 굳게 약속했다.

홀예르 2는 자신을 자신의 형제로, 셀레스티네는 홀예르&홀예르 사의 유일한 직원으로 소개했다.

「안녕하세요, 셀레스티네.」 형사반장은 그녀에게 손을 내밀며 인사했다.

그의 손을 잡은 셀레스티네의 입에서 이런 소리가 튀어나왔다.

「끄를!」

사실 아랫입술을 꽉 깨물고 말을 하기란 쉽지 않은 일이었으므로…….

반장은 먼저 회사가 몽땅 잿더미가 되어서 정말로 유감이라고 말했다. 크비스트 씨도 이해하시겠지만 이제는 보험회사가 할 일만 남은 것 같다고……. 또 이번 일로 인해 셀레스티네 양이 직장을 잃은 것도 몹시 유감으로 생각한단다.

수사는 아직 시작 단계에 불과하단다. 예를 들어 테러리스트들의 신원을 파악하는 게 쉽지가 않단다. 처음에는 잿더미가 된 폐허 가운데서 그들의 시신을 찾아낼 수 있으리라 생각했지만, 지금으로서는 그들이 탈출로로 사용한 것으로 보이는 비밀 터널 하나를 발견했을 뿐이란다. 하지만 아직은 확실하게 말할 수 없는바, 국가 특수임무 부대의 헬기 한 대가 불행히도 바로 터널의 출구 부분에 쑤셔 박혔기 때문이란다.

그런데 시청 직원의 제보에 의하면, 철거예정 건물에 누군가가 거주하는 동정을 발견했다고 하는데, 혹시 크비스트 씨께서 이 점에 대해 뭔가 진술할 내용이라도 있으신지?

홀예르 2의 얼굴에 경악한 표정이 떠올랐다. 앞서 말씀드렸듯이 홀예르&홀예르 사에는 직원이 셀레스티네 하나밖에 없어요. 그녀는 재고 관리며 행정 업무 따위를 맡았고, 저는 시간이 날 때마다 직접 배달을 뛰었어요. 그 나머지 시간에는, 아마

반장님도 아시겠지만, 브롬마의 택시헬리콥터 사에서 일해 왔죠. 비록 어떤 불행한 사건이 있은 이후로 지금은 더 이상 다니지 않지만. 한마디로 저는 그렇게 노후한 건물에 사람이 살았다는 게 상상이 되지 않아요…….

바로 이때, 계획에 따라 휘발유녀가 울기 시작했다.

「왜 그래, 셀레스티네?」 홀예르가 물었다. 「반장님께 뭔가 말씀드릴 거라도 있는 거야?」

그녀는 훌쩍거리면서 털어놓았다. 자기는 부모님과 대판 싸웠고(이는 맞는 말이었다), 이 때문에 사장님의 허락도 받지 않고 비어 있는 낡은 아파트 중의 하나에 들어가 지냈었다고(이 또한 어느 정도는 맞는 말이었다).

「난 이제 감옥에 들어가는 건가요?」 그녀는 흑흑거리며 물었다.

홀예르 2는 이른바 〈직원〉의 등을 다독이면서도, 당신이 그리한 것은 잘못이었다, 왜냐하면 내가 본의 아니게 형사반장님께 거짓말한 게 되지 않았느냐고 가볍게 책망했다. 하지만 아마도 감옥까지는 가지 않고, 단지 벌금만 많이 내게 될 것 같다고 덧붙였다. 형사반장님께선 어떻게 생각하시나요?

형사반장은 크흠, 하고 목을 고른 다음, 산업 구역에서 일시적으로 거주하는 것은 물론 불법이지만, 이것은 현재 진행 중인 테러 행위에 대한 수사와는 아무런 관계가 없다고 선언했다. 간단히 말해서 셀레스티네 양은 이제 눈물을 닦아도 되며, 이 일은 우리끼리만 알고 있게 될 거란다. 혹시 셀레스티네 양이 필요하다면, 저쪽에 클리넥스가 있어요…….

휘발유녀는 세차게 코를 풀면서 이 세상이 다 그렇지만, 이

놈의 경찰도 정말이지 심각하게 썩어 빠졌다고 속으로 욕을 퍼부었다. 범법 행위는 그것이 무엇이든 간에 반드시 처벌되어야 하는 것 아냐? 하지만 그녀는 입을 꾹 다물었다.

홀예르 2는 이제 베개 수입 및 공급 회사는 완전히 문을 닫았기 때문에, 앞으로 불법 거주자 같은 문제는 생기지 않을 거라고 덧붙였다. 자, 그럼 이제 우린 가봐도 될까요……?

물론 된단다. 형사반장은 더 이상 질문이 없단다. 그는 크비스트 씨와 셀레스티네 양이 번거롭게 여기까지 와주신 것에 대해 감사드린단다.

홀예르가 그에게 답례하고 있는 동안, 셀레스티네는 또다시 〈끄륵!〉 소리를 냈다.

세르엘 광장에서 죽도록 구타당하기, 6백 미터 상공에서 낙하산 없이 점프하기, 방금 사망한 남자를 살해하기, 경찰을 피해 달아나기, 원자폭탄이 불에 타지 않게 하기……. 이 모든 일들을 치른 셀리다의 새 손님들은 이제 조용하고도 평화로운 삶이 필요했다. 한편 B 요원은 그들에게서 이런 삶을 박탈하기 위해 최선을 다하고 있었다.

며칠 전, 그는 놈베코와 그녀의 공범들이 폭탄을 가지고 프레드스가탄 거리를 떠나게 놔두었다. 그걸 원했기 때문이 아니라, 다른 수가 없었기 때문이다. 이스라엘의 비밀요원이 스웨덴의 어느 거리에서 50여 명의 경찰관이 보고 있는 가운데 원자폭탄을 차지하겠다고 누군가와 머리끄덩이를 붙잡고 싸운다면……. 아니, 그것은 국가에 봉사하는 최선의 방법이라곤 할 수 없었다…….

하지만 상황이 그렇게 절망적이지만은 않았다. 이제 그는 폭탄과 놈베코가 여전히 함께 있다는 사실을 알게 된 것이다. 이 스웨덴 땅에 말이다. 이것은 명백한 동시에 도무지 이해할 수 없는 사실이었다. 지난 몇 년 동안 그녀는 대체 뭘 하고 지냈을까? 어디에 있었을까? 왜?

B 요원은 상황을 정리하고 분석하기 위해 미하엘 발락의 이름으로 스톡홀름의 한 호텔에 투숙했다.

지난 목요일, 그는 그의 동료 A로부터 한 통의 암호 메시지를 받았다. 이 메시지에서 A는 자신이 홀예르 크비스트란 자를 찾아냈으며, 이자는 이제 자신을 놈베코 마예키, 그러니까 그들을 한 번도 아니고 두 번씩이나 속여 먹은 그 빌어먹을 청소부에게 데려다 줄 거라고 말했다.

그 뒤 A는 더 이상 소식을 전하지 않았고, B가 보낸 메시지들에도 응답하지 않았다. 유일한 타당한 가설은 그가 사망했다는 것이었다. 하지만 그는 죽기 전에 B가 추적할 수 있게끔 단서를 충분히 남겨 놓았다. 예를 들어 청소부와 폭탄이 있을 것으로 추정되는 장소의 좌표가 그것이었다. 또 블라케베리라는 곳에 있는 홀예르 크비스트의 거주지 주소와 브롬마에 있는 그의 직장 주소도 있었다. 정말이지 이 스웨덴의 시스템 안에서는 비밀이란 것이 불가능해 보였다. 이 세상 모든 비밀요원들이 꿈꾸는 나라가 바로 여기에 있었다.

B 요원은 먼저 프레드스가탄 가 5번지부터 가봤는데, 그곳은 더 이상 존재하지 않았다. 간밤에 깡그리 불타 버린 것이다. 폭탄이 검게 그을린 궤짝에 담겨 통제선 앞에 놓여 있던 것

으로 보아, 경찰이 폭탄을 불구덩이에서 아슬아슬하게 꺼내 놓은 것으로 보였다. 참으로 초현실적인 광경이었다. 그보다 더 초현실적이었던 것은 청소부가 옆에서 불쑥 솟아 나와서는 명랑하게 인사를 건넨 뒤, 폭탄을 들고 살랑살랑 떠나 버린 일이었다.

B 요원 역시 지체 없이 그곳을 떠났다. 그는 스웨덴 일간지들을 있는 대로 사서 떠듬떠듬 읽어 보았다. 독일어와 영어를 완벽히 구사하는 사람이라면 이해가 되는 스웨덴 단어들을 모아 내용을 대략 짐작해 보는 게 가능했다. 또 왕립 도서관에서는 영어로 된 기사도 몇 꼭지 접할 수 있었다.

화재는 테러리스트들과 전투를 벌일 때 발생한 것으로 보였는데, 이해할 수 없는 것은 테러리스트들의 두목인 놈베코가 통제선 앞에서 여유를 부리고 있었다는 사실이다. 왜 경찰은 그녀를 체포하지 않았을까? 스웨덴 경찰은 8백 킬로그램이나 되는 궤짝을 불구덩이에서 죽어라고 꺼내 놓은 다음에, 그 안에 무엇이 들어 있는지 확인해 보지도 않고서, 누가 그걸 가져가건 말건 신경도 쓰지 않을 정도로 무능하고도 무책임한 존재들이란 말인가?

또 그의 동료 A는 대체 어떻게 된 건가? 물론 프레드스가탄가 5번지의 화재 때 숨졌으리라. 다른 가능성은 생각해 볼 수 없었다. 정말로 탈린에 간 거라면 또 모르겠지만······. 그렇다면 탈린에는 대체 무슨 볼일이 있어서? 그리고 청소부는 그걸 어떻게 알았을까?

그녀와 함께 있던 사내는 자신을 홀예르라는 이름으로 소개했다. 다시 말해서 바로 어제만 해도 A 요원의 통제하에 있었던 사내였다. 허면, 홀예르가 A를 제압했다는 말인가? 그러고 나서 탈린에 보냈다고?

아니다. A는 불에 타 죽은 거였다. 다른 일은 일어날 수가 없었다. 이로써 청소부는 그들을 세 번 속인 셈이었다. 그 대가로 그녀를 한 번밖에 죽일 수 없다는 게 너무나 유감이었다.

B 요원에게는 추적할 수 있는 단서들이 여러 개 있었다. A 요원이 남긴 것들뿐만 아니라 그 자신이 확보한 것들도 있었다. 폭탄이 실린 트레일러의 번호판은 그중 하나였다. 조사 결과, 이 번호판은 그네스타에서 멀지 않은 곳에 거주하는 하리 블롬그렌이라는 사람의 소유였다. B 요원은 그를 잠깐 방문해 보기로 했다.

하리와 마르가레타는 영어에 아주 서툴렀고, 독일어도 크게 나을 게 없었다. 하지만 요원이 이해한 바로는, 그들은 부서진 울타리와 도둑맞은 자동차와 트레일러를 그더러 변상하라고 강요하는 듯했다. 그들은 요원이 청소부가 보낸 모종의 대리인이라고 확신하는 듯했다.

결국 요원은 심문을 진행하기 위해 권총을 뽑아 들지 않으면 안 되었다.

청소부와 그녀의 공범들은 울타리를 부수고 들어와서는 밤새 이 집을 장악했던 모양이었다. 그다음에 일어난 일들은 명확히 파악되지 않았다. 노부부의 외국어 능력이 너무도 제한된 탓에 누군가가 부부의 목을 물어뜯으려 했다는 식으로 이해가 됐을 정도였다.

어쨌든 이 노부부는 재수 없게도 청소부와 마주치게 되었다는 사실 외에 다른 잘못은 없어 보였다. 그들의 이마에다 총알을 한 발씩 박아 주고 싶은 충동을 느낀 주된 이유는 엄청난 짜증과 역정을 유발하는 그들의 인간성이었다. 하지만 B 요원은 그렇게 하잘것없는 이유로 사람을 죽여 본 적이 없었다. 하여 그는 블롬그렌 부인이 벽난로 턱 위에 예쁘게 올려놓은 도자기 돼지 두 마리에 총을 쏜 다음, 만일 그가 방문한 사실을 즉각 잊어버리지 않으면 그들도 같은 운명을 겪게 될 거라고 경고했다. 그 돼지를 사는 데 마리당 40크로나씩이나 들었으니, 녀석들이 산산조각이 나서 흩어진 광경을 내려다보는 것은 부부로서는 참으로 견디기 힘든 시련이었다. 그러나 죽어서 그들이 평생 힘들게 모아 온 3백만 크로나와 영원히 헤어지는 일은 더욱 견디기 힘든 일이었다. 그래서 그들은 고개를 끄덕이면서, 그들이 죽는 날까지 이 모든 일들을 절대로 발설하지 않겠노라고 엄숙히 맹세했다.

요원은 작업을 계속해 나갔다. 홀예르 크비스트는 프레드스가탄 가 5번지에 소재한 홀예르&홀예르 사의 유일한 소유주로 밝혀졌다. 지금은 잿더미로 화한 기업이었다. 테러리스트들? 웃기는 얘기였다. 한마디로 저 빌어먹을 청소부가 비단 모사드뿐만이 아니라, 스웨덴의 국가 특수임무 부대까지 감쪽같이 속여 먹은 거였다. 정말이지 극도로 짜증나는 여자인 동시에, 무시할 수 없는 적수였다.

크비스트는 블라케베리의 한 주소지에도 등록되어 있었다. 요원은 사흘 낮, 사흘 밤 동안 그 아파트를 감시했다. 불이 켜지거나 꺼지는 일이 한 번도 없었다. 우체통에는 전단지들만 수북히 쌓여 갔다. 크비스트는 그 안에 없었다. 또 확인해 본 결과, 사건이 일어난 날 아침부터 없었단다.

사달이 날 위험이 있음에도 불구하고, B 요원이 다음번으로 향한 곳은 택시헬리콥터 사였다. 그는 자신을 독일 주간지『슈테른』의 기자, 미하엘 발락이라고 소개한 뒤, 홀예르 크비스트 씨와 인터뷰를 할 수 있겠느냐고 물었다.

아니, 홀예르 크비스트는 며칠 전 누군가에 심하게 폭행당한 후유증으로 퇴사했단다. 이 사건에 대해서는 발락 씨도 알고 계시지 않나요?

지금 그는 어디에 있죠?

어…… 그건 정확히 말씀드리기 힘들단다. 아마도 그네스타 근방에 있으리라 생각되지만. 그는 한 베개 수입사의 오너이기도 하니까. 거기서 일하지는 않지만, 택시헬리콥터 사의 사장이 아는 바로는 그가 정기적으로 그곳에 갔단다. 그의 여자 친구도 그곳에 있는 걸로 알고 있고.

「여자 친구라고요? 사장님, 혹시 그 여자분의 이름을 아십니까?」

사장은 확실히는 모르겠단다. 셀레스티네라든가, 뭐라든가? 어쨌든 흔한 이름은 아니었단다.

스웨덴 주민등록부상에는 마흔네 명의 셀레스티네가 있었다. 하지만 단 한 사람, 즉 셀레스티네 헤드룬드만이 그네스타, 프레드스가탄 가 5번지에 거주했던 것으로 되어 있었다.

〈그날 트레일러를 단 빨간색 도요타 코롤라의 운전대를 잡고 있던 사람이 바로 당신이었던 것 같은데, 맞아? 셀레스티네?〉 요원은 속으로 중얼거렸다. 〈놈베코 마예키와 홀예르 크

비스트를 뒷좌석에 태우고 말이야. 조수석에는 내가 모르는 어떤 인물이 앉아 있었지.〉

얼마 안 있어 셀레스티네에 대한 추적로는 네 방향으로 갈라졌다. 현재 그녀는 스톡홀름의 한 사서함에 주소를 두고 있었다. 그 전에는 프레드스가탄 가였다. 더 이전에는 노르텔리에 근처의 예르트루드 비르타넨이라는 여자의 집이었다. 그보다 더 오래전에는 부모의 집으로 보이는 그네스타의 주소지였다. 따라서 그녀가 조만간 이 네 주소 중 한 곳으로 향하리라고 생각하는 게 합리적이었다.

추적 전문가의 관점에서 볼 때, 가장 관심이 덜 가는 곳은 말할 것도 없이 잿더미로 화해 버린 건물이었다. 반면 가장 흥미로운 곳은 사서함이었다. 그다음으로는 부모의 집과 예르트루드 비르타넨의 순이었다.

셀레스티네에게 물어본 결과, 놈베코는 셸리다가 얼마 동안 그녀의 공식적인 거주지였다는 사실을 확인하게 되었다. 골치아픈 일이 아닐 수 없었다. 하지만 자신을 쫓는 요원이 셀레스티네의 존재를 알고 있을 가능성도 희박해 보였다.

이 남아프리카공화국 출신의 불법 난민은 요하네스버그에서 한 만취한 엔지니어의 차에 치인 이후, 지금까지 살아오면서 그렇게 운이 좋은 편이었다고는 할 수 없었다. 하지만 바로이 순간 그녀는 엄청나게 운이 좋았는데, 그녀는 이 사실을 전혀 몰랐다.

무슨 말인고 하면, B 요원은 먼저 일주일 동안 스톡홀름의 사서함을 감시했고, 그다음 일주일 동안은 셀레스티네의 부모의 집 앞을 지켰다. 그리고 두 번 다 허탕을 쳤다.

이번에는 가장 가능성이 없는 노르텔리에 근방의 주소지로 눈길을 돌리려 하고 있는데, 텔아비브의 상관이 드디어 피곤해져 버렸다. 상관은 선언하기를, 이 사건은 이제 하나의 개인적 복수전으로 변한 감이 없지 않으며, 모사드의 활동은 좀 더 이성적인 기준에 맞춰져야 하지 않겠느냐는 거였다. 그래, 핵무기를 훔칠 정도의 전문적인 인물이 원자폭탄을 꼭 끌어안고서 스웨덴의 어느 숲 속에 웅크리고 숨어 있을 것 같은가? 이제 요원은 귀국하는 게 좋을 것 같네. 지금! 아니, 아니, 빠른 시일 내가 아니라, 지금 당장!

제5부

네가 말하는데 상대방이 잘 듣지 않는 것
같아도 너무 화를 내지는 마.
그의 귓구멍을 막고 있는 조그만 솜뭉치
하나 때문에 그런지도 모르니까.

– 위니 더 푸우

17

자신과 똑같은 복사판을 가졌을 때의 위험성

남아프리카공화국에서는 테러 혐의로 투옥되었던 한 남자가 27년 만에 석방되고, 노벨상을 수상하고, 이 나라의 대통령으로 선출되었다.

비슷한 시기에 셸리다에서의 삶은 훨씬 밋밋하게 흘러갔다. 날들은 주가 되었고, 주들은 달이 되었다. 또 여름이 지나 가을이 왔고, 겨울을 보내니 다시 봄이 돌아왔다.

이스라엘 비밀기관의 성질 고약한 요원들은 셸리다에 모습을 비치지 않았다(그중 하나는 발트 해의 수심 2백 미터 해저에 누워 있었고, 다른 하나는 텔아비브의 어느 책상 뒤에 외로이 앉아 있었다).

놈베코와 홀예르 2는 폭탄이며 기타 골치 아픈 일들을 한동안 잊고 지낼 수 있었다. 숲 속의 산책과 버섯 따기, 그리고 만(灣)에서 예르트루드의 보트를 타고 즐기는 낚시는 그들의 마음을 한결 편안하게 해주었다.

더욱이 날씨가 따뜻해지자 노파는 감자 재배를 다시 시작해도 좋다고 허락해 주었다.

트랙터며 기타 농기계는 낡아 빠진 것들뿐이었지만, 놈베코는 계산을 해본 결과 감자 재배를 통해 연간 225,623크로나가량의 수입을 올릴 수 있다는 걸 알게 되었다. 또 넘버 1과 셀레스티네가 사고 치는 것을 막으려면 그들에게도 뭔가 할 일을 안겨 주는 게 필요했다. 조용한 전원생활을 즐기면서 거기에다가 보너스로 약간의 수입까지 올릴 수 있다면, 특히나 베개 수입 사업과 1960만 크로나가 재로 변해 버린 현 상황에서는 전혀 해가 될 게 없는 일이었다.

첫눈이 내리던 1995년 11월의 어느 일요일, 놈베코는 그들의 해묵은 문제를 다시 꺼냈다. 그녀는 천천히 산책하던 중에 홀예르에게 물었다.

「난 이곳 생활이 아주 괜찮은 것 같아. 자긴 어때?」

「음, 나도 괜찮아.」

「한 가지 아쉬운 점은 우리가 진짜로 존재하지 못한다는 점이야.」

「그리고 저 궤짝 속에 폭탄이 여전히 존재한다는 것도 아쉽지.」

이어 그들은 이 두 가지 상황을 확실하게 바꿔 볼 수 있는 가능성에 대해 얘기를 나누기 시작했지만, 결국에는 자신들이 이 문제를 벌써 몇 번이나 얘기했는지를 따져 보는 일로 돌아오게 되었다.

어떻게 생각해 봐도 결론은 같았다. 이 폭탄을 노르텔리에 시청에서 나온 아무 직원에게나 넘길 수는 없는 노릇이었다. 그들은 반드시 이 나라 최고위층 인사와 직접 접촉해야 했다.

「다시 한 번 수상에게 전화를 걸어 볼까?」홀예르 2가 제안했다.

「그게 무슨 소용이 있어?」

그들은 이미 두 명의 수상 보좌관에게 세 차례, 그리고 같은 왕실 비서관에게 두 차례 시도해 본 적이 있었지만, 다섯 번 모두 똑같은 대답을 들었을 뿐이다. 국왕은 평민과는 얘기하지 않는단다. 수상은 가능할 수도 있지만, 먼저 사유를 상세하게 설명한 편지를 보내야 한다는 건데, 놈베코와 홀예르 2로서는 상상하기도 싫은 일이었다.

놈베코는 홀예르 2가 수상 가까이에 일자리를 얻을 수 있도록 형제의 이름으로 공부하는 방안을 다시 꺼내 보았다.

공부를 안 할 경우의 대안은, 이번에는 철거예정 건물에서 그게 무너져 내릴 때까지 죽치고 있는 게 아니었다. 그 건물은 더 이상 존재하지도 않았다. 이번에는 그게 아니라 셀리다에서 감자 농사를 짓는 거였다. 그렇게 불쾌한 일이라곤 할 수 없었지만, 그렇다고 해서 매우 야심찬 인생 계획이라고도 할 수 없었다.

「문제는 대학 학위를 하루아침에 딸 수는 없다는 사실이야.」홀예르 2가 대답했다. 「자긴 가능할지 모르지만, 난 아니야. 적어도 몇 년은 걸릴 거야. 기다려 줄 수 있겠어?」

얼마든지 기다릴 수 있단다. 이미 많은 세월이 흐르지 않았던가? 놈베코는 기다리는 일에는 이력이 나 있었다. 시간을 보내는 일이라면 전혀 문제 될 게 없었다. 예를 들어 노르텔리에의 도서관에는 아직 읽지 않은 책들이 산처럼 쌓여 있었다. 또 정신 산만한 연인 한 쌍과 노파를 감시하는 것도 보통 일이 아니었다. 거기에다 감자 농사까지 지으려면…….

「좋아, 그럼 경제학이나 정치학을 하기로 하지.」홀예르 2가 마침내 결정을 내렸다.

「아니면 둘 다 하거나. 이왕 하는 김에 말이야. 내가 기꺼이 도와줄게. 난 숫자엔 아주 강하거든.」

이듬해 봄, 넘버 2는 대학 입학시험을 치렀다. 명석한 머리에 열정이 더해진 덕분에 그는 높은 점수로 합격했고, 그해 가을에는 스톡홀름 대학의 경제학과와 정치학과에 동시에 등록할 수 있게 되었다. 시간표가 겹치는 일도 있었지만, 그런 경우에는 놈베코가 홀예르 대신 경제학 수업에 들어가 바로 그날 저녁에 강의 내용을 전해 주었다. 대부분은 토씨 하나 빠뜨리지 않고 그대로 전달해 주었지만, 베리만 교수나 예레고르드 강사가 잘못 이해한 경우에는 한두 마디 논평을 삽입하기도 했다.

홀예르 1과 셀레스티네는 농사일을 돕는 한편, 스톡홀름의 아나키스트 모임에 참석하러 정기적으로 수도에 올라갔다. 홀예르 2와 놈베코는 그들이 공개적인 행사에는 참가하지 않겠다고 약속하는 조건으로 허락해 주었다. 더구나 이 아나키스트 모임은 얼마나 무정부주의적인지 회원 명부조차 없었다. 다시 말해서 홀예르 1과 셀레스티네는 그들의 상황이 요구하는 바대로 익명으로 남을 수 있었다.

그들은 자신들과 비슷한 사람들을 사귀게 되어 너무도 행복했다. 스톡홀름의 아나키스트들은 세상 모든 것에 불만인 사람들이었다. 자본주의는 근절되어야 했고, 대부분의 〈주의(主義)〉

와 〈이즘〉도 마찬가지였다. 우선 사회주의. 또 마르크스주의 (이런 게 아직도 존재한다면). 파시즘과 다위니즘(그들이 보기에 이 둘은 한통속이었다)은 물론이고. 반면 큐비즘은 그 어떤 규칙도 따르지 않는다는 조건으로 용서받을 수 있었다.

국왕은 당연히 사라져야 했다. 모임의 어떤 멤버들은 원하는 사람은 누구나 왕이 되게 하면 어떻겠냐는 의견을 내놓기도 했다. 홀예르 1은 이 의견에 가장 거세게 반대한 사람 중 하나였다. 지금 있는 국왕 하나만으로도 충분히 고약한데, 무슨 소리인가?

그런데 어떤 일이 있었는지 아는가? 홀예르가 발언을 시작하니 모두가 그의 말을 경청했다. 셀레스티네가 자신은 평생을 자기가 만든 〈이 개떡 같은 세상을 부숴 버려!〉당에 충실했노라고 외쳤을 때도 마찬가지였다.

홀예르 1과 셀레스티네는 마침내 그들의 가족을 찾은 것이다.

놈베코는 이왕에 감자 농사를 할 바에는 제대로 한번 해보는 게 좋겠다고 생각했다. 예르트루드와 그녀는 합의를 봤다. 노파는 그들의 사업체 이름에 대해 뭐라고 구시렁대긴 했지만, 사실은 〈비르타넨백작부인〉 사를 그녀의 명의로 등록하자는 놈베코의 의견에 아무런 불만이 없었다.

그들은 경작지를 늘리고자 그들의 조그만 땅뙈기 주변에 있는 토지들의 매입을 시도했다. 예르트루드는 근방에서 어떤 농부가 가장 늙고 지쳤는지 잘 알고 있었다. 그녀는 사과파이와 커피 보온병을 챙겨 들고는 자전거를 타고 그 늙은 농부를 방문했다. 커피가 두 잔째 따라졌을 즈음, 땅의 소유자는 이미 바뀌어 있었다. 놈베코는 구입한 토지의 평가액을 알아본 다음, 대출 신청서에 상상적인 집을 한 채 그려 넣고 평가액 뒤에다 동그라미를 두 개 더 붙였다.

이런 방식을 통해 비르타넨백작부인 사는 원래 13만 크로나로 평가되었던 전답을 담보로 거의 천만 크로나에 달하는 액수를 대출받을 수 있었다. 놈베코와 예르트루드는 이 대출금을, 사과파이와 커피 보온병의 도움을 받아, 더 많은 전답을 매입하는 데 사용했다. 이렇게 하여 2년 후에 비르타넨백작부인 사는 면적만으로 따지면 그 지역 최대의 감자 재배업체로 성장했지만, 부채 또한 총매출액의 다섯 배로 치솟았다.

문제는 그 많은 감자들을 누가 다 캐내느냐였다. 놈베코가 고안해 낸 대출 시스템 덕분에 회사에 자금 문제는 없었다. 반면, 몇 가지 되지도 않는 농기계는 죄다 호랑이 담배 먹던 시절의 고물들뿐이었다.

이 문제를 해결하기 위해 놈베코는 예르트루드를 베스테로스 시에 있는 〈폰투스비덴농기계〉 사로 파견했다. 판매원과의 협상은 노파에게 일임했다.

「안녕하시우? 난 노르텔리에에서 온 예르트루드 비르타넨이라고 하우. 내겐 쬐그만 감자밭 한 뙈기가 있는데 아주 소출이 좋고, 감자들은 날개 돋친 듯 팔려 나가지.」

「흠, 그렇군요.」 판매원은 쬐그만 감자밭 한 뙈기를 가졌다는 이 비르타넨 부인이 자기 가게에는 왜 왔는지 궁금해하며 심드렁히 대꾸했다.

이 가게에서 취급하는 농기계 중에서 80만 크로나 이하짜리 물건은 없었던 것이다.

「난 댁이 감자 농사에 필요한 각종 농기계를 파는 것으로 알고 있는데?」

판매원은 이 의미 없는 대화가 한없이 늘어질 것 같다는 예감을 느꼈다. 늘어지기 전에 곧바로 끊어 버려야 했다.

「그래요. 우리 가게엔 각종 배토기, 4열식, 6열식 그리고 8열식 파종기, 4열식 굴취기, 1열식과 2열식 수확기가 있어요. 만일 부인께서 그 〈쬐그만 감자밭 한 뙈기〉를 위해 이걸 다 사실 생각이 있다면, 제가 특별가로 해드리죠.」

「특별가? 오, 좋아! 얼마에 해주실 건데?」

「490만 크로나입니다.」 판매원은 심술궂게 대답했다.

예르트루드가 손가락을 굽혀 가며 셈을 해보고 있을 때, 판매원은 마침내 인내심을 잃었다.

「여보세요, 비르타넨 부인! 난 지금 시간이…….」

「그렇다면 종류별로 두 대씩 사겠어.」 노파가 그의 말을 끊었다. 「배달은 언제까지 해줄 거지?」

그 후의 6년 동안에는 많은 일들이 일어났다고도 할 수 있고, 별다른 일이 없었다고도 할 수 있다. 저 바깥세상에서는 파키스탄이 그 들어가기 어렵다는 핵무기 보유 클럽의 멤버가 되었다. 왜냐하면 그들은 24년 전에 파키스탄으로부터 자신을 보호하기 위해 똑같은 일을 한 이웃 나라 인도로부터 자신을 보호하기 위해 원자폭탄이 필요했기 때문이었다. 그 뒤로 양국 관계가 어떻게 돌아갔는지는 뻔할 뻔 자였다.

또 다른 핵보유국 스웨덴의 상황은 보다 평온했다.

홀예르 1과 셸레스티네는 불만 가득한 삶을 살 수 있음에 매우 만족하고 있었다. 그는 대의(大義) 실현에 기여하기 위해 매주 노력을 아끼지 않았다. 시위는 하지 않았지만, 그만큼 더 지하에서 활발히 움직였다. 그들은 최대한 많은 공중화장실의 문짝에 아나키스트적 슬로건들을 써 갈겼으며, 각종 공공기관이며 박물관 등에다 전단을 뿌렸다. 그들의 중심적인 메시지는 〈정치는 똥이다〉였다. 홀예르 1은 이 똥물을 국왕에게도 정기적으로 뿌리는 걸 잊지 않았다.

이 반정치적 활동과 병행하여, 홀예르와 셸레스티네는 감자밭에서 맡은 일을 나름의 능력껏 수행해 갔다. 이를 통해 약간의 수입을 얻을 수 있었으니, 왜냐하면 그들에게도 돈이 필요했기 때문이다. 매직펜과 스프레이 페인트와 전단지는 결코 공짜가 아니었다.

놈베코는 이 두 시한폭탄에게서 눈을 떼지 않으면서, 홀예르 2에게는 불안감을 주지 않으려 노력했다. 그녀의 도움 없이도 그는 매우 재능 있고 부지런하고 열정적인 학생이 되어 있었다. 그가 만족해하는 모습은 놈베코에게도 큰 기쁨을 주었다.

또 지금까지 망친 인생을 살아온 예르트루드가 생기를 띠며 살아나는 모습을 지켜보는 것도 흥미로운 일이었다. 그녀는 미적지근한 로란가 레모네이드로 무장한 한 수퇘지와의 처음이자 마지막이었던 데이트 덕분에 열여덟 살의 나이에 아이를 가졌다. 어머니는 암으로 죽고, 아버지 타피오도 1971년 어느 겨울날 저녁, 노르텔리에에 처음 들어온 자동현금지급기에 손가락이 끼어 다음 날 아침에 동사체(凍死體)로 발견됐다. 그 후로 더욱 외로워진 미혼모로 살아가야 했다.

그렇게 그녀는 세상 구경 한번 못 해본 감자 농사꾼으로, 어머니로, 할머니로 살아왔다. 하지만 꿈까지 잃은 것은 아니었다. 그녀는 만일 자신의 귀족 조상 아나스타샤 아라포바가 자신의 삶을 신에게 바치겠다고 핏덩이 같은 아들 타피오를 헬싱키에 보내는 비기독교적인 짓만 하지 않았어도 가능했을 자신의 또 다른 삶을 꿈꾸어 왔다.

한마디로, 모든 게 잘만 돌아갔다면 가능했을 다른 삶을 말이다. 놈베코는 왜 예르트루드가 자기 아버지 이야기의 진위를 확인하려 하지 않았는지 이해했다. 모든 걸 잃을 위험이 있었기 때문이다. 흙먼지 풀풀 이는 감자밭만 빼고.

어쨌든 손녀의 귀환과 놈베코의 존재는 이 노파 안의 무언가를 깨워 놓았다. 이제 저녁 식사는 그녀가 거의 도맡아 준비했는데, 모두가 식탁에 둘러앉는 시간이면 그녀의 얼굴은 행복감으로 빛나기도 했다. 그녀는 닭 모가지를 비틀어 닭볶음탕을 만들기도 했고, 직접 그물로 잡아 온 곤들매기를 화덕에 구워 고추냉이를 곁들여 내오기도 했다. 한번은 자기 아버지의 말코손바닥사슴 사냥용 엽총으로 정원에서 꿩을 한 마리 잡은 일도 있었다. 무기가 제대로 작동했을 뿐만 아니라, 총알이 꿩에 적중하는 통에 그녀 자신도 깜짝 놀랐다. 얼마나 제대로 적중했는지 꿩은 흩어진 깃털 몇 개만 남기고 흔적도 없이 사라져 버렸다.

지구는 일정한 속도로, 그리고 늘 그렇듯 가끔 변덕을 한 번씩 부려 가며 태양 주위를 돌고 있었다. 놈베코는 주위에 굴러다니는 활자물은 그 내용을 가리지 않고 읽었다. 그리고 이렇게 얻게 된 뉴스들을 저녁 식사 때 사람들에게 요약해서 들려주는 데서 모종의 지적인 자극을 느꼈다. 그 몇 년 사이에 일어난 가장 주목할 만한 사건으로는 보리스 옐친 러시아 대통령의 사임이 있었다. 스웨덴에서 옐친은 무엇보다도 그가 공식 방문했을 때의 그 일화로 유명해졌다. 그는 공사다망한 중에도 얼마나 보드카를 퍼마셨던지 석탄광이 하나도 없는 이 나라에 당장에 석탄 채굴을 중단해 달라고 요청했던 것이다.

세계에서 가장 발달한 나라의 대통령 선거도 신문 지면을 뜨겁게 달궜다. 선거 결과는 너무도 박빙이어서, 더 많은 표를 획득한 후보가 사실은 패배했다는 미연방 대법원의 5대 4의 판결이 나올 때까지 몇 주를 기다려야 했다. 이로써 조지 W. 부시는 미합중국의 대통령이 된 반면, 알 고어는 심지어는 스톡홀름의 아나키스트들조차도 거들떠보지 않는 시시한 환경 운동가로 전락하고 말았다. 그러고 나서 부시는 사담 후세인이 가지고 있지도 않은 무기들을 모조리 파괴해 버리기 위해 이라크를 침공했다.

보다 지엽적인 뉴스로는 오스트리아 출신의 보디빌더로 활약했던 이가 캘리포니아 주지사가 된 이야기가 있었다. 놈베코는 신문에서 이 남자가 아내와 네 자녀와 함께 카메라를 향해 하얀 치아를 드러내며 미소 짓는 사진을 보면서 가슴 한편이 아려 오는 것을 느꼈다. 세상은 너무 불공평하며, 어떤 이들은 모든 것을 받는 반면 어떤 이들은 아무것도 받지 못한다는 생각이 들었다. 놈베코는 이 문제의 주지사가 가정부의 협력하에 다섯 번째 아이까지 만들었다는 사실은 모르고 있었다.

대체적으로 볼 때 셸리다 농가에서의 시간은 희망 속에, 그리고 비교적 행복하게 흘러갔다고 할 수 있고, 나머지 세상은 언제나의 모습 그대로였다.

그리고 폭탄도 여전히 거기에 있었다.

2004년 봄, 태양은 그 어느 때보다도 밝게 느껴졌다. 홀예르 2는 정치학 학위과정을 거의 마쳐 가고 있었고, 경제학 분야에서는 박사학위 취득을 목전에 두고 있었다. 이제 거의 완성 단계에 있는 그의 박사논문은 원래 홀예르 2의 머릿속에서 자가 치료의 일환으로 시작된 것이었다. 그는 이 폭탄으로 인해 이 지역의 절반 정도가 파괴되고, 이 나라 전체가 파멸하는 책임을 자신이 떠안게 될 수도 있다는 생각에 괴로워했었다. 그는 이 끔찍한 고통을 견뎌 내기 위해 상황을 다른 각도에서 고찰해 보기 시작했고, 마침내는 순수하게 경제적인 관점에서 보자면 스웨덴과 세계는 잿더미를 뚫고 더욱 힘차게 일어설 수 있다는 결론에 이르렀다. 바로 이런 생각으로부터 「성장 요인으로서의 원자폭탄. 핵 재앙의 긍정적인 측면들」이라는 논문이 탄생한 것이다.

하지만 너무도 명백한 부정적인 측면들은 홀예르 2로 하여금 수많은 밤을 지새우게 만들었다. 사실 이것들은 많은 학자들이 그야말로 마르고 닳도록 다룬 연구 주제이기도 했다. 연구자들에 따르면 인도와 파키스탄 간의 핵전쟁만으로도 무려 2천만 명이 사망할 수 있단다. 그것도 사용된 킬로톤 양(量)이 놈베코와 그가 어쩌다가 보관하게 된 양을 넘어서기도 전에 말이다. 컴퓨터 시뮬레이션 결과에 따르면, 엄청난 양의 먼지 구름이 몇 주 만에 성층권까지 뒤덮게 되어 햇빛이 다시 예전처럼 지표면을 덮힐 수 있으려면 무려 10년이 필요했다. 이것은 치고받고 싸우는 이 두 나라뿐만이 아니라, 세계 전체에 해당하는 일이란다.

하지만 — 홀예르 2의 주장에 따르면 — 이를 통해 세계 경제는 오히려 비약적인 발전을 이루게 될 거였다. 갑상선암 발병률이 20만 퍼센트 증가하는 덕에 실업률은 급격히 감소할 거였다. 밥벌이의 원천이었던 햇빛을 잃게 된 휴가 천국 지역 주민들이 전 세계 대도시로 대거 이주함으로써, 자원 재분배의 결과를 가져오게 될 거였다. 또한 많은 성숙한 시장들이 일거에 미성숙한 시장으로 바뀌어 새로운 역동성이 창출될 거였다. 한 가지 현저한 예를 들자면, 태양전지 분야에서의 중국의 독과점은 그 의미를 완전히 상실하게 될 거였다.

뿐만 아니라, 지금 무서운 속도로 진행 중인 지구 온난화 현상은 인도와 파키스탄의 이 〈공동 노력〉에 의해 한 방에 사라지게 될 거였다. 그리되면, 양국 간의 핵전쟁이 야기한 2~3도의 기온 저하를 중화시키기 위해, 전 세계인은 한결 가벼워진 마음으로 삼림을 벌채하고 또 화석 연료를 마음껏 사용할 수 있게 될 거였다…….

이러한 생각들은 홀예르 2로 하여금 숨을 쉴 수 있게 해주었다. 이즈음에는 놈베코와 예르트루드의 감자 사업도 본 궤도에 올라 있었다. 그들은 운이 좋았다고 할 수 있었으니, 첫째는 러시아에 몇 년째 흉작이 계속되었기 때문이고, 둘째는 스웨덴에서 가장 화제를 몰고 다니는 — 동시에 가장 쓸데기 없는 — 스타들 중의 하나가 자신이 요즘 몰라보게 날씬해진 것이 〈오. 감. 다이어트(오로지 감자 다이어트)〉 덕분이었다고 밝혔기 때문이었다.

반응은 즉각적이었다. 스웨덴 사람들은 그 어느 때보다도 많은 양의 감자를 먹어 치우기 시작했다.

그리하여 빚더미 속에서 허우적대던 비르타넨백작부인 사는 대출금의 거의 대부분을 상환할 수 있었다. 한편 홀예르 2의 박사학위 논문 심사회가 불과 몇 주 앞으로 다가와 있었고, 그는 여기서 얻게 될 훌륭한 결과를 발판 삼아 스웨덴 수상과의 독대를 위한 경력을 시작할 수 있을 터였다. 그런데 이때의 수상은 1996년에 새로 선출된 이로, 이름은 예란 페르손이었다. 그리고 전임자들만큼이나 직접 전화받는 걸 싫어하는 사람이었다.

요약하자면 놈베코와 홀예르 2의 8개년 계획은 이제 완성 단계에 접어들고 있었다. 지금까지는 모든 게 계획대로 진행되었다. 그리고 앞으로도 그럴 것으로 보였다. 이번에는 모든 게 잘되리라는 두 사람의 생각은 과거에 잉마르 크비스트가 니스를 향해 출발하기 전에 느꼈던 감정과 비슷한 종류의 것이었다.

결국 구스타브 5세에게 지팡이로 얻어맞게 된 잉마르가 품었던 그 믿음 말이다.

2004년 5월 6일 목요일, 솔나의 한 인쇄소에서 새 전단 5백 장이 준비되었다는 연락이 왔다. 홀예르 1과 셀레스티네는 이번에는 정말로 뭔가 특별한 일을 해냈다는 감회에 젖었다. 전단을 펼치면 국왕의 초상화와 늑대의 사진이 나란히 보인다. 그 아래의 글은 스웨덴에 서식하는 늑대들과 유럽의 왕실들 사이의 유사성을 설명하고 있는데, 이에 따르면 양쪽 모두에서 근친교배로 인한 갖가지 문제점들이 나타나고 있다는 거였다.

첫 번째 경우에 대한 해결책은 스웨덴 늑대들을 러시아 늑대들과 교배시키는 거였다. 두 번째 경우에 대한 해결책으로는 도살이 권장되었다. 혹은 집단 강제 이주도 괜찮은데, 최적의 행선지는 바로 러시아였다. 글쓴이들은 교환 방법도 제안하고 있었다. 러시아 늑대 한 마리를 들여오는 대신에 왕족 한 명을 그쪽으로 보낸다는 거였다.

인쇄소로부터 메시지를 받은 셀레스티네는 당장에 홀예르 1과 함께 달려가 전단을 찾아서, 그날 당장 기관마다 찾아다니며 전단을 뿌리고 싶었다. 홀예르 1도 그녀 못지않게 몸이 근질거리긴 했지만, 이날 목요일은 자기 형제가 자동차 사용을 예약해 놓았다고 설명했다. 하지만 셀레스티네는 손을 휙 저으며 일소에 부쳤다.

「차는 우리 것도 아니지만 그 사람 것도 아니야! 안 그래? 자, 자기야, 출발! 우린 세상을 바꿔야 해!」

그런데 이 2004년 5월 6일 목요일은 홀예르 2의 인생에서 가장 중요한 날이기도 했다. 박사학위 논문 심사회가 이날 오전 11시에 예정되어 있었던 것이다.

그가 정장에 넥타이까지 매고, 블룸그렌 부부의 낡은 도요타 운전석에 오르기 위해 9시가 조금 지난 시간에 나와 보니 차는 이미 깨끗이 증발해 버린 뒤였다.

홀예르 2는 이것이 그의 재앙덩어리 형제가, 아마도 셀레스티네의 사주를 받아 벌인 짓임을 금방 알아챘다. 셸리다 농가에서는 휴대전화가 터지지 않았으므로, 그들에게 전화를 걸어 돌아오라고 말할 수도 없었다. 또 택시를 부를 수도 없었다. 휴대전화가 간간이 터지는 지방도로도 최소한 5백 미터는 떨어져 있었다. 거기까지 뛰어갈 수는 없었다. 논문 심사장에 땀으로 맥질한 꼬락서니로 들어설 수는 없는 노릇 아닌가? 하여 그는 트랙터를 이용하기로 결정했다.

9시 25분, 그는 마침내 그들과 통화할 수 있었다. 전화를 받은 것은 셀레스티네였다.

「네, 여보세요?」

「너희들이 차를 가져갔어?」

「왜? 홀예르야?」

「내 질문에 대답이나 해, 빌어먹을! 난 차가 필요해! 오늘 오전 11시에 시내에서 아주 중요한 약속이 있단 말이야!」

「흠, 그렇군. 그럼 네 약속이 우리 약속보다 더 중요하단 얘긴가?」

「난 그렇게 말 안 했어. 하지만 난 자동차 사용을 예약해 놨다고! 빨리 유턴해서 돌아와, 염병할! 난 아주 급하다고!」

「아, 개떡 같아! 욕 좀 그만할 수 없어?」

홀예르 2는 냉정을 유지하려 애쓰면서, 전략을 바꿔 보았다.

「제발, 셀레스티네! 우리 이 차 문제에 대해선 나중에 시간을 내서 차분히 얘기해 보자, 응? 그리고 오늘 차를 예약한 사람이 누구인지에 대해서도 얘기해 보자고. 하지만 지금은 제발 돌아와서 나 좀 태워 줘. 오늘 내 약속은 정말로 중요한 ―」

바로 이 순간, 셀레스티네가 전화를 탁 끊어 버렸다. 그리고 전원도 꺼버렸다.

「걔가 뭐라고 해?」 운전대를 잡은 홀예르 1이 물었다.

「이렇게 말했어. 〈셀레스티네, 우리 이 차 문제에 대해 나중에 시간을 내서 차분히 얘기해 보자〉라고. 대충 요약하자면 그래.」

나중에 자기 형제가 난리를 칠까 봐 걱정하던 홀예르 1은 이 말에 안심했다.

홀예르 2는 정장과 절망을 걸친 채로 시골길 가에 서서 10분 동안 히치하이크를 시도해 봤다. 문제는 차가 지나가야 하는데, 그러지를 않았다. 홀예르가 자신이 진즉에 택시를 불러야 했다는 사실을 퍼뜩 깨달았을 때, 자신의 지갑이 현관 옷걸이에 걸린 외투 안에 있다는 사실 또한 떠올랐다. 하지만 셔츠 윗주머니에 120크로나가 있는 걸 발견하고는, 그냥 노르텔리에까지 트랙터를 몰고 가 거기서 버스를 타기로 결정했다. 어쩌면 그때라도 집으로 돌아가 지갑을 가져와서 택시를 부르는 편이 빨랐을지도 모른다. 아니면 먼저 택시를 부른 다음에, 택시가 도착할 때까지 트랙터를 타고 집에 갔다 왔더라면 더욱 빨랐으리라.

하지만 홀예르 2의 똑똑한 머리도 이 상황에서는 아무런 소용이 없었다. 지금 그의 스트레스 수준은 그 불쌍한 도공의 그것이 조금도 부럽지 않을 정도였다. 당연한 일 아니겠는가? 그 오랜 세월을 준비한 끝에 이렇게 학위 논문 심사를 놓칠 위기에 처했으니 말이다. 정말이지 끔찍한 일이었다.

그리고 이것은 시작에 불과했다.

이날 홀예르가 누린 좁쌀만 한 행운은 노르텔리에에 도착해 트랙터에서 버스로 갈아탈 때에 찾아왔다. 그는 막 떠나려 하는 버스를 트랙터로 막아 세울 수 있었다. 운전기사는 농기계 운전수에게 욕을 한 바가지 퍼부어 주려고 버스에서 내렸으나, 문제의 농부가 정장에, 넥타이에, 반들반들한 구두까지 신은 말쑥한 신사인 것을 보고는 생각을 바꿨다.

홀예르는 버스에 오르자마자 대학 학장인 베르네르 교수에게 전화부터 걸었다. 그는 먼저 사과를 한 다음, 지금 부득이한 사정으로 거의 30분 정도 늦게 될 것 같다고 설명했다.

교수가 날카로운 어조로 대답하기를, 박사학위 논문 심사에 지각을 하는 것이 이 대학 전통이라고는 할 수 없지만…… 뭐, 하는 수 없단다. 자기가 어떻게든 두 심사관과 방청객들을 잡아 놓겠단다.

홀예르 1과 셀레스티네는 벌써 스톡홀름에 도착하여 전단을 찾은 뒤였다. 언제나 커플의 전략을 결정하는 셀레스티네는 왕립 자연사 박물관을 첫 번째 타깃으로 정했다. 왜냐하면 이 박물관에는 찰스 다윈과 진화론에 바쳐진 특별관이 있기 때문이었다. 다윈은 한 동료에게서 〈적자생존〉의 개념을 훔쳐 내서는, 자연에서는 강자들이 살아남고 약자들은 소멸한다고 주장했다. 따라서 다윈은 일종의 파시스트였고, 죽은 지 122년이 지난 이제 응분의 처벌을 받아야 했다. 셀레스티네와 홀예르는 자신들의 전단에서도 파시스트적 향기가 짙게 풍긴다는 사실을 단 일 초도 의식하지 못했다. 이제 그들은 슬그머니 전단을 붙일 참이었다. 박물관 여기저기에다, 거룩한 아나키의 이름으로.

일은 순조롭게 진행되었다. 홀예르 1과 셀레스티네는 아주 편안하게 작업할 수 있었다. 스웨덴의 미술관과 박물관들은 그렇게 사람들이 북적거리는 편이 아니었다.

　다음 목적지는 거기서 엎어지면 코 닿을 데 있는 스톡홀름 대학이었다. 셀레스티네는 숙녀용 화장실을 맡았고, 신사용 공간은 남친에게 맡겼다. 거기서 이날의 일들은 예기치 못한 양상을 띠게 되었다. 화장실 문 앞에서 홀예르는 누군가와 마주쳤다.

　「아니, 자네 벌써 왔는가?」 베르네르 교수가 놀라며 물었다.

　이렇게 말하고는 어리둥절해 있는 홀예르 1을 이끌고 복도를 따라 걸어가서는, 셀레스티네가 숙녀용 화장실에서 작업을 끝내 가고 있을 즈음에 제4호 강의실 안으로 들어갔다.

　홀예르 1은 영문을 모르는 채로 적어도 50명이 넘는 사람들과 마주 보며 교탁 뒤에 서게 되었다.

　교수는 영어로 발언을 시작했다. 아주 많은 단어들을, 게다가 아주 복잡한 단어들을 사용하는 통에 홀예르 1은 제대로 따라가기가 힘들었다. 대충 이해하기로는, 그는 지금 핵폭발의 효용성에 대해 뭐라고 지껄이는 것 같았다. 근데, 왜지? 솔직히 좀 궁금했다.

　어쨌든 홀예르 1은 기꺼이 부름에 응했다. 영어에 그렇게 자신이 있지는 않았지만, 중요한 것은 말이 아니라 그 속에 담긴 생각 아니겠는가?

　그동안 홀예르 1은 감자를 캐면서 몽상에 잠기곤 했었다. 그리고 이르게 된 결론은 스웨덴 왕족들을 몽땅 라플란드[26]로 데려가서, 만일 그들이 왕위를 포기하라는 권고를 기꺼이 받

　26　스웨덴, 핀란드, 러시아의 최북단에 위치한 북극권 지역을 가리키는 지명.

아들이지 않는다면 그 지역에 폭탄을 터뜨린다는 것이었다. 이로 인해 무고한 사람이 죽는 일은 거의 없을 거고, 다른 피해도 최소화될 거였다. 폭발로 인한 기온의 상승은 오히려 환영할 만한 일이었으니, 왜냐하면 그곳은 북극의 혹한이 지배하는 땅이기 때문이었다.

이런 종류의 생각을 머릿속에 품는다는 것 자체가 상당히 위험한 일이었다. 그런데 지금 홀예르는 교탁에 서서 그것을 상세히 설명하고 있었다.

첫 번째 질문자는 벡셰 시 린네 대학의 린크비스트 교수였다. 그는 홀예르 1의 발표 내용을 기록한 노트를 다시 한 번 훑어보았다. 그런 다음, 앞의 두 사람처럼 영어를 사용하여, 지금까지 들은 내용은 앞으로 전개될 내용에 대한 일종의 서론인 거냐고 물었다.

서론요? 네, 그렇다고 말할 수도 있겠죠. 왕실이 제거되고 나면, 물론 공화정이 탄생하고 발전하게 되죠. 선생님께서는 이 말씀을 하고 싶으셨던 건가요?

린크비스트 교수가 하고 싶었던 말은, 자신은 지금 도대체 무슨 일이 일어나고 있는지 모르겠다는 거였다. 하지만 그는 그렇게는 말하지 않고, 왕실 전체를 학살하는 것은 비윤리적으로 느껴진다고 말했다. 크비스트 씨가 설명한 방법은 말할 것도 없거니와.

홀예르 1은 자신이 모욕당했다고 느꼈다. 아니, 내가 무슨 흉악한 살인마는 아니지 않습니까! 내가 제시한 목표는 단지 왕과 그의 주구들이 사임하는 것뿐입니다. 핵무기는 이들이 사임을 거부할 경우에만 어쩔 수 없이 사용하는 거고요. 그 결과에 대해 책임을 져야 할 사람은 그렇게 선택한 왕실 자신이지, 다른 누구도 아니지 않습니까?

린크비스트 교수가 침묵을 지키자(그는 경악하여 혀가 얼어붙었을 뿐이었다), 홀예르 1은 토론을 조금 더 전개해 보기로 마음먹고는 보충적인 가설을 하나 제시했다. 국왕이 전혀 없는 상태가 마음에 들지 않으시다면, 원하면 누구나 국왕이 될 수 있는 가능성에 대해서도 생각해 볼 수 있겠습니다…….

「개인적으론 권고하고 싶은 방안은 아닙니다만, 어쨌든 흥미로운 생각인 것은 사실이죠.」

린크비스트는 동의하지 않는 모양으로, 그의 동료 베르네르에게 애원하는 듯한 시선을 힐끗 던졌다. 그때 이 베르네르는 두 눈을 질끈 감은 채로 자기가 살아오면서 이렇게 불행한 순간이 또 있었던가를 자문해 보는 중이었다. 원래 이 논문 심사는 방청석에 앉아 있는 두 내빈에게 보여 주기 위한, 일종의 특별 행사로 계획된 것이었다. 그 한 사람은 고등교육 및 연구부 장관 라르스 레이욘보리였고, 다른 하나는 프랑스에서 그와 같은 직책을 맡고 있는 발레리 페크레스였다. 이 두 장관은 양국 통용 학위제도 등이 포함될 수 있는 일련의 교육 협력 프로그램을 발족하기 위해 공동으로 작업해 오고 있었다. 이 과정에서 레이욘보리는 베르네르 교수와 직접 접촉하여, 자신이 프랑스 동료와 함께 참관할 수 있는 학위 심사를 하나 추천해 달라고 부탁했었다. 이때 교수의 머릿속에 바로 떠오른 사람이 그의 명석한 제자, 홀예르 크비스트였다.

그런데 지금 이게 뭐지……?

베르네르는 이 악몽을 끝내 버리기로 결심했다. 이 학위 후

보자의 자질에 대해 내가 명확히 잘못 판단한 것 같으며, 학위 후보자는 단상에서 내려오는 게 좋을 것 같습니다. 그리고 이 방에서도 나가 주세요. 또 이 대학에서도 나가 주세요. 또 가능하다면 이 나라에서도 나가 주세요.

하지만 그가 이 말을 영어로 했기 때문에 홀예르 1은 제대로 알아듣지 못했다.

「제 생각을 처음부터 다시 얘기할까요?」

「오, 절대로 그러진 말게!」 베르네르 교수가 급히 손사래를 쳤다. 「난 이미 늙은 몸이지만, 이 20분 동안 10년은 더 늙어 버렸으니, 이걸로 충분해. 그냥 이 방을 조용히 나가 주게. 제발 부탁이야.」

홀예르 1은 그렇게 했다. 나가면서 그는 자신이 공개적인 자리에 얼굴을 비쳤으며, 따라서 넘버 2에게 한 약속을 어겼다는 사실을 깨달았다. 넘버 2가 화를 낼까? 걔한테 굳이 이 사실을 알릴 필요는 없겠지?

복도에서 그는 셀레스티네를 발견했다. 그는 그녀의 팔을 잡고 작업은 어딘가 다른 곳에서 하는 게 낫겠다고 말했다. 그 이유는 가면서 설명해 주겠단다.

5분 후, 홀예르 2가 대학 건물 안으로 헐레벌떡 뛰어 들어왔다. 베르네르 교수는 고등교육 및 연구부 장관에게 허리를 90도로 굽혀 가며 백배사죄를 하고 난 참이었다. 또 이 장관은 프랑스 장관에게 사과를 했고, 프랑스 장관은 오늘 자기가 본 바에 의하면, 스웨덴은 교육 문제에 관한 한 자신에게 걸맞은 협력 파트너를 찾으려면 부르키나파소 쪽으로 눈을 돌리는 편이 낫겠다고 쏘아붙였다.

이때 그 빌어먹을 홀예르 크비스트가 복도를 뛰어오는 걸 교수가 발견했다. 저 크비스트는 청바지를 정장으로 바꿔 입고 오기만 하면 모든 게 잊힐 거라고 생각하는 건가?

「교수님, 정말로 죄송하게 ─」정장을 쭉 빼입은 홀예르가 숨을 헐떡이며 입을 열었다.

베르네르 교수는 그의 말을 끊으면서, 사과는 필요 없고 빨리 이곳에서 사라져 주기만 하라고 말했다. 그리고 가급적 다시는 모습을 보이지 말아 달란다.

「크비스트, 논문 심사는 끝났네. 집으로 돌아가서, 자네의 존재가 이 나라와 이 나라 경제에 어떤 위협이 되고 있는지 곰곰이 생각해 보게!」

그리하여 홀예르 2는 논문 심사를 통과하지 못했다. 무슨 일이 있었는지를 알아내는 데 스물네 시간이 필요했고, 이 사건의 의미를 온전히 이해하는 데 또 하루가 필요했다. 교수에게 전화를 걸어 설명할 수도 없는 노릇이었다. 자기는 지난 몇 년 동안 자기 형제의 이름으로 공부를 해왔으며, 바로 그 형제가 불행히도 논문 심사장에 그를 대신해 나왔다고 말할 것인가? 이런 고백은 더욱 끔찍한 재앙에 이를 뿐이었다.

홀예르 2는 당장에 쌍둥이 형제를 목 졸라 죽이고 싶었지만, 그런 불행한 일은 일어나지 않았다. 왜냐하면 그가 모든 진실을 분명히 깨닫게 된 날은 마침 토요일이어서, 홀예르 1이 어느 아나키스트 모임에 가 있었기 때문이다. 그날 오후에 홀예르 1이 셀레스티네와 함께 집에 돌아왔을 때, 홀예르 2는 이미 극심한 우울증에 빠져 있었다.

18
잡지의 일시적 성공과
갑자기 만나자고 한 수상

전반적인 상황이 최악이긴 했지만, 한없이 누워 있어 봤자 아무 소용없다는 걸 홀예르 2도 깨달았다. 놈베코와 예르트루드는 감자 수확을 위해 일손이 필요했다. 이 관점에서 보자면 홀예르 1과 셀레스티네도 어느 정도는 도움이 되고 있었다. 따라서 순수하게 경제적인 관점에서 보자면 그들을 목 졸라 죽여야 할 이유가 전혀 없었다.

셀리다에서의 삶은 일주일에 몇 번씩 있는 공동 저녁 식사를 포함하여 모든 것이 정상으로 돌아왔다. 하지만 분위기를 풀어 보려는 놈베코의 노력에도 불구하고, 식탁 주위의 공기는 여전히 딱딱하기만 했다. 그녀는 전처럼 세계 각지의 소식을 요약하여 들려주었다. 예를 들어 어느 날 저녁 그녀는 영국의 해리 왕자가 어느 파티에 나치 복장을 하고 간 일을 들려주었다(이 사건은 몇 년 후, 그가 이번에는 실오라기 하나 안 걸친 벌거숭이 몸으로 또 다른 파티에 간 일만큼이나 큰 스캔들을 일으켰다).

「자, 군주제라는 게 얼마나 한심한 건지 이제 알겠어?」 홀예르 1은 신이 나서 소리쳤다.

「그렇네.」 놈베코가 수긍했다. 「적어도 민주적으로 선출된 남아프리카공화국의 나치들은 그들의 제복을 집에다 벗어 놓고 오는데 말이야.」

홀예르 2는 아무 말도 하지 않았다. 입 닥치고 꺼지라는 소리가 목구멍까지 올라왔지만, 그 말조차도 않고 묵묵히 앉아 있었다.

놈베코는 뭔가 변화가 필요하다는 걸 느꼈다. 이를 위해서는 새로운 발상이 필요했다. 이런 상황에서 그들 앞에 나타난 것은 감자 농장의 잠재적 구매자였다.

그동안 비르타넨백작부인 사는 농지 2백 헥타르와 현대화된 농기계, 그리고 높은 매출액과 수익성을 갖춘 반면, 부채는 거의 없는 알짜 기업이 되어 있었다. 따라서 스웨덴 중부지방 최대의 농업 경영자가 관심을 품은 것은 당연한 일이었고, 그는 농장 전체를 6천만 크로나에 매입하겠다고 제의해 왔다.

놈베코는 스웨덴의 감자 붐이 끝나 간다고 느끼던 참이었다. 〈오. 감. 다이어트〉를 유행시킨 여자 스타는 다시 후덕한 몸매로 돌아왔고, 이타르타스 통신에 따르면 러시아의 감자 농사는 지난 몇 해와는 달리 풍작을 거뒀다는 거였다.

따라서 예르트루드의 감자 농장이 인생의 궁극적인 목표가 될 수 없다는 점은 차치하고라도, 지금의 상황 자체로 보면 감자 농사를 접어야 할 때였다.

놈베코는 이 문제를 농장의 공식 소유주에게 거론했고, 그녀는 기꺼이 종목을 바꿀 의향이 있다고 대답했다. 자기도 이제 감자라면 신물이 난다는 거였다.

「듣자하니까 요즘엔 〈스파게티〉란 게 유행인 것 같던데?」 그녀가 물었다.

놈베코는 묵묵히 고개를 끄덕였다. 그랬다. 아닌 게 아니라 스파게티가 유행이었다. 약 12세기경부터 유행이었다. 하지만 재배하기는 그다지 쉽지가 않다. 정말이지 이 할머니는 감자 농사 말고 아는 게 뭘까?

놈베코는 그들이 가진 자본을 어떤 다른 것에 투자해야 한다고 생각했다.

그때 퍼뜩 아이디어가 떠올랐다.

「예르트루드, 우리, 잡지를 만들어 보면 어떨까요?」

「잡지? 좋지! 어떤 내용을 실을 건데?」

스톡홀름 대학에서 쫓겨난 뒤로 홀예르 크비스트의 평판은 땅에 떨어져 있었다. 하지만 그는 경제와 정치 분야에 해박한 지식이 있었다. 그리고 놈베코 자신도 그렇게 멍청하지는 않았다. 따라서 그들은 막후에서 작업을 해나갈 수 있을 터였다.

놈베코는 이 생각을 홀예르에게 설명했고, 그는 전체적으로는 동의했다. 하지만 〈막후 작업〉 운운했는데, 그렇다면 이 모든 일의 목적이 뭐냔다.

「뭐겠어? 저 폭탄에서 벗어나는 거지.」

『스웨덴 정치』 창간호는 2007년 4월에 발간되었다. 이 고급 월간지는 전국의 유력 인사 1만 5천 명에게 무료로 배부되었다. 총 64면 전체가 깨알 같은 기사들로 꽉꽉 채워진 반면, 광고는 단 한 줄도 찾아볼 수 없었다. 수익을 올리기 힘든 간행물이었지만, 그건 중요하지 않았다.

이 잡지는 대번에 매체들의 관심을 집중시켰다. 특히 「스벤스카 다그블라데트」지와 「다엔스 뉘헤테르」지는 이 잡지의 괴짜 사장, 전에는 감자 농사를 지었다는 80세의 예르트루드 비르타넨에게 큰 흥미를 느꼈다. 그녀는 모든 인터뷰를 사절했지만, 2면에 실린 칼럼을 통해 이 잡지가 기사 밑에 필자 이름을 적지 않는 것을 원칙으로 삼는 이유를 설명했다. 기사는 오직 그 내용으로만 판단되어야 한다는 게 그녀의 주장이었다.

예르트루드 비르타넨 여사의 이런 엉뚱한 면들 외에, 이 잡지의 가장 흥미로운 점을 들자면…… 바로 이 잡지가 매우 흥미롭다는 사실이었다. 창간호가 나오자 스웨덴 유수의 신문들에서 이 잡지에 대한 찬사가 쏟아져 나왔다. 호평을 받은 기사들 중에는 2006년 총선에서 이전의 1.5퍼센트에 비해 거의 두 배의 득표율을 획득한 극우파 〈스웨덴민주당〉에 대한 심층 분석 기사가 있었다. 이 기사는 이 극우적 현상을 국제적인 시각에 위치시키면서, 충분한 고증을 바탕으로 남아프리카공화국에 존재했던 어떤 나치즘적 경향들에 연결 지었다. 이 결론은 약간은 지나치게도 느껴졌다. 지금이 어떤 세상인데 자기네 리더에게 히틀러식 경례를 붙이는 집단이 국회에 입성할 수 있단 말인가?

또 스웨덴에 핵 사고가 일어날 경우, 그것이 초래할 인적, 정치적, 경제적 결과들을 세밀하게 분석한 기사도 있었다. 특히나 기사가 제시하는 숫자들은 어찌나 정확하고 상세한지 소름이 돋을 정도였다. 예를 들자면, 오스카르스함 핵 발전소를 현재 위치에서 58킬로미터 북쪽에 재건설하기 위해 향후 25년 동안 3만 2천 개의 일자리가 창출될 거란다!

저절로 써진 거나 다름없는 이 기사들 외에도, 놈베코와 홀예르 2는 보수당 소속인 새 수상의 기분을 맞춰 줄 수 있는 기사들도 공들여 만들어 냈다. 예를 들어, 이 수상 자신도 관계되어 있는 로마 협정 체결 50주년을 기념하는 유럽연합 역사 회고 기사 같은 것이었다. 또 1914년 이후로 선거에서 최악의 성적을 내고 있으며, 모나 살린이 새 당수가 된 사민당의 위기를 분석한 기사도 있었다. 이 기사는 결론적으로 모나 살린은 둘 중 하나를 선택하게 될 거라고 전망했다. 하나는 녹색당과 함께 급진 좌파 당에 거리를 두어…… 다음 선거에서 패배하는 거란다. 또 다른 하나는 전에 공산주의자들이었던 이 좌파당을 끌어들여 3당 연합을 이루는 거지만…… 어차피 다음 선거에서 지는 것은 마찬가지란다(실제로 그녀는 이 두 가지 전략을 다 시도해 봤고, 결국엔 당수 자리까지 잃게 되었다).

이 잡지의 본부는 스톡홀름 근교 키스타에 있었다. 홀예르 2의 요청에 의해, 쌍둥이 형제와 셀레스티네는 모든 종류의 편집 작업에서 완전히 배제되었다. 홀예르 2는 분필로 자기 책상 주위에 반경 2미터짜리 원을 그려 놓고, 휴지통을 비우는 경우 외에는 절대로 이 선을 넘지 말라고 홀예르 1에게 엄명했다.

사실 홀예르 2는 마음 같아서는 넘버 1이 사무실에 발도 들여놓지 못하게 하고 싶었지만, 예르트루드는 사랑하는 손녀 셀레스티네가 끼지 못하면 자신도 프로젝트에 참여하지 않겠다고 선언한 데다가, 이제는 캘 감자도 없었기 때문에 두 시한

폭탄에게 뭔가 할 일을 줄 필요가 있었다.

잡지사의 공식적인 사주인 예르트루드도 본부에 개인 사무실을 가지고 있었고, 그녀는 거기에 앉아 문에 걸린 〈발행인〉이라는 명판을 보며 흐뭇한 미소를 지었다. 하지만 이게 그녀가 하는 일의 전부였다.

창간호를 출간한 놈베코와 홀예르 2의 계획은 제2호는 2007년 5월에, 제3호는 여름방학 직후에 낸다는 거였다. 그러고 나면 수상에게 접근하는 게 어느 정도 가능해질 터였다. 『스웨덴 정치』가 그에게 인터뷰를 요청하면, 받아들이지 않겠는가? 지금처럼만 잘해 가면 언젠가는 실현될 수 있는 일이었다.

그런데 웬일로 이번에는 놈베코와 홀예르 2가 상상한 것 훨씬 이상으로 일이 풀려 갔다. 어떤 일이 있었는가 하면, 수상의 미국 백악관 방문을 앞둔 한 기자회견에서 정부 수반께서는 요즘 화제가 되고 있는 잡지 『스웨덴 정치』에 대해 어떻게 생각하시느냐는 질문이 나왔다. 수상이 답변하기를, 자신도 그 잡지를 매우 흥미롭게 읽었으며, 특히 유럽연합에 대한 분석 기사에는 전적으로 공감하는 바여서 다음 호가 몹시 기대된다는 거였다.

더 이상 완벽한 상황은 상상할 수 없었다. 놈베코는 홀예르에게 당장 수상을 만나 보면 어떻겠느냐고 제의했다. 더 기다릴 이유가 없잖아? 밀져야 본전 아니야?

홀예르 2가 대답하기를, 그의 쌍둥이 형제와 그의 여친은 모든 것을 망쳐 버리는 데 초자연적인 능력을 지닌 것 같기에, 그들을 어딘가에 가둬 놓지 않는 한 너무 많은 것을 기대하고 싶지는 않단다…… 뭐, 그래도 자기 말마따나 밀져야 본전이니까…….

하여 홀예르 2는 수상 보좌관에게 다시 한 번 전화를 걸어 봤다. 지금까지와는 다른 용무로. 그런데 빙고! 보좌관 양은 이 메시지를 홍보 담당관에게 전해 주겠단다. 그리고 그 홍보 담당관이 다음 날 전화를 걸어와서는 수상께서 45분간의 인터뷰를 위해 5월 27일에 그들을 접견해 주실 거라고 알렸다.

다시 말해서, 잡지의 제2호가 발행되고 나서 닷새 후에 수상을 만나 볼 수 있다는 얘기였다. 그다음에는 잡지를 그만둘 수도 있었다.

「왜? 계속할 수도 있잖아?」 놈베코가 말했다. 「난 자기가 그렇게 행복해하는 모습을 본 적이 없어.」

아니, 창간호를 내는 데만도 4백만 크로나가 들었고, 두 번째 호도 그렇게 싸게 먹힐 것 같지는 않았다. 감자 농장을 팔아서 번 돈은 조금만 더 운이 따라 준다면 그들이 곧 실현하게 될 미래를 위해 남겨 둘 필요가 있었다. 체류증과 필요한 모든 것을 갖춘 삶, 두 사람이 진정으로 존재하는 삶을 위해 말이다.

홀예르 2와 놈베코는 어쩌다가 원자폭탄이 굴러 들어간 나라를 책임진 사람에게 그것의 존재를 알리는 데 성공한다 해도 일이 다 끝난 것은 아니라는 걸 알고 있었다. 예를 들어 수상이 행복해할 가능성은 별로 없었다. 또 그가 지금까지의 상황에 대해 이해심을 보여 줄지도 의문이었다. 그리고 홀예르 2와 놈베코가 지난 20년 동안 기밀을 유지하려고 노력해 온 사실을 그가 과연 좋게 받아들여 줄 것인가?

하지만 지금이 기회였다. 그들이 팔짱만 끼고 앉아 있으면 날아가 버릴 기회가 눈앞에 놓여 있었다.

『스웨덴 정치』제2호는 주로 국제 문제들을 다루고 있었다. 가장 눈에 띄는 기사는 미국의 현 정치 상황에 대한 분석 기사로, 이는 스웨덴 수상과 조지 W. 부시 간의 백악관 회동과 관련된 것이었다. 또 투씨족이 후투족이 아니라는 이유로 학살된(두 민족 간의 유일한 차이점은 투씨족이 후투족보다 키가 약간 더 크다는 것이다) 르완다 인종 청소에 대한 회고 기사도 있었다. 그리고 스웨덴 국립 약국의 판매 독점권 폐지에 대한 기사를 빼놓을 수 없었는데, 이 역시 수상의 기분을 맞춰 주기 위한 글이었다.

홀예르 2와 놈베코는 문장 하나하나, 단어 하나하나까지 확인했다. 조금이라도 이상한 말이 섞여 있으면 안 되었다. 이번에도 잡지는 알맹이가 있고 흥미로우면서도, 수상의 눈살을 찌푸리게 해서는 안 되었다.

조금의 실수도 용납될 수 없는 상황이었다. 그러했거늘 왜 홀예르 2는 놈베코에게 레스토랑에 가서 제2호의 완성을 자축하자고 제의했단 말인가?

나중에 그는 얼마나 자신을 원망하고 저주했던지, 곧바로 달려가 자기 형제를 목 졸라 죽이는 것마저 잊어버렸다.

이날, 잡지사에는 예르트루드가 남아 발행인실 안락의자에 몸을 묻고 편안히 콜콜 잠들어 있었다. 홀예르 1과 셀레스티네는 지시받은 대로 스카치테이프, 볼펜 같은 사무용 비품들의 목록을 작성하는 중이었다. 저쪽에 있는 홀예르 2의 컴퓨터 화면에는 완성된 잡지 원고가 환하게 빛나고 있었다.

「자기네는 고급 레스토랑에서 신나게 때려 먹으면서, 우리 보고는 클립 쪼가리나 세고 있으란 말이지?」 셀레스티네가 신경질을 부렸다.

「이번 호에도 그 빌어먹을 왕실에 대한 말은 단 한 줄도 없군.」홀예르 1도 투덜댔다.

「아나키즘에 대해서도 한 마디도 없고.」셀레스티네도 불평했다.

놈베코는 예르트루드의 회사에서 번 돈이 몽땅 자기 거라고 생각하고 있는 것 같아. 도대체 자기가 뭐라고 생각하는 거야? 지금 그녀와 홀예르 2가 하고 있는 게 뭐냐고? 보수파일 뿐 아니라 왕당파이기도 한 수상의 똥구멍을 핥는 짓밖에 더 하고 있어?

「자기야, 이리 와봐!」홀예르 1은 쌍둥이 형제가 설정한 접근 금지 구역 안으로 들어가며 말했다.

그는 넘버 2의 의자에 앉아서는, 마우스 클릭질 몇 번으로 예르트루드의 칼럼 부분으로 들어갔다. 대충 훑어보니 야당의 무능함을 비판하는 쓰레기 같은 소리들이었다. 물론 홀예르 2의 작품이었다. 이 한심한 글을 끝까지 읽을 필요조차 못 느낀 그는 불문곡직 모조리 삭제해 버렸다.

대신에 그는 마음속에 담고 있던 생각을 옮겨 적었다. 넘버 2가 64쪽 중에서 63쪽을 차지했으니, 자기 생각도 한 쪽 정도는 채워 넣을 수 있는 것 아니냐고 옹얼대면서.

작업을 마친 그는 이 새 버전을 인쇄소에 보내면서, 식자공에게는 매우 중요한 수정 사항이 첨가되었음을 알렸다.

그다음 월요일, 『스웨덴 정치』는 인쇄되어 전번과 같은 유력 인사들에게 배부되었다. 제2면을 펼치니 발행인은 이렇게 선언하고 있었다.

이제 국왕이 (그 돼지가!) 퇴위할 때가 되었다. 그는 왕비
도 (그 암돼지도!) 함께 데려가야 한다. 왕자와 공주도 (그
새끼 돼지들도!) 데려가야 한다. 그리고 그 늙은 마귀 할망
구 릴리안[27]도 마찬가지이다.

군주제는 돼지들에게나 어울리는 체제이다(마귀 할망구
들도 좋아할 수 있다). 이제 스웨덴은 공화국이 되어야 한다.

홀예르 1의 두뇌와 글재주로는 더 이상은 쓸 수가 없었다.
하지만 이 글 아래로 두 단 너비의 공간이 15센티미터가량이
나 남았으므로, 그는 그다지 능숙하지는 못한 어떤 그림판 프
로그램을 사용하여, 교수대에 매달리고 가슴에는 〈국왕〉이라
는 글자가 적힌 사람을 하나 개발새발 그려 넣었다. 그런 다
음, 교수대에 대롱대롱 매달린 상태이지만 아직 표현 능력은
잃지 않은 듯한 그 사람의 입에서 말풍선 하나를 삐죽 솟아 나
오게 했다. 그 말풍선은 말하기를,

〈꿱!〉

이것만 해도 너무나 충분하다는 걸 느끼지 못했던 것인지,
셀레스티네는 한 행 아래에다 이렇게 덧붙여 놨다.

좀 더 자세한 정보를 원하시는 분은 스톡홀름 아나키스트
협회에 문의하세요.

27 현 스웨덴 국왕의 숙부인 벨틸 왕자의 부인.

『스웨덴 정치』 제2호가 수상실에 전달된 지 15분 만에 보좌관은 잡지사에 전화를 걸어 인터뷰가 취소되었음을 알렸다.

「아니, 왜죠?」 아직 최신 호를 손에 넣지도 못한 홀예르 2가 깜짝 놀라며 물었다.

「빌어먹을, 당신 생각엔 왜겠어?」 보좌관이 소리쳤다.

프레드리크 레인펠트 수상은 『스웨덴 정치』의 대표자와 만나기를 거부했다. 하지만 그는 곧 그리하게 될 것이며, 더불어 원자폭탄도 떠안게 될 것이다.

나중에 수상이 될 소년은 사랑과 질서로 충만한 어느 가정의 세 아들 중에서 장남으로 태어났다. 이 집에서 모든 것은 제자리에 놓여 있어야 했고, 각자는 자기가 어지럽힌 곳을 후딱후딱 치워야 했다.

이런 가정환경이 어린 프레드리크의 성격에 얼마나 큰 영향을 주었던지, 어른이 되어 그는 세상에서 가장 즐거운 일은 정치가 아니라 진공청소기 돌리기라고 말했을 정도였다. 하지만 그는 청소부가 아닌 수상이 되었다. 아무튼 그는 두 분야에 다 재능이 있었다. 그의 다재다능함은 이것만이 아니었다.

예를 들어 그는 열한 살 때 학생회장으로 선출되었다. 그리고 몇 년 뒤, 라플란드의 국경 수비대에서 군 복무를 할 때는 간부 사관학교를 수석으로 졸업했다. 만일 러시아인들이 침공했다면, 그들은 영하 48도에서 제대로 싸울 줄 아는 사나이를 상대해야 했으리라.

하지만 러시아인들은 오지 않았다. 대신 프레드리크는 스톡홀름 대학에 입학하여 경제학과 연극에 빠져들었고 그가 사는 학생 아파트는 군대 막사처럼 질서 정연하게 정리해 놓았다. 얼마 후에 그는 경제학 학사학위를 따게 된다. 정치에 대한 그의 관심 역시 집안 내력이었다. 그의 아버지는 시의회에서 활동한 정치가였다. 프레드리크는 부친이 간 길을 그대로 밟았다. 그는 의회에 진출했고, 보수당 산하단체인 보수 청년 연맹의 의장이 되었다.

그의 당은 1991년 총선에서 승리했다. 이때 젊은 프레드리크는 중심적인 역할을 하지 못했으며, 특히나 당시의 보수당 당수 칼 빌트가 너무 권위적이라고 비판했기에 더욱 그러했다. 빌트는 레인펠트를 창고에 집어 처넣음으로써 후배의 비판이 옳았음을 몸소 증명하는 겸허함을 발휘했고, 후배가 냉동고 안에서 10년간 푹 썩는 사이 자신은 평화 중개를 위해 구(舊)유고슬라비아로 떠나 버렸다. 스웨덴을 구하는 데 실패하는 것보다는 세계를 구하는 것이 훨씬 즐거웠던 모양이다.

그의 후임자 보 룬드그렌은 숫자 계산에는 놈베코만큼이나 재능이 있는 사람이었다. 하지만 스웨덴 국민이 숫자보다는 희망찬 말들을 듣기를 바란 탓에 그도 썩 좋은 결과를 얻지는 못했다.

그리하여 보수당 내에 개혁의 요구가 높아졌고, 프레드리크 레인펠트가 푹푹 썩어 가던 창고의 문이 열리게 되었다. 생기를 되찾은 그는 2003년 10월 25일 만장일치로 보수당 당수로 선출된다. 그로부터 불과 3년 후, 그와 그의 당과 보수 연합은 사민당을 깨끗이 쓸어 낸다. 수상이 된 프레드리크 레인펠트는 수상 관저에서 전임자 예란 페르손의 흔적을 모조리 지워 버렸다. 이때 그는 주로 검정 비누를 사용했는데, 이 비누로 닦고 난 표면에는 먼지를 막는 막이 형성되기 때문이라고 한다. 청소를 마친 그는 손을 깨끗이 씻었고, 스웨덴의 정치는 새로운 시대에 접어들었다.

레인펠트는 자기가 이룬 일들에 대해 자부심을 느꼈다. 또 만족감도 느꼈다.

한동안은 그럴 거였다.

놈베코, 셀레스티네 그리고 홀예르 1과 2는 셸리다 농가로 돌아왔다. 『스웨덴 정치』의 일이 있기 전에 분위기가 다소 팽팽했다면, 지금은 아예 독기가 느껴질 정도였다. 홀예르 2는 그의 형제와 대화하는 것은 물론 같은 식탁에 앉는 것조차 거부했다. 또 홀예르 1은 홀예르 1대로 자신이 이해받지 못할 뿐만 아니라, 심지어는 대놓고 무시당하고 있다고 느꼈다. 게다가 그와 셀레스티네는 잡지 사설에 애먼 아나키스트들을 끌어들인 일로 인해 그들과도 사이가 틀어진 상태였다. 그 일이 있은 후, 스웨덴 대부분의 정치 기자들이 아나키스트 본부로 몰려들어서는 왕실과 돼지우리를 연결시킨 의도가 뭐냐고 질문을 퍼부었던 것이다.

하여 홀예르 1은 창고 다락에 웅크리고 앉아 예르트루드의 감자 트럭을 뚫어지게 쳐다보며 나날을 보냈다. 여전히 3메가톤급 원자폭탄이 들어 있는 그 트럭을 말이다. 원자폭탄······. 어떤 방식으로든 국왕을 퇴위시킬 수 있는 물건이었다. 또 홀예르 1이 건드리지 않기로 약속한 물건이기도 했다.

어떻게 이럴 수가 있단 말인가! 그 오랜 세월 동안 죽어라고 약속을 지켜 왔건만, 이렇게 이유도 없이 내게 성질을 부리다니! 홀예르 1은 억울하고도 분했다.

셀레스티네는 넘버 2가 넘버 1에게 화를 내는 것에 대해 화를 냈다. 그녀는 넘버 2에게 단언하기를, 당신의 문제점은 절대로 올바른 시민 의식을 배울 수 없다는 점이란다. 사실 그것은 배워서 되는 게 아니라 타고나야 한단다. 반면, 당신의 형제에게는 그 DNA가 있단다!

홀예르 2는 셀레스티네가 뭔가에 걸려 넘어져 이빨이라도 두어 개 부러져 버렸으면 하는 심정이었다. 그는 산책을 하러 나갔다. 오솔길을 걸어 바닷가에 이른 그는, 부두의 벤치에 앉아 바다를 망연히 바라보았다. 지금 그의 가슴속에 꽉 차 있는 것은…… 아니, 그의 가슴속엔 아무런 감정도 없었다. 그저 텅 비어 있었다.

물론 그에겐 놈베코가 있었고, 이에 대해선 그저 감사할 뿐이었다. 하지만 이것 말고는……. 그에겐 아이도 없고, 삶도 없고, 미래도 없었다. 홀예르 2는 결코 수상을 만날 수 없으리라고 생각했다. 지금 수상도, 다음 수상도, 이후의 그 어떤 수상도……. 이 폭탄의 유효기간인 26,200년 중에서 이제 26,180년이 남아 있었다. 오차 범위는 세 달이었다. 더 이상 아무것에도 의욕이 없었다. 그냥 부두에 이렇게 앉아 시간이나 죽이고 있는 게 나으리라…….

끔찍하게 암울한 현실이었다. 더 이상 깊을 수 없는 나락이었다.

하지만 30분 후, 상황은 더 악화될 거였다.

19
리셉션 디너파티와
저쪽과의 접촉

후진타오(胡錦濤) 주석은 18세기에 활약했던 스웨덴의 동방무역선 예테보리호를 그대로 본떠 만든 것으로, 중국까지 갔다가 방금 돌아온 복제 범선 예테보리호를 맞으며 사흘간의 스웨덴 공식방문 일정을 시작했다.

오리지널 범선 예테보리호도 250년 전에 똑같은 항해를 한 바 있었다. 당시 이 배는 폭풍우와 해적과 질병과 기아를 이겨내며 중국까지 잘 다녀왔다. 그런데 모항(母港)에서 불과 9백 미터 떨어진 곳에 이르러, 그 눈부시게 화창한 날에 그만 꼴깍 침몰하여 바닷속으로 가라앉았던 것이다.

너무도 원통한 일이 아닐 수 없었다. 하지만 복수의 날이 왔다. 2007년 6월 9일 토요일, 복제 범선 예테보리호는 오리지널이 갔던 길을 그대로 따라서 다녀왔을 뿐만 아니라, 마지막 남은 1킬로미터마저도 사뿐히 주파해 버렸다. 이 예테보리호를 열렬히 환영한 인파 중에는 중국의 국가주석 후진타오도 섞여 있었는데, 그는 이 기회를 이용해 그곳에서 멀지 않은 토르슬란다의 볼보 자동차 공장도 방문했다. 이 방문은 그의 특별한 요청에 따라 이루어진 것으로, 여기에는 사연이 있었다.

볼보 사는 오래전부터 스웨덴 정부와 국가기관들이 특수 방탄 차량이 필요할 때마다 BMW 제품을 고집해 오는 통에 속이 부글부글 끓고 있었다. 공식 행사가 있을 때마다 왕실 인사들이며 장관들이 독일산 자동차에서 내리는 모습을 볼라치면 볼보의 경영진들은 그대로 목매달아 죽어 버리고 싶은 심정이었다. 이 스웨덴 자동차 회사는 특별히 방탄차 모델을 하나 제작하여 정보부가 보는 앞에서 성능 시범까지 해보였지만 허사였다. 그러던 중에 볼보의 한 엔지니어가 신형 모델인 볼보 S80 한 대를 중화인민공화국 국가주석에게 선물한다는 기똥찬 아이디어를 냈다. 사륜구동, 8기통 엔진, 315마력의 힘을 자랑하는 멋진 크림색 세단으로, 일국의 국가원수가 어느 상황에서고 타고 다닐 만한 차였다.

적어도 엔지니어는 그렇게 생각했다.

볼보 경영진도 그렇게 생각했다.

그리고 중국 국가주석도 그렇게 생각하는 듯했다.

이 증정은 비공식적 채널로 사전에 합의된 일이었다. 차량은 토요일 오전에 후 주석에게 자랑스럽게 소개된 후, 다음 날, 주석의 출국 직전에 아를란다 공항에서 공식 인도될 것이었다.

그동안 후 주석은 왕궁에서 개최되는 리셉션 디너파티에 참석할 예정이었다.

놈베코는 노르텔리에 도서관에 앉아서 신문들을 뒤적거리고 있었다. 먼저 펼친 「아프톤블라데트」지는 어떤 분쟁을 다루느라 무려 네 면이나 할애하고 있었는데, 그것은…… 이스라엘과 팔레스타인 간의 거창한 분쟁이 아니라, 한 오디션 프로그램 참가자와 그가 노래를 부를 줄 모른다고 혹평한 심술궂은 심사위원 간의 그것이었다.

〈귀신 씻나락 까먹는 소리 하고 자빠졌네!〉라고 가수는 맞받아쳤다지만, 그는 실제로 노래를 부를 줄 몰랐을 뿐만 아니라, 귀신 씻나락 까먹는 소리 한다는 게 정확히 어떤 의미인지도 모르는 사람이었다.

놈베코가 두 번째로 펼친 「다엔스 뉘헤테르」지는 고집스럽게 공연히 심각하고 복잡하기만 한 주제들만을 다루어 구독자 수가 뚝뚝 떨어지고 있는 신문이었다. 제1면을 텔레비전 스튜디오에서의 흥미진진한 설전이 아니라, 외국 국가원수 공식방문 같은 따분한 소식들로 채우는 게 이 신문의 전형적 패턴이었다.

오늘도 이 신문 1면은 후진타오 주석과 예테보리호의 귀항 소식, 그리고 이 중국 국가주석이 토요일인 이날 저녁에 스톡홀름으로 가, 왕실에서 개최되는 리셉션 디너파티에 국왕과 수상과 함께 참석할 예정이라는 소식 등을 전하고 있었다.

이 뉴스는 그저 그런 내용일 수도 있었지만, 놈베코는 후 주석의 사진을 보고 흠칫 놀랐다.

그녀는 사진을 유심히 들여다보았고, 다시 한 번 들여다보았다. 그러고는 큰 소리로 이렇게 말했다.

「와우! 중국 선생님이 국가주석이 되셨네?」

다시 말해서 오늘 저녁에 스웨덴 수상과 중국 국가주석이 왕궁에 온다는 얘기였다. 만일 놈베코가 구경꾼들 틈에 끼어서 수상이 지나갈 때 그를 부른다면, 최상의 경우에는 보안요 원들에 의해 쫓겨날 거고, 최악의 경우에는 체포되어 국외로 추방될 거였다.

하지만 만일 그녀가 중국 주석에게 우어로 말을 건다면……? 만일 후진타오의 기억력이 그렇게 나쁜 편이 아니라면 그는 그 녀를 기억할 터였다. 나아가 그가 눈곱만큼의 호기심이라도 가 진 인간이라면, 옛날에 남아프리카공화국에서 만났던 그 흑인 통역이 대관절 어떻게 해서 지금 이 스웨덴 왕궁 앞에 서 있는 건지 알고 싶어 그녀에게 다가올 거였다.

그리되면 놈베코-홀예르 2와 수상, 혹은 국왕 사이에는 단 한 사람만이 가로놓이게 된다. 그리고 후 주석은 본의 아니게 원자폭탄을 보유하게 된 이들과 그들이 20년 동안 헛되이 접 촉하려 해왔던 이들 간에 중개 역할을 해줄 수 있는 충분한 조 건을 지니고 있었다.

수상이 그들더러 폭탄을 챙겨 가지고 그냥 집으로 돌아가라 고 말할 가능성은 별로 없었다. 그보다는 오히려 경찰로 하여 금 그들을 체포하게 할 가능성이 더 컸다. 아니면 그 중간의 선 택을 하거나. 어쨌든 한 가지는 확실했다. 이 천재일우의 기회 를 무슨 일이 있어도 붙잡아야 했다.

시간이 촉박했다. 벌써 오전 11시였다. 놈베코는 잽싸게 자 전거를 타고 셀리다로 돌아가 홀예르 2에게 이 사실을 알려야 했다. 그런 다음 저 두 재앙덩어리와 예르트루드는 절대로 모 르게끔 트럭을 몰고 나와 내처 달려서는, 후 주석이 왕궁에 들 어가는 저녁 6시까지 그 앞에 도착해야 했다.

일은 초장부터 꼬이기 시작했다. 흘예르 2와 놈베코는 살금 살금 창고로 들어가, 과도하게 정상적인 번호판을 몇 해 전에 훔친 것으로 갈아 끼우기 위해 나사를 풀기 시작했다. 하지만 흘예르 1은 이날도 다락에 누워 있다가, 트럭 주위에서 나는 소리에 정신적 마비 상태에서 깨어나고 말았다. 벌떡 일어난 그는 셀레스티네를 데려오려 소리 없이 구멍문을 통해 다락을 내려갔다. 놈베코와 흘예르 2가 번호판을 다 갈아 끼우기도 전에 흘예르 1과 그의 여친은 어느 틈에 벌써 감자 트럭 운전 석에 자리 잡고 있었다.

「세상에! 우리만 빼놓고 폭탄을 가지고 튀려 하다니!」 셀레 스티네가 혀를 찼다.

「맞아, 너희들은 그런 꿍꿍이였어!」 흘예르 1도 맞장구쳤다.

여기서 그의 형제는 마침내 폭발하고 말았다.

「이젠 됐어! 이젠 됐다고!」 그는 포효했다. 「당장에 거기서 내려와, 이 더러운 기생충들아! 우리의 마지막 기회를 또 너희 들이 망치게 놔두진 않을 거야! 절대로 그럴 순 없어!」

셀레스티네는 일언반구 대꾸 없이 수갑을 꺼내 자신의 손목 을 글러브박스에 철커덕 매어 버렸다. 정말이지 화끈한 투사 였다.

운전은 흘예르 1이 해야 했다. 그 옆에 앉은 셀레스티네는 손목이 수갑에 채워진 관계로 자세가 약간 부자연스러웠다. 놈베코는 그 옆에 앉았고, 흘예르 2의 자리는 그의 형제와 적 절한 거리를 유지하기 위해 맨 오른쪽이었다.

트럭이 집 앞을 지나가자 예르트루드가 부리나케 현관 층계로 뛰어나왔다.

「나가는 김에 장도 좀 봐 와! 집에 먹을 게 하나도 없어!」

놈베코는 넘버 1과 셀레스티네에게 이 여행의 목적은 폭탄을 떨쳐 버리는 것이며, 그것은 레인펠트 수상과 직접적인 접촉을 할 수 있는 상황이 찾아왔기 때문이라고 설명했다.

이에 덧붙여 홀예르 2는, 만일 홀예르 1과 그의 여친이 지금이 자리에 가만히, 그리고 조용히 붙어 있지 않고 딴짓을 할 경우, 둘 다 8열식 감자 수확기로 밀어 버리겠다고 경고했다.

「하지만 8열식 감자 수확기는 팔아 버렸는걸?」홀예르 1이 이론을 제기했다.

「그렇다면 새것을 사겠어.」

왕궁에서의 리셉션 디너파티는 저녁 6시에 시작될 예정이었다. 귀빈들은 왕궁의 근위병 내정에서 영접된 뒤, 우아한 행렬을 이루어 연회가 열리는 백해(白海) 홀로 이동할 거였다.

놈베코는 후진타오 주석의 눈에 띌 수 있는 자리를 확보하느라 애를 먹었다. 구경꾼들은 귀빈들이 입장하는 곳에서 최소한 50미터는 떨어진 곳에 붙잡혀 있었다. 그 많은 세월이 흐른 지금, 이 거리에서 과연 그를 알아볼 수 있을까? 반면 그는 그녀를 분명히 알아볼 터였다. 아프리카인 중에서 우어를 구사하는 사람이 과연 몇이나 되겠는가?

과연 눈에 띄는 것은 전혀 문제가 되지 않았다. 중화인민공화국 국가주석 후진타오가 그의 부인 류융칭(劉永淸)과 함께 도착하자 새포[28] 요원들은 바짝 긴장하여 부산하게 움직였다. 놈베코는 숨을 깊게 들이마신 다음, 주석의 언어로 크게 외쳤다.

「중국 선생님, 안녕하세요! 아프리카 사파리 이후로 오랜만
에 뵙네요!」

단 4초 만에 두 사복 경찰이 놈베코를 에워쌌다. 그리고 다
시 4초 후에는 흑인 여자가 별로 위험해 보이지 않았으므로
그들은 흥분을 조금 가라앉혔다. 완전히 노출된 그녀의 두 손
에는 후 주석 부처에게 투척할 만한 게 아무것도 들려 있지 않
았다. 어쨌든 위험의 소지가 조금이라도 남아 있으면 안 되므
로 여자는 당장 격리되어야 했다.

그런데……?

주석이 걸음을 멈추더니 레드카펫을 벗어나서는 흑인 여자
를 향해 걸어오는 거였다. 그러더니…… 그러더니…… 그녀에
게 미소를 짓는 게 아닌가!

보안경찰 일을 하노라면 이따금 매우 미묘한 상황들을 겪게
된다. 지금이 바로 그런 때였다. 후 주석은 시위자(보나마나
시위자 아니겠는가?)에게 뭔가를 말했다. 그러자 시위자는 그
에게 대답했다.

놈베코는 보안경찰들이 당황하는 것을 보고는 스웨덴어로
말했다.

「그렇게 겁내지들 마세요. 주석님과 나는 옛 친구일 뿐이고,
지금 서로 안부를 묻고 있어요.」

그런 다음 다시 후 주석에게 고개를 돌리며 말했다.

「지난 일에 대해 얘기를 나누는 일은 다음번에 해야겠네요,
중국 선생님. 아니면 주석님이라고 불러야 하나요? 이제는 국

---

28 Säpo. 스웨덴의 보안경찰국.

가주석이 되신 것 같으니까요.」

「네, 그렇게 됐어요.」 후진타오가 미소를 지으며 대답했다. 「그리고 이렇게 되기까지는 당신의 덕도 좀 본 것 같아요, 남아공 양.」

「몸 둘 바를 모르겠네요. 자, 각설하고 본론으로 들어갈게요. 주석님께서는 저의 옛 조국에 있던 그 약간 덜떨어진 엔지니어를 기억하시겠지요? 주석님을 사파리와 만찬에 초대했던 그 사람 말이에요. 그 후로 그는 운이 별로 좋지 못했는데, 그건 오히려 잘된 일이라 할 수 있고요……. 아무튼 그이는 저와 다른 몇 사람의 도움을 받아 원자폭탄 몇 개를 만들어 내는 데 성공했어요.」

「나도 알고 있어요. 내 기억이 정확하다면 여섯 개였죠, 아마?」

「일곱 개예요. 그는 여러 가지 문제가 많은 사람이었지만, 특히 셈을 못 했죠. 그는 일곱 번째 폭탄을 어느 기밀 장소에다 숨겨 놨는데, 그게 그만 분실되고 말았어요. 사실은…… 어쩌다 제 짐 속에 들어가 버렸죠. 제가 스웨덴에 올 때 말이에요.」

「스웨덴이 원폭을 보유하고 있다고요?」 후진타오가 깜짝 놀라며 물었다.

「아뇨, 스웨덴이 아니에요. 제가 보유한 거죠. 그리고 전 스웨덴에 있는 거고요. 뭐, 말하자면 그래요.」

후진타오는 몇 초간 침묵을 지키다가 이렇게 물었다.

「남아공 양……. 그런데 성함이 어떻게 되시더라?」

「놈베코예요.」

「그래, 내가 어떻게 해주기를…….」

「음, 혹시 주석님께서는 조금 있다가 악수를 나누실 국왕님께 메시지를 전해 줄 수 있으실는지요. 또 국왕님께서는 이 사실을 수상님께 알려 드리고, 수상님께서는 이리로 나오셔서 그 폭탄을 어떻게 할 건지 내게 말씀해 주실 수 있을지 모르겠네요. 사실 그것은 유독 폐기물 처리장에 가져다줄 성질의 물건은 아니거든요.」

후진타오 주석은 유독 폐기물 처리장이 무엇인지 잘 몰랐지만(당시 중국의 환경 정책은 그 수준까지는 올라 있지 않았다), 상황만큼은 명확히 이해했다. 또 그는 상황상 놈베코 양과의 대화를 즉시 중단해야 한다는 것도 깨달았다.

「이 정보를 국왕과 수상께 전달해 주겠다고 약속드리죠. 내가 최선을 다하겠고, 따라서 놈베코 양께서는 그분들의 즉각적인 반응을 기대하셔도 좋을 거예요.」

이렇게 말한 다음, 후 주석은 어리둥절해 있는 영부인이 서 있는 레드카펫으로 돌아갔고, 그 위를 걸어 국왕 폐하께서 기다리고 있는 근위병 내정으로 들어갔다.

귀빈들이 모두 도착하여 더 이상 구경할 게 없었다. 관광객들을 비롯한 구경꾼들은 이 2007년의 어느 여름 저녁에 계획된 저마다의 일들을 위해 흩어져 갔다. 놈베코는 그게 무엇인지 알 수 없는 무언가를 기다리며 혼자 남아 있었다.

20분 후, 한 여자가 그녀에게 다가왔다. 그녀는 놈베코에게 악수를 청하면서 나지막한 목소리로 자신을 소개했다. 자신은 수상의 보좌관이며, 놈베코를 왕궁 내의 보다 은밀한 장소로 모시라는 지시를 받았단다.

놈베코는 좋은 생각이라고 대답한 다음, 지금 왕궁 앞에 주차되어 있는 트럭도 가져가길 원한다고 덧붙였다. 보좌관은 그건 어차피 가는 길에 있기 때문에 조금도 문제가 되지 않는다고 대답했다.

홀예르 1은 여전히 운전석에, 셀레스티네는 그 옆에 앉아 있었다(이제 그녀는 수갑을 풀어 자신의 핸드백 안에 넣은 상태였다). 보좌관은 트럭에 올라 그들 옆, 오른쪽의 빈자리에 자리 잡았다. 놈베코는 홀예르 2와 함께 트럭 짐칸에 올라탔다.

길은 그리 멀지 않았다. 그들은 캘라르그랜드 가를 지나 슬로트스바켄 가를 내려갔다. 그런 다음, 왼쪽으로 꺾어 한 주차장소로 진입했는데, 보좌관의 요청에 따라 마지막 몇 미터는 후진해야 했다.

보좌관은 트럭에서 내려 평범해 보이는 문을 두드렸고, 문이 열리자 그 안으로 사라졌다. 잠시 후, 수상이 국왕과 함께 걸어 나왔고, 그 뒤를 이어 후진타오와 통역도 따라 나왔다. 중국 국가주석은 정말로 놈베코를 위해 최선을 다한 듯, 경호요원들은 모두 문 앞에 머물러 있었다.

놈베코는 만난 지 20년이나 지났지만 중국 통역을 알아보았다.

「아, 결국 안 죽으셨네요!」

「아직 늦진 않은 것 같소.」통역은 불만 가득한 어조로 대꾸했다.「당신이 트럭에 실어 온 걸 감안하면 말이오.」

홀예르 2와 놈베코는 수상과 국왕과 주석에게 감자 트럭 뒤칸으로 올라와 보라고 청했다. 수상은 일 초도 머뭇대지 않았다. 여자의 섬뜩한 주장이 사실인지 반드시 확인해 봐야 했다.

국왕도 그의 뒤를 따랐다. 중국 국가주석은 이것이 스웨덴의 국내 문제라고 판단하고는 그냥 왕궁으로 돌아갔지만, 호기심 많은 통역은 그 유명한 원자폭탄을 꼭 한 번 구경하고 싶다며 거기 남았다. 경호 요원들은 문 앞에서 안절부절못했다. 국왕 폐하와 수상 각하께서 대체 무얼 하러 저 감자 트럭 짐칸에 들어가신단 말인가? 정말이지 이건 정상적인 상황이 아니었다.

이때 일단의 중국인 관광객들이 가이드와 함께 몰려왔다. 따라서 서둘러 트럭 짐칸 문을 닫아야 했고, 그 통에 통역의 손가락이 끼어 버렸다.

「사람 살려! 나 죽어!」 찢어지는 비명 소리가 바깥에서 울리는 가운데, 홀예르 2는 홀예르 1더러 짐칸의 조명을 켜라고 운전석의 유리 창문을 두드렸다.

홀예르 1은 분부대로 거행한 뒤 고개를 뒤로 돌렸는데……세상에! 거기에 국왕이 있었다! 또 수상도 있었다!

무엇보다도 국왕이 있었다! 세상에 이럴 수가!

「아빠, 국왕이에요!」 그는 하늘나라에 있는 잉마르 크비스트를 향해 웅얼거렸다.

그러자 아빠 잉마르는 대답했다.

「달려, 아들아! 달려!」

하여 홀예르 1은 달렸다.

제6부

나는 유머 감각을 지닌 광신도는
아직껏 본 적이 없다.

– 아모스 오즈

20

왕들이 하는 것과
하지 않는 것

감자 트럭이 움직이기 시작하자 놈베코는 운전석과 짐칸 사이의 유리창을 두드리며, 만약 오늘 목숨을 부지하고 싶으면 당장 멈추라고 홀예르 1에게 소리쳤다. 하지만 자기가 정말 목숨을 부지하고 싶은지조차 잘 모르겠는 넘버 1은 뒤쪽에서 들리는 고함 소리를 듣지 않으려고 셀레스티네에게 유리창을 닫아 달라고 부탁했다.

그녀는 기꺼이 부탁을 들어줬을 뿐만 아니라, 진청색의 화려한 예복 재킷, 스트라이프 금줄로 장식된 진청색 바지, 백색 조끼, 역시 백색의 드레스셔츠 그리고 검정 나비넥타이를 맨 폐하의 모습이 역겨워 커튼까지 쳐버렸다.

그녀는 반란을 일으킨 자신이 무척이나 자랑스러웠다.

「우리 할머니 집으로 돌아갈까?」 그녀가 물었다. 「아님 더 좋은 생각이라도 있어?」

「자기야, 나 원래 생각이 없는 거 잘 알잖아.」

국왕은 사태의 변화에 약간 놀란 기색인 반면, 수상은 큰 충격을 받은 듯했다.

「아니 빌어먹을, 지금 이게 무슨 짓이야?」 그는 소리쳤다. 「지금 당신들이 국왕과 수상을 납치하겠다는 건가? 원자폭탄을 가지고? 내 스웨덴에 원자폭탄을 들여놔? 도대체 누구한테서 허락을 받았어?」

「에, 그러니까, 스웨덴 왕국은 오히려 내 거라 할 수 있지 않겠소?」 국왕은 가장 가까운 감자 궤짝에 엉덩이를 깔고 앉으면서 슬그머니 이의를 제기했다. 「그 나머지 부분에 대해선 나도 우리 수상과 같은 의견이오만 말이오.」

놈베코는 만일 이 나라가 콩가루가 되어 버린다면 그게 누구에게 속했든 뭐가 그리 중요하겠느냐고 반문했다. 하지만 그녀는 곧바로 이 말을 후회하게 되었으니, 수상이 이 빌어먹을 폭탄에 대해 더 알고 싶어 했기 때문이다.

「이것의 위력은 어느 정도요? 어서 말해 보시오!」 그는 엄하게 물었다.

놈베코는 그러잖아도 분위기가 팽팽할 대로 팽팽해져 있는 이 마당에, 왜 어리석게도 폭탄 얘기를 꺼냈는지, 자신이 한심하기 이를 데 없었다. 그녀는 화제를 돌려 보았다.

「지금 일어난 일에 대해서는 저도 정말로 유감이에요. 하지만 수상님과 폐하께서는 납치된 게 아닙니다. 적어도 저와 제 남자 친구에 의해서는 납치된 게 아니에요. 이 차가 서는 즉시, 제가 달려가 저 운전사의 코를 꽉 비틀어서 모든 걸 정상으로 돌려놓겠다고 약속드리겠습니다.」

그리고 나서 분위기를 약간 풀어 볼 양으로 이렇게 덧붙였다.

「바깥은 날씨가 너무나도 화창한데 이렇게 트럭 뒤에 갇혀 있으니 정말 짜증 나네요!」

이 말에, 이날 오후 스톡홀름 해협 상공에서 목격한 흰꼬리수리가 생각난 자연애호가 국왕은 감자 트럭 짐칸의 벗들에게 그 새에 대해 묘사해 주었다.

「우와, 도시 한가운데서요?」 놈베코는 이 교란 작전이 먹혀들기를 기대하며 짐짓 탄성을 올렸다.

하지만 곧바로 수상이 끼어들면서, 날씨와 조류학에 대한 토론은 당장 멈춰야 한다고 말했다.

「그보다는 폭탄이 초래할 수 있는 피해에 대해 얘기해 보시오! 지금 상황이 얼마나 심각한 거요?」

놈베코는 머뭇거리며 대답했다. 그저 몇 메가톤 정도 되는 걸로 알고 있어요…….

「몇 메가톤?」

「2메가톤…… 3메가톤……? 그 이상은 절대 아니에요.」

「다시 말해서?」

수상은 매우 끈질긴 유형이었다.

「3메가톤은 약 12,552페타줄에 해당하죠……. 폐하! 그게 정말 흰꼬리수리였나요?」

프레드리크 레인펠트가 국가원수를 얼마나 사납게 째려봤는지, 국왕은 대답을 삼갔다. 이어 수상은 머릿속으로 자문했다. 국왕은 1페타줄이 뭘 의미하는지 알고 있을까? 그리고 1만 2천 페타줄은 대체 얼마만큼의 피해를 초래할 수 있는 거지……? 그는 앞에 있는 여자가 진실을 얼버무리려 하고 있다는 인상을 받았다.

「그게 뭘 의미하는지 정확히 얘기하시오! 내가 이해할 수 있게끔 말이오!」

놈베코는 분부대로 거행했다. 더 이상 말을 돌리지 않고 사실대로 설명했다. 폭탄은 반경 58킬로미터 내에 있는 모든 것을 깡그리 쓸어버릴 겁니다. 기상 조건이 불량할 경우, 예를 들어 강풍이 부는 경우에 피해는 두 배가 될 수도 있답니다.

「그렇다면 지금은 날씨가 매우 화창하니 우린 운이 좋다고 할 수 있겠군.」 왕이 슬쩍 한마디 했다.

놈베코는 이 낙관적인 발언에 대한 감사의 표시로 국왕에게 목례를 보냈지만, 수상은 지금 스웨덴이 건국 이래 최대의 위기에 직면했다고 선언했다. 지금이 어떤 상황인가? 국가원수와 정부 수반이 무자비한 대량살상무기와 함께 트럭에 실려, 의도가 불분명한 괴한이 운전하는 대로 스웨덴 안을 이리저리 떠돌고 있는 상황이 아닌가?

「따라서 국왕 폐하께서는 지금 흰꼬리수리나 화창한 날씨보다는 국가의 안위를 염려하는 게 더 적절하다고 생각하지 않으십니까?」 수상이 따지듯이 물었다.

국왕은 애송이가 아니었다. 그는 오랫동안 국왕 자리에 앉아 있으면서 수많은 수상들이 들고나는 것을 지켜봤다. 이 신참은 큰 결함이 있는 사람은 아니었으나, 그래도 그 급한 성격만 조금 죽여 주면 참 좋을 거였다…….

「오, 알았소, 알았소, 정부 수반 각하……. 당신도 다른 분들처럼 감자 궤짝 하나에 좀 앉으시지 그러오. 그리고 나서 이 납치범님들께 설명을 한번 들어 봅시다그려.」

사실 국왕이 되고 싶었던 것은 농부였다. 혹은 굴착기 기사도 좋았다. 아니, 자연이나 기계와 관련된 것이라면 무엇이든 좋았다. 둘 다 관계가 있으면 더욱 좋았고.

헌데 그는 왕이 되었다.

그렇다고 하여 크게 놀라진 않았다. 즉위하고 나서 얼마 되지 않아 가진 인터뷰에서 그는 자신의 인생을 하나의 직선으로 묘사했다. 1946년 4월 30일, 스톡홀름 스켑스홀멘 섬에서 42발의 축포가 울리는 가운데 태어났을 때 그의 운명은 이미 결정되었다는 뜻이다.

그에게는 칼 구스타브란 이름이 붙여졌다. 〈칼〉은 외조부 삭스-코부르크-고타 공(公)인 찰스 에드워드(영국인인 동시에 나치였으니 매우 흥미로운 존재가 아닐 수 없다)에게서, 〈구스타브〉는 부친과 조부와 증조부에게서 따온 거였다.

어린 왕자의 삶은 끔찍한 방식으로 시작되었다. 그가 태어난 지 아홉 달밖에 안 되었을 때, 부친이 비행기 사고로 사망한 것이다. 이로 인해 왕위 계승 라인에 큰 구멍이 뚫리게 되었다. 그의 조부인 구스타브 6세 아돌프[29]는 99세의 나이로 붕어할 때까지 왕좌에 죽어라 붙어 있어야 했으니, 이는 왕좌가 비게 될 경우 의회의 공화주의자들이 목소리를 높일 가능성이 농후했기 때문이다.

왕실 고문관들은 왕위 계승이 이뤄질 때까지 황태자를 구중궁궐에 가둬 놓는 방안을 심각하게 고려하기도 했으나, 아들을 사랑하는 시빌라 왕비는 단호히 반대했다. 아이가 친구도 없이 성장하면 어떻게 되겠소? 최악의 경우에는 미쳐 버릴 거고, 잘해야 반사회적인 인물밖에 더 되겠소?

---

29 Gustav VI(1882~1973). 재위 기간은 1950~1973년. 1926년에는 경주 서봉총 발굴에 참여하기도 한, 우리나라와는 인연이 깊은 군주이다.

하여 왕자는 보통 아이들이 다니는 일반 학교에 들어가게 되었고, 여가 시간에는 자동차 엔진에 대한 관심을 키워 가는가 하면, 보이스카우트에 들어가 스퀘어 매듭, 시트밴드 매듭, 반 매듭 등을 누구보다도 빠르고 훌륭하게 매는 법을 배울 수도 있었다.

반면 시그투나 기숙학교에 들어가서는 수학에서 낙제점을 받았고, 다른 과목들은 턱걸이로 간신히 통과했다. 성적이 부진한 이유는 간단했다. 왕위 계승자는 난독증이었다. 학급에서 제일가는 하모니카 실력에 점수를 주는 사람은 여학생들 말고는 없었다.

그럼에도 불구하고 그는 어머니 시빌라가 애쓴 덕분에 바깥세상에서도 꽤 많은 친구들을 사귈 수 있었다. 비록 그들 중에 1960년대 대부분의 스웨덴인들이 경도되었던 급진 좌파에 속한 인물은 한 명도 없었지만 말이다. 장발을 한다거나, 공동생활을 한다거나, 프리섹스를 즐기는 일 따위는 — 그 자신은 이 자유로운 사랑을 무척 흥미롭게 생각했지만 — 미래의 섭정이 누릴 수 있는 몫은 아니었다.

그의 조부 구스타브 아돌프의 좌우명은 〈무엇보다도 의무!〉였다. 그가 아흔아홉 살까지 장수할 수 있었던 것도 어쩌면 이 때문이었는지도 모른다. 그는 왕자가 충분히 나이 들어 바통을 이어받을 수 있게 되고, 따라서 이제는 왕실이 위험에서 벗어났다고 느껴진 1973년 9월에야 세상을 떠났다.

영국 여왕이나 어떤 다른 왕족을 만났을 때 대뜸 스퀘어 매듭이나 동기 물림식 기어 박스를 화제에 올릴 수는 없는 노릇이라서, 젊은 섭정은 최상류 사교계가 그다지 편하게 느껴지지 않았다. 시간이 감에 따라, 특히 그가 있는 그대로의 자신의 모습을 점점 더 대담하게 드러냄에 따라 사정은 나아졌다. 그렇게 30년이 넘는 세월을 왕좌에서 보내고 나니, 후진타오를 위한 왕궁에서의 리셉션 디너파티 정도는 무난하게 처리하고 견뎌 낼 수 있는 시간이 되었다. 하지만 할 수만 있다면 빠지고 싶은 따분한 의무이기도 했다.

지금 대안처럼 다가온 이 사건, 즉 납치되어 감자 트럭에 갇혀 돌아다니는 이 시간 또한 그렇게 바람직하게 느껴지진 않았지만, 어쨌든 국왕은 어떻게든 모든 게 원만하게 해결될 수 있으리라 생각했다.

만일 수상이 조금만 긴장을 풀어 준다면.

그리고 납치범들이 하고 싶어 하는 말에 귀를 기울여 준다면.

레인펠트 수상은 청결도가 극히 의심스러운 감자 궤짝들 중 하나에 궁둥이를 깔고 앉을 의향은 추호도 없었다. 완전히 먼지투성이였다. 바닥도 마른 진흙으로 덮여 있었다. 뭐, 그렇긴 해도 저들의 말을 한번 들어 볼 용의는 있었다.

그는 홀예르 2에게 고개를 돌리고 물었다.

「자, 그럼 지금 일어나고 있는 일에 대해 내게 한번 설명해 주시겠소?」

표현은 대단히 정중했으나 어조는 명령조였고, 국왕에 대한 역정이 고스란히 묻어 있었다.

홀예르 2는 이 수상과의 대화를 거의 20년 동안이나 연습해 왔다. 그는 헤아릴 수 없을 정도로 많은 시나리오들을 준비했지만, 그 어느 것도 자신과 수상이 감자 트럭에 갇히게 될 가능성을 상정하지 않았다. 어디 그뿐이랴. 지금 트럭 안에는 폭탄도 있었다. 국왕도 있었다. 군주제 반대파인 넘버 1은 운전대를 잡고서 알 수 없는 장소를 향해 내달리고 있었다.

홀예르 2가 무슨 말을 해야 할지, 아니 어떻게 해야 할지 몰라 전전긍긍하고 있을 때, 운전석의 넘버 1은 다음에 할 일을 소리 내어 생각해 보고 있었다. 아버님은 분명히 〈달려, 아들아! 달려!〉라고 했지만, 더 이상은 말씀이 없으셨는데…… 가만있자…… 그냥 왕에게 선택하라고 하면 간단하잖아? 왕좌에서 기어 내려온 다음, 아무도 그 대신 기어오르지 못하게끔 확실히 조치해 놓든지, 그게 싫으면 왕과 왕국의 일부와 우리 자신을 하늘 높이 날려 버리게끔 저 폭탄 위로 기어오르라고 말이야.

「아, 짱이다! 우리 자기, 정말로 용감하다!」 셀레스티네가 홀예르 1의 생각을 격려했다.

그거야말로 투쟁의 최고봉이란다. 게다가, 만일 죽어야 할 필요가 있다면, 오늘은 죽기에 아주 좋은 날이란다.

짐칸에 있는 홀예르 2가 마침내 입을 열었다.

「이 이야기를 처음부터 들려 드리는 게 좋을 것 같네요.」

이어 그는 자기 아버지 잉마르에 대해 이야기했다. 자신과 자신의 형제에 대해서도 이야기했다. 또 어떻게 해서 두 형제 중 하나가 아버지의 투쟁을 이어 가기로 결심했으며, 다른 하나는 박복하게도 지금 이 자리에 앉아서 이런 이야기를 들려주는 신세가 되어 버렸는지도 설명했다.

그가 이야기를 마치자, 이번에는 놈베코가 자신의 사연을 들려주었다. 덧붙여 어떻게 이 존재하지 않는 폭탄이 이처럼 세상을 굴러다니게 되었는지도 설명해 주었다. 이 이야기를 들으며 수상은 이 모든 게 정말 말도 안 되는 얘기이긴 하지만, 보다 안전을 기하기 위해서는 이 모든 게 사실이라는 가정 하에 행동하는 게 좋겠다고 생각했다. 한편 국왕은 슬슬 배가 고파 왔다.

프레드리크 레인펠트는 현재의 상황을 파악하려고 했다. 또 냉정히 평가해 보려고도 했다. 아직까지 비상경보가 발령되지 않았다면, 발령되는 것은 시간문제이리라. 만일 국가 특수임무 부대가 감자 트럭을 에워싸게 되면, 나라 전체가 공황 상태에 빠지리라. 또 헬기를 탄 젊은 대원들이 흥분한 나머지 자동화기를 갈겨 댈 수도 있는 일이었다. 그러면 총탄이 트럭 짐칸의 바깥벽을 통과하여 저 메가톤과 페타줄 덩어리를 보호하고 있는 금속판을 꿰뚫을 수 있지 않겠는가? 혹은 운전대를 잡고 있는 저 미치광이로 하여금 어떤 경솔한 짓을 저지르게 할 수도 있었다. 예를 들어 도로를 벗어나는 짓 같은.

그는 이 모든 요소들을 천칭의 한쪽 접시에 올려놓았다.

그리고 다른 쪽 접시에는 남자와 여자가 방금 들려준 이야기들과 후진타오 주석이 이 여자를 보증한 사실을 올려놓았다.

현재의 상황에서 국왕과 자신은 무슨 수를 써서라도 상황이 통제 불능의 상태로 치닫는 것을, 핵 재앙의 위협이 현실로 바뀌는 것을 막아야 하지 않겠는가?

숙고를 끝낸 프레드리크 레인펠트는 국왕에게 말했다.

「제가 곰곰이 생각해 봤습니다.」

「오, 좋은 소식이오! 수상들이 해야 할 일이 바로 그거 아니겠소?」

레인펠트는 수사적 효과를 위해 우선 이렇게 물었다. 폐하께선 정말로 국가 특수임무 부대가 우리 머리 위에서 소란 떨기를 바라십니까? 3메가톤급 핵무기가 연루돼 있는 사안은 좀 더 지혜롭게 처리하는 게 좋지 않을까요?

국왕은 수상이 〈1만 2천 페타줄〉 대신 〈3메가톤〉이라는, 보다 온건한 표현을 선택한 것을 칭찬했다. 하지만 표현이 어떻든 간에 매우 끔찍한 피해를 초래할 수 있는 물건으로 자신은 이해하고 있단다. 더욱이 자신은 꽤 나이를 먹은 덕분으로 저번에 국가 특수임무 부대가 활약하고서 올린 보고서를 잘 기억하고 있단다. 내 기억이 맞는다면, 그게 그네스타였죠, 아마? 그리고 그게 그 특공대의 처음이자 마지막 작전이었고……. 그 유능한 특공대원들이 동네를 깡그리 불살라 버리고 있을 때, 테러리스트들은 유유히 그곳을 빠져나갔다죠, 아마?

놈베코는 자기도 그 사건에 대해 뭔가를 읽은 것 같다고 거들었다.

이 마지막 지적에 수상은 결심을 굳혔다. 그는 휴대전화를 꺼내어 이날 저녁의 보안 책임자에게 전화를 걸어서는, 지금 국가적 이해가 걸린 사안이 발생했으며, 국왕과 자신은 무사하고, 리셉션 디너파티는 예정대로 진행될 것이나, 국가원수와 정부 수반은 갑작스레 몸이 불편하여 불참하게 될 거라고 알렸다. 그리고 보안 책임자는 추후 지시가 있을 때까지 아무런 조치도 취하지 말고 기다리라고 덧붙였다.

보안 책임자는 가슴이 오그라들고 식은땀이 줄줄 흘러내렸다. 그런데 다행히도 위계상 그의 상관인 새포 국장이 리셉션에 초대되었고, 마침 지금 옆에 서 있어서 전화를 넘겨줄 수 있었다. 가슴이 오그라들기는 새포 국장도 마찬가지였다.

아마도 이 때문인 듯, 새포 국장은 다짜고짜 자신도 해답을 모르는 보안 질문을 수상에게 던졌다. 그는 수상이 아마도 누군가의 위협하에 전화를 걸고 있다는 생각에 사로잡혀 있었던 것이다.

「첫째, 수상님께서 키우시는 개의 이름이 뭡니까?」 그는 먼저 이렇게 질문했다.

당사자는 대답했다. 나는 개를 키우지 않는다, 하지만 가급적 빨리 한 마리 사겠다, 이빨이 삐쭉삐쭉하고 덩치 큰 녀석으로. 왜냐하면 만일 지금 내가 하는 말을 똑바로 듣지 않으면 당신의 모가지를 물어뜯게 하고 싶으니까.

현 상황은 내가 조금 전에 설명한 그것과 백 퍼센트 동일하다. 만일 의심이 가면, 후진타오 주석에게 물어봐도 된다. 국왕과 나는 지금 그 양반의 친구와 같이 있다……. 이게 싫다면 당신은 내 지시를 무시해 버리고, 또 내 금붕어 이름을 물어보고 (내겐 금붕어가 한 마리 있다), 국왕과 내가 실종되었다고 발표하여 이 나라를 발칵 뒤집어 놓은 뒤, 내일 아침 새 일자리를 찾아봐도 된다.

새포 국장은 자신의 일을 사랑했다. 직함이 폼 날 뿐 아니라, 연봉도 꽤 높았다. 그리고 곧 정년퇴직을 앞두고 있었다. 한마디로 그는 새 일자리를 찾고 싶은 마음이 눈곱만큼도 없었다. 하여 그는 수상의 금붕어 이름에 집착하지 않기로 마음먹었다.

어쨌든 간에 이제 옆에 와 계신 왕비 전하께서도 부군과 잠시 통화를 하고 싶으시단다.

프레드리크 레인펠트는 휴대전화를 그의 군주에게 넘겼다.

「오, 여보! ……오, 아니오! 땡땡이치고 싶어 나온 건 결코 아니라오…….」

국가 특수임무 부대가 공중 작전을 벌일 위험은 이제 사라졌다. 트럭 여행이 계속되는 동안, 홀예르 2는 현재의 문제점이 뭔지를 상세히 설명해 줬다. 지금 운전석에 앉아 있는 자신의 쌍둥이 형제는 — 고인이 된 그의 부친과 마찬가지로 — 스웨덴은 공화국이 되고, 왕정을 버려야 한다는 생각을 품고 있다. 그 오른쪽에 앉아 있는 여자는 성마른 성격에 정신이 약간 혼란스러운 그의 여친이다. 매우 유감스럽게도 그녀는 체제 변화의 필요성에 대한 남친의 확신을 공유하고 있다.

「그 점에 대해서 내 입장을 분명히 밝히자면, 난 의견이 조금 다르다오.」 국왕이 말했다.

감자 트럭은 계속해서 달렸다. 짐칸 안의 일행은 일이 어떻게 돌아가는지 기다리면서 살펴보기로 의견 일치를 봤다. 물론 그들은 기다리긴 했지만 별것을 보진 못했으니, 셀레스티네가 조명을 끄고, 운전석과 짐칸 사이의 커튼도 쳐버렸기 때문이다.

갑자기 트럭이 멈추더니 엔진이 꺼졌다.

놈베코는 홀예르 2에게 〈누가 먼저 저 인간을 죽여 버릴까〉하고 물었지만, 넘버 2는 무엇보다도 트럭이 멈춰 선 곳이 어디인지를 알고 싶어 했다. 한편 국왕은 뭔가로 요기를 하고 싶다는 소망을 피력했다. 그들이 그러고 있는 사이, 수상은 짐칸 문을 열어 보려 애쓰고 있었다. 이거 안쪽에서 작동하는 거 같은데, 안 그렇소? 트럭이 달리고 있는 동안에는 꼼짝 않고 있는 편이 현명했지만, 차가 이렇게 선 이상 이 더러운 짐칸에 말뚝처럼 서 있을 이유가 전혀 없다는 게 프레드리크 레인펠트의 의견이었다. 하지만 차가 달리고 있는 동안, 말뚝처럼 서 있는 편을 택했던 사람은 그뿐이었다.

그러고 있는 사이에 홀예르 1은 셸리다 농가의 헛간으로 달려가, 거의 13년 전에 양동이 속에 감춰 놓은 A 요원의 권총을 꺼냈다. 그리고 수상이 짐칸 문 개폐 장치의 메커니즘을 이해하기 전에 트럭으로 돌아왔다.

「자, 허튼수작은 용서하지 않는다!」 홀예르 1이 선언했다. 「모두들 얌전히 트럭에서 내려와!」

국왕이 짐칸에서 뛰어내릴 때 가슴에 달린 훈장들이 쩽그랑거렸다. 이 소리와 훈장들이 번쩍번쩍 빛나는 광경에 홀예르 1의 결의가 한층 굳어졌다. 그는 여기서 누가 대장인가를 보여 주기 위해 권총을 번쩍 쳐들었다.

「뭐야, 권총이 있었어?」 놈베코는 깜짝 놀랐고, 이자의 코를 사정없이 비틀어 버린 다음에 살해하는 일은 잠시 뒤로 미루기로 결정했다.

「밖에 무슨 일이야?」

이렇게 소리친 사람은 예르트루드였다. 그녀는 돌아온 일행 중에 모르는 사람들이 섞여 있는 것을 창문으로 보고는, 상황이 모호할 때면 늘 그렇듯 선친의 엽총으로 무장하고는 그들을 맞으러 뛰쳐나왔다.

「점입가경이로군.」 놈베코는 한숨을 내쉬었다.

예르트루드는 셀레스티네와 다른 이들이 정치가를 한 사람 데려온 것이 마음에 들지 않았으니, 그녀는 정치가들을 몹시 싫어했기 때문이다. 하지만 국왕은 괜찮았다. 1970년대부터 그녀는 옥외 화장실에 국왕과 왕비의 사진을 걸어 놓았고, 그들의 따뜻한 미소는 영하 15도의 추위에서 볼일을 보는 동안 그녀와 함께해 주었다. 처음에는 국왕 폐하의 면전에서 궁둥이를 닦는 것이 조금 불편했지만, 시간이 감에 따라 익숙해졌다. 그러다가 1993년, 셸리다 농가에 실내 화장실을 갖추게 된 이후로 폐하를 몹시 그리워하고 있던 터였다.

「다시 뵙게 되어 반가워요!」 그녀는 국왕과 악수를 하며 인사했다. 「왕비님도 안녕하시죠?」

「허허, 나 또한 몹시 반갑습니다.」 국왕은 이렇게 답례한 후, 왕비는 건강히 잘 있다고 덧붙이면서 이 노파를 전에 어디서 본 적이 있었던가 자문해 보았다.

홀예르 1은 폐하에게 최후통첩을 전달할 목적으로 일동을 예르트루드의 부엌에 밀어 넣었다.

예르트루드는 그들에게 장을 봐 왔느냐고 물었다. 더구나 이렇게 손님들까지 밀어닥쳤으니……. 국왕께서도 오셨고, 그리고 저 사람도…….

「나는 프레드리크 레인펠트라고 합니다. 수상이죠.」 당사자가 손을 내밀면서 말했다. 「반갑습니다.」

「내 질문에 대답이나 하라고!」 예르트루드가 쏘아붙였다. 「그래, 장은 봐 왔어?」

「아뇨, 예르트루드.」놈베코가 대답했다. 「도중에 일이 생겨서요.」

「그렇담 모두 쫄쫄 굶는 수밖에 없지.」

「우리 피자를 주문하면 어떻겠소?」이렇게 제의하는 왕의 머릿속에는 귀빈들이 이미 맛보았을 레몬 향 나는 페스토 소스를 뿌린 가리비 조개와 지금쯤 막 들기 시작했을 아스파라거스를 곁들이고 구운 잣으로 장식한 넙치조림이 어른거렸다.

「여기선 휴대전화가 터지지 않아요. 다 정치가들 잘못이죠. 난 정치가들을 좋아하지 않는답니다.」예르트루드가 설명했다.

프레드리크 레인펠트는 이건 말도 안 되는 상황이라고 이날 들어 두 번째로 중얼거렸다. 국왕이 자신과 납치범들을 위해 피자를 주문하겠다니…… 내가 제대로 들은 거야?

「만일 닭 몇 마리 잡아 주실 수 있다면, 내가 닭볶음탕을 만들어 드릴 수 있어요.」예르트루드가 제안했다. 「내가 불행히도 감자밭 2백 헥타르를 팔아 버리긴 했지만, 우리가 1500만 개의 감자 중에서 한 열다섯 개 정도 뽑아 온다 해도 엥스트룀은 전혀 눈치채지 못할 거예요.」

홀예르 1은 권총을 든 채로 그들 가운데 우두커니 서 있었다. 뭐, 피자를 시키겠다고? 뭐, 닭볶음탕을 해 먹어? 아니, 이게 뭐야……? 국왕이 퇴위하든지 아니면 콩가루가 되든지 둘 중 하나란 말이야!

그는 셀레스티네에게 다시 상황을 장악해야겠다고 속삭였다. 그녀는 고개를 끄덕이며, 자기 할머니에게 현재의 맥락을 설명해 주어야겠다고 생각했다. 그리고 설명해 줬다. 아주 간략하게. 우린 국왕을 납치했어. 금상첨화 격으로 수상도 같이.

이제 흘에르 1과 나는 그가 퇴위하도록 만들어야 해.

「누구? 수상?」

「아니, 국왕.」

「유감이네.」 예르트루드는 이렇게 논평한 다음, 하지만 그 누구도 빈속으로 일자리를 잃어서는 안 된다고 덧붙였다. 자, 닭볶음탕을 원해서, 아니면 다른 걸 원해서?

국왕은 가정식 닭볶음탕에 입맛이 당겼다. 그리고 배 속에 다 뭐라도 집어넣을 수 있으려면, 자신이 직접 팔을 걷어붙이지 않으면 안 되는 상황이라는 걸 명확히 인식했다.

국왕은 살아오면서 수많은 꿩 사냥에 참가했는데, 아직 황태자였을 때에는 아무도 그를 대신하여 잡은 새를 손질해 주지 않았다. 젊은 사람은 강하게 단련해야 할 필요가 있었기 때문이었는데, 국왕은 35년 전에 꿩을 잡고 깃털을 뽑을 수가 있었다면, 지금도 닭 한 마리 잡고 깃털을 뽑지 못할 이유가 없다고 생각했다.

「수상께서 감자를 맡아 주신다면, 내가 닭을 맡겠소이다.」 그가 말했다.

이 대목에서부터 프레드리크 레인펠트는 이 모든 게 현실이 아니라고 확신하게 되었다. 반들반들 광이 나는 구두를 신고, 이탈리아 코르넬리아니 연미복을 차려입은 그는 손에 호미를 하나 쥐고 터벅터벅 감자밭으로 향했다. 그래도 셔츠에 닭 피나 알 수 없는 어떤 것들이 튀게 될 처지보다는 훨씬 낫다는 생각이 들었다.

국왕은 나이답지 않게 무척 정정했다. 그는 단 5분 만에 영계 세 마리를 붙잡았고, 녀석들의 모가지를 비튼 후 그 모가지를 도끼로 잘랐다. 이에 앞서 그는 화려한 예복 상의를 닭장 벽에다 걸어 놓았고, 그의 각종 훈장들은 저무는 햇빛을 받아 반짝거렸다. 사슬이 달린 바사 훈장은 바로 옆의 녹슨 쇠갈퀴에 걸려 있었고.

수상이 예상했던 대로 국왕의 흰 셔츠에는 새빨간 핏방울이 점점이 튀었다.

「집에 한 벌이 또 있다오.」 국왕은 옆에서 깃털 뽑는 일을 돕는 놈베코를 안심시켜 주려는 듯 설명했다.

「아, 그러시군요.」

놈베코가 알몸이 된 닭 세 마리를 품에 안고 주방에 들어서자, 예르트루드는 만족감에 에헤헤 웃으면서 이제 닭볶음탕을 맛있게 끓여 내겠노라 약속했다.

셀레스티네와 홀예르 1은 평소보다 심란한 표정을 하고는 부엌 식탁에 앉아 있었다. 수상이 구두에 진흙을 잔뜩 묻힌 꼴을 하고서 감자로 가득한 양동이 하나를 들고 들어오자 그들의 얼굴은 한층 심란해졌다. 닭 피로 얼룩진 드레스셔츠 차림의 국왕도 수상에 뒤이어 들어왔다. 예복 상의와 바사 훈장은 닭장에 두고 온 것이다.

예르트루드는 고맙다는 말 한 마디 없이 감자를 받아 든 뒤, 왕에게는 도끼를 정말 잘 다룬다고 칭찬했다.

홀예르 1은 예르트루드가 빌어먹을 국왕과 사이좋게 지내는 게 영 못마땅했다. 셀레스티네도 같은 감정이었다. 만일 그녀가 지금 열일곱 살이었다면 당장 집을 나가 버렸을 것이나, 그녀에겐 이뤄야 할 사명이 있었고, 또다시 할머니와 나쁜 감정으로 헤어지고 싶지 않았다. 물론 그러려면 사람들이나 닭들을 콩가루로 만드는 일은 없어야 하겠지만, 그건 별개의 문제였다.

넘버 1은 아직 권총을 쥐고 있었고, 그럼에도 아무도 개의치 않는 것에 당황하고 있었다. 놈베코는 더 이상 그를 죽이고 싶은 정도로 화난 상태는 아니었지만, 당장에라도 그의 코를 사정없이 비틀어 버리고 싶은 마음은 여전했다. 하지만 최악의 상황이 발생하여 지상에서의 삶이 중단되기 전에 예르트루드의 닭볶음탕을 즐기고 싶기도 했다. 그리고 이에 대한 최악의 위협은 폭탄보다는 무기를 휘두르는 저 똥오줌 못 가리는 인간이었다.

그녀는 자기 남친의 형제를 조금 도와주는 의미에서 논리학 원리를 몇 가지 귀띔해 주기로 했다. 지금 왕은 도망갈 수 없으니 그렇게 무장 경계를 서고 있을 필요는 없다. 또 설혹 군주가 줄행랑을 친다 해도 홀예르 당신은 폭탄이 있으니 58킬로미터의 여유가 있는 셈 아니냐. 저 왕이 아무리 일국의 원수(元首)라 해도 그 거리를 주파하려면 ― 그 묵직한 훈장들을 다 뗀 상태로도 ― 적어도 세 시간은 걸리지 않겠느냐.

홀예르 1 당신은 트럭 열쇠만 어디다 숨겨 놓으면 된다. 그러면 당신은 이 셸리다를 완전히 장악하는 셈이고, 그럼 아무도 간수 노릇을 하지 않아도 된다. 그럼 모두가 편안한 마음으로 음식을 먹을 수 있다.

홀예르 1은 머리를 열심히 굴려 보며 고개를 끄덕였다. 놈베코의 말에도 일리가 있었다. 그러잖아도 그는 트럭 열쇠를 한쪽 양말 안에 집어넣은 터였다. 그리고 보니까 얼마나 잘한 짓이었는지! 몇 초간 더 생각해 본 그는 권총을 자신의 재킷 안 주머니에 집어넣었다.

안전장치도 잠그지 않은 채로.

놈베코가 홀예르 1을 이성적으로 설득하는 동안, 예르트루드는 자기 손녀에게 닭을 토막 내는 일을 도우라고 지시했다. 한편 홀예르 2에게는 예르트루드의 지시를 정확히 따라서 칵테일을 준비하라는 임무가 떨어졌다. 고든스 진 조금과 노일리 프라트 버무트를 두 번 조금 넣은 다음, 슈납스와 스코네 아크바비트도 조금씩 넣어 완성하라는 거였다. 홀예르 2는 〈조금〉이 얼마만큼인지 알 수 없었지만, 〈두 번 조금〉은 아마도 두 배를 뜻하는 것이리라 짐작했다. 그는 칵테일을 살그머니 맛보았고, 그 맛이 너무나도 괜찮아서 다시 한 번 맛보았다.

예르트루드가 완성된 닭볶음탕의 간을 보고 있을 때, 일동은 주방에서 애타게 기다리고 있었다. 국왕은 두 홀예르가 서로 너무도 닮은 데에 놀라 쌍둥이를 번갈아 살피는 중이었다.

「두 분을 구별하려면 어떻게 해야 하죠? 게다가 이름까지 같다고 하시니…….」

「권총을 가진 이 친구를 무뇌아라고 부르시면 될 것 같네요.」 이렇게 대답한 홀예르 2는 여태껏 가슴에 담고 있던 생각을 표현하여 속이 너무도 후련했다.

「홀예르와 무뇌아라……. 음, 그것도 괜찮군.」 왕이 고개를 주억거렸다.

「누구든 내 홀예르를 무뇌아라고 부르기만 해봐라!」 셀레스티네가 으르렁댔다.

「왜 안 된다는 거지?」 놈베코가 반문했다.

수상은 이 상황에서 말싸움이 벌어져 봤자 좋을 게 없다고 판단했다. 서둘러 진화에 나선 그는 홀예르 1에게 무기를 치운 것을 칭찬했고, 이에 놈베코는 오해의 소지를 없애기 위해 현재의 역학 관계에 대해 분명히 설명해 줄 필요가 있다고 생각했다.

「만일 우리가 홀예르, 그러니까 그의 여친이 옆에 있을 때는 〈무뇌아〉라고 부를 수 없는 저 사람을 붙잡아 나무에다 묶어 놓는다면, 그의 여친이 대신해서 폭탄을 터뜨릴 위험이 있어요. 또 만일 우리가 그녀도 옆의 나무에다 묶어 놓는다면, 이번에는 그녀의 할머니가 엽총을 들고 어떻게 나올지 몰라요.」

「오, 예르트루드!」 국왕이 고개를 끄덕이며 당사자에게 엄지를 치켜들었다.

「미리 말해 두는데, 만일 우리 셀레스티네에게 손끝 하나 댔다가는 총알이 온 사방에 날아다닐 줄 알아!」 예르트루드가 경고했다.

「자, 보셨죠?」 놈베코가 다시 말을 이었다. 「이러니까 권총 같은 것은 들고 있을 필요도 없다고요. 심지어는 저 무뇌아에게도 이해시킨 사실이죠.」

「모두들 식탁으로!」 예르트루드가 소리쳤다.

메뉴는 닭볶음탕, 가정식 맥주, 여주인의 특별 레시피에 의한 칵테일 등이었다. 닭볶음탕과 맥주는 각자가 덜어 먹을 수 있는 반면, 칵테일은 예르트루드가 직접 서빙했다. 수상을 포함하여 모두가 맛볼 수 있었다. 수상의 사양에도 불구하고 예르트루드는 모두에게 잔이 넘치도록 부어 주었고, 왕은 기대감에 손바닥을 비볐다.

「이 닭볶음탕은 딱 보니까 맛이 좋을 게 분명하고, 우선 이 술맛이나 한번 봅시다.」

「국왕님을 위하여 건배!」 예르트루드가 잔을 들어 올렸다.

「그럼 우린 뭔데?」 셀레스티네가 발끈했다.

「물론 너희를 위해서도 건배해야지!」

그런 다음 예르트루드는 원샷으로 쭉 들이켰다. 국왕과 홀예르 2도 그녀의 본을 따랐다. 다른 사람들은 조심스럽게 홀짝거렸는데, 국왕과 수상을 위해 건배할 수 없는 홀예르 1만은 예외였다. 한편 수상은 자기 술을 슬금슬금 제라늄 화분에다 흘리고 있었다.

「오, 이건 〈만너하임 대원수〉 아닌가!」 국왕은 빈 잔을 들여다보며 탄성을 발했다.

아무도 이 말이 무슨 뜻인지 몰랐으나, 예르트루드만은 예외였다.

「네, 바로 그거예요, 국왕님! 자, 한 잔만 하면 섭섭하니까 한 잔 더 드시려우?」

홀예르 1과 셀레스티네는 예르트루드가 곧 퇴위시켜야 할 양반과 희희낙락하는 광경을 보고는 머리가 점점 더 혼란스러워졌다. 게다가 이 양반은 그 화려한 예복은 어디다 벗어 던지고서 닭 피로 얼룩진 지저분한 셔츠 차림으로, 그것도 두 소매까지 걷어 올린 모습으로 식탁에 앉아 있지 않은가? 넘버 1은 도무지 이해가 되지 않는 이 상황이 싫었다. 비록 이해하지 못하는 일에 익숙해진 그였지만 말이다.

「도대체 지금 무슨 일이 일어나고 있는 거지?」 그가 중얼거렸다.

「무슨 일이 일어났냐고? 네 친구 국왕님께서 세상에서 제일 맛있는 칵테일을 딱 알아보셨잖아!」 에르트루드가 대답했다.

「저 사람은 내 친구가 아니라고요!」

구스타브 만너하임은 사나이 중의 사나이였다. 그가 누구인가? 수십 년 동안 차르의 군대에서 복무하고, 차르의 이름으로 말을 타고 유럽과 아시아 대륙을 누빈 사람이었다.

공산주의자들과 레닌이 러시아의 정권을 잡자, 그는 독립한 핀란드로 돌아와 섭정이 되고, 총사령관이 되고, 대통령이 되었다. 그는 핀란드 역사상 가장 위대한 용사로 여겨졌고, 세계 각국의 훈장과 상 들을 휩쓸었다. 거기에다 〈핀란드 대원수〉라는 유례 없는 칭호까지 얻었다.

〈대원수의 원샷〉이라는 이름의 술이 발명된 것은 제2차 세계 대전 무렵이었다. 슈납스와 아크바비트와 진과 버무트를 1대 1대 1대 2의 비율로 섞는 것이 레시피로, 이후 이 칵테일은 클래식이 되었다.

스웨덴 왕이 이 술을 처음 맛본 것은, 30여 년 전, 그가 즉위한 지 1년 만에 핀란드를 공식방문했을 때였다.

떨려서 몸도 제대로 가누지 못하는 스물여덟 살의 젊은 군주를 맞은 이는 일흔 살이 훨씬 넘은 노련한 핀란드 대통령 케코넨이었다. 케코넨은 노년의 지혜를 발휘하여 즉시 결정을 내렸다. 벌써부터 훈장들로 무겁게 뒤덮인 이 청년의 가슴을 가볍게 해주기 위해서 뭔가가 필요하다고 판단했던 것이다. 그리하여 공식방문의 나머지 일정은 아주 원만하게 진행되었다. 핀란드 대통령이 권한 술은 보통 술이 아니었다. 그것은 〈대원수의 원샷〉이었다. 이렇게 하여 이 술에 대한 스웨덴 왕의 변함없는 사랑이 시작되었고, 그와 케코넨은 둘도 없는 사냥 친구가 되었다.

국왕은 두 번째 잔을 들이키고 혓바닥을 딱 퉁긴 뒤 이렇게 말했다.

「수상의 잔이 빈 것 같구려. 어디, 수상께서도 한 잔 더 하시겠소? 그리고 그 연미복은 이제 좀 벗으시지 그러오. 어차피 구두도 쇠똥투성이인 데다가, 진흙이 무릎에까지 묻어 버렸으니 말이오.」

수상은 자신이 이런 꼴을 하고 있어 미안하다고 말했다. 일이 이리될 줄 알았더라면 리셉션 디너파티에 작업복과 장화 차림으로 왔을 거란다. 또 덧붙이기를, 자신은 칵테일은 안 마셔도 된단다. 어차피 폐하께서 두 사람 몫을 마셔 주시는 것 같으니까.

프레드리크 레인펠트는 이 대책 없는 천하태평의 군주를 도대체 어떻게 생각해야 할지 알 수 없었다. 명색이 일국의 수장이라면, 여기 이렇게 퍼질러 앉아서 술을 몇 양동이씩(평소 절제하는 수상이 보기에 술 2~3센티리터는 한 양동이나 다름없었다) 퍼마시는 대신에 이 지극히 복잡한 사안을 심각하게 고민해야 하지 않겠는가?

하지만 다른 한편으로는, 식탁에 앉은 두 공화주의 혁명가가 국왕의 태도에 당황하는 것 같았다. 수상은 권총을 가진 남

449

자와 그의 여친이 나지막이 속닥대는 걸 보았다. 뭔가가 그들을 혼란스럽게 하고 있었다. 물론 그건 국왕이었다. 하지만 국왕을 보면서 느끼는 그들의 혼란스러움은 수상 자신의 혼란스러움과는 다른 종류의 것인 듯했다. 그리고 그가 판단하는 바로는, 그들의 행동의 동기가 되었을 〈군주제를 타도하자!〉식의 단순한 감정은 아닌 듯했다.

아무튼 뭔가가 일어나고 있었다. 그렇다면 국왕이 무슨 짓을 하든 저대로 놔둔다면, 저들의 생각이 바뀔 수도 있지 않을까? 어차피 그가 술을 퍼마시는 걸 막을 수는 없는 노릇 아닌가?

어쨌거나 저 양반은 이 나라의 왕이니까.

접시를 제일 먼저 비운 사람은 놈베코였다. 그녀는 태어나서 처음으로 양껏 먹기 위해 무려 25년을 기다려야 했던 사람이었다. 이후, 그녀는 그럴 수 있는 기회가 생길 때마다 사양한 적이 없었다.

「더 먹어도 돼요?」

물론이란다. 예르트루드는 놈베코가 자기 요리를 좋아하는 걸 보고 흐뭇해했다. 사실 예르트루드는 시종 흐뭇한 표정이었다. 이 할머니는 국왕이 꽤나 마음에 드는 모양이었다. 무엇이 그렇게 그녀의 마음에 들었을까?

그라는 사람 자체?

만너하임 대원수에 대한 지식?

자신의 칵테일을 좋아하기 때문에?

혹은 이 모든 것들이 합쳐져서?

어쨌든 좋은 일이었다. 왜냐하면 국왕과 예르트루드가 이런 식으로 쿠데타의 주역들을 혼란스럽게 만든다면, 이들은 더이상 어찌할 바를 모르고 얌전해질 수도 있으니까.

톱니바퀴에 모래알 하나가 들어왔다고나 할까?

놈베코는 국왕에게 그가 전략적으로 어떻게 행동해야 할지 말해 주고 싶었지만, 좀처럼 그의 주의를 끌 수가 없었다. 국왕은 완전히 집주인에게 빠져 있었다. 그 역도 마찬가지였고.

국왕 폐하에게는 수상에겐 없는 능력이 한 가지 있었으니, 그것은 그 어떤 위급한 상황에서도 현재의 순간을 즐길 줄 안다는 거였다. 그는 이 시골 노파에 대해 정말로 흥미를 느꼈고, 또 그녀와의 대화를 즐기고 있었다.

「혹시 부인께서는 핀란드, 그리고 대원수와 어떤 관계가 있으시오?」

바로 놈베코가 애타게 듣고 싶었던, 하지만 국왕에게 감히 조언할 수 없었던 바로 그 질문이었다.

국왕님, 굿 잡! 오, 이렇게나 영리한 분이셨나? 아니면 어쩌다 우연히 나온 말일까?

「제가 핀란드와 대원수와 어떤 관계냐고요? 뭐, 말씀드려 봤자 재미도 없을 텐데요.」 에르트루드가 짐짓 뜸을 들였다.

자, 국왕님, 너무도 흥미로울 거라고 말씀하세요!

「무슨 말씀을! 너무도 흥미로울 것이오!」

「얘기하자면 길어요.」

시간이라면 얼마든지 있소!

「시간이라면 얼마든지 있소!」

「네? 정말입니까?」 수상은 이렇게 말했다가 놈베코의 눈에

451

서 뿜어져 나오는 시커먼 눈빛을 받아야 했다.

당신은 제발 끼어들지 말라고!

「이야기는 1867년에 시작되지요.」예르트루드가 다소곳이
말했다.

「대원수께서 탄생하신 해군요.」국왕이 보충해 줬다.

국왕님, 당신은 천재군요!

「오, 정말 아는 것도 많으시네요!」예르트루드가 탄성을 발
했다. 「맞아요, 대원수가 태어난 해죠.」

처음 들었을 때도 마찬가지였지만, 이번에도 예르트루드가
묘사하는 그녀 집안의 족보는 허점투성이라는 게 놈베코의 생
각이었다. 하지만 그녀의 이야기는 국왕을 한층 유쾌한 기분
으로 만들어 주었을 뿐이다. 사실 그는 소싯적에 수학 과목에
서 낙제점을 받은 적이 있었다. 그가 남작에게서는 백작부인이
나올 수 없다는 지극히 간단한 계산을 하지 못한 것은 이 때문
이었는지도 모른다.

「오호, 그러니까 부인은 백작부인이셨구려!」국왕이 고개를
끄덕이며 말했다.

「정말 그런가요?」논리적 감각이 훨씬 발달한 수상은 또 이
렇게 끼어들었다가, 다시금 놈베코의 섬뜩한 눈빛을 받아야
했다.

아닌 게 아니라 지금 홀예르 1과 셀레스티네는 국왕을 보면
서 극심한 혼란을 느끼고 있었다. 정확히 무엇 때문인지 꼬집
어 낼 수는 없었다. 닭 피로 얼룩진 셔츠 때문에? 팔뚝 위로 걷

어 올린 저 소매 때문에? 국왕이 식탁 위의 빈 술잔 속에 잠시 넣어 둔 금 커프스단추 때문에? 훈장이 주렁주렁 달린 그 역겨운 예복 재킷이 지금 닭장 벽에 걸려 있다는 사실 때문에?

아니면 단순히 국왕이 닭 세 마리의 모가지를 비틀었다는 사실 때문에?

왕들은 닭 모가지를 비트는 자들이 아니지 않은가?

수상들이 감자를 캔다는(적어도 연미복 차림으로는) 얘기도 들어 본 적이 없지만, 무엇보다도 왕들은 닭 모가지를 절대로 비틀지 않는 것이다!

홀예르 1과 셀레스티네가 이 거대한 모순들로 인해 고뇌하고 있을 때, 국왕은 한술 더 뜨고 있었다. 예르트루드와 그의 화제는 감자 농사를 거쳐 그녀의 낡은 트랙터로 옮겨 와 있었다. 농장을 팔아 더 이상 필요가 없게 된 물건인데, 때맞춰 고장이 나버렸단다. 예르트루드에게서 무엇이 문제인지를 들은 국왕이 설명하기를, MF35 트랙터는 작은 보석과도 같은 명품이지만, 잘 관리해 주지 않으면 제대로 작동하지 않는다는 거였다. 그러면서 디젤필터와 스프레이노즐을 청소해 보면 어떻겠냐고 조언했다. 그것만 손보고 나면, 만일 배터리에 전기가 한 방울이라도 남아 있다면 엔진이 다시 우렁찬 소리를 내며 돌아갈 거란다.

디젤필터와 스프레이노즐? 왕들이 트랙터를 고친다는 소리는 처음 듣는데?

저녁 식사가 끝났다. 커피를 들고 나서 MF35 트랙터를 살펴보러 함께 나간 국왕과 예르트루드는 마지막으로 만녀하임 칵테일을 한 잔 더 나누러 집에 들어왔다. 그동안에 수상은 식탁을 치우고 설거지를 했다. 연미복을 필요 이상으로 더럽히지 않기 위해 그는 백작부인의 앞치마를 둘렀다.

홀예르 1과 셀레스티네가 한쪽 구석에서 속닥대고 있는 가운데, 그의 형제와 놈베코는 다른 쪽 구석에서 같은 일을 하고 있었다. 그들은 현 상황에서의 최선의 전략에 대해 논의 중이었다.

이때 문이 왈칵 열리면서 나이 지긋한 남자 하나가 권총을 휘두르며 안으로 난입했다. 그는 모두들 제자리에서 움직이지 말 것이며, 손끝 하나 까딱하지 말라고 영어로 짖어 댔다.

「이건 또 무슨 일이야?」 프레드리크 레인펠트가 설거지용 빨간 고무장갑을 낀 채로 중얼거렸다.

놈베코는 수상에게 영어로 설명했다. 감자 트럭에 있는 폭탄을 탈취하려고 모사드가 쳐들어왔다고.

21

쌍둥이를 총으로 쏜 남자

13년은 책상 뒤에서 특별히 하는 일 없이 지내기에는 다소 긴 시간이다. B 요원은 그의 경력을 마지막 날까지 꽉 채웠다. 그는 이제 예순다섯 살이었다. 그의 생일이었던 9일 전, 그는 아몬드케이크와 함께 치하의 말을 들었다. 상관의 연설은 멋들어진 동시에 위선적이었고, 아몬드케이크의 맛은 쓰디썼다.

은퇴하고 일주일 후, 그는 결심을 하고 유럽에 가려고 짐을 쌌다. 정확히 말하자면 스웨덴이었다.

이스라엘이 정당하게 훔친 폭탄을 들고 사라져 버린 그 청소부 사건은 그를 계속 괴롭혀 왔다. 은퇴한 지금까지도 마찬가지였다.

대체 그녀의 정체는 뭐란 말인가? 그녀는 폭탄을 훔친 것 외에도, 그의 친구 A를 살해한 장본인일 터였다. 전 요원 B는 무엇이 자신을 이렇게 괴롭히는지 알 수 없었다. 어쨌든 분명한 것은 뭔가 찜찜한 게 남아 있다는 사실이었다.

그때 스톡홀름의 사서함 주소를 감시할 때, 보다 인내심을 가졌어야 했다. 또 셀레스티네 헤드룬드의 조모 쪽도 끝까지

체크해 봐야 했다. 그때 만일 허가만 받았더라면…….

너무도 오래전의 일이었다! 이제 와서 그쪽을 파봤자 소용 없을 공산이 컸다. 하지만…… B 요원은 우선 노르텔리에 북쪽의 숲으로 가볼 생각이었다. 거기서 아무것도 얻지 못하면, 사서함을 적어도 3주일은 감시해 볼 거였다.

그러고 난 다음에는 정말로 은퇴할 수 있을 것 같았다. 물론 대답 없는 질문들을 계속 던져 보게 되리라. 하지만 최소한 자신이 할 수 있는 것은 다 해봤다고 느낄 거였다. 자신보다 더 강한 상대에게 패배하는 것은 받아들일 수 있는 일이다. 하지만 종료 휘슬이 울리기 전에 기권하는 것은 있을 수 없는 일이었다. 미하엘 발락이 그리하겠는가? 이 칼 마르크스 슈타트의 양발잡이 꿈나무에 대해 말하자면, 그는 한 계단 한 계단 발전을 거듭하여 이제는 독일 국가대표팀의 주장이 되어 있었다.

B 요원은 아를란다 국제공항에 착륙했다. 거기서 차 한 대를 빌려 곧바로 셀레스티네 헤드룬드의 할머니 집으로 향했다. 그는 그 집이 텅 비어 있고 현관과 창문은 폐쇄됐으리라고 예상했다. 아니, 그러기를 바랐는지도 모른다. 이 여행의 목적은 무엇보다도 마음의 평화를 얻기 위한 것이지, 폭탄을 찾아 내는 것은 아니었기 때문이다. 그게 그렇게 쉽사리 찾아질 리가 있겠는가?

어쨌든 간에, 그 집 바로 앞에는 감자 트럭 한 대가 서 있었고, 창문마다 불이 훤히 밝혀져 있었다!

전 요원은 차에서 내려 살그머니 트럭에 접근하여 짐칸 안쪽을 들여다보았다. 순간, 시간이 멈추는 느낌이었다. 거기, 트럭 짐칸 안에 폭탄이 든 궤짝이 놓여 있었다. 저번처럼 모서리들이 거무스름하게 그을린 채로 말이다!

이쯤 되면 세상에 불가능할 게 있으랴 싶어, 그는 차 열쇠도 꽂혀 있는지 확인해 보았지만 그 정도로까지 운이 좋지는 않았다. 그렇다면 이 집 주민들을 한번 만나고 가지 않을 수 없다는 얘기였다. 누가 있을까? 물론 팔순 노파가 하나 있을 거고, 노파의 손녀딸, 손녀딸의 남친, 거기에다가 그 빌어먹을 청소부. 또 누구? 아, 그래! 그날 그네스타의 불에 탄 폐허 앞, 블롬그렌 부부의 자동차 안에서 언뜻 본 그 미지의 사내도 있을지 몰랐다.

B 요원은 권총을 꺼내 들었다. 그가 은퇴하는 날 짐을 쌀 때 우연찮게 집어넣은 무기였다. 그는 조심스럽게 문손잡이를 돌려 봤다. 잠겨 있지 않았다. 그냥 들어가기만 하면 되었다.

놈베코는 빨간 고무장갑을 끼고 있는 프레드리크 레인펠트에게 영어로 상황을 설명해 주었다. 지금 이스라엘의 모사드가 감자 트럭의 원자폭탄을 가져가려고 들이닥쳤다. 또 이분은 온 김에 두세 사람의 목숨도 가져가려고 할지 모른다. 그리고 자신은 그 두세 사람에 낄 가능성이 매우 높다.

「뭐, 모사드?」 수상은 눈을 부릅뜨며 역시 영어로 반문했다. 「아니, 모사드가 무슨 권리로 내 스웨덴 안에서 무기를 휘두른단 말이야?」

「내 스웨덴이오.」 국왕이 정정했다.

「엥? 당신들의 스웨덴이라고?」 B 요원은 앞치마 차림에 수세미를 들고 있는 남자와, 피로 얼룩진 셔츠 차림에 술잔을 들고 소파에 앉아 있는 남자를 번갈아 쳐다보면서 물었다.

「난 프레드리크 레인펠트 수상이오!」 수상이 자신이 누구인지를 밝혔다.

「난 칼 구스타브 16세요.」 국왕도 말했다. 「이를테면 여기 계신 수상의 상관인 셈이지. 그리고 이분은 이 집의 주인이신 비르타넨 백작부인이시고.」

「네, 맞아요!」 백작부인이 자랑스럽게 시인했다.

프레드리크 레인펠트는 몇 시간 전 감자 트럭 안에서 자신이 납치됐다는 사실을 알게 된 때만큼이나 부아가 치밀었다.

「당장에 그 권총을 내려놓지 않으면, 내가 당신네 수상 에후드 올메르트에게 전화를 걸어 이게 무슨 상황인지 따질 거요! 이건 당신 혼자 뜻으로 벌이는 짓이라 생각되는데?」

전 요원 B는 이른바 〈멍 때린〉 상태가 되어 그 자리에 멍청히 서 있었다. 뭐가 더 최악인지 알 수 없었다. 앞치마 차림에 수세미를 든 남자가 자신이 수상이라고 주장하는 것? 피투성이 셔츠 차림에 술잔을 든 남자가 자신이 국왕이라고 주장하는 것? 아니면 이들 둘 다 상당히 낯익은 얼굴들이라는 사실? 아닌 게 아니라 이들은 정말로 이 나라의 수상과 국왕이었다. 수상과 국왕이 스웨덴 두메산골 숲 속의 외딴 집에 와 있었다! 이스라엘 모사드 요원들은 결코 평정심을 잃는 법이 없다. 하지만 이 순간, B 요원은 머릿속이 횅해지고 다리가 후들거렸다. 그는 조용히 권총을 내려 재킷 아래의 권총집에 갈무리하고는 물었다.

「뭣 좀 한잔 얻어 마실 수 있을까요?」

「병을 다 비우지 않은 게 천만다행이야!」예르트루드가 환성을 올렸다.

B 요원이 국왕 옆에 앉자 예르트루드는 지체 없이 〈대원수의 원샷〉을 한 잔 따라 주었다. 그걸 비운 그는 부르르 몸을 한번 떨었고, 다시 따라 주는 잔도 감사히 받았다.

레인펠트 수상이 머릿속에 떠오르는 무수한 질문을 불청객에게 막 퍼부으려 하고 있을 때, 놈베코는 전 요원 B에게로 고개를 돌려서는, 그들이 함께 모든 사연을 이 나라의 보스인 레인펠트와 보스의 보스인 국왕에게 상세히 들려주면 어떻겠느냐고 제안했다. 펠린다바에서부터 오늘까지 있었던 모든 일들을 말이다. B 요원은 고개를 끄덕이며 나지막이 웅얼거렸다.

「그쪽이 먼저 시작하쇼.」이렇게 말한 뒤 그는 자기 잔이 비었다고 비르타넨 백작부인에게 신호를 했다.

놈베코는 이야기를 시작했다. 국왕과 수상은 트럭 짐칸에 갇혔을 때 이미 짧은 버전으로 들은 바 있었지만, 이번에는 좀 더 상세히 들려주었다. 수상은 행주로 식탁과 바를 훔치면서 들었다. 행복한 표정의 백작부인과 그다지 행복하지 못한 표정의 전 요원을 좌우에 거느리고 소파에 앉은 국왕도 경청했다.

놈베코는 먼저 소웨토 얘기부터 시작했다. 그다음에는 타보의 다이아몬드와 요하네스버그에서 자신이 당한 교통사고에 대해 얘기했다. 재판. 판결. 엔지니어와 그의 클리프드리프트 의존증. 펠린다바와 고압 전류가 흐르는 이중 철책. 남아프리카공화국의 핵무장 프로그램. 이 일에 이스라엘이 관여한 사실.

「난 그 정보는 인정할 수 없습니다.」전 요원 B가 부인했다.

「여보세요, 정신 차리세요!」놈베코가 쏘아붙였다.

퇴직자 B는 번쩍 정신을 차리고 생각해 봤다. 어차피 종 친 인생이었다. 스웨덴의 감옥에 들어가 종신형을 살거나, 수상이 에후드 올메르트에게 전화를 걸거나, 둘 중의 하나였다. 그는 차라리 종신형이 낫겠다 싶었다.

「생각을 바꿨습니다. 그 정보를 인정합니다.」

이야기가 이어지는 동안, 그는 다른 사실들도 인정해야 했다. 일곱 번째 폭탄, 즉 존재하지 않는 폭탄에 대한 이스라엘의 관심. 놈베코와의 합의. 외교 우편을 이용한다는 계책. 우편물이 뒤바뀐 것을 발견한 후 A 요원이 벌인 추적 작업.

「헌데 그 친구는 어떻게 된 거요?」전 요원 B가 물었다.

「헬리콥터를 타고서 발트 해에 착륙했죠.」홀예르 1이 대신 대답했다. 「아마 되게 세게 착륙했을 거예요.」

놈베코는 이야기를 계속했다. 홀예르&홀예르 사. 프레드스가탄 가. 중국 자매들. 미국인 도공. 터널. 국가 특수임무 부대의 공격. 이 부대가 몇 시간 동안 자기 자신과 치열한 전투를 벌인 일.

「이그…… 여기서 놀란 사람 있으면 손들어 보시오.」수상이 한심한 듯 손을 내저었다.

놈베코는 계속했다. 블롬그렌 부부. 다이아몬드를 팔아 마련한 돈이 한 가닥 연기로 날아가 버린 일. 긴 세월 동안 수상의 보좌관에게 전화를 걸었지만 허사였던 것.

「그녀는 자기 일을 했을 뿐이오.」프레드리크 레인펠트가 보좌관을 변호했다. 「예르트루드, 이 집에 혹시 대걸레 있습니까? 이제는 바닥만 닦으면 되는데…….」

「백작부인이라고 부르시오.」 국왕이 바로잡았다.

놈베코는 이야기를 이어 갔다. 감자 농사. 홀예르 2의 학업. 박사논문 심사일에 무뇌아가 끼어든 일.

「무뇌아?」 퇴직자 B가 반문했다.

「아마 내 얘기일 거예요.」 홀예르 1은 자기를 이렇게 부르는 데는 뭔가 이유가 있을지도 모른다고 생각하며 대답했다.

이어 놈베코는 『스웨덴 정치』지의 일화를 들려주었다.

「좋은 잡지였소.」 수상이 평했다. 「적어도 창간호는. 그런데 제2호의 사설은 누가 쓴 거요? ……음, 대답 안 해도 괜찮소. 누군지 알 것 같으니까.」

놈베코의 이야기는 거의 끝나 가고 있었다. 그녀는 결론 격으로 자신과 후진타오의 관계에 대해 설명했다. 또 왕궁 앞에서 그의 주의를 끌고자 한 계획에 대해서도. 그리고 슈퍼 무뇌아인 홀예르 1이 그들 모두를 납치하게 된 일에 대해서도.

세 번째 잔을 비운 전 요원 B는 모르핀을 맞은 듯 기분이 한결 나아진 걸 느꼈다. 하여 그는 놈베코의 이야기에 태어나서부터 지금까지의 그 자신의 스토리를 보탰다. 퇴직 후, 이 사안이 계속 마음에 걸려 여기까지 온 일에 대해서도. 절대로 올메르트 수상의 지시에 따른 게 아니었다. 전적으로 자신의 결정으로 온 거였고, 지금은 끔찍이 후회하고 있다!

「세상에! 막장 드라마가 따로 없구먼!」 국왕은 이렇게 외치고는 너털웃음을 터뜨렸다.

수상은 국왕의 말이 이 모든 일들을 제대로 요약했다는 사실을 인정하지 않을 수 없었다.

자정 무렵이 되자, 새포 국장은 더 이상 견딜 수가 없었다.

국왕과 수상의 행방은 오리무중이었다. 중화인민공화국 주석의 말에 따르면, 그들에 대해서는 마음을 놓아도 된단다. 하지만 그는 티베트인들에 대해서도 같은 말을 하지 않았던가?

반면, 전화를 걸어 지금 자기들은 잘 있으니 조용히 있으라고 지시한 수상의 말은 좀 더 신뢰성 있게 느껴졌다. 하지만 그것도 몇 시간 전의 일이었다. 그는 더 이상 전화에 응답하지 않고, 그의 휴대전화는 위치 추적이 불가능했다. 또 국왕에겐 휴대전화가 없었다.

리셉션 디너파티는 끝난 지 오래였고, 온갖 소문들이 나돌기 시작했다. 왜 주빈이 보이지 않았느냐는 기자들의 문의 전화가 빗발쳤다. 왕실과 수상실의 홍보 담당관들은 국왕과 수상께선 유감스럽게도 개인적 사유로 불참하셨지만, 두 분 다 잘 계시다고 대답한 터였다.

그러나 불행히도 기자들의 DNA는 그런 소리를 곧이들을 정도로 순진하지 않았다. 새포 국장은 그들이 완전히 비상 체제로 돌입했다는 걸 느낄 수 있었다. 팔짱을 끼고 기다리고만 있는 자신과는 대조적으로 말이다. 사실 자기가 이 상황에서 대체 무얼 할 수 있단 말인가?

물론 그가 은밀히 몇 가지 조치를 취하지 않은 것은 아니었다. 예를 들어 그는 국가 특수임무 부대 대장과 접촉했다. 새포 국장은 자신이 전화한 이유를 명확히 밝히지는 않았다. 다만 지금 모종의 미묘한 사태가 발생했으며, 일종의 구조 작전이 필요하게 될지도 모른다는 얘기만 했다. 10여 년 전에 그네스타에서 행해졌던 작전 같은 것 말이다. 스웨덴은 평화로운 나라요. 그래도 10년 내지 15년에 한 번 정도는 무력 작전이 필요한 일이 터지는 것 같소.

이에 국가 특수임무 부대장은 그네스타 작전은 자신의 첫 번째이자 유일한 임무였으며, 자신의 부대와 자신은 언제나 준비되어 있노라고 자랑스럽게 대답했다.

새포 국장은 그네스타 사건이 일어났을 때 현직에 있지 않았던 탓에 보고서를 읽어 보지 못했다. 따라서 국가 특수임무 부대의 존재는 자못 든든하게 느껴졌다. 지금 그의 가장 큰 걱정거리는 국왕과 수상의 구출을 위한 기본적인 정보가 없다는 점이었다.

그들이 있는 곳에 대한 정보 말이다.

퇴직자 B는 네 번째 잔을 부탁했다. 또 다섯 번째 잔도 부탁했다. 전 요원은 스웨덴의 감옥에 대해 별로 아는 바가 없었지만, 거기서 술을 마음껏 마실 수 없다는 것쯤은 알고 있었다. 그렇다면 마실 수 있을 때 실컷 마셔 두는 편이 나았다.

국왕은 요원이 독주를 비우는 속도를 칭찬했다.

「대단하셔! 14분 만에 날 따라잡으셨어!」

수상은 대걸레로 바닥을 밀다 말고 못마땅한 눈으로 국왕을 노려봤다. 외국의 첩보 요원과 그런 식으로 농담하고 있어도 되는 겁니까?

비르타넨 백작부인은 국왕과 함께 있다는 행복감에 얼굴이 해처럼 빛났다. 우선 그가 왕이라는 점이 마음에 들었다. 게다가 그는 남자답게 닭 모가지를 비틀 줄 알았고, 만너하임이 누구인지, 〈대원수의 원샷〉이 무엇인지 잘 알고 있었으며, 우르호 케코넨과 함께 말코손바닥사슴을 사냥한 사람이었다. 그뿐이랴? 그는 그녀를 〈백작부인〉이라고 불렀다. 마침내 누군가가 자신을 알아본 것 같은 느낌이었다. 평생을 감자 농사꾼 비르타넨으로 지내다가 다시 핀란드의 만너하임이 된 듯한 기분이었다.

이제 〈대원수의 원샷〉이 그녀의 몸을 떠나고, 왕도 다시 떠나 버린다 해도 상관없었다. 예르트루드는 국왕 폐하와 무한한 피로감에 사로잡힌 전 요원과 같이 앉아 있는 소파에서 결심했다.

이제부터는 백작부인으로 살리라. 머리끝에서 발끝까지 완벽한 백작부인으로.

한편 홀예르 1은 갈피를 못 잡고 있었다. 그는 지난 세월 동안 자신의 공화주의적 신념을 키워 온 것은 화려한 제복과 훈장들과 외알 안경과 은제 지팡이로 꾸며진 구스타브 5세의 이미지였다는 사실을 깨달았다. 다시 말해서 그가 어렸을 때 아버지와 형제와 그 자신이 다트를 던지던 초상화였다. 그는 이 이미지를 셀레스티네에게도 전했고, 그녀도 그것을 자기 것으로 삼았다.

이제 그들은 이 이미지 때문에 구스타브 5세의 손자와 그들 자신과 홀예르 2와 셀레스티네의 할머니를 콩가루로 만들어 버려야 할 것인가?

국왕이 예복 재킷을 벗어 던진 후에 닭 모가지를 비틀지만 않았어도……. 피가 튄 셔츠 소매를 걷어붙이지만 않았어도……. 예르트루드에게 트랙터 수리하는 법을 설명하지만 않았어도……. 그리고 그 독한 술을 눈 하나 까딱 않고 연거푸 들이키지만 않았어도…….

바닥의 얼룩을 없애느라 네발로 엎드려 낑낑대기도 하고, 빨간 고무장갑을 끼고 설거지에 열중하기도 하는 수상의 모습도 곤혹스럽긴 마찬가지였다. 하지만 이것은 지금 그들의 목전에서 산산조각이 나버린 진리에 비하면 아무것도 아니었다.

왕들은 결코 닭 모가지를 비틀지 않는다는 진리 말이다.

지금 홀예르 1에게 무엇보다도 필요한 것은 그가 받은 가르침이 유효하다는 것을 확인하는 거였다. 만일 그렇다면 셀레스티네도 계속 자신을 지지하리라.

아빠 잉마르의 이야기 속에서 군주 중의 군주는 구스타브 5세였다. 온 세상을 괴롭히기 위해 지옥의 아가리가 뱉어 낸 존재가 바로 그였다. 홀예르는 이 사탄의 자식에 대해 국왕이 어떻게 생각하는지 알아볼 필요가 있다고 느꼈다. 하여 그는 팔순의 노파와 시시덕거리느라 정신이 없는 왕에게로 다가갔다.

「어이, 왕!」

국왕은 얘기하다 말고 고개를 돌리고 대답했다.

「음? 그래, 내가 왕이오만?」

「난 당신에게서 한 가지를 확인하고 싶어.」

국왕은 대답은 하지 않고, 정중한 태도로 그의 다음 말을 기다렸다.

「좋아! 구스타브 5세에 관한 거야.」

「내 증조부이시지.」

「맞아. 당신네는 모두 그런 식으로 이어져 내려오지.」 홀예르는 자신의 말이 정확히 무슨 뜻인지도 이해하지 못하면서 말했다. 「내가 알고 싶은 것은, 왕, 그러니까 당신이 그에 대해 어떻게 생각하느냔 거야.」

놈베코는 국왕과 무뇌아 사이의 대화를 듣기 위해 살그머니 다가갔다. 그녀는 속으로 속삭였다. 폐하, 지금까지는 완벽했어요. 자, 이번에도 잘 대답하셔야 해요!

「구스타브 5세에 대해……?」 국왕은 여기에 어떤 함정이 있는 것은 아닌가 의심하며 중얼거렸다.

국왕은 잠시 자신의 선조들을 생각해 봤다.

일국의 머리 노릇을 한다는 것은 평민들이 상상하는 것처럼 그렇게 쉬운 일은 아니다. 우선 에리크 14세[30]를 보더라도 말이다. 그는 정신병자로 취급받다가(전혀 근거 없는 얘기는 아니었다) 결국에는 그의 형제에 의해 감금되어 독약으로 양념을 한 수프를 한 사발 얻어 마셨다.

또 구스타브 3세[31]를 보라. 그는 재미있는 시간을 한번 가져보고자 어느 가면무도회에 갔다가 총탄을 맞았으니, 그렇게 재미를 봤다고는 할 수 없었다. 게다가 암살범은 조준 실력이 별로 좋지 못하여 가련한 국왕은 숨을 거두기 전에 2주 동안이나 고생해야 했다.

국왕은 특히 구스타브 5세, 그러니까 이 공화주의자 홀예르가 집착하고 있는 듯이 보이는 자신의 증조부에 대해 생각해 봤다. 증조부는 어린 시절에 몸이 허약했다. 다리를 질질 끌고 다닐 정도여서, 당시의 최신 의술이었던 전기충격요법을 받았

---

30 재위기간 1560~1568년.
31 재위기간 1771~1792년.

다. 당시의 사람들은 인체에 몇 볼트를 흘려 넣으면 몸이 활력을 되찾는다고 믿었던 것이다.

그것이 그 몇 볼트 덕이었는지, 아니면 다른 어떤 것 때문이었는지는 알 수 없으나, 어쨌든 구스타브 5세는 그 후 양차 대전 동안 스웨덴을 굳건하게 이끌어 왔다. 한편으로는 독일 출신의 왕비를, 다른 한편으로는 영국 여자와, 그것도 한 번도 아니고 두 번씩이나 결혼하겠다고 고집을 부린 황태자까지 다스려 가면서 말이다.

제1차 세계 대전 발발 직전에 구스타브 5세는 이 넘치는 힘을 약간 과도하게 발휘하여 스웨덴의 군사력 증강을 주장했는데, 얼마나 끈질기게 주장했는지 당시의 수상 스타프는 화가 머리 꼭대기까지 치밀어 사임하고 말았다. 스타프는 전함 한두 척 건조하는 것보다는 보통선거제를 도입하는 게 더 중요하다고 생각했던 것이다. 그런데 구스타브 5세가 이 주장을 하고 난 직후에 사라예보 사건이 터졌고, 결과적으로 그의 주장이 옳았다는 게 밝혀졌지만, 아무도 이 사실에 신경 쓰지 않았다. 왜냐하면 이 시대에 국왕이란 조용히 입 다물고 있어야 하는 존재이므로. 그 자신도 브루나이 술탄이 믿을 만한 친구라고 한번 말했다가 크게 곤욕을 치른 적이 있지 않던가?

아무튼. 그의 증조부는 갖가지 정치적 변화들에 능란하게 적응하면서 거의 43년 동안 왕위를 지켜 왔다. 개똥이, 말똥이, 쇠똥이 들이 투표권을 갖게 되고, 또 그것을 너무도 형편없이 행사한 나머지 사민당 같은 무리가 정권을 잡게 된 시대에 군주제가 사라지지 않을 수 있었던 것은 다 그의 공이었다. 혁명이 일어나기는커녕, 한손 수상 같은 이는 공화주의자로 유명했지만 이따금 아무도 몰래 밤중에 왕궁으로 기어들어 국왕과 브리지를 즐겼다고 한다.

따라서 진실을 말할 것 같으면, 그의 증조부는 군주제의 구세주라 할 수 있었다. 하지만 지금 이 순간에 가장 중요한 것은 확고한 의지와 현실감각이 절묘하게 혼합된 그의 증조부의 정신에 따라 상황을 잘 관리하는 일이었다.

국왕은 그들이 〈무뇌아〉라고 불러서는 안 되는 사내가 던진 질문 뒤에 뭔가 중요한 게 숨어 있다는 걸 깨달았다. 하지만 문제의 무뇌아는 그의 증조부가 사망한 1953년에는 태어나지도 않았을 것이므로, 둘은 서로 만났을 리가 없었다. 그렇다면 문제는 그보다 훨씬 이전으로 거슬러 올라갈 터였다. 솔직히 말하자면 국왕은 지나치게 백작부인에 열중해 있던 탓에 놈베코의 설명을 제대로 듣지 못했다. 반면, 또 다른 홀예르가 감자 트럭 안에서 해준 말, 즉 가족에게 공화주의 사상을 주입한 것은 쌍둥이의 아버지였다는 설명은 생각이 났다.

그것도 매우 과격한 공화주의 사상이었단다.

혹시 쌍둥이의 아버지가 구스타브 5세와의 어떤 일로 인해 고통을 받았던 것은 아닐까?

흠…….

어떤 금지된 생각 하나가 국왕의 뇌리를 스쳤다.

사실인즉슨, 1881년 8월에 그의 증조부와 증조모가 서로에게 〈네〉라고 서약했을 때, 사랑 때문에 결혼한다는 개념은 아직 왕실에서 발명되지 않고 있었다. 하지만 왕비가 건강 개선을 목적으로, 그러나 실제로는 베두인의 천막 속에서 한 남작(그것도 덴마크 출신!)과의 부적절한 관계에 몰두하기 위해 따뜻한 나라 이집트로 떠나 버렸을 때, 그의 증조부도 모종의 슬픔을 느끼지 않을 수 없었을 것이다.

이날 이후로 그는 더 이상 여자들에 관심을 갖지 않았다고 한다. 반면 그가 남자들에 대해 어떤 감정을 느꼈는지는 분명하지가 않다. 어쨌든 세월이 흐르면서 소문이 나돌았다. 특히 동성애가 불법이어서 군주제를 위험에 빠뜨릴 수도 있는 시대에 어떤 사기꾼 같은 자가 국왕으로부터 돈을 갈취한 사건도 있었다. 왕실은 이 사기꾼의 입을 틀어막기 위해 최선을 다했다.

그에게 돈을 주었고, 다시 좀 더 많이 주었고, 다시 더 많이 주었다. 그가 레스토랑과 호텔을 여는 데도 도움을 주었다. 하지만 한 번 사기꾼은 영원한 사기꾼이었다. 그는 밑 빠진 독이었고, 끊임없이 더 많은 돈을 요구했다.

어느 날, 왕실은 그의 호주머니를 지폐로 꽉꽉 채워 준 다음, 그를 대서양 건너편 미국으로 보내 버렸다. 하지만 그는 과연 미국 땅에 발을 디뎠는지 의심스러울 정도로 후딱 돌아왔고, 돌아오자마자 다시 돈을 요구했다. 왕실은 이번에는 매달 연금을 지급하겠다고 약속하여 그를 나치 독일로 보냈다. 하지만 거기서 이 재앙덩어리는 어린 소년들에게 집적거리는 등, 히틀러의 아리안의 이상과는 반대되는 짓들만 골라서 했다. 그 결과, 그는 곧바로 스웨덴으로 송환되었다. 게슈타포는 얼마나 화가 났던지 그를 강제 수용소에 처넣기 일보 직전까지 갔던 것이다(그렇게만 해줬다면 스웨덴 왕실로선 얼마나 고마웠으랴!). 스톡홀름에 돌아온 이 인간은 이번에는 자서전을 집필했다. 이제 온 세상이 모든 걸 알게 될 터였다. 〈절대로 그럴 순 없지!〉라고 스톡홀름 경찰국장은 생각하고는, 출간된

책 전량을 사들여서는 경찰서의 어느 감방에 쌓아 놓았다.

결국 이 미묘한 사안을 완전히 은폐하기란 불가능했다(브루나이였다면 상황은 달랐으리라). 온 나라가 깜짝 놀랐지만, 곧 국왕을 돕기 위해 사기꾼에게 이런저런 죄목을 씌워 8년 징역형을 내렸다. 그때는 구스타브 5세가 이미 사망한 후였고, 사기꾼도 석방되고 나서 그의 뒤를 따랐다.

서글픈 이야기였다. 물론 그 사기꾼은 진짜 사기꾼에 불과했는지도 모른다. 적어도 국왕과의 관계에 대한 그의 주장에 관한 한 말이다. 하지만 국왕이 이 사기꾼에게, 또 다른 소년들과 남성들에게…… 당시엔 불법적이었던 방식으로…… 처신했을 가능성도 완전히 배제할 수는 없었다.

만약에…….

만약에 이 쌍둥이 형제의 아버지도 그런 일을 당한 거였다면? 만약에 그런 이유 때문에 그가 넓게는 군주제 전반과, 특별히는 구스타브 5세에 대해 투쟁을 벌이고 있는 거라면?

그리고 만약에…….

왜냐하면 여기엔 분명히 무언가 이유가 있을 것이기 때문에…….

여기서 국왕은 생각을 끝냈다. 그의 생각은 모든 면에서 맞는다고는 할 수 없었지만, 전체적으로는 정확한 것이었다.

「내가 내 증조부 구스타브 5세에 대해 어떻게 생각하느냐고?」 그가 다시 한 번 되물었다.

「어서 대답하라고, 빌어먹을!」 홀예르 1이 소리쳤다.

「자, 그럼 우리끼리만 솔직히 얘기해 볼까?」 비르타넨 백작부인, 셀레스티네, 홀예르 2, 놈베코 그리고 이제 잠들어 버린 전 모사드 요원이 옆에 있는 가운데 국왕은 이렇게 물었다.

「좋고말고!」 홀예르 1이 대답했다.

국왕은 하늘나라에서 평화를 누리고 계실 증조부에게 용서를 빈 다음, 이렇게 선언했다.

「그 인간은 진짜로 개자식이었다오!」

이때까지만 해도, 국왕은 어린애같이 철없는 사람이며, 이런 점에서 또 다른 어린아이인 예르트루드와의 만남은 하나의 운 좋은 우연이었다고 생각할 수도 있었다. 하지만 그가 구스타브 5세의 명예를 가차 없이 박살 내는 모습을 본 놈베코는 지금 그들이 어떤 상황에 처해 있는지 국왕도 정확히 파악하고 있다는 것을 깨달았다. 국왕은 이게 모두를 위해 최선의 길일 수도 있다고 생각하고는, 서슴지 않고 증조부의 명예와 영광을 내던진 것이다.

문제는 홀예르 1이 어떻게 반응하느냐였다.

「셀레스티네, 잠깐 나가자!」 당사자는 말했다. 「부두까지 산책을 하고 오자고. 우리 얘기 좀 해야겠어.」

홀예르 1과 셀레스티네는 베토 만(灣)이 바라다보이는 부두의 벤치에 등을 기대고 앉았다. 자정 무렵이었다. 스웨덴의 짧은 여름밤, 세상은 캄캄했지만 특별히 춥지는 않았다. 셀레스티네는 홀예르의 손을 잡고 그의 눈을 들여다보면서 거의 귀족이나 다름없는 자신을 용서해 줄 수 있느냐고 물었다.

홀예르는 그럴 수 있다고 우물거리듯 대답했다. 네 할머니의 아버지가 지폐 위조라는 보다 명예로운 활동과 병행하여 남작 노릇도 했다면, 그건 네 잘못이 아니야. 물론 받아들이기 힘든 사실이긴 하지만……. 또 이게 정말로 사실인지도 모르겠고……. 왜냐하면 할머니의 이야기는 군데군데 조금 허술하게 느껴지거든. 또 정상참작이 가능한 것이, 그는 말년에 이르러 생각을 바꿔 대통령이 되지 않았어? 차르에게 충성을 바치다가, 나중에는 공화국을 위해 헌신했잖아……. 아…… 세상사란 참 뒤죽박죽이야…….

셀레스티네는 고개를 끄덕였다. 그녀는 자라나면서 자신을 실패작으로 여겨 왔다. 그러다가 홀예르 1이 나타났다. 그녀가 꿈꾸던 이상형이었다. 심지어 그는 그녀의 생명을 구하려고 6백 미터 상공을 날아가는 헬리콥터에서 뛰어내리기까지 했다. 그리고 결국 그들은 함께 스웨덴 왕을 납치하는 데 성공했다. 그를 퇴위하게 만들거나, 아니면 그를 훈장들과 함께 콩가루로 만들고, 더불어 자신들도 콩가루로 장렬히 산화하기 위함이었다.

잠시 동안이긴 했지만, 셀레스티네는 자신의 삶이 납득할 수 있는 것, 의미 있는 것이라고 느꼈다.

그런데 갑자기 새로운 요소들이 등장했다. 바로 모가지가 비틀려 죽은 닭들이었다. 또 국왕은 커피를 마신 후, 할머니를 도우려고 손수 트랙터를 수리했다. 지금 그의 셔츠는 닭 피뿐 아니라, 엔진오일로도 얼룩져 있었다.

더구나 셀레스티네는 할머니의 얼굴에 화색이 도는 걸 보았다. 그녀는 할머니가 바람직하지 못한 조상을 가졌다는 이유만으로 그녀에게 작별 인사도 하지 않고 떠나 버린 자신이 부끄러웠다.

부끄러움…… 그녀로서는 새로운 감정이었다.

홀예르는 오늘 저녁의 일들로 셀레스티네가 마음이 흔들린 것을 이해하며, 사실 자신도 지금 당황스러운 상태라고 털어 놓았다. 뿌리를 뽑아야 할 것은 비단 국왕과 군주제만이 아니라, 군주제로 대표되는 모든 것들이란다. 따라서 군주제가 지금 갑자기 다른 것들을 보여 주기 시작하면 곤란하단다. 그런데 아까 국왕이 더러운 욕설을 내뱉는 것을 보지 않았던가? 또 그가 예르트루드와 함께 나가서 슬그머니 담배를 피우고 왔는지 누가 알겠는가?

아니, 셀레스티네는 그렇게 생각하지 않는단다. 그들이 나가서 한 바퀴 돌고 온 것은 사실이지만, 아마 트랙터를 수리하고 왔을 거란다.

홀예르 1은 한숨을 내쉬었다. 아, 국왕이 구스타브 5세에게 등을 돌리지만 않았어도!

셀레스티네는 국왕을 불러내어 타협점을 찾아보면 어떻겠느냐고 물었고, 이렇게 말하면서 전에는 이 〈타협〉이라는 단어를 한 번도 사용해 본 적이 없다는 사실을 깨달았다.

「그럼 폭탄을 조금만 터뜨리자는 거야? 아니면 국왕더러 파트타임제로 퇴위하라고 해?」

그게 아니고 국왕을 이곳으로 데려와서, 이 상황을 평화적이고도 합리적으로 논의해 보는 것도 괜찮지 않겠느냐는 거였다. 국왕과 홀예르 1과 셀레스티네, 이렇게 단 세 사람만 모여서. 홀예르 2와 예르트루드와 수상, 특히 저 뱀 같은 놈베코와 지금 자고 있는 이스라엘의 전 요원은 빼놓고.

홀예르 1은 어디서부터 대화를 시작해야 할지, 또 어떤 방향으로 끌고 가야 할지 잘 몰랐다. 셀레스티네는 더욱 몰랐다. 하지만 뭔가 잘 얘기를 해가다 보면 어떤 해결책이 나올 수도 있지 않겠는가?

국왕은 백작부인과 떨어지는 게 못내 아쉽긴 하지만, 셀레스티네 양과, 또 상황을 악화시키고 싶지 않다면 〈무뇌아〉라고 부르면 안 되는 사내와의 심야 대화를, 물론 받아들일 수 있다고 말했다.

부두에 이른 홀예르 1은 국왕은 국왕답게 행동하지 못하는 것에 대해 부끄럽게 생각해야 한다는 말로 대화를 시작했다.

「우리 모두에게는 결점이 있지요.」 당사자가 대답했다.

이어 홀예르 1은 자신의 사랑하는 셀레스티네가 국왕과 예르트루드 사이의…… 활발한 관계를 그렇게 싫어하지 않는 것 같다고 인정했다.

「백작부인이오.」 국왕이 정정했다.

음…… 보는 관점에 따라 호칭이 어떻게 바뀔지 모르겠지만, 어쨌든 그녀는 설사 국왕이 퇴위를 꺼린다 할지라도 무조건 국왕과 이 나라의 일부를 날려 버릴 수만은 없게 하는 충분한 이유가 되고 있단다.

「오, 잘됐군! 그렇다면 난 그쪽을 택하겠소.」

「퇴위하기로요?」

「아니, 퇴위를 꺼리는 쪽. 왜냐하면 이제 그렇게 한다 해도 당신이 지금까지 설명해 온 그 극적인 결과는 없을 것이니 말이오.」

홀예르 1은 자신에게 욕설을 퍼부었다. 얘기가 초장부터 꼬여 버렸다. 그가 손에 쥔 유일한 카드, 즉 원자폭탄 위협 카드를 쓸 수 없게 된 것이다. 왜 그가 하는 일은 항상 이렇게 꼬이기만 하는가? 사람들이 붙여 준 별명이 자기에게 딱 맞는다는 사실이 점점 더 분명해지고 있었다.

국왕은 홀예르 1이 내적인 갈등을 겪고 있는 것을 눈치채고는, 상황의 변화에 너무 슬퍼할 필요는 없다고 덧붙였다. 국왕 한 사람을 왕좌에서 몰아내 봤자 아무 소용없다는 것을 역사가 보여 주지 않소? 심지어는 왕실 전체를 없애는 것으로도 충분하지 않다오.

「네? 정말요?」

로슬라겐[32]에 동이 터오는 가운데, 국왕은 홀예르 1에게 교훈이 될 만한 구스타브 4세 아돌프[33]의 이야기를 들려주기로 마음먹었다. 그가 어떤 불행한 일들을 겪었는지 그리고 그 결과는 어떠했는지에 대해서 말이다.

모든 것은 이 구스타브 4세 아돌프의 부친이 왕립 오페라하우스에서 총격을 받으면서 시작되었다. 아버지가 죽어 가는 가운데, 아들은 단 2주 동안에 그의 새로운 역할에 적응해야 했다. 하지만 이 기간이 충분치 않았던 것 같다. 게다가 생전에 부왕은 아들에게 스웨덴 국왕은 신으로부터 왕권을 받았으며, 왕과 신은 한 팀을 이뤄 작업한다는 생각을 주입시켰던 터

32 스웨덴 동부의 해안 지방을 일컫는 말.
33 재위 기간 1792~1809년. 그의 부친 구스타브 3세가 1792년에 암살되었을 때 그는 열세 살이었다.

였다.

자신이 신의 보호를 받는다고 느끼는 사람에게 나폴레옹과 차르 알렉산드르를 한꺼번에 쳐부수러 출정하는 것은 화장실 다녀오는 일만큼이나 간단한 일이었다. 불행히도 프랑스 황제와 러시아 차르 역시 자신들이 신의 보호를 받는다고 믿었고, 그 믿음에 따라 행동했다. 만일 이 세 사람의 생각이 맞았다면, 신은 너무 많은 사람들에게 너무 많은 것을 약속한 셈이었다. 이 상황에서 신이 할 수 있는 일은 실제적인 힘의 관계가 모든 것을 결정하도록 놔두는 것이었다.

아마도 이 때문이었던 듯, 스웨덴은 양쪽에서 한 방씩 된통 얻어맞아, 포메라니아는 점령당하고 핀란드는 전체를 상실하게 되었다. 당사자 구스타브는 성난 귀족들과 비통한 심정의 장군들에 의해 왕좌에서 쫓겨났다. 쉽게 말해서 쿠데타가 일어난 것이다.

「어, 정말요?」홀예르 1의 눈이 번쩍 뜨였다.

「내 이야기는 아직 안 끝났소.」국왕이 주의를 주었다.

구스타브 4세 아돌프는 실의에 빠져 술을 마시기 시작했다. 그 외에 무얼 할 수 있었겠는가? 더 이상 왕이 아니었으므로 왕이라고 불릴 수 없게 된 그는 대신 구스타브손 대령이라고 불리기 시작했고, 이 이름으로 유럽을 떠돌아다니다가, 파산한 알코올 중독자가 되어 스위스의 어느 하숙집에서 쓸쓸히 죽어 갔다.

「와, 그것 참 잘됐군!」홀예르 1이 열광했다.

「만일 당신이 계속 내 말을 끊지 않았다면, 내 이야기의 포인트는 다른 데에 있다는 걸 벌써 이해했을 거요. 예를 들어,

곧바로 다른 왕이 그 대신 왕위에 올랐다는 사실을 말이오.」

「그건 나도 알아요. 바로 그 때문에 왕실 전체를 한 방에 없애 버려야 하는 거라고요.」

「심지어 그렇게 한다고 해도 아무 소용없소.」 국왕은 이렇게 대꾸하고는 다시 이야기를 이어갔다.

부전자전이라는 말도 있거니와, 쿠데타 주모자들은 위험을 감수하고 싶지가 않았다. 하여 그들은 그 아무짝에도 쓸모없는 구스타브 4세 아돌프의 축출은 당사자만이 아니라, 당시 열 살이었던 황태자를 포함한 가족 전체에 적용된다고 선언했다. 더불어 그 가족은 앞으로 영원히 왕좌와는 관계가 없을 거라는 설명을 듣게 되었다.

그들 대신에 왕위에 앉혀진 사람은 다름이 아니라 구스타브 4세 아돌프의 아버지를 암살한 이의 형제였다.

「아, 뭐야! 이야기가 늘어지기 시작하잖아!」 홀예르 1이 짜증을 냈다.

「조금만 참아요! 내 얘기는 곧 끝나니까.」

「반가운 소식이네요.」

에, 그러니까, 새 왕의 이름은 칼 13세였는데, 만일 그의 외동아들이 태어나서 일주일 만에 죽지만 않았어도 모든 일은 아주 원만하게 흘러갔을 거란다. 게다가 그에게는 다른 아들이 (적어도 합법적인 아내에게서는) 생겨날 기미도 보이지 않아서, 왕조의 계보가 끊어질 위기가 일어났단다.

「하지만 그는 해결책을 찾아냈겠죠?」

「물론이오. 그는 친척 중 하나를 양자로 들였는데, 그자 역시 매너 없게도 금방 죽어 버리고 말았소.」

「그럼 그들은 어떻게 문제를 해결했죠?」

「덴마크의 한 대공을 양자로 들였지. 그런데 이 사람도 전쟁에 나가 후딱 죽어 버렸던 거라.」

홀예르는 지금까지의 내용만으로 보자면, 자기는 이 이야기가 아주 마음에 든다고 말했다.

국왕은 대꾸하지 않고 설명을 계속했다. 덴마크 왕자로 대실패를 겪은 스웨덴 왕실은 이번에는 프랑스 쪽으로 눈을 돌렸는데, 거기서는 나폴레옹 황제 밑에 원수(元帥)가 하나 남아도는 듯이 보였기 때문이다. 그렇게 여차저차하여 결국 프랑스 사람 장밥티스트 베르나도트가 스웨덴 왕국의 황태자가 되었단다.

「그래서요?」

「그래서 그분께선 새 왕조의 시조가 되셨지. 나 역시 베르나도트 왕조의 혈통이오. 장밥티스트는 내 증조부의 증조부이시고. 내 증조부가 누군진 이미 아시잖소? 구스타브 5세 말이오.」

「에이씨, 염병할!」

「홀예르 씨, 그러니까 한 왕조를 없애려는 것은 무익하다는 얘기요.」 국왕이 정중하게 말했다. 「사람들이 군주제를 원하는 한, 당신은 결코 군주제에서 벗어날 수가 없소. 하지만 난 당신의 관점을 존중하오. 지금은 민주주의 시대이니까. 그런데 왜 당신은 이 나라 최대의 정당인 사민당에 들어가, 그들에게 영향을 미치려 하지 않는 거요? 또 공화주의 클럽에 들어가 여론을 형성해 볼 수도 있지 않겠소?」

「아니면 당신의 동상을 만들어 내 위로 떨어지게 하면 이 모든 것에서 해방될 수 있을 텐데요.」 홀예르 1이 웅얼거렸다.

「뭐라고요?」 국왕이 반문했다.

해는 이미 떠올랐지만 셀리다 농가의 ― 소파 위에서 불편한 새우잠을 자고 있는 전 요원 B를 제외하고 ― 그 누구도 자러 갈 생각을 하지 않았다.

놈베코와 홀예르 2는 베토 만이 바라다 보이는 부두로 나와서 국왕의 바통을 이어받았다. 국왕과 수상을 납치한 이후로 두 형제가 처음으로 얘기할 수 있게 된 기회였다.

「너, 폭탄에 손대지 않겠다고 약속했어, 안 했어?」 홀예르 2가 따지고 들었다.

「나도 알아.」 홀예르 1이 대답했다. 「그리고 몇 년 동안은 약속을 지켰잖아. 내가 폭탄과 왕이 실린 트럭을 운전하게 됐을 때까지는 말이야. 그때부터는 나도 어쩔 수가 없었어.」

「도대체 무슨 생각을 했던 거야? 그리고 이제 어쩔 생각이고?」

「사실 난 아무 생각도 없었어. 너도 알다시피 내가 종종 그렇잖아? 그냥 아빠가 차를 몰고 달리라고 해서…….」

「아빠가? 하지만 아빠는 죽은 지 20년이나 됐잖아?」

「맞아. 참 이상한 일이야. 안 그래?」

홀예르 2는 한숨을 푹 내쉬었다.

「가장 이상한 것은 우리가 형제라는 사실이다.」

「우리 자기한테 고약하게 굴지 마!」 셀레스티네가 짖어 댔다.

「시끄러!」 홀예르 2가 고함쳤다.

놈베코는 이 나라를 위한 최선의 길은 한 지역 전체와 함께 콩가루로 산화해 버리는 것이라는 홀예르 1과 셀레스티네의 확신이 흔들리기 시작했음을 눈치챘다.

「자, 당신들, 이제 어떻게 할 생각이야?」 그녀가 물었다.

「왜 항상 생각하면서 살아야 하냐고?」 홀예르 1이 짜증을 냈다.

「우리 할머니를 웃게 해준 사람을 죽일 수는 없을 것 같아.」 셀레스티네가 풀 죽은 목소리로 말했다. 「할머니는 지금까지 살아오면서 한 번도 웃은 적이 없었어.」

「그럼 무뇌아, 당신은 어떻게 생각하지? 몹시 힘드시겠지만 그래도 한번 생각을 해본다면 말이야.」

「우리 자기한테 고약하게 굴지 말라고!」 셀레스티네가 다시 짖었다.

「난 아직 시작도 안 했어.」 놈베코가 대꾸했다.

홀예르 1은 잠시 침묵을 지키더니 이렇게 말했다.

「그래, 내가 한번 생각이란 걸 해본다면 말이야, 만일 상대가 구스타브 5세였다면 일이 훨씬 쉬웠을 것 같아. 그는 은제 손잡이가 달린 지팡이와 외알 안경 차림이었지, 닭 피 묻은 셔츠를 입고 있지 않았으니까.」

「그리고 엔진오일도 묻었지.」 셀레스티네가 덧붙였다.

「내가 정확히 이해했다면, 너희들은 이 일을 원만하게 끝내고 싶다는 얘기인 것 같은데?」

「맞아.」 홀예르 1이 놈베코의 눈을 똑바로 쳐다보지 못하고 나지막이 대답했다.

「그렇다면 먼저 트럭 열쇠와 권총부터 내놔.」

홀예르 1은 먼저 열쇠를 내밀었는데, 그다음에는 권총을 부두에 떨어뜨리는 데 성공했고, 그 통에 총알이 발사되었다.

홀예르 2는 고통스러운 비명을 내지르며 고꾸라졌다.

22

마지막 뒷정리와
작별

수상이 비르타넨 백작부인의 모터 자전거를 타고 지방도로까지 갔다가 셸리다 농가로 돌아온 것은 새벽 3시가 다 되어서였다. 거기서 프레드리크 레인펠트는 자신의 팀과 왕실의 팀, 그리고 새포 국장(그는 죽었다 살아난 사람처럼 안도의 한숨을 내쉬었다)에게 전화를 걸어서, 지금 상황이 문제없이 통제되고 있으며, 자신은 적어도 오전 중에 수상 관저에 돌아갈 것이고, 보좌관은 갈아입을 정장 한 벌과 양말을 준비해 놓을 것을 요망한다고 간략하게 알렸다.

이번 위기의 가장 위험한 단계는 지나간 듯 보였고, 다친 사람은 아무도 없었다. 사고로 팔에 부상을 입은 홀예르 2만이 예외였는데, 그는 부엌 옆방에서 계속 욕설을 내뱉고 있었다. 살갗이 꽤 깊게 패였지만, 〈대원수의 원샷〉(소독과 마취의 이중 효능이 있었다)과 붕대 덕분에 몇 주 후면 완쾌할 수 있을 것으로 보였다. 놈베코는 자신의 홀예르가 불평 한 마디 하지 않는 것을 보고는 그에 대한 사랑이 더욱 깊어지는 걸 느꼈다. 사실인즉슨 그는 베개를 가지고 한 팔로 사람 목을 조르는 연습을 하고 있었지만.

이 필살기의 잠재적 희생자는 다행히도 안전한 거리에 떨어
져 있었다. 그는 부두에서 셀레스티네와 함께 모포를 뒤집어
쓰고 잠들어 있었다. 전 요원 B도 부엌 소파에서 계속 꿈나라
를 헤매는 중이었다. 놈베코는 안전을 기하기 위해 그의 품에
서 살그머니 권총을 빼놓았다.

국왕, 비르타넨 백작부인, 놈베코 그리고 수상은 부엌 안, 잠
들어 있는 요원 옆에 모여 앉았다. 국왕은 다음에 준비된 프로
그램은 뭐냐고 쾌활하게 물었다. 수상은 너무도 피곤한 나머지
이런 군주에 대해 더 이상 화도 나지 않았다. 대신 그는 놈베코
에게 고개를 돌려 둘이서 조용히 얘기하고 싶다고 말했다.

「감자 트럭 운전석으로 가면 어떨까요?」 그녀가 제안했다.

수상은 고개를 끄덕였다.

알고 보니 스웨덴 정부의 수반은 뛰어난 설거지 실력만큼이
나 두뇌 회전도 엄청 빠른 사람이었다. 그는 먼저, 자신은 직무
유기죄를 범한 국왕을 포함한 여기 있는 모든 사람을 경찰에
고발하고 싶은 심정이라고 털어놓았다.

하지만 좀 더 깊이 생각해 본 결과, 보다 실용적인 관점으로
이 사건에 접근하게 되었단다. 우선 국왕을 법정으로 끌고 갈
수는 없는 노릇이었다. 더구나 홀예르 2와 놈베코는 혼란의
와중에서도 질서를 회복해 보려 최선을 다했는데, 이들을 감
옥에 처넣는 것은 올바른 일로 느껴지지 않았다. 또 백작부인
도 아무런 죄가 없었다. 특히나 어제 그녀가 휘두른 말코손바
닥사슴용 엽총에 대한 총기 면허증이 있는지 확인해 보기를

삼간다면.

남은 것은 한 외국 첩보부의 전 요원이었다. 물론 무뇌아와 그의 여친도 빼놓을 수 없었다. 이 두 남녀는 최대한 밀폐된 감옥에 백 년 동안 가둬 놔도 할 말이 없는 인간들이었지만, 국가로서는 이런 식의 보복을 생략하는 편이 나을지도 몰랐다. 왜냐하면 재판이 열리면 검사가 질문을 할 터인데, 그들이 어떤 식으로 답변을 하든, 수만 명의 시민들이 평생 지워지지 않는 트라우마를 얻게 될 위험이 있기 때문이었다. 상상해 보라. 3메가톤급 원자폭탄이 스웨덴 한복판을 유유히 돌아다녔다는 사실을! 그것도 무려 20년 동안이나!

여기서 수상은 진저리를 한번 치고는 다시 설명을 이어 나갔다. 사실 그에게는 법적인 조치를 취하는 것을 삼가야 할 또 다른 이유가 있단다. 아까 모터 달린 자전거를 타고 지방도로까지 나갔을 때, 그는 먼저 새포 국장에게 전화를 걸어 안심시켰고, 그다음에는 보다 실제적인 용무로 자기 보좌관에게 전화를 걸었단다.

하지만 비상경보를 발하지는 않았단다.

어떤 열의에 넘치는 검사 같으면, 특히나 그가 야당의 부추김을 받을 경우, 수상이 위기 상황을 연장하고 불법적인 행위에 동조했다고 주장할 가능성이 충분히 있단다.

「흠……」 놈베코가 고개를 끄덕였다. 「예를 들면, 형법 제3조 9항에 의거, 타인의 생명을 위험에 빠뜨린 행위로 간주될 수 있겠죠.」

「그게 2년 형이죠, 아마?」 이렇게 되묻는 수상은 이 여자가 혹시 신이 아닐까, 하는 생각이 들었다.

「네, 맞아요.」놈베코가 대답했다.「잠재적 피해의 규모를 감안할 때, 수상님은 거기서 단 하루도 감형될 수 없어요. 게다가 수상님은 모터 자전거를 헬멧 미착용 상태로 운전했죠. 스웨덴 법에 대한 제 지식이 정확하다면, 이로 인해 15년이 더 추가될 수 있어요.」

수상은 자신의 미래에 대해 생각해 봤다. 그는 2009년 여름에 유럽연합 의장이 되기를 바라고 있었다. 그때까지 감방에 쭈그리고 있는 것은 의장 선거를 준비하기 위한 최선의 방법이라곤 할 수 없었다. 또 수상직과 당수 자리에서 쫓겨나게 될 것은 말할 것도 없었고.

하여 그는 이 난감한 상황에서 벗어날 수 있는 방법에 대해 총명한 놈베코 양의 의견을 물었다. 물론 여기서 우리의 목적은 지난 스물네 시간 동안 일어난 일들 중 최대한 많은 부분을 영원한 망각 속에 묻어 버리는 것이오…….

놈베코는 자신은 수상님만큼 청소를 잘하는 분은 본 적이 없다고 말했다. 어젯밤에 닭볶음탕, 커피, 맥주, 칵테일, 기타 등등으로 난장판이었지만, 지금 부엌은 반짝반짝 빛나고 있어요. 이제 남은 것은…… 저 자고 있는 요원만 행주로 훔쳐 내면 되겠네요.

수상은 눈썹을 찌푸렸다.

사실 놈베코는 지금 무엇보다 시급한 일은 무뇌아 커플을 폭탄으로부터 멀찌감치 떼어 놓은 다음, 폭탄을 어떤 동굴 같은 곳에 집어넣는 거라고 생각하고 있었다.

스웨덴 정부의 수반은 몹시 피곤했다. 지금은 너무나 늦은 시간이다 못해, 매우 이른 시간이 되어 있었다.[34] 그는 자신이 지금 머릿속도 흐릿하고, 표현하는 데도 어려움이 있는 상태라고 허두를 떼었다. 하지만 아까 머리가 맑을 때, 어떤 지하 벙커를 사용하는 방안에 대해 한번 생각해 봤단다. 그 안에서 폭탄을 해체하거나, 아니면 최소한 폭탄을 묻어 놓고 이 기억을 지워 버릴 수 있는 지하 벙커 말이다.

그런데 문제는 수상이라고 해서 시간이 특별히 친절하게 굴지 않는다는 점이었다. 오히려 그 반대인 경우가 많단다. 프레드리크 레인펠트의 공식 일정상 다음 스케줄은 수상 관저에서 이뤄질 후진타오와의 정상회담이었다. 이는 오전 10시에 시작될 예정이었고, 그다음에는 같은 장소에서 오찬이 이어질 거였다. 수상은 그 전에 샤워를 하여 감자 냄새를 없애 버리고, 진흙이 묻지 않은 정장과 양말로 갈아입고 싶었다.

모두가 빨리 움직이기 시작하면 가능할 터였다. 하지만 그 전에 폭탄을 묻을 깊고도 외진 지하 벙커를 찾아낼 시간이 과연 있을까? 아무리 중요하다 해도 이 일은 오후까지 기다려야 했다.

평소에 수상은 주로 듣는 편이고, 그다지 말이 많지 않았다. 지금 그는 놈베코 마예키라는 여자에게 생각을 숨김없이 털어놓고 있는 자신에 스스로도 놀랐다. 사실 따지고 보면 그렇게 놀랄 일은 아니었다. 우리 모두는 저마다의 말 못 할 고민을 함께 나눌 누군가가 필요하지 않은가……? 그런데 지금 그들의 머리를 짓누르고 있는 3메가톤의 문제를 상의할 사람으로 이 남아공 여자와 그녀의 남자 친구 외에 또 누가 있겠는가?

---

34 스웨덴은 여름철에 해가 매우 늦게 지고 일찍 뜬다. 〈밤늦은 시간〉인 2~4시경에도 해가 뜨다 보니 새벽, 즉 〈이른 시간〉이 되는 것이다.

수상은 이 엄청난 비밀을 공유할 사람의 수를 늘릴 필요가 있음을 깨달았다. 우선은 합참의장으로, 그게 어디 있는 것이든 간에 지하 벙커에 대한 궁극적인 책임을 져야 할 사람이었다. 그런데 합참의장은 폭탄의 뇌관을 해체하거나, 동굴의 입구를 막아 버리는 작업은 할 수 없을 터이므로, 한두 사람이 더 필요했다. 따라서 최소한 다음의 사람들은 그들이 알아서는 안 되는 것을 알게 될 거였다. 1) 합참의장, 2) 뇌관 해체 전문가, 3) 조적공(組積工), 4) 불법 체류자 놈베코 마예키, 5) 존재하지 못하는 홀예르 크비스트, 6) 과도하게 존재하는 홀예르 크비스트, 7) 후자의 화 잘 내는 여자 친구, 8) 감자 농사꾼이었다가 이제 백작부인이 된 노파, 9) 천하태평인 국왕 그리고 마지막으로, 10) 퇴직한 모사드 요원. 하지만 수상은 자신이 이렇게 말해 놓고 나서도 고개를 갸우뚱했다.

「이거…… 뒷일이 염려스러운데?」

「천만에요.」놈베코가 말했다.「지금 수상님께서 열거하신 사람들 대부분은 제발 입을 열라고 빌어도 열 수 없는 이유들이 아주 많은 사람들이에요. 게다가 이중 몇몇은 너무도 정신 없는 사람들이라서 설사 말을 한다 해도 아무도 곧이듣지 않을 거고요.」

「국왕 말이오?」

수상과 후진타오는 스웨덴 재계의 주요 인사들과 수상 관저에서 오찬을 즐기기로 되어 있었다. 그런 다음, 후 주석은 아를란다 국제공항으로 가서 보잉767 전용기를 타고 베이징으로 돌아갈 예정이었다. 그리고 나서야 합참의장을 수상 관저로 부를 수 있을 거였다.

「후 주석과 오찬을 갖고, 합참의장을 불러 이 일에 대해 알려 주고 있는 동안, 내가 이 폭탄을 놈베코 양께 맡겨도 될까요?」

「결정은 수상님 몫이 아니겠어요? 하지만 저는 벌써 20년이 넘게 이 폭탄을 맡아 왔고, 그동안 아무런 사고도 없었어요. 몇 시간 정도는 더 관리할 수 있지 않을까요?」

이때 놈베코는 국왕과 백작부인이 주방을 나와 부두 쪽으로 향하는 것을 보았다. 저 두 노인네가 또 무슨 짓을 벌이려는 걸까? 놈베코는 재빨리 생각해 봤다.

「저, 수상님, 죄송하지만 주방으로 가서서 거기 누워 있는 모사드 요원을 수상님답게 지혜로이 처리해 주시겠어요? 저는 부두로 가서 국왕님과 백작부인께서 바보 같은 짓을 못 하게끔 살피고 올게요.」

프레드리크 레인펠트는 놈베코의 말뜻을 이해했다. 그의 온 존재는 절대로 그렇게 하면 안 된다고 외쳐 댔다.

하지만 그는 땅이 꺼질 듯 한숨을 쉬며 고개를 끄덕였다.

「자, 일어나시오!」

수상은 전 요원 B를 잡아 흔들었고, 눈을 뜬 요원은 자신이 지금 어디 있는지 깨닫고 나자 너무도 끔찍하여 몸서리를 쳤다.

요원이 자기 말을 들을 수 있는 상태가 된 것을 본 프레드리크 레인펠트는 그의 눈을 똑바로 들여다보며 말했다.

「요원의 차가 밖에 서 있는 걸로 알고 있소. 자, 스웨덴 국민과 이스라엘 국민 간의 우의를 생각해서 하는 말인데, 당장 그

차에 뛰어올라 이곳을 뜨고, 그 길로 이 나라도 떠나 주길 바라오! 또 당신은 이곳에 온 적이 없고, 또 두 번 다시 발을 들여놓지 않을 거라 믿소!」

이렇게 말하면서 수상은 구역질이 올라오는 걸 느꼈다. 대쪽 같은 성품의 그가 단 몇 시간 만에 남의 감자를 훔쳤을 뿐만 아니라, 술 취한 사람으로 하여금 운전대를 잡게 한 것이다. 범법행위는 이 두 가지 말고도 수도 없었다.

「올메르트 수상에겐 어떻게 하실 건가요?」 요원이 물었다.

「난 그에게 전화를 걸 이유가 전혀 없소. 왜냐하면 당신은 이곳에 온 적이 없으니까. 안 그렇소?」

전 요원 B는 아직 술이 덜 깬 상태였다. 게다가 잠도 덜 깨어 얼떨떨했다. 하지만 그는 자신이 목숨을 건졌음을 깨달았다. 그리고 일 초도 꾸물대면 안 된다는 사실도 깨달았다. 그러다 스웨덴 정부의 생각이 바뀌면 큰일이므로.

프레드리크 레인펠트는 스웨덴에서 가장 정직한 사람 중 하나였다. 학생 아파트에 살 때에는 텔레비전 시청료를 꼬박꼬박 납부했으며, 꼬마였을 때는 이웃에게 대파 한 단을 25외레에 팔면서 현금 영수증까지 끊어 주겠다고 제의한 사람이었다.

이런 사람이었으니 전 요원 B를 풀어 줄 때의 심정이 과연 어떠했겠는가. 또 이 모든 일들을 잊어버리기로 결정했을 때는…… 아니, 묻어 버리기로…… 원자폭탄을…… 지하 벙커에다가…… 물론 그게 가능해야 하겠지만.

놈베코가 보트 젓는 노를 하나 들고서 돌아왔다. 그리고 방금 전에 백작부인과 국왕이 불법 낚시를 즐기려는 것을 간신히 막고 왔다고 설명했다. 하지만 수상이 아무런 대꾸가 없고, 또 전 요원 B의 렌터카 후미등 불빛이 셸리다 농가에서 멀어져 가는 모습을 발견하고는 이렇게 덧붙였다.

「수상님, 살다 보면 때로는 올바른 일을 하는 게 불가능할 때가 있더라고요. 그런 때는 나쁜 일이나, 혹은 조금 덜 나쁜 일을 할 수 있을 뿐이죠. 백작부인의 주방을 청소하는 것은 이 나라를 위해 필요한 일이었어요. 그러니 수상님께서 양심의 가책을 느끼실 필요는 없어요.」

수상은 몇 분 더 침묵을 지키더니 마침내 입을 열었다.

「고맙소, 놈베코 양.」

놈베코와 수상은 홀예르 1과 셀레스티네와 진지한 대화를 나누기 위해 부두로 갔다. 그들은 담요를 뒤집어쓰고 잠들어 있었고, 국왕과 백작부인도 그들 옆에 나란히 누워 같은 활동에 참여 중이었다.

「일어나, 무뇌아 씨! 안 일어나면 발로 차서 물속에 빠뜨려 버릴 테니까!」 놈베코가 발끝으로 홀예르 1의 옆구리를 쿡쿡 찌르며 소리쳤다(사실 그녀는 그의 코를 사정없이 비틀어 주어야 조금이나마 속이 풀릴 것 같았다).

두 납치범은 비몽사몽한 얼굴로 일어나 부두에 앉았고, 연로한 두 남녀도 뒤따라 잠이 깨었다. 먼저 수상이 설명했다. 두 사람은 납치, 협박 및 기타 등등으로 법의 심판을 받아야 마땅하지만, 만일 지금부터라도 성실한 자세로 협조한다면 이번만은 눈감아 주겠소.

둘은 알겠다고 고개를 끄덕였다.

「놈베코, 이제 우리 어떻게 하지?」홀예르 1이 물었다. 「이제 우리는 살 데가 없어. 블라케베리에 있는 내 원룸은 안 될 것 같아. 왜냐하면 셀레스티네의 할머니가 원하시면 같이 데리고 가야 하니까.」

「가만있자. 우리 낚시하러 오지 않았었나?」방금 잠에서 깨어난 백작부인이 중얼거렸다.

「안 돼요! 지금 가장 시급한 일은 이 밤에 죽지 않고 살아남는 것입니다!」수상이 소리쳤다.

「오, 훌륭한 생각이오.」왕이 말했다. 「다소 방어적이긴 해도 아무튼 훌륭한 생각인 것 같소.」

그러고 나서 덧붙이길, 자신과 백작부인이 보트에 타지 않는 것도 과히 나쁘지 않을 것 같단다. 왜냐하면 악의에 찬 기자들은 〈국왕, 밀렵 중에 붙잡히다〉라는 제목을 쓰고 싶어 안달일 테니까.

수상은, 악의를 품었든 아니든 간에 어떤 기자라도 그게 사실인 한 그런 제목을 마다할 이유가 있겠느냐고 속으로 구시렁댔다. 하지만 폐하께서 범죄적인 책동을 포기하신 것은 잘하신 일인바, 왜냐하면 어젯밤에 저지른 범죄들만 모아도 법원을 가득 채울 정도이기 때문이라고 말했다.

국왕은 자신은 이 나라의 왕으로서 어디서든 마음껏 물고기를 잡아도 아무 문제없다고 생각했지만, 그런 생각을 수상 앞에서 큰 소리로 지껄일 만큼 바보는 아니었다.

덕분에 프레드리크 레인펠트는 자신과 국가를 동시에 구하는 일을 계속해 나갈 수 있게 되었다. 그는 비르타넨 백작부인에게 몸을 돌려서는, 그녀가 손녀와 손녀의 남자 친구와 함께 이 셸리다 농가를 떠날 생각이 있는지 짧고도 분명하게 대답해 달라고 부탁했다.

그러고 싶단다. 왜냐하면 백작부인은 삶의 의욕을 되찾았기 때문이란다. 그것은 아마도 사랑하는 손녀와 오랫동안 같이 지냈고, 핀란드의 역사와 전통을 너무도 잘 알고 계신 국왕 폐하를 만난 덕인 것 같단다. 어쨌든 감자밭은 벌써 팔렸고, 또 솔직히 말해서 잡지사 발행인 노릇도 얼마 하지는 않았지만 꽤나 지루했던 게 사실이었단다.

「그리고 이젠 독신 생활도 지겨워졌어요. 혹시 폐하께서 중고(中古) 남작 한 명 소개해 주실 수 없으세요? 꽃미남이 아니라도 괜찮아요.」

국왕은 요즘은 남작이 많이 부족한 형편이라고 설명을 시작했지만, 수상은 그의 말을 끊으며 지금은 꽃미남이든 아니든 간에 중고 남작에 대해 논할 때가 아니라고 말했다. 왜냐하면 지금은 다 함께 이곳을 떠야 할 때란다. 그래, 백작부인께서도 같이 가실 생각이 있으신지요?

그녀는 그럴 의향이 있단다. 하지만 어디 가서 지내느냔다. 보통 할머니들이야 아무 오두막에 살아도 문제없지만, 백작부인은 명성도 신경 쓰지 않을 수 없으니.

놈베코는 그 문제는 해결될 수 있으리라 생각했다. 감자 농장을 판 돈이 꽤 많이 남아 있어서 백작부인과 그녀의 신하들에 걸맞은 거처를 마련할 수 있었다.

「적당한 빈 성(城)이 하나 나올 때까지 품위 있는 시설에 모시도록 해야겠죠. 스톡홀름 그랜드호텔의 스위트룸 정도면 괜찮을까요?」

「당분간 지내는 곳이니, 어쩔 수 없지.」백작부인이 이렇게 대답하자, 왕년에 마르크스-레닌주의 혁명당 당원이었던 셀레스티네는 얼굴을 찡그리며 남친의 손을 꽉 쥐었다.

아침 6시, 원자폭탄이 실린 감자 트럭은 다시 도로를 달리기 시작했다. 일행 중 운전면허가 있고 정신이 말짱한 유일한 사람인 수상이 운전대를 잡았다. 그의 오른쪽에는 팔에 어깨걸이 붕대를 한 홀예르 2와 놈베코가 앉아 있었다.

짐칸에서는 국왕과 백작부인이 지겹지도 않은지 아직도 수다를 떨고 있었다. 국왕은 그녀의 미래의 거처에 대해 여러 가지 조언을 해주었다. 최근 오스트리아의 슈트라스부르크에서 멀지 않은 고전적인 스타일의 푀크슈타인 성이 매물로 나왔는데, 그 정도면 백작부인께서 들어가 지내실 만할 거란다. 하지만 아쉽게도 드로트닝홀름 궁에서 너무 떨어져 있는 탓에 가끔 만나서 함께 차를 마실 수 없는 게 흠이란다. 따라서 그네스타 근처에 있는 중세풍의 쇠데르투나 성을 매입하는 게 어떻겠느냔다. 흠, 우리 백작부인에겐 너무 소박할까?

백작부인은 현재로서는 확실하게 대답할 수 없단다. 자신에게 너무 소박할지 아닐지를 알기 위해서는 매물로 나온 성들을 직접 방문해 봐야 할 것 같다고.

왕은 그렇다면 자신과 왕비가 동행해 줄 수도 있다고 제의했다. 왕비는 품격 있는 성의 정원이 갖춰야 할 특성들에 대해 조언을 해줄 수 있을 테니까.

백작부인은 동의했다. 옥외 화장실에서 볼일을 볼 때와는 다른 환경에서 왕비를 만나 보는 것도 괜찮을 거였다.

7시 반, 그들은 국왕을 드로트닝홀름 궁 앞에 내려놓았다. 국왕은 초인종을 눌렀고, 자신의 신분을 증명하기 위해 한동안 입씨름을 해야 했으며, 결국 당황하여 얼굴이 빨개진 경비대장이 그를 통과시켰다. 경비대장은 국왕이 앞을 지나갈 때 그의 셔츠에 묻은 진홍색 얼룩들을 발견했다.

「폐하께서 다치셨습니까?」

「아니오, 이건 닭 피요. 그리고 엔진오일 약간 하고.」

그다음에 트럭이 멈춘 곳은 그랜드호텔이었다. 여기서는 약간의 문제가 발생했다. 홀예르 2는 총상의 후유증으로 신열이 심했다. 침대에 누워야 했고, 만너하임 독주도 바닥이 났으므로 진통제가 필요했다.

「그래, 자기 내가 정말로 호텔 방에 누워서, 나를 거의 죽일 뻔했던 미친놈의 간호를 받고 있어야 한다고 생각해? 차라리 어느 공원 벤치에 누워서 피를 흘리고 죽어 버리는 편이 낫겠어.」

놈베코는 그를 달랬다. 나중에 얼마든지 저 인간을 목 졸라 죽이든지, 코를 비틀든지(사실은 내가 먼저 하고 싶어) 마음대로 해도 좋지만, 그러려면 우선 자기 팔이 나아야 하잖아. 우리가 마침내 폭탄을 떨쳐 버리게 된 날에 피를 흘려 죽어 버린다는 것은 너무 아이러니한 일이 아닐까?

홀예르 2는 너무 피곤하여 반박할 기력도 없었다.

8시 40분, 그는 침대에 누웠고, 진통해열제 두 알을 먹이자 정확히 15초 만에 잠들었다. 홀예르 1은 형제의 뒤를 따르려 소파에 누웠고, 비르타넨 백작부인은 스위트룸 미니바의 내용물을 조사했다.

「자, 모두들 가봐! 나 혼자도 잘 지낼 수 있어!」

수상과 놈베코와 셀레스티네는 호텔 입구 앞에 서서 앞으로 몇 시간 동안에 할 일을 상세히 의논했다.

레인펠트는 후진타오와의 정상회담을 위해 수상 관저로 가야 했다. 그동안, 놈베코와 셀레스티네는 트럭을 몰고 최대한 조심스럽게 스톡홀름 시내를 돌아다녀야 했다.

운전은 셀레스티네가 하기로 했는데, 운전할 사람이 그녀밖에 없었기 때문이다. 홀예르 2는 병상에 누웠고, 수상은 그 무시무시한 무기를 가지고 돌아다니면서 동시에 중국 주석을 만날 수는 없는 노릇이었다.

따라서 남은 것은 이제 나이는 먹었지만 그 휘발유 같은 성격은 여전한, 이 예측불허의 여자뿐이었다. 놈베코가 옆에서 감시하긴 하겠지만, 불안하긴 마찬가지였다.

이 세 사람이 아직 호텔 앞에 서 있을 때, 수상의 보좌관이 전화를 걸어와, 그가 갈아입을 정장과 양말이 수상 관저에 준비되어 있다고 알렸다. 헌데 중국 주석에게 한 가지 문제가 생겼다는 거였다. 전날 저녁에 그의 통역이 다쳤단다. 손가락 네 개가 부러지고 엄지는 완전히 으스러져서 카롤린스카 병원에서 수술을 받고 누워 있단다. 그런데 후 주석이 그의 수행원들을 통해 제안하기를, 정상회담과 그 뒤에 이어질 오찬 시에 통역사가 문제가 된다면, 수상은 그 편리한 해결책을 주위에서 찾을 수 있지 않겠느냐고 했다는 거였다. 보좌관이 생각하기로는 이게 아마 왕궁 앞에서 잠시 봤던 그 흑인 여자를 말하는 게 아닌가 싶단다. 제 생각이 맞는 건가요? 각하께서는 그녀가 어디에 있는지 아시나요?

물론 수상은 그녀가 어디 있는지 알고 있었다. 그는 보좌관에게 잠시 기다리라고 말한 뒤, 놈베코에게 고개를 돌렸다.

「놈베코 양, 혹시 내가 중화인민공화국 국가주석과 만나는데 자리를 같이해 주실 수 있겠소? 왜냐하면 주석의 통역이 입원을 했다는구먼.」

「혹시 자기가 금방 죽는다고 울고불고하고 있지 않나요?」놈베코가 물었다.

수상이 그게 무슨 소리냐고 물어볼 겨를도 없이 그녀는 덧붙였다.

「물론 갈 수 있어요. 하지만 그동안 저 트럭과 폭탄과 셀레스티네는 어떻게 하죠?」

사실 몇 시간 동안 셀레스티네를 트럭과 폭탄과 함께 남겨둔다는 것은 매우 분별 있는 행동으로 느껴지지 않았다. 놈베코가 처음 생각한 해결책은 수갑으로 셀레스티네의 손목을 운전대에 채워 놓는다는 거였다. 하지만 두 번째 해결책이 더 나아 보였다. 다시 스위트룸으로 올라간 그녀는 잠시 후 내려와서는 셀레스티네 앞에 섰다.

「방이 무너져라 코를 골고 있는 네 남친은 수갑으로 소파에다 매어 놓았어. 만일 수상님과 내가 중국 주석을 만나고 있는 동안, 네가 트럭과 폭탄을 가지고 무슨 멍청한 짓을 벌일 경우, 난 수갑 열쇠를 저 뉘브로비켄 만에 던져 버릴 것을 엄숙히 약속할게.」

셀레스티네는 대답 대신 콧방귀를 날렸다.

프레드리크 레인펠트는 경호원들에게 최대한으로 짙게 선

팅된 자동차를 가져와 그랜드호텔 앞에 있는 자신과 놈베코를 데려가라고 지시했다. 셀레스티네는 주차 장소가 눈에 띄면 곧바로 차를 세워 놓고 놈베코나 수상 자신이 전화를 걸 때까지 꼼짝 말고 있으라는 지시를 받았다.

어제 갑자기 터져서는 아직도 진행 중인 이 악몽이 빨리 끝나기만을 간절히 바라는 수상은 정상회담과 오찬은 몇 시간이면 충분하다고 단언했다.

23
화가 치민 합참의장과 여가수

프레드리크 레인펠트는 샌드위치 하나와 트리플에스프레소 잔을 들고 수상 집무실 소파에 앉았다. 방금 전에 샤워를 하고 옷과 양말을 갈아입어 전혀 딴사람처럼 보였다. 그의 중국어 통역인 남아공 출신 여자는 스웨덴 차가 담긴 찻잔을 들고 맞은편 소파에 앉아 있었다. 그녀는 전날과 같은 옷차림이었으나, 어쨌든 감자밭을 다녀온 일은 없었다.

「흙투성이가 되시기 전의 모습으로 돌아오셨네요.」

「지금이 몇 시죠?」 수상이 물었다.

오전 9시 40분이었다. 회담에 앞서 통역자를 준비시킬 시간이 조금 남아 있었다.

수상은 설명하기를, 자신은 스웨덴이 유럽연합 의장국이 될 2009년에 코펜하겐 기후협약 회의에 후진타오를 초청할 생각이란다.

「환경 문제에 대한 약간의 논의와 다양한 제안들이 있을 거요. 난 중국이 다음번 기후협약에 참여해 주길 바라고 있소.」

「오, 훌륭하네요!」

수상은 또 민주주의와 인권에 대한 스웨덴의 관점을 표명할 생각이라고 했다. 매우 민감한 사안이니만큼, 놈베코는 자신의 개인적 표현을 섞지 않고 오가는 말들을 한 문장 한 문장 정확히 통역하는 게 중요하단다.

「다른 건 없나요?」

있단다. 비즈니스에 대해서도 얘기할 거란다. 양국 간의 무역 말이다. 중국은 점점 더 스웨덴의 중요한 경제 파트너가 되어 가고 있단다.

「우리는 매년 220억 크로나어치의 스웨덴 상품을 중국에 수출하고 있소.」

「220억 80만 크로나예요.」 놈베코가 정정했다.

수상은 에스프레소 잔의 마지막 방울을 삼키며, 지난 스물네 시간은 자기가 태어나서 경험한 가장 이상한 시간일 거라고 속으로 중얼거렸다.

「통역께서 덧붙이고 싶은 말은 없소?」 그가 이렇게 물을 때 비꼬려는 의도는 전혀 없었다.

놈베코는 자신의 의견을 밝혔다. 자신은 이번 회담 주제가 민주주의와 인권이어서 잘됐다고 생각한단다. 왜냐하면 회담 후에 수상께선 이번 회담의 의제는 민주주의와 인권이었노라고 발표하실 수 있을 테니까.

〈똑똑할 뿐만 아니라 대단한 독설가군!〉 프레드리크 레인펠트는 속으로 혀를 찼다.

「수상 각하, 이렇게 보다 공식적인 자리에서 다시 뵙게 되어 무한한 영광입니다.」 후진타오 주석이 만면에 미소를 띠며 악수를 청했다. 「그리고 놈베코 양, 이거 우리 또 만나게 되었군요. 나로서는 만날 때마다 몹시 즐겁습니다만.」

놈베코는 자신도 같은 생각이지만, 함께 사파리를 회상하며 회포를 풀기 위해서는 좀 더 기다려야 할 것 같다, 왜냐하면 그럴 경우 여기 계신 수상님께서 초조해하실 것이기 때문이라고 대답했다.

「그런데 수상님께서는 민주주의와 인권 문제에 대해 몇 마디 언급하면서 좀 강하게 시작하려 하고 계세요. 이분은 이 분야에서 중국이 아주 훌륭하다고는 생각하지 않으시거든요. 사실 완전히 틀린 생각은 아니겠죠. 하지만 주석님께서 크게 걱정하실 필요는 없는 것이, 수상님은 아주 조심스럽게 접근하실 거예요. 자, 이제 준비되셨나요?」

후진타오는 얼굴을 살짝 찌푸렸지만, 그렇다고 해서 화가 난 것은 아니었다. 그러기에는 남아공 출신 여자가 너무도 매력적이었다. 또 자기가 말을 하기도 전에 벌써 다 알고 통역해주는 통역사와 일하는 것은 이번이 처음이었다. 아니, 두 번째였던가? 여러 해 전, 남아프리카공화국에서 같은 일이 있었으니까.

과연 수상은 아주 신중하게 나왔다. 그는 민주주의에 대한 스웨덴의 관점을 설명했고, 표현의 자유와 관련된 스웨덴의 가치들을 강조했으며, 인민공화국의 친구들이 유사한 전통을 발전시켜 나갈 수 있게끔 성원을 아끼지 않을 것이라고 말했다. 그런 다음 좀 더 완곡한 어조로 중국 정치범들의 석방을 요구했다.

놈베코는 통역했다. 하지만 후진타오가 답변하기 전에 이렇게 덧붙였다.

「지금 수상님께서 말씀하고 싶은 요지는, 중국 정부는 불쾌한 글을 썼다는 이유만으로 작가나 기자들을 투옥해서는 안되며, 주민들을 강제로 이주시키거나 인터넷을 검열해서도 안된다는 거예요.」

「지금 무슨 말을 하고 있소?」 수상이 물었다.

그는 통역하는 데 걸리는 시간이 자기가 생각한 것보다 두 배는 된다고 느낀 것이다.

「전 먼저 수상님의 메시지를 전달했고, 그다음에 이 논의를 빨리 진행시키기 위해 수상님께서 말씀하시고자 하는 요지를 설명드렸어요. 하루 종일 이 방에 앉아 있기에는 두 분 다 너무 피곤하시지 않나요?」

「내가 말하고 싶은 요지를 설명했다고? 이 점에 대해선 내가 분명히 주의를 주지 않았소? 이건 고차원적인 외교란 말이오! 통역이 즉흥적으로 끼어드는 장소가 아니란 말이오!」

알았단다. 놈베코는 앞으로는 즉흥적으로 개입하는 일은 가급적 삼가겠다고 약속했다. 그러고는 후 주석에게로 고개를 돌려서는, 지금 수상님께서는 자신이 대화에 끼어들어 기분이 좋지 않으시다고 설명했다.

「그 심정은 나도 이해하오.」 후진타오가 고개를 끄덕였다. 「하지만 이제는 내 말을 전해 주시오. 난 수상 각하와 놈베코 양, 두 분의 말씀을 잘 들었으며, 그 둘을 구분할 수 있을 정도의 정치적 감각은 갖추었노라고 말이오.」

이어 수상의 발언에 대한 긴 답변으로 들어간 후진타오는 5년 전부터 많은 사람들이 죄목도 모르는 채로 갇혀 있는, 쿠바에 위치한 미국의 관타나모 수용소를 언급했다. 또 수상께서는 2002년에 일어난 그 유감스러운 사건에 대해 잘 알고 계시지 않느냐고 반문했다. 미국 CIA의 요청에 따라 스웨덴 정부가 끽소리 없이 두 명의 이집트인을 추방하여 이집트 교도소에서 고문을 당하게 한 사건 말이다. 적어도 그중의 한 명은 무죄임이 나중에 밝혀지지 않았나요?

주석과 수상은 말과 문장 들로 몇 합을 더 겨뤘고, 이윽고 프레드리크 레인펠트는 이제 환경 문제로 넘어갈 때가 되었다고 판단했다. 이 부분은 보다 부드럽게 흘러갔다.

얼마 후, 차와 케이크가 나왔다. 물론 통역에게도 제공되었다. 이런 시간이면 흔히 감돌곤 하는 비공식적인 분위기를 이용하여, 중국 주석은 전날의 위기가 원만하게 해결되었기를 바란다고 한마디 던졌다.

「오, 고맙습니다. 네, 잘 해결되었어요…….」 스웨덴 수상은 이렇게 대답했지만 그리 자신 있는 목소리는 아니었다. 놈베코가 느끼기에 후진타오는 이에 대해 좀 더 자세히 알고 싶어 하는 것 같았다. 하여 그녀는 레인펠트의 의견도 묻지 않은 채로, 폭탄은 지하 벙커에 묻은 뒤 입구를 영원히 폐쇄해 버릴 계획이라고 자신도 모르게 말해 버렸다. 그러고서 곧바로 이 말을 하지 말아야 했는데, 라는 생각이 들었지만, 적어도 거짓말을 한 것은 아니었다.

젊은 시절에 핵무기와 관련된 일들을 조금 했었던(이는 남아프리카공화국을 다녀온 후부터 시작되었다) 후진타오는 이 문제의 폭탄에 상당한 관심을 느끼고 있었다. 그의 나라가 핵폭탄이 필요해서가 아니었다. 중국은 이미 메가톤급 핵무기를 주체하기 힘들 정도로 보유하고 있었다. 하지만 만일 중국 첩보부가 수집한 정보가 정확하다면, 이 폭탄을 해체하면 중국에게 남아프리카공화국의, 다시 말해서 이스라엘의 핵 기술에 대한 특별한 지식을 제공해 줄 수 있을 터였다. 또 이 지식은 이스라엘과 이란 간의 군사적 역학 관계를 분석하는 데 있어 중요한 요소가 될 거였다. 이란인들은 중국의 좋은 친구였다. 혹은 비교적 괜찮은 친구들이라 할 수 있었다. 이란의 석유와 천연가스는 오늘도 동쪽으로 콸콸 흘러들어 가고 있었다. 동시에 베이징은 테헤란의 지도자들만큼 괴로운 우방을 가진 적이 없었다(평양만 빼놓고). 무엇보다도 그들은 도무지 의중을 파악할 수 없는 집단이었다. 그들은 정말로 핵무기를 제작하고 있는 중일까? 아니면 실제로 그들이 가진 무기는 재래식 무기와 수사법밖에는 없는 것일까……?

이때 놈베코가 후진타오의 상념을 끊었다.

「지금 주석님께선 그 폭탄에 대해 생각하고 계신 것 같네요. 혹시 그걸 주석님께 드릴 의향이 있는지 제가 수상님께 물어봐도 될까요? 양국 간의 평화와 우정을 강화하는 의미에서요.」

주석이 평화와 우정의 상징이라면 3메가톤급 폭탄보다 더 나은 게 있지 않을까, 라고 자문하고 있을 때, 놈베코는 중국은 벌써 이런 종류의 폭탄이 수도 없이 많으니 하나쯤 더하거나 빼다 해도 아무 해가 되지 않을 거라고 덧붙였다. 그리고 레인펠트는 폭탄이 지구 건너편으로 사라지는 걸 보게 되면 너무도 행복해할 거란다. 가능하다면 더 멀리 가버리기를 바랄 거란다.

후진타오는 폭탄의 본질 자체가 매우 유감스럽게도 누군가에게 해를 끼치는 것이라는 점을 지적했다. 또 놈베코 양께서는 자신의 마음과 이 폭탄에 대한 관심을 잘 읽어 낸 게 사실이지만, 수상에게 그런 부탁을 하기란 어려운 일이라고 말했다. 따라서 수상이 다시 역정을 내기 전에 통역 일로 돌아오는 게 좋겠단다.

하지만 너무 늦어 버렸다.

「아니, 도대체 무슨 말을 하고 있는 거요?」 수상이 화를 내며 소리쳤다. 「당신은 통역만 하시오, 통역만! 다른 것은 하지 말고!」

「네, 죄송합니다, 수상님. 전 단지 어떤 문제를 해결해 보고자 노력했을 뿐이에요. 하지만 성공하진 못했네요. 자, 그럼 다시 말씀하시죠. 환경 문제, 인권 문제, 기타 등등에 대해서요.」

수상은 지난 스물네 시간 동안 계속 느껴 왔던 비현실감에 다시 한 번 사로잡혔다. 이번에 일어난 말도 안 되는 일은 자신의 통역이 사람을 납치하는 활동에서 외국 원수와의 대화를 납치하는 활동으로 넘어온 것이었다.

오찬 중에 그녀는 그녀가 요구하지도 않았고, 제의받지도 못한 보수에 걸맞은 활약을 보여 주었다. 그녀는 후 주석, 수상, 볼보 회장, 엘렉트로룩스 회장, 그리고 에릭손 회장 간의 대화를 시종 활기차게 이끌어 갔다. 그녀의 혓바닥이 살짝 옆으로 미끄러진 것은 겨우 한두 번에 불과했다. 예를 들어 후 주석이 볼보 회장에게 전날의 선물에 대해 이날 벌써 두 번째로 감사를 표한 다음, 중국인들은 그렇게 멋진 자동차를 만들 능력이 없다고 덧붙였을 때였다. 놈베코는 똑같은 말을 다시 옮기는 대신에, 중국은 앞으로 질투심을 느끼는 일이 없게끔 볼보 사 전체를 인수해 버리면 어떻겠느냐고 제안했다.

혹은 엘렉트로룩스 사 회장이 중국에서 자사 제품을 판촉하기 위해 어떤 활동을 벌였는지 설명했을 때였다. 놈베코는 후진타오가 중국 공산당 총서기로서 전국의 모든 충성스런 당원들에게 엘렉트로룩스 브랜드의 격려품을 하사한다는 아이디어를 내놓았다.

후진타오는 이를 매우 좋은 생각이라고 판단, 즉석에서 엘렉트로룩스 회장에게 물었다. 만일 전기주전자 68,742,000개를 주문하면 얼마나 할인해 줄 수 있느냐고.

「며, 몇 개라고요?」 엘렉트로룩스 회장은 숨넘어가는 소리로 되물었다.

수상으로부터 호출전화를 받았을 때, 합참의장은 이탈리아 리구리아에서 바캉스를 즐기는 중이었다. 지금 무조건 돌아와야 한다는 거였다. 이건 수상의 단순한 바람이 아니라, 명령이라는 거였다. 국가 안전이 걸린 중대 사안이라고 했다. 합참의장은 〈스웨덴 내의 군사용 벙커의 현 상황〉에 대해 보고할 준비를 하고 오란다.

잘 알겠다고 대답한 합참의장은 전화를 끊은 뒤 도대체 수상이 원하는 게 뭔가, 하고 10분 동안 생각해 봤다. 하지만 결국 체념하고는 그의 상관이 암시한 속도로(다시 말해서 마하2의 속도로) 스웨덴에 돌아가기 위해 야스39 그리펜 한 대를 요청했다.

하지만 이 스웨덴 전투기는 이탈리아 북부의 노후한 비행장에서 착륙하거나 이륙하기가 힘들었다. 하여 전투기는 제노아의 크리스토프 콜롬부스 공항으로 향했는데, 거기까지 가려면 리비에라 해안과 A10 고속도로에 수시로 발생하는 교통체증을 감안해 최소한 두 시간은 잡아야 했다. 따라서 합참의장은 음속을 몇 번 돌파하든 상관없이 적어도 오후 4시 30분은 되어야 수상 관저에 도착할 수 있을 거였다.

수상 관저에서의 오찬이 끝났다. 합참의장이 도착하려면 아직 꽤 많은 시간이 남아 있었다. 수상은 자신이 폭탄 옆에 붙어 있어야 한다고 느꼈으나, 결국 놈베코와 별로 신뢰할 수 없는 인물인 셀레스티네에게 잠시 맡겨 놓기로 했다. 왜냐하면 끔찍하게 피곤했기 때문이다. 거의 서른 시간 동안 한잠도 자지 못했으니까. 하여 그는 수상 관저에서 잠깐 눈을 붙이기로 했다.

놈베코와 셀레스티네도 그의 본을 따랐다. 수상 관저가 아니라, 톨크로옌 주차장에 서 있는 트럭의 운전석에서였지만.

이제 중국 주석과 그의 수행원들이 귀국해야 할 때가 되었다. 후진타오는 이번 스웨덴 방문에 만족했고, 그의 부인 류융칭은 적어도 그의 두 배는 만족했다. 남편이 외교와 버터 소스로 조리한 대구 요리로 일요일을 보내고 있는 동안, 그녀는 사절단의 여성들과 함께 두 차례의 환상적인 현장 견학을 즐길 시간이 있었다. 첫 번째 방문지는 베스테로스 시의 보덴 시장이었고, 두 번째는 크니브스타의 종마 사육장이었다.

보덴 시장에서 진짜 스웨덴 공예품들을 구경하며 감탄을 연발하던 영부인은 싸구려 수입품들을 파는 어느 상점 앞에 이르렀다. 그런데 영부인께서 자기 눈을 의심하지 않을 수 없는 일이 일어났으니, 그 잡동사니들 한가운데 한대의 진품 점토 거위상 한 점이 떡하니 놓여 있었던 것이다!

류융칭이 서투른 영어로 그 가격이 정말로 맞느냐고 세 번째로 물어보자, 상점 주인은 상대가 가격을 흥정하는 것이라 생각하고는 버럭 화를 냈다.

「네, 맞아요! 이 물건은 20크로나고, 거기서 한 푼도 깎아 줄 수 없어요!」

거위상은 상점 주인이 쇠름란드의 한 유품 정리 세일에서 구입한 몇 개의 상자 속에 들어 있던 거였다(고인은 이 거위를 생전에 말뫼 시장에서 어떤 이상한 미국인으로부터 39크로나에 샀던 것으로, 물론 상인은 그 사실을 몰랐다). 사실 그는 이 물건에 싫증이 나 있었지만, 이 외국 여자는 너무 공격적인 데다가, 자기 친구들과 한 번도 들어 본 적이 없는 이상한 언어로 시끄럽게 지껄여 대는 통에 짜증이 치밀어서는 원칙을 고수하기로 했다. 20크로나에 가져가든지, 싫으면 그냥 가든지, 둘 중 하나요!

결국 나이 지긋한 동양 여자는 돈을 내밀었는데, 그게…… 5달러였다! 알고 보니 쓸데없이 까다롭기만 할 뿐, 제대로 셈도 할 줄 모르는 여자였다.

상인은 만족했고, 주석의 영부인은 행복했다. 그리고 얼마 후, 크니브스타의 종마 사육장에서 세 살배기 카스피안 종마 모르페우스와 한눈에 사랑에 빠지고는 더욱 행복해졌다. 녀석은 보통 크기의 성마(成馬)의 특성을 다 갖췄으면서도, 카스피안 말들이 다 그렇듯 어깨 높이가 1미터 남짓했고, 거기서 더는 자라지 않는 조랑말이었다.

「애를 데려가야겠어요!」 영부인이 된 이후로 무엇이든 자신의 뜻대로 밀어붙이는 특별한 능력을 갖추게 된 류융칭이 선언했다.

사절단 전체가 베이징으로 가져가는 물건들 때문에 아를란다 국제공항 수하물 센터에서 작성해야 할 서류의 양은 엄청났다. 공항 직원들은 하역에 필요한 모든 절차를 알고 있었고, 어떤 경우에 어떤 직인이 필요한지도 정확히 파악하고 있었다. 대통령 전용기든 뭐든 간에 규정은 준수해야 했다.

한대의 거위상은 아무 문제없이 통관을 거쳤다. 말의 경우는 일이 한결 복잡했다.

벌써 전용기의 대통령석에 편안히 자리 잡은 후 주석은 그의 비서관에게 왜 이륙이 지연되고 있는지를 물었다. 비서관은 토르슬란다에서 볼보를 가져오는 수송차가 도착하려면 아직 몇 킬로미터가 남았으며, 영부인의 말이 통관하는 데 약간의 문제가 있다고 대답했다.

비서관은 지금 통역이 사절단과 함께 귀국하기 어려울 정도의 상태여서 아직 입원해 있는 관계로, 현지 당국과의 소통이 약간 어렵다는 점을 인정했다. 물론 비서관은 이런 사소한 문제들로 주석 각하를 번거롭게 해드리고 싶은 뜻은 없으나, 만일 각하께서 반대하지 않으신다면 사절단으로서는 저번의 그 흑인 여성분께 다시 한 번 부탁을 드리고 싶단다. 각하께서 허락해 주실 수 있으신지요?

이렇게 하여 운전석에서 서로의 몸을 X자로 교차시키고 잠들어 있던 놈베코와 셀레스티네는 전화를 받고 깨어났고, 대통령과 사절단이 다양한 통관 절차를 처리하는 데 도움을 주기 위해 감자 트럭과 폭탄과 함께 공항으로 달려왔다.

살아가는 데 문제가 별로 없어 심심하다고 느끼는 사람은 지구의 반대편으로 날아가기 몇 시간 전에 스웨덴에서 포유류 동물을 한 마리 사보기 바란다. 그러고 나서 이 짐승이 자기 짐들과 함께 비행기 화물칸에 실려야 한다고 우겨 보라.

놈베코가 도와줘야 하는 일 중 하나는 몇 시간 전에 그윽한 시선으로 류융칭 여사의 마음을 사로잡은 카스피안 말에 대한 농업부의 반출 허가서를 얻어 내는 일이었다.

제대로 형식을 갖춘 백신 접종 증명서도 공항 당국에 제출해야 했다. 또 모르페우스는 카스피안종이고 행선지는 베이징이었으므로, 중국 농업부의 규정에 따라 녀석의 혈액을 채취하여 북극권에서 그다지 멀지 않은 크니브스타에서 태어나고 자라난 녀석이 과거에 말라리아에 걸린 적이 없는지 확인해야 했다.

그뿐이 아니었다. 녀석이 비행 중에 공황 상태에 빠질 경우를 대비하여 기내에는 안정제와 주사기가 있어야 했다. 스톡홀름 군(郡) 수의국장이 레이캬비크에 출장 중이라는 사실이 밝혀졌을 때, 놈베코는 결국 기권하고 말았다.

「다른 해결책을 찾아봐야겠어.」

「무슨 생각을 하는 거야?」 셀레스티네가 물었다.

중국 영부인의 말 문제가 해결되자, 놈베코는 서둘러 수상

관저로 돌아가서 보고를 해야 할 몇 가지 이유가 있었다. 무엇보다도 합참의장보다 먼저 도착하는 게 중요했다. 그녀는 셀레스티네에게 그녀 자신에게나 감자 트럭에 사람들의 시선을 끄는 행동은 삼가라고 당부한 뒤 택시를 잡아탔다. 셀레스티네는 약속했고, 만일 라디오에서 빌리 아이돌의 노래가 흘러나오지 않았더라면 약속을 지켰을 것이다.

스톡홀름에서 북쪽으로 몇 킬로미터 떨어진 곳에서 발생한 사고가 끔찍한 교통체증을 유발했다. 놈베코가 탄 택시는 운 좋게도 사고가 일어나기 직전에 지역을 통과했으나, 셀레스티네와 감자 트럭은 곧바로 형성된 체증에 걸려 옴짝달싹 못 하게 되었다. 나중에 셀레스티네가 설명한 바에 의하면, 라디오에서 〈Dancing with Myself〉가 흘러나오고 있는데 차 안에 꼼짝 안 하고 앉아 있기란 생리적으로 불가능한 일이었다고 한다. 하여 그녀는 버스 전용 차선으로 들어갔다.

이렇게 해서 헤비메탈 리듬에 맞춰 헤드뱅을 하는 여자가 운전하는 감자 트럭은 로테브로 북쪽 바로 위에서 위장 순찰차 옆을 지나가게 되었다. 경찰은 즉각 그녀를 불러 세웠다.

형사가 트럭 번호판이 여러 해 전에 도난당한 한 피아트 리트모의 것임을 확인하고 있는 동안, 아직 인턴인 그의 동료는 운전석 옆으로 걸어갔고, 셀레스티네는 차창을 내렸다.

「사고가 났든 안 났든 간에 당신은 버스 전용 차선을 달릴 권리가 없어요.」 경찰이 말했다. 「운전면허증 좀 보여 주시겠어요?」

「아니, 못 보여 줘, 이 더러운 짭새야!」 셀레스티네가 대꾸했다.

얼마간의 소동이 있은 후, 그녀는 그녀 자신의 것과 비슷한 수갑이 채워져 경찰차 뒷좌석에 앉혀졌다. 교통체증으로 꼼짝 못 하던 주위의 운전자들은 휴대전화로 이 광경을 촬영하느라 정신이 없었다.

산전수전 다 겪은 베테랑 형사는 여자에게 차분히 설명했다. 지금 그녀 자신과 트럭 소유주의 신원을 밝히고, 왜 가짜 번호판을 달고 다니는지 설명하는 게 좋을 거라고. 그러고 있을 때 인턴은 차량의 짐칸을 조사했다. 거기서 그는 커다란 궤짝 하나를 발견했다. 한쪽 모서리를 빠루로 들어 올리면, 어쩌면…… 오케이, 궤짝이 열렸다.

「세상에! 이게 도대체……?」 깜짝 놀란 인턴은 곧바로 상관을 소리쳐 불렀다.

오래지 않아 셀레스티네에게로 돌아온 경찰관들은 이번에는 궤짝의 내용물과 관련하여 새로운 질문들을 던졌다. 하지만 이때는 그녀가 이미 정신을 차리고 난 뒤였다.

「당신들이 내게 원하는 게 뭐였지? 내 이름을 대라고?」 그녀가 물었다.

「바로 그거요.」 형사의 어조는 여전히 차분했다.

「에디트 피아프.」 셀레스티네가 대답했다.

이어 그녀는 노래하기 시작했다.

Non, rien de rien

Non, je ne regrette rien

Ni le bien qu'on m'a fait

Ni le mal; tout ça m'est bien égal![35]

그녀가 계속 목청이 갈라지도록 노래를 부르는 가운데, 형사는 그녀를 스톡홀름 경찰서로 끌고 갔다. 거기까지 가면서 그는 사람들이 경찰이라는 직업에 대해 뭐라고 말할지 모르지만, 최소한 별의별 것을 다 구경하는 재미만큼은 쏠쏠하다는 생각이 들었다.

인턴은 트럭을 조심해서 운전하여 같은 경찰서로 옮기라는 지시를 받았다.

2007년 6월 10일 일요일 오후 4시 30분, 중국 국가주석 전용기는 스톡홀름 아를란다 국제공항을 이륙하여 베이징을 향해 비행하기 시작했다.

거의 같은 시각, 놈베코는 수상 관저로 돌아왔다. 그녀는 수상 보좌관과 접촉하여, 후 주석과 관련하여 수상께 알려 드릴 중요한 정보가 있다고 설명하여 수상실에 인도될 수 있었다.

그녀가 수상실에 들어간 것은 합참의장이 도착하기 불과 몇 분 전이었다. 프레드리크 레인펠트는 한결 컨디션이 좋아 보였다. 놈베코가 아를란다 국제공항에서 각종 서류와 말 한 마리를 가지고 저글링을 하는 사이 한 시간 반가량 숙면을 취한 덕분이었다. 그는 그녀가 또 무슨 꿍꿍이로 이렇게 쳐들어왔는지 궁금할 따름이었다. 그들은 합참의장에게 상황을 설명하

35 원문은 프랑스어이며, 그 뜻은 다음과 같다.
아니, 난 후회하지 않아요.
아니, 난 아무것도 후회하지 않아요.
사람들이 내게 주었던 행복도 아픔도
조금도 그리워하지 않아요.
그 모든 것들은 이제 내게 아무 상관없어요!

고 나서…… 말하자면…… 그 마지막 저장 작업을 할 때 접촉하기로 되어 있지 않았던가?

「에, 그러니까 말이죠, 수상님……. 지금은 상황이 합참의장님을 만나는 게 필요 없게 되었어요. 반대로 후 주석님께는 가급적 빨리 연락을 취해야 해요.」

이어 놈베코는 조랑말 크기의 카스피안 말과 이 말이 스웨덴 땅을 떠나는 데 요구되는 거의 무한한 양의 서류들이 야기한 문제에 대해 설명했다. 녀석이 이 땅에 남게 될 경우, 중국 영부인과 그녀의 부군께서는 기분이 상하실 것이기 때문에, 놈베코는 이런 유감스러운 사태를 막기 위하여 약간 색다른 해결책을 선택하게 되었단다. 다시 말해서, 지난 금요일에 토르슬란드 공장이 후 주석에게 제공한 볼보 차가 들어 있으며, 국외반출에 필요한 모든 서류를 갖춘 컨테이너에 말을 같이 넣는다는 방안이었단다.

「잠깐만, 내가 정말로 그 일을 알아야 할 필요가 있는 거요?」 수상이 그녀의 말을 끊으며 물었다.

「네, 제 생각으론 알아 두시는 편이 나을 것 같네요.」 놈베코가 대답했다. 「왜냐하면 사실은 볼보 차 컨테이너에는 말이 들어갈 공간이 충분치 않았거든요. 반면, 말을 꽁꽁 묶어 원자폭탄이 든 궤짝에다 밀어 넣은 다음, 볼보 컨테이너의 반출을 위한 서류를 다른 궤짝의 반출용으로 사용하면, 스웨덴은 카스피안 말 한 마리와 핵무기 한 기를 한 방에 없애 버릴 수 있었어요.」

「그렇다면 당신이…….」 수상은 말을 제대로 끝내지 못했다.

「전 후 주석님이 폭탄을 얻게 되어 몹시 기뻐하시리라 확신

해요. 덕분에 중국의 기술자들은 귀중한 정보들을 얻게 될 테니까요. 또 이미 중장거리 미사일들을 수도 없이 보유하고 있는 나라 중국에 3메가톤급 폭탄 하나 더 들어갔다고 해서 큰 차이가 생기는 것은 아니잖아요? 더욱이 말을 무사히 가져가게 돼서 주석님의 부인께서 얼마나 기뻐하실지 상상해 보세요! 다만 볼보 차가 스웨덴에 남게 된 게 좀 유감이네요. 지금 감자 트럭 짐칸에 실려 있는데, 수상님께서 누군가를 시켜 가급적 빨리 중국으로 발송해 주실 수 있지 않겠어요? 어떻게 생각하세요?」

프레드리크 레인펠트는 방금 놈베코로부터 들은 얘기에 실신할 지경이었으나, 미처 그럴 시간이 없었다. 그의 보좌관이 노크를 하고는, 합참의장이 도착하여 복도에서 기다리고 계신다고 알린 것이다.

불과 몇 시간 전만 해도 합참의장은 아름다운 항구도시 산레모에서 사랑하는 아내와 세 자녀와 함께 오붓한 아침 식사를 즐기고 있었다. 그런데 난데없이 수상실의 호출전화를 받게 된 그는 부랴부랴 택시로 제노아까지 달려갔고, 거기서 스웨덴 항공 산업의 자부심이라 할 수 있는 야스39 그리펜 연습기에 올라타서는 마하2의 속도로 웁살라-에르나 군용 비행장까지 날아왔다. 거기서 다시 자동차로 갈아탔고, E4 고속도로에서는 교통사고 때문에 몇 분간 지체하게 되었다. 차가 도로에 서 있는 동안, 합참의장은 도로변에서 일어나는 나날의 드라마를 조금 구경할 수 있었다. 그의 코앞에서 경찰이 한 대형 트럭의 여자 운전사를 체포한 것이다. 여인은 수갑이 채워지더니, 잠시 후에 프랑스어로 노래를 부르기 시작했다. 좀 이상한 사건이었다.

수상과의 만남은 한층 더 이상했다. 합참의장은 수상이 이렇게 급히 자신을 소환한 것을 보면 나라가 전쟁 위기에 처해 있는 것이라고 생각했었다. 그런데 수상은 단순히 스웨덴의 지하 벙커들이 제대로 관리되고 있는지, 제대로 기능을 수행하고 있는지 알고 싶어 하는 것 같았다.

합참의장은 자기가 아는 한에 있어서는 그렇다고 대답했다. 그리고 각하께서 그 안에 무얼 넣으시려는 건지 모르겠습니다만, 여기저기에 비어 있는 벙커들도 있을 거고요…….

「좋소! 그렇다면 난 더 이상 합참의장을 방해하지 않겠소. 듣자하니 지금 휴가 중이시라면서?」

합참의장이 지금 일어난 일을 되씹어 보고 나서, 이건 정말이지 이해가 되지 않는 일이라는 결론에 이르렀을 때, 그의 혼란스럽던 마음은 거대한 분노로 바뀌었다. 왜 휴가 때만이라도 조용히 지내게 놔두지 않는단 말인가? 결국 그는 몇 시간 전에 그를 데리러 왔었고, 아직 웁살라 북부의 군용 비행장에 남아 있던 야스39 그리펜 조종사에게 전화를 걸었다.

「여보세요? 아, 나 합참의장일세……. 어…… 날 다시 이탈리아로 데려다 줄 수 있겠나?」

이렇게 하여 32만 크로나가 다시 케로젠으로 날아가 버렸다. 여기에 8천 크로나를 더 추가해야 했다. 왜냐하면 합참의장은 공항까지 가는 데 민간 업체의 헬리콥터를 이용하기로 결심했기 때문이다. 그런데 그가 이용한 헬리콥터는 실로스키 76으로, 13년 전 동종기가 도난당하고 받은 보험금으로 구매한 것이라 했다.

아무튼 합참의장은 풍성한 해산물로 구성된 저녁 식사가 시작되기 15분 전에 산레모의 가족에게로 돌아올 수 있었다.

「여보, 수상님과의 미팅은 어땠어?」그의 아내가 물었다.

「나, 다음번 총선 때는 지지당을 바꿔야 할까 봐.」

후 주석이 스웨덴 수상의 전화를 받은 것은 그가 아직 비행 중일 때였다. 보통 그는 그의 서투른 영어를 국제 정치적 대화에서나 사용했지만, 이번만은 예외였다. 그는 레인펠트 수상이 대체 왜 전화를 걸었는지 너무도 궁금했던 것이다. 몇 초 동안 대화가 오간 후, 후 주석은 미친듯이 터져 나오려는 웃음을 참느라 무진 애를 먹었다. 정말이지 놈베코 양은 특별한 사람이에요! 수상께선 그렇게 생각하지 않으시나요?

볼보 차도 물론 멋진 선물이지만, 지금 주석이 대신 받은 것은 차 따위는 비교도 안 될 정도로 훌륭한 선물이란다. 그리고 자신의 사랑하는 아내는 말을 가져갈 수 있게 되어 너무도 행복해한단다.

「제가 책임지고 차를 최대한 빨리 주석님께 보내 드릴 수 있도록 하겠습니다.」프레드리크 레인펠트가 손수건으로 이마의 땀을 훔치며 약속했다.

「네, 고맙습니다. 아니면 아직 귀국에 입원 중인 우리 통역이 중국까지 몰고 올 수도 있겠죠. 물론 그러기 위해선 먼저 건강이 회복되어야겠지만요…… 오, 아니에요! 그냥 그 차를 놈베코 양에게 주세요. 받을 만한 자격이 충분하다고 생각합니다.」

이어 후 주석은 폭탄은 현 상태로는 사용하지 않을 것을 약속했다. 오히려 그것은 즉시 해체되어 더 이상 존재하지 않게 될 거란다. 혹시 우리 기술자들이 해체하면서 알게 될 내용들을 수상께서도 알고 싶으신가요?

아니, 레인펠트 수상은 원하지 않는단다. 그의 나라는(혹은 그의 국왕의 나라는) 그런 게 없어도 아무 상관없단다.

그리고 나서 프레드리크 레인펠트는 후 주석의 방문에 대해 다시 한 번 감사를 표했다.

놈베코는 그랜드호텔의 스위트룸에 돌아와 여전히 코를 골고 있는 홀예르 1의 손목에서 수갑을 풀어 주었다. 또 마찬가지로 여전히 잠들어 있는 홀예르 2의 이마에 살며시 입을 맞춘 다음, 미니바 앞 마룻바닥에서 선잠에 빠져 있는 백작부인에게는 이불을 덮어 주었다. 다시 홀예르 2에게로 돌아온 그녀는 그의 옆에 몸을 눕히고 눈을 감았다. 셀레스티네는 대체 어디로 사라져 버린 것일까, 라는 생각이 잠시 스치는가 싶더니 이내 무거운 잠이 밀려들었다.

그녀가 잠에서 깨어난 것은 다음 날 정오가 지나서, 두 홀예르와 백작부인이 식사가 준비되었다고 알려 주었을 때였다. 잠자리가 불편하여 잠을 설친 예르트루드가 가장 먼저 깨어났다. 다른 할 일이 없어 호텔의 안내 책자를 뒤적거리던 그녀는 환상적인 것을 하나 발견했다. 이 호텔이 어떤 시스템을 만들어 놓았는가 하면, 손님이 먼저 자기가 원하는 것을 생각한 뒤, 수화기를 들어서 수화기 저편에 있는 사람에게 원하는 것을 얘기하면, 그는 전화를 주어 대단히 감사하다고 말한 뒤, 손님이 요청한 모든 것이 지체 없이 배달되도록 조치한다는 거였다.

이른바 〈룸서비스〉라는 거였다. 비르타넨 백작부인은 이 놀랍고도 신기한 서비스를 이용해 보기로 마음먹었다.

그녀는 먼저 시험 삼아 〈만녀하임 대원수〉 한 병을 주문해 보았다. 그런데 그게 정말로 방으로 들어왔다. 호텔 측이 그걸 만드느라 한 시간 정도가 걸리긴 했지만 말이다. 다음에 그녀는 자신과 다른 이들이(이들의 사이즈는 어림짐작으로 불러 주었다) 입을 옷을 주문해 봤다. 이번에는 두 시간이 걸렸다. 그다음에는 앙트레-메인 디시-디저트로 구성된 풀코스 식사를 모두에게 시켰다. 사랑스러운 손녀 셀레스티네는 예외였다. 그녀는 어디 갔는지 보이지 않았다. 놈베코는 걔가 어디 있는지 알고 있는지?

방금 잠에서 깨어난 놈베코는 자기도 모른다고 했다. 하지만 뭔가 일이 일어난 것은 분명한 것 같단다.

「뭐야? 셀레스티네가 폭탄과 함께 사라졌어?」 홀예르 2는 얼굴이 노래지며 물었다. 이 생각만으로도 열이 몇 도는 더 오르는 모양이었다.

「자기야, 걱정 마. 그놈의 폭탄은 영원히 없애 버렸으니까.」 놈베코가 안심시켰다. 「오늘은 폭탄 없는 삶의 첫 번째 날이야. 나중에 자세히 설명해 줄 테니까, 일단은 맛있게 먹자고. 그리고 우리가 셀레스티네를 찾아 나서기 전에, 난 오랜만에 샤워를 하고 옷도 갈아입어야겠어. 백작부인, 이 옷 정말 잘 주문하셨어요!」

홀예르 1이 자기 여친이 사라졌다고 계속 징징대지만 않았어도 식사는 더없이 즐거운 시간이었을 것이다.

「그리고 우리가 없는 사이에 셀레스티네가 혼자서 폭탄을 터뜨렸으면 어떡하지?」

놈베코는 음식을 우물거리면서 대답했다. 만일 셀레스티네가 그리했다면 당신도 원하든 원치 않든 간에 그 사건에 반드시 연루되었을 것이다. 하지만 지금 우리는 죽어 자빠져 있는 대신에 이렇게 맛나게 송로버섯 파스타를 먹고 있지 않느냐? 게다가 수십 년 동안 우리를 괴롭혀 왔던 물건은 지금 다른 대륙에 가 있다.

「셀레스티네가 다른 대륙에 갔다고?」 홀예르 1이 깜짝 놀라며 물었다.

「자, 뜨거울 때 음식이나 먹어 둬.」 놈베코가 대꾸했다.

식사 후에 그녀는 샤워를 하고 새 옷으로 갈아입은 다음, 리셉션 데스크로 내려갔다. 새로운 귀족 생활에 너무 맛들이고 있는 듯이 보이는 비르타넨 백작부인의 앞으로의 주문에 제한을 가하려 함이었다. 이대로 나가다가는 자신만을 위한 해리 벨라폰테의 미니 콘서트나 전용 제트기를 요청하게 될지도 모를 일이었다.

로비에 내려가 보니 석간지들의 일면 제목이 눈에 들어왔다. 그중에서도 두 경찰관과 싸우고 있는 셀레스티네의 사진이 곁들여진 「엑스프레센」의 제목이 가장 눈에 띄었다.

노래하는 여인, 체포되다!

어제, 스톡홀름 북쪽, E4 고속도로 상에서 40대 초반의 한 여성이 도로교통법 위반으로 검문을 받았단다. 그녀는 신분증을 제시하는 대신에 자신이 에디트 피아프라고 주장하며,

⟨*Non, je ne regrette rien*⟩만 줄기차게 불러 댔단다. 그렇게 계속 노래를 부르다 결국 감방에서 잠이 들었단다.

경찰은 여성의 사진을 언론에 제공하지 않았지만, 「엑스프레센」은 굴하지 않고 운전자들이 휴대전화로 찍은 사진을 확보했단다. 혹시 독자들 가운데 그녀가 누구인지 아시는 분이 계시는지? 그녀는 스웨덴 국적인 게 분명해 보인단다. 현장을 목격한 여러 증인들에 따르면, 그녀는 프랑스어로 노래를 부르기 전에 경찰관들에게 스웨덴어로 욕설을 퍼부었단다.

「어떤 욕설이었는지 대충 알 것 같군.」 놈베코가 중얼거렸다.

그녀는 룸서비스에 관련된 제한 요청도 잊어버리고는, 석간지 여러 부를 사 들고서 스위트룸으로 돌아왔다.

아픈 시련을 겪은 군나르 헤드룬드와 크리스티나 헤드룬드 부부의 실종된 딸의 모습을 「엑스프레센」지에서 발견한 것은 그들과 가장 가까운 이웃들이었다. 두 시간 후, 셀레스티네는 스톡홀름 중앙 경찰서 감방에서 부모와 재회했다. 셀레스티네는 그들을 보아도 예전처럼 화가 나지 않는 것을 느꼈고, 이제 이 빌어먹을 감방에서 나가 엄마 아빠에게 자기 남친을 소개해 주고 싶다고 선언했다.

한편 경찰은 이 괴로운 여자에게서 벗어나고 싶은 마음뿐이었으나, 그 전에 한두 가지 확인해야 할 게 있었다. 감자 트럭의 번호판은 가짜였지만, 트럭 자체는 훔친 게 아니었다. 그것은 셀레스티네 헤드룬드의 조모인 약간 괴상한 팔순 노파의 소유였다. 그녀는 자신이 백작부인이며, 백작부인이 의심을 받는 것은 어처구니없는 일이라고 주장했다. 그녀는 어떻게 해서 가짜 번호판이 자기 트럭에 붙게 되었는지는 설명하지 못했지만, 아마도 1990년대에 감자 트럭을 노르텔리에의 젊은 애들에게 빌려 주었을 때 일어난 일 같다는 거였다. 백작부인은 1945년 여름부터 노르텔리에의 젊은 애들은 신뢰할 수 없는 존재들이란 걸 알고 있었단다.

셀레스티네 헤드룬드의 신원이 밝혀진 이상, 그녀를 가둬 놓을 이유가 전혀 없었다. 도로교통법 위반에 대한 벌금을 물릴 수도 있었지만, 그게 다였다. 물론 타인의 차량 번호판을 훔친 행위는 죄가 되지만, 벌써 20년 전에 이루어진 일이어서 시효가 소멸됐다. 또 가짜 번호판을 달고 차량을 운행한 것 역시 죄가 되지만, 수사반장은 〈Non, je ne regrette rien〉을 듣고 있는 데 신물이 난 나머지, 그녀의 행위는 고의가 아니었다고 생각하기로 했다. 더욱이 이 반장은 노르텔리에 부근에 별장 한 채를 소유하고 있었는데, 지난해 여름에 정원에 걸어 놓았던 해먹을 도난당한 일이 있었다. 따라서 이 고장 젊은 애들의 윤리 의식이 썩어 빠졌다는 백작부인의 주장은 틀린 게 아닐지도 몰랐다.

남은 것은 트럭 짐칸에서 발견된 번들번들 빛나는 볼보 신차의 문제였다. 토르슬란다 공장에 전화해 본 결과, 이 차량은 다름 아닌 중국 국가주석 후진타오의 것이라는 충격적인 사실이 밝혀졌다. 그런데 볼보 경영진이 베이징에 있는 주석의 스태프들에게 문의하자, 주석께서는 문제의 차량을 이름은 밝힐 수 없는 한 여성에게 분명히 증정했다는 답변이 돌아왔다. 이 이상한 사건은 졸지에 외교적인 문제가 되어 버렸고, 수사반장은 이 사건을 더 이상 캐지 않는 게 좋겠다고 판단했다. 담당 검사도 그의 의견에 동의했다. 셀레스티네 헤드룬드는 석방되어 부모와 함께 볼보를 몰고 떠났다.

수사반장은 운전대를 잡은 사람을 가급적 쳐다보지 않으려 애썼다.

제7부

이 잔인한 세상에서 영원한 것은
아무것도 없다.
심지어는 고통마저도.

– 찰리 채플린

24

진정으로 존재하기와
코 비틀기

홀예르 1, 셀레스티네 그리고 만너하임으로 개명하기로 결정한 비르타넨 백작부인은 그랜드호텔 스위트룸에서의 생활에 금방 익숙해졌다. 따라서 이사 갈 성(城)을 급하게 찾을 필요가 없게 되었다.

가장 그들의 마음에 든 것 중 하나는 그 환상적인 〈룸서비스〉였다. 예르트루드는 홀예르 1과 셀레스티네에게도 주문을 해보라고 권유했다. 그리고 며칠 후, 그들 역시 열렬한 애용자가 되었다.

매주 토요일, 백작부인은 군나르와 크리스티나 헤드룬드 부부를 주빈으로 모시고 호텔의 그랜드룸에서 파티를 열었다. 국왕과 왕비도 이따금 얼굴을 비쳤다.

놈베코는 그들이 하고 싶은 대로 하게 놔뒀다. 호텔 청구서에는 어마어마한 금액이 적혀 있었지만, 감자 농장을 판 돈이 아직도 꽤 많이 남아 있었다. 그녀와 그녀의 홀예르는 백작부인과 그녀의 두 광신도로부터 적당히 떨어진 곳에 독립적인 거처를 마련했다. 놈베코는 어느 쓰러져 가는 오두막에서, 홀예르는 바람이 숭숭 들어오는 농가에서 태어나고 자랐다. 또 두 사람은 한 철거예정 건물에서 함께 살았고, 로슬라겐 두메산 골의 한 외딴집의 부엌 뒷방에서 장장 13년을 지냈다.

이런 것들에 비하면 스톡홀름 시 외스테르말름 구역에 있는 그들의 원룸은 나중에 백작부인이 사게 될지 모르는 성(城)도 부럽지 않은 아늑한 보금자리였다.

하지만 만일 아파트를 사고 싶다면, 그들 둘 다 존재하지 않 는다는 문제부터 해결해야 했다.

놈베코의 문제는 어느 오후 나절에 해결되었다. 수상은 이 민 정책을 맡은 장관에게 전화를 했고, 이 장관은 이민국장에 게, 또 이민국장은 가장 믿을 만한 직원에게 전화를 했다. 그러 자 이 믿을 만한 직원은 1987년으로 거슬러 올라가는 놈베코 마예키 관련 기록을 발견하고는, 이 놈베코 양이 이해부터 스 웨덴 땅에 거주해 온 것으로 간주, 즉각 그녀에게 스웨덴 왕국 시민권을 부여했다.

한편, 홀예르 2는 스톡홀름 쇠데르말름에 있는 주민등록센 터를 찾아가서는 자신은 지금 존재하지 못하고 있지만, 존재 하고 싶노라고 말했다. 오랫동안 복도에서 서성거리고, 이 사 무실 저 사무실을 전전하던 그는 마침내 해결하기 힘든 주민 등록 문제 분야의 스웨덴 최고 권위자라는 페르헨리크 페르손 이라는 사람에게 보내어졌다.

페르헨리크 페르손이 행정 관료인 것은 사실이었으나, 그렇 게 고지식하지는 않았다. 홀예르 2가 자신의 사연을 모두 들 려주자, 페르손은 손을 내밀어 홀예르의 팔을 한번 꽉 잡아 보았다. 그러고 나서 선언하기를, 자신은 홀예르 2가 존재한다는 사실에 대해 일말의 의심도 품지 않으며, 그 반대를 주장하는 사람들은 잘못 생각하는 것이라고 했다. 더구나 홀예르가 스웨덴 사람이라는 사실을 증명하는 요소가 적어도 두 가지 있단다. 첫 번째는 그가 방금 들려준 이야기란다. 이 방면에서 오랜 경험을 가진 페르헨리크 페르손이 볼 때, 이런 이야기를 꾸며 낸다는 것은 불가능한 일이란다(홀예르 2가 폭탄에 관련된 부분들은 다 뺐는데도 그랬다).

두 번째 요소는 홀예르가 척 보기에 스웨덴 사람같이 생겼으며, 표준 스웨덴어를 구사한다는 사실이란다. 단 한 가지, 그가 카펫이 깔린 페르헨리크 페르손의 사무실에 들어오기 전에 신발을 벗어야 하느냐고 물은 것은 좀 이상했지만.

그러나 형식적인 절차를 위해서 홀예르 2는 증인 한 명을, 아니 가능하면 두 명 정도 데려오는 게 필요하단다. 그와 그의 인생 스토리를 보증해 줄 수 있는 신뢰할 만한 스웨덴 시민이어야 한단다.

「증인 두 명요? 네, 데려올 수 있을 것 같아요.」 홀예르 2가 대답했다. 「수상님과 국왕님 정도면 될까요?」

페르헨리크 페르손은 둘 중 하나만 데려와도 충분하다고 대답했다.

만녀하임 백작부인과 그녀의 두 보좌관이 고성을 찾아 헤매는 대신에 아예 성 한 채를 짓기로 결정했을 때, 홀예르 2와 놈베코는 열심히 삶을 누리고 있었다. 홀예르 2는 스톡홀름 대학의 베르네르 교수에게 자신의 사연을 들려주어 다시 논문 심사를 받을 기회를 얻음으로써, 새로이 획득한 삶을 자축하였다. 그러고 있는 동안에 놈베코는 소일 삼아 3년 코스의 수학 학위 과정을 단 12주에 마치는 한편, 이따금 수상실에 나가 중국 전문가로 활동하기도 했다.

놈베코 커플은 저녁 시간과 주말에는 강연회, 연극 공연, 오페라, 레스토랑 등을 다니며 새로 사귄 친구들과 시간을 보냈다. 그들은 객관적인 관점에서 볼 때 〈정상적〉으로 여겨질 수 있는 일들만을 했다. 홀예르 2와 놈베코는 우편함에 들어온 공과금 고지서를 발견할 때마다 너무도 행복했다. 왜냐하면 진정으로 존재하는 이들만이 받을 수 있는 것이었기 때문이다.

또 커플의 생활 가운데 하나의 의식(儀式)이 생겨났다. 잠자리에 들기 전, 홀예르 2는 잔 두 개에 포르토를 따랐고, 두 사람은 홀예르 1과 셀레스티네와 폭탄 없이 또 하루를 보낼 수 있었음을 축하하며 와인 잔을 부딪쳤다.

2008년 5월, 방이 열두 칸이나 되는 으리으리한 성관(城館)이 완성되었다. 그 집은 50헥타르의 숲으로 둘러싸여 있었다. 홀예르 1은 백작부인께서 이따금 곤들매기 낚시를 즐기고 싶어 하신다며, 근방의 호수까지 하나 매입하여 놈베코가 고심하여 짠 예산을 박살내 버렸다. 또 현실적인 이유로 헬기 한 대를 갖춘 헬리콥터 이착륙지도 만들었다. 백작부인께서 오찬이나 티타임을 즐기기 위해 왕실 친구들을 방문하길 원하실 때마다 홀예르 1이 헬기를 불법으로 조종하여 드로트닝홀름 성까지 날아가야 했으니까. 홀예르 1과 셀레스티네도 이따금 왕궁에 초대되었는데, 특히 그들이 비영리단체 〈군주제를 보존하자!)를 창설하고 여기에 2백만 크로나를 기부한 이후로 더욱 그러했다.

「뭐야? 군주제를 보존하기 위해 2백만 크로나를 기부했다고?」 새로 지은 집에 꽃다발을 들고 집들이차 찾아온 홀예르 2가 현관 층계를 오르다가 경악하며 물었다.

함께 온 놈베코는 아무런 논평도 없었다.

「넌 내 생각이 바뀌었다고 생각하니?」 홀예르 1이 자기 형제와 그의 여자 친구를 집 안으로 인도하며 물었다.

「그럼 아니란 말이냐?」 홀예르 2는 이렇게 쏘아붙였고, 놈베코는 계속 침묵을 지켰다.

아니, 홀예르 1은 그렇게 생각하지 않는단다. 그들의 선친의 투쟁은 다른 시대의 다른 왕에 대한 것이었단다. 그 후로 사회는 여러모로 변했고, 새로운 시대에는 새로운 해결책이 있어야 하는 게 아니냔다.

홀예르 2는 대답했다. 홀예르 1은 지금 그 어느 때보다도 멍청한 헛소리를 지껄이고 있으며, 자기가 지껄이는 소리가 무슨 뜻인지조차 모르고 있는 것 같다고.

「하지만 계속해 봐. 그 뒤는 도대체 어떤 헛소리일지 무척 궁금하니까.」

에, 그러니까, 2000년대에 접어든 지금, 모든 것은 엄청나게 빠른 속도로 흘러가고 있단다. 자동차, 비행기, 인터넷…… 그야말로 모든 것이! 그래서 사람들은 그들에게 안전감을 줄 수 있는 무언가 안정적이고도 변함없는 것을 필요로 한단다.

「이를테면…… 국왕 같은 것?」 홀예르 2가 말을 끊었다.

그렇단다. 이를테면 국왕 같은 것이란다. 사실 군주제는 천

년의 유구한 전통을 가지고 있는 게 아니냔다. 반면 초고속 인터넷은 역사가 10년이 될락 말락 하고.

「여기서 초고속 인터넷은 대체 무슨 관계가 있는데?」 홀예르 2는 이렇게 물었지만 답변은 얻지 못했다.

어쨌든 홀예르 1이 설명을 계속하기를, 이 세계화의 시대에 각 민족은 저마다의 상징을 중심으로 결집하는 게 현명하다는 거였다. 자기가 느끼기에, 공화주의자들은 도리어 우리의 조국을 팔아넘기고, 우리의 정체성을 유로화와 맞바꾸며, 스웨덴 국기에 침을 뱉으려 하고 있단다.

그가 대략 이 부분까지 떠들어 댔을 때 놈베코는 더 이상 참을 수 없게 되었다. 그녀는 홀예르 1에게 달려들어 엄지와 검지로 그의 코를 잡고는 180도로 돌려 버렸다.

「아야야야야야!」 홀예르 1이 울부짖었다.

「원, 세상에 이렇게 시원할 수가!」 놈베코가 소감을 밝혔다.

이때 80평방미터나 되는 부엌에 있던 셀레스티네는 남친의 비명을 듣고 구조하러 달려왔다.

「우리 자기한테 무슨 짓을 한 거야?」 그녀가 항의했다.

「네 코도 이리 좀 가지고 와봐. 무슨 짓을 했는지 알려 줄 테니까.」 놈베코도 맞받아 소리쳤다.

셀레스티네는 그렇게까지 멍청하지는 않았다. 대신 그녀는 남친이 하던 설명을 마저 끝냈다.

「스웨덴의 전통이 심각하게 위협받고 있어. 우리는 살찐 궁둥이들을 뭉개고 앉아서 이 모든 일들을 쳐다만 보고 있을 수 없단 말이야! 이런 점에서 2백만 크로나는 아무것도 아니야. 지금 얼마나 중요한 게 걸려 있는지 알기나 해?」

놈베코는 동서의 코를 뚫어지게 노려봤다. 홀예르 2가 적시에 끼어들었다. 그는 연인의 팔을 붙잡았고, 초대해 주어 고맙다고 말한 후 얼른 그곳을 떠났다.

전 요원 B는 겟세마네의 한 벤치에 앉아, 성서에도 나오는 이 정원에 올 때마다 얻곤 했던 마음의 평화를 찾고 있었다.

하지만 이번에는 잘되지가 않았다. 요원은 자신이 해야 할 일이 하나 남았음을 깨달았다. 딱 하나였다. 그것만 하고 나면 지난 삶을 훌훌 털어 버릴 수 있으리라.

그는 자기 아파트로 돌아와 컴퓨터 앞에 앉았다. 지브롤터의 한 서버에 접속하여, 암호화되지 않은 익명의 메시지를 이스라엘 수상실로 보냈다.

〈영양 육포에 대해서는 레인펠트 수상에게 문의해 보십시오.〉

이게 다였다.

에후드 올메르트 수상은 메시지를 보낸 장본인이 누구인지 짐작할 수는 있겠지만, 구체적인 추적은 불가능하리라. 또 구태여 알아보려 하지도 않으리라. B 요원은 커리어의 마지막 몇 해 동안 특별히 뛰어난 모습을 보여 주지는 못했다. 반면, 국가에 대한 그의 충성심이 문제가 된 적은 한 번도 없었다.

2008년 5월 29일에 스톡홀름에서 이라크 관련 특별 컨퍼런스가 열렸을 때, 이스라엘 외상 치피 리브니 여사는 할 말이 있다며 스웨덴 수상 레인펠트를 한쪽으로 데려갔다. 그녀는 몇 초 동안 뜸을 들이더니만 이렇게 말했다.

「수상 각하, 우리 같은 직무를 수행할 때 어떤 입장이 되는지

각하께서도 잘 아시리라 생각합니다. 때로는 알아서는 안 될 것을 알고 있는 경우도 있고, 때로는 그 반대의 경우도 있지요.」

수상은 고개를 끄덕였다. 그는 이스라엘 외상이 무슨 말을 하려는 것인지 대충 짐작했다.

「제가 이제 드릴 질문은 각하께 이상하게 느껴질지도 모르겠습니다. 아니, 사실은 이상하게 보일 게 확실하죠. 하지만 올메르트 수상과 저는 충분히 숙고한 끝에 이 질문을 드리기로 결정했습니다.」

「수상께 내가 안부 전한다고 말씀해 주세요. 그리고 어려워 말고 그 질문을 해주세요.」 레인펠트 수상이 대답했다. 「내가 최선을 다해서 답변해 드리리다.」

리브니 외상은 다시 몇 초간 침묵을 지킨 뒤에 입을 열었다.

「혹시 각하께서는 우리 이스라엘이 관심을 가지고 있는 10킬로그램의 영양 육포에 대해서 알고 계신지요? 이 질문이 좀 괴상하게 느껴지셨다면 다시 한 번 사과를 드립니다.」

레인펠트 수상은 외상에게 억지 미소를 지어 보였다. 그러고는 대답하기를, 자신은 그 육포에 대해 아주 잘 알고 있고, 그것은 아주 맛이 없었으며(수상은 영양 고기를 별로 좋아하지 않는단다), 앞으로 아무도 그것을 맛볼 수 없게끔 처리해 버렸단다.

「만일 외상께서 이 문제와 관련하여 다른 질문이 있으시다면, 유감스럽게도 난 답변을 못 해드릴 것 같군요.」 그는 이렇게 결론을 내렸다.

아니, 리브니 외상은 더 이상의 질문은 없단다. 그녀는 레인펠트 수상처럼 영양 고기를 혐오하는 것은 아니나(비록 채식

주의자이긴 하지만), 이스라엘에게 중요한 것은 문제의 고기가 육제품(肉製品)의 수출입에 관한 국제적 규칙들을 조금도 존중하지 않는 자들의 손에 들어가지 않은 점이란다.

「양국 간의 우호 관계가 타격을 입지 않았다는 말을 들으니 참으로 기쁩니다.」레인펠트 수상이 대답했다.

「네, 양국 관계에는 조금도 문제가 없습니다.」

만일 신이 존재한다면, 분명 뛰어난 유머 감각의 소유자이리라.

놈베코와 홀예르 2는 20년 동안 아이를 가지려고 애써 오다가, 결국 5년 전에 희망을 버렸었다. 그런데 그녀의 47회 생일날, 그러니까 2008년 7월의 어느 날(워싱턴의 조지 W. 부시가 노벨 평화상 수상자이며 전 대통령인 넬슨 만델라가 미국 테러리스트 명단에서 삭제될 수도 있다고 발표한 바로 그날)에 놈베코는 자신이 임신한 사실을 발견한 것이다.

코믹한 상황은 이것만이 아니었다. 왜냐하면 얼마 후에는 조금 더 젊은 셀레스티네도 같은 상태인 것이 밝혀졌기 때문이다.

홀예르 2가 놈베코에게 말했다. 사람들이 이 세상에 대해 어떻게 생각할지 모르겠지만, 이 세상이 셀레스티네와 홀예르 1의 자식을 받아들여야 한다는 것은 너무도 부당한 일이라고. 놈베코는 그의 의견에 전적으로 동의했다. 하지만 우리는 우리 자신과 우리의 행복에만 집중하고, 바보들과 바보들의 할머니는 그들의 행복을 추구하게 놔두자고 말했다.

그리고 그들은 그렇게 했다.

2009년 4월, 홀예르 2와 놈베코는 여자아이를 낳았다. 아기는 체중이 2킬로 860그램이었고, 샛별처럼 어여뻤다. 놈베코는 친할머니의 이름을 따서 아이를 헨리에타라고 부르자고 주장했다. 이틀 후, 이번에는 셀레스티네가 스위스 로잔의 한 사립 병원에서 예약 제왕절개 수술로 쌍둥이 형제를 분만했다.

두 아기는 모습이 거의 똑같았다.

둘 다 고추로, 이름은 칼과 구스타브였다.

헨리에타가 태어나자, 놈베코는 중국 관계 전문가 일을 그만두었다. 그녀는 자신의 일을 좋아했지만, 이 분야에서는 더 이상 할 일이 없다는 느낌이 들었던 것이다. 예를 들어, 스웨덴 왕국이 중화인민공화국 국가주석을 흡족하게 해줄 일은 갈수록 줄어들 터였다. 그는 자신의 멋진 볼보 차를 놈베코에 준 것에 대해 한 번도 후회해 본 적이 없었다. 하지만 그 차가 무척이나 마음에 들었던 것도 사실이었으므로, 그의 친한 친구이며 저지앙지리홀딩스 회장인 리슈푸(李書福)에게 전화를 걸어 이 스웨덴 자동차 회사를 인수해 버리면 어떻겠느냐고 제안했다. 원래는 놈베코 양에게서 나온 아이디어였으나, 다시 한 번 생각해 보니 괜찮은 방안으로 느껴졌던 것이다. 「한번 검토해 보도록 하겠습니다, 주석님.」 리슈푸가 대답했다.

「그리고 중국 주석이 사용할 방탄차를 괜찮은 가격으로 한 대 얻을 수 있다면, 아주 고맙겠소만.」 후진타오가 덧붙였다.

「한번 검토해 보도록 하겠습니다, 주석님.」

수상은 행복한 부부를 축하해 주기 위해, 그리고 중국 전문가로서 눈부시게 기여해 준 것에 대해 감사의 뜻을 표하기 위해 꽃다발을 들고서 산과 병동을 찾아왔다. 그녀가 이룬 업적 중 하나를 들자면, 그녀는 후 주석으로 하여금 베이징 대학에 스웨덴이 재원을 대는 인권 분야 교수직을 하나 신설하도록 한 것이다. 그녀가 무슨 요술을 부렸는지는 수상으로서는 죽었다 깨어나도 이해할 수 없는 일이었다. 그건 유럽연합 집행 위원회 위원장 호세 마누엘 바로소도 마찬가지여서, 그는 레인펠트에게 전화를 걸어와 이렇게 물었다. 〈아니 도대체 어떻게 한 거요?*How the hell did you do that?*〉

「우리 헨리에타가 건강하고 행복하게 자라기를 빌겠습니다.」 수상이 덕담을 했다. 「그리고 다시 봉사를 하고 싶으시다면 내게 전화를 주세요. 내가 적당한 자리를 하나 마련해 드릴 수 있을 겁니다. 그건 확실해요.」

「약속드릴게요.」 놈베코가 대답했다. 「아마 곧 연락드리게 될 거예요. 왜냐하면 제겐 최고의 경제학자이자 정치학자이자 풀타임 가사 도우미인 사람이 있거든요. 자, 죄송하지만, 이제 헨리에타에게 젖을 먹일 시간이에요.」

2010년 2월 6일, 중화인민공화국 국가주석 후진타오는 이틀간의 공식방문을 위해 요하네스버그 근처의 올리버 탐보 국제공항에 착륙했다.

그는 외무부 장관인 은코아나마샤바네를 비롯한 이 나라의 수많은 실력자들로부터 환영을 받았다. 후 주석은 공항에서 공식 연설을 행하기로 결정했다. 그는 중국과 남아프리카공화국의 공동의 미래에 대해, 갈수록 견고해질 양국 간의 긴밀한 유대 관계에 대해, 세계의 평화와 발전에 대해, 그리고 원하는 이들은 믿을 수 있는 다른 몇 가지의 아름다운 원칙들에 대해 얘기했다.

그의 남아프리카공화국 방문이 지난 수일간 행해진 카메룬, 라이베리아, 수단, 잠비아, 나미비아(그리고 다음 방문국인 모잠비크)의 그것들과 다른 점은 주석이 프리토리아에서 사적인 저녁 시간을 갖기를 강력히 원했다는 점이었다.

물론 영접국은 거절할 수가 없었다. 하여 중국 주석의 공식 방문 일정은 이날 저녁 7시에 중단했다가 다음 날 아침 조찬 시에 재개하기로 되어 있었다.

정확히 저녁 7시가 되자 검정색 리무진 한 대가 호텔로 찾아와 주석을 태우고는 스웨덴 대사관이 있는 하트필드로 갔다.

스웨덴 대사 자신이 그녀의 남편과 아기와 함께 주석을 맞이했다.

「어서 오세요, 주석님!」 놈베코가 인사를 했다.

「고맙습니다, 대사님!」 후 주석이 답례를 했다. 「자, 이번만큼은 옛날 우리가 함께 갔던 사파리에 대해 이야기를 나눠 볼 수 있겠군요.」

「그리고 인권에 대해서도 조금 얘기해 봐야겠죠.」

「어이쿠!」 후 주석은 미소를 지으며 대사의 손에 입을 맞췄다.

에필로그

요하네스버그 시 위생국은 분위기가 예전만큼 재미있지 않았다. 벌써 오래전부터 이 부서에도 깜둥이들이 쿼터제로 들어와 있었고, 이러한 변화가 그들이 사용하는 어휘에 어떤 결과를 가져왔는지는 모두가 이해하고 있는 바였다. 예를 들어, 그들은 소웨토의 까막눈이들을 더 이상 까막눈이라고 부를 수 없게 되었다. 그들이 실제로 까막눈이든 아니든 상관없이 말이다!

테러리스트 만델라는 결국 석방되었다. 이것만 해도 너무도 고약한 일이었는데, 설상가상으로 이번에는 깜둥이들이 그를 대통령으로 선출했다. 그리고 이제 만델라는 그 빌어먹을 만인 평등 정책으로 이 나라를 작살내려 하고 있었다.

지난 30년 동안, 피트 뒤토잇은 위생국의 직급 계단을 한 칸 한 칸 기어올라 간신히 부국장 자리에 앉을 수 있었다.

하지만 이제 새로운 삶이 기다리고 있었다. 폭군 같은 그의 부친이 사망하여(모친은 벌써 오래전에 작고했다), 평생 모은 재산을 아들에게 물려준 것이다. 그의 부친은 미술품 수집가였는데, 만일 그가 작품을 고르는 데 있어 그렇게 보수적으로 굴지만 않았더라면 아무런 문제도 없었을 것이다. 또 아들이 하는 말에 귀를 기울이기만 했어도! 그의 컬렉션에는 르누아르와 렘브란트 몇 점, 피카소 두어 점 그리고 모네, 마네, 달리, 레오나르도 다빈치 등이 포함되어 있었다.

이밖에 다른 작품들도 상당수 있었으나, 대부분 그 가치가 눈곱만큼밖에 높아지지 않았다. 그의 부친이 그렇게 고집불통으로 굴지만 않았어도 사정은 달라졌을 텐데 말이다. 게다가 노인네는 완전히 아마추어처럼 그 허섭스레기 같은 것들을 온도와 습도가 맞추어진 지하 창고에 보관하지 않고 죄다 집 안 벽에다 걸어 놓았다.

피트 뒤토잇이 이 모든 것을 바로잡기 위해서는 그야말로 궁둥이에 곰팡이가 피도록 기다려야 했다. 왜냐하면 그의 부친은 남의 말을 듣는 것뿐 아니라, 죽는 것도 거부했기 때문이었다. 부친의 92회 생일날에 사과 한 조각이 그의 목구멍에 걸리고 나서야 아들은 비로소 유산을 손에 넣을 수 있었다.

상속인은 장례식이 끝나기가 무섭게 고인이 수집한 그림들을 팔아 치웠다. 그리고 이렇게 생겨난 자본은 몇 분 전에 재투자되었는데, 그의 부친이 조금이라도 센스가 있는 사람이었다면 아들의 투자 방식을 매우 자랑스럽게 생각했을 것이다. 지금 아들은 취리히 반호프슈트라쎄 가에 위치한 율리우스베어 은행에 있었고, 집안의 재산 전체에 해당하는 825만 6천 스위스프랑이 상하이의 미스터 쳉이라는 사람의 개인 계좌에 분명히 이체된 것을 확인했다.

아들은 미래에 투자를 했던 것이다. 비약적인 경제 발전에 힘입어 중국의 중산층과 상류층이 급속도로 확대되고 있기 때문에, 중국 전통 예술품의 가치는 몇 년만 있으면 지금의 몇 배로 뛰어오르지 않겠는가?

피트 뒤토잇은 인터넷이라는 환상적인 도구를 이용하여 그가 원하는 것을 찾아냈다. 그는 당장에 스위스의 바젤로 날아가 미스터 쳉타오와 그의 세 질녀를 만났고, 그들이 보유한 기가 막힌 한대 도기 공예품 전체를 구입하기로 합의를 보았다. 작품마다 진품 인증서가 딸려 있어 피트 뒤토잇은 돋보기까지 들고서 하나하나 면밀히 검토했다. 모두 아무 이상이 없었다. 저 멍청한 중국인들은 자신들이 어떤 금광 위에 앉아 있는지 모르고 있었다. 그들은 질녀들의 어머니와 함께 중국으로 돌아간다고 했다. 중국으로 돌아간다고? 스위스에서의 삶을 누리지 않고? 피트 뒤토잇으로서는 자기 집처럼 느껴지는 이 나라를 떠나겠다고? 하루 종일 무식한 원주민들을 상대할 필요도 없고, 그와 의견이 같으며 교양과 품위를 겸비한 우수한 인종의 사람들에 둘러싸여 지낼 수 있는 이 나라를? 저 꾸부정한 황인종 쳉과 그의 패거리들과는 질적으로 다른 사람들이 사는 이곳을? 하기야, 하느님께서 저버린 지구의 그 부분으로 돌아가는 것도 틀린 일은 아니리라. 왜냐하면 그들이 있어야 할 곳은 바로 그곳이므로. 아마 그들은 벌써 떠났을 거고, 그들을 위해서는 잘된 일이었다. 적어도 자신들이 얼마나 멍청하게 속아 넘어갔는지 모르고 지낼 수 있을 테니까.

피트 뒤토잇은 백여 점의 공예품 중 하나를 런던의 소더비 경매사에 보내어 감정을 의뢰했다. 스위스의 보험회사가 진품 인증서 하나로는 만족하지 못하겠다며 그걸 요구했기 때문이다. 스위스인들은 가끔 지나치게 관료주의적으로 느껴지는 게 사실이었으나, 로마에 가면 로마법에 따르라고 하지 않았던가. 피트 뒤토잇은 느긋했다. 그는 오랫동안 쌓아 온 풍부한 경험을 바탕으로 모두가 진품임을 확인했다. 그러고 나서는 값을 올릴 수 있는 다른 경쟁자들이 끼어들지 못하게끔 곧바로 행동에 들어갔다.

모름지기 비즈니스란 요렇게 해야 하는 법!

전화벨이 울렸다. 소더비의 감정사로부터 온 거였다. 그가 예상한 시간에서 단 일 초도 어긋나지 않았다. 역시 클래스가 있는 사람은 다르다.

「네, 피트 뒤토잇이올시다. 사실은 화상(畵商) 뒤토잇이라고 불러 주시면 고맙겠소만……. 뭐라고요? 내가 지금 의자에 앉아 있느냐고요……? 아니, 그건 왜 묻죠?」

감사의 말

이 책을 위해 애써 준 나의 에이전트 카리나, 편집장 소피아와 편집자 안나에게 무한한 감사를 보낸다.

나의 훌륭한 독자인 마리아, 마우드 그리고 한스 삼촌, 릭손에게도, 또한 린크비스트 교수와 칼손 교수, 내가 잘못 알고 있던 사실을 바로잡아 준 벡셰 시의 경찰관 뢰펠에게, 또 충분히 감사받을 자격이 있는 취리히 시의 훌트만, 그리고 여러 조언을 해준 동물 사육사 브리스만에게도 감사를 전한다.

마지막으로, 어머니와 아버지, 외스터 섬과 고틀랜드 섬에게, 그 자리에 있어 주어서 감사하다고 전하고 싶다.

요나스 요나손